DITES À VOTRE MÉDECIN QUE LE CHOLESTÉROL EST INNOCENT IL VOUS SOIGNERA SANS MÉDICAMENT

Dr Michel de LORGERIL

Du même auteur

Le pouvoir des oméga-3
(avec Patricia Salen),
Alpen Editions, 2004

Le régime oméga-3
(avec Dr Artémis Simopoulos, Jo Robinson et Patricia Salen),
EDP Sciences, 2004

Conception graphique et réalisation : Sophie Peyrucq (Biarritz)
Imprimé sur les presses de Beta à Barcelone (Espagne)
Dépôt légal : 2ème trimestre 2007

ISBN 978-2-516878-05-8

SOMMAIRE

AVANT-PROPOS

EN PUBLIANT CE LIVRE SUR LE CHOLESTÉROL JE N'AI PAS L'ESPOIR d'arrêter et encore moins d'inverser la course folle dans laquelle s'est engagée notre société concernant la prévention des maladies chroniques dégénératives, en particulier les maladies cardiovasculaires, un des réels fléaux du siècle passé et de celui à venir.

Est-ce que j'exagère en parlant de course folle quand plus de 6 millions de Français adultes consomment des médicaments anticholestérol et qu'un nombre encore plus important surveille obsessionnellement son cholestérol, fait des régimes inconfortables ou consomme des aliments ou des alicaments anticholestérol dispendieux et inutiles ?

Une voix isolée ne peut pas grand-chose contre l'armada médiatique, généraliste et spécialisée qui, jour après jour, conditionne les esprits, formate les cerveaux et assoupit les critiques pour rendre acceptables des idées, concepts et théories qu'un examen attentif devrait conduire à rejeter immédiatement et sans concession.

Ce que j'espère toutefois ce n'est pas seulement réveiller quelques esprits critiques de leur sommeil dogmatique, ce n'est pas seulement apporter une information désintéressée à un public rongé d'une anxiété infondée à propos du cholestérol ou faire savoir à de nombreux professionnels qu'ils ne sont pas seuls à penser comme ils le font, car je sais que mes idées et analyses sont déjà dans beaucoup de têtes. Ce que je veux faire, c'est montrer qu'en faisant la guerre au cholestérol, on se trompe de combat, on se fait la guerre à soi-même et surtout on se détourne des vrais problèmes que nous devons affronter pour vraiment nous protéger des maladies cardiovasculaires.

Ce sur quoi je veux insister c'est que les maladies cardiovasculaires sont avant tout et dans leur grande généralité des maladies du mode de vie et que nos modes de vie sont dictés par nos conditions d'existence.

La problématique du cholestérol est en fait emblématique des dérives de nos sociétés. Je ne parle pas spécialement de l'angoisse totalement irrationnelle suscitée par cette question, ni des pseudo-théories médicales et scientifiques qui l'alimentent, ni même des chiffres d'affaire astrono-miques des industriels de la pharmacie ou de l'agroalimentaire qui surfent sur ces angoisses et idées fausses. Je veux parler de cet espèce de renonce-ment des individus, même les plus instruits, y compris dans les milieux professionnels de la santé, à regarder les choses en face ; je veux parler de cette façon de s'abandonner à des pratiques et comportements irrationnels par facilité, par lâcheté ou parfois par simple vénalité.

Je ne parle pas des médecins (ou des professionnels de santé) particu-lièrement ou seulement, mais de chacun d'entre nous : les uns préfèrent prescrire, les autres préfèrent le comprimé plutôt qu'une remise en ques-tion de leur mode de vie, les uns et les autres s'arrangent outrageusement de ces illusions et de cette déraison.

Ce livre est fondé sur mon expérience de médecin et de chercheur. Il n'est évidemment pas aussi riche en notes et citations que le serait un tra-vail de recherche académique. J'ai voulu décrire, mais pas forcément de façon chronologique, ma lente démarche vers la prise de conscience que nous faisons collectivement fausse route. Et je le fais en sachant que je vais à rebours de plus de 50 ans de programme de prévention contre les mala-dies cardiovasculaires centrés aux États-Unis sur *la guerre contre le cholesté-rol* avec les fameux CEP (*Cholesterol Education Program*) et que nous, en France (et en Europe en général), par un mimétisme coupable, nous avons finalement adopté.

Cet ouvrage ne contient pas de révélations explosives, on n'y trouve-ra pas les preuves formelles d'une odieuse conspiration des industriels du médicament ou de l'agroalimentaire ou d'un gouvernement particulier pour faire main basse sur la santé des populations ou plus exactement sur le marché de la santé. Je ne crois évidemment pas à l'existence d'un tel complot. La vérité est plus subtile et beaucoup de ceux qui se croiront (ou qui seront effectivement) critiqués vont dire que je me trompe. Sans doute certains utiliseront les mêmes documents que moi pour contredire ma ver-sion des faits. Mais toutes les histoires humaines sont à multiples faces et je ne peux offrir ici que l'interprétation que je fais personnellement de cet ensemble de faits.

Mon travail de recherche depuis plus de 30 ans est centré sur la pré-vention des maladies cardiovasculaires, en particulier par une approche des lipides de l'alimentation. Mais sans cesse mon attention a été attirée et retenue par la problématique du cholestérol que j'ai vue, au cours de ces années, évoluer, se modifier et essayer de se sauver. J'ai publié des centaines d'articles dans les domaines très différents de la cardiologie clinique et expérimentale, de la biologie des acides gras, de l'alcool et du cholestérol et de l'épidémiologie clinique. J'ai participé à l'élaboration de livres de référence pour la pratique clinique en Amérique et en Europe. J'ai réellement vu l'histoire de la médecine et de la science des trente dernières années en train de se faire et avant toute chose, je le reconnais humblement, j'ai beaucoup appris. J'ai essayé dans cet ouvrage de distiller un peu de ce que j'ai compris.

J'espère surtout que ce livre ouvrira le débat, et pas seulement entre spécialistes, experts et professionnels. Tout individu qui se préoccupe de son état de santé et de celui de ses proches est concerné et nous avons tous le droit de savoir comment se construisent les sciences et les connaissances médicales. Cet ouvrage, à tout le moins, apportera davantage d'informations sur l'évolution d'une partie de la médecine au cours des dernières décennies. Une information plus ouverte et plus objective, moins marquée par le marketing des industriels (chaque chose à sa place), devrait conduire à des prises de conscience individuelles et collectives et donc à des conduites et stratégies plus efficaces et moins dispendieuses pour la prévention des maladies cardiovasculaires. S'il en va ainsi, j'aurai le sentiment d'avoir fait œuvre utile.

Avant de passer au *plat de résistance*, je m'en voudrais de ne pas adresser quelques remerciements. En tout premier lieu à Patricia sans laquelle aucune de ces lignes n'aurait été écrite, qui a tout relu et tout revu et qui m'a aidé tantôt à diluer ou à atténuer mon propos, tantôt à l'acérer ou à l'accentuer. C'est aussi son ouvrage !

Merci aussi à mes relectrices de Thierry Souccar Éditions qui, avec tact et intelligence, parfois avec autorité, m'ont aidé à améliorer ce texte et à le recentrer vers le lectorat auquel il était initialement destiné alors que je me perdais dans les méandres et tourbillons du débat spécialisé.

Je dois remercier tous mes collègues médecins et chercheurs, les complices d'ici et d'ailleurs comme les hostiles de maintenant et d'autrefois, mais tous collectivement, car, en m'encourageant ou en s'opposant, ils m'ont aidé à progresser et m'ont forcé, si je puis dire, à aller au bout de mes réflexions et argumentaires.

Enfin, je veux remercier tous les patients et leurs familles que j'ai dû traiter dans le cadre de mes obligations de professionnel de la médecine (des deux côtés de l'Atlantique et de part et d'autre du Jura) ou qui ont accepté, malgré leur souffrance et leur détresse, de participer à mes programmes de recherche. Sans eux tous, bien peu de ces pages auraient vu le jour.

INTRODUCTION

E N 2003, LA CAISSE NATIONALE D'ASSURANCE-MALADIE dénonçait, à propos des médicaments anticholestérol, une « *énorme dérive par rapport aux recommandations* » parce que plus de 5 millions de Français utilisaient ces médicaments, « *le plus souvent à mauvais escient* » selon la Caisse. Lesdites recommandations avaient été émises par les agences sanitaires nationales afin d'encadrer la prise en charge des anomalies des lipides.

En 2007, donc en seulement quatre ans, le paysage médical et scientifique a considérablement changé à la suite de la publication de nombreux rapports et articles concernant l'importance supposée du cholestérol dans la survenue de l'infarctus du myocarde et celle des traitements anticholestérol pour la prévention des maladies cardiovasculaires. De ce fait, les alarmes de la Caisse d'assurance-maladie sont restées lettre morte et aujourd'hui ça n'est pas 5 mais plus de 6 millions d'adultes français qui consomment des médicaments anticholestérol. La tendance est identique dans tous les pays comparables à la France, avec une augmentation annuelle d'environ 30 à 40 % suivant les pays, d'après une étude publiée le 14 février 2004 dans le *British Medical Journal* (pages 385 et suivantes).

Pourtant, de nombreux experts, notamment en France, considèrent que ces médicaments sont encore trop souvent sous-utilisés, c'est-à-dire que selon eux davantage de personnes devraient les consommer et à des doses plus élevées. On a même pu lire, sous la plume de gens très diplômés, que tous les adultes de plus de 50 ans devraient être traités systématiquement avec des médicaments anticholestérol de la classe des statines !

En décembre 2006, un sondage révélait que près de 35 % des Français se disaient beaucoup ou énormément préoccupés par leur cholestérol et près de 70 % s'estimaient bien informés concernant le risque cardiovasculaire lié au cholestérol.

Résultat : aujourd'hui plus personne ne semble étonné que plus d'un Français sur 10 (tous âges confondus) consomme un médicament anticholestérol. Ce qui donne, en théorie et si on ne considère que les adultes de plus de 17 ans et de moins de 77 ans (les plus jeunes et les très vieux n'ayant en principe pas de raison de les consommer, toujours selon les recommandations officielles), des chiffres de consommation dans la population adulte absolument extravagants. Et ceci est comptabilisé sans tenir compte de toutes les personnes (ou les familles) qui font des régimes anticholestérol ou consomment des aliments, des extraits de plantes ou des nutriments censés diminuer leur cholestérol.

Sans outrance aucune, je pense que l'on peut parler d'une sorte de délire sociétal à propos du cholestérol ! Le premier titre de ce livre était d'ailleurs *Cholestérol Delirium*, mais on m'a dit que ce n'était pas assez parlant pour le grand public !

En effet, le but principal de ce livre est d'expliquer au grand public pourquoi c'est un délire et comment cet amalgame invraisemblable d'illusions et de déraison a pu se créer. Je vais expliquer un peu plus loin quelques-unes des astuces que j'ai utilisées pour arriver à mes fins.

Le deuxième objectif prioritaire de ce livre est de montrer que pour empêcher les décès d'origine cardiaque, il y a bien d'autres choses à faire que la guerre au cholestérol. Je dirais même que la guerre contre cet ennemi qui n'existe pas nous détourne de ce qu'il serait important de faire pour vraiment nous protéger !

TOUT LE MONDE Y TROUVE SON COMPTE

Je pense qu'une des raisons principales du « cholestérol delirium » et de son apparente acceptation par le public et les professionnels vient de ce que cela arrange finalement tout le monde. Je m'explique.

Les marchands de médicaments et d'aliments anticholestérol, les producteurs et les distributeurs sont évidemment très intéressés par le marché du cholestérol ; les laboratoires de biologie qui mesurent le cholestérol aussi, les marchands de kits et d'appareils de mesure du cholestérol pas moins. Et finalement les médecins eux aussi trouvent certains avantages à cette médecine expéditive et économe de leur temps : consultation et prescription d'un dosage, consultation pour vérification du taux de cholestérol et rédaction d'une ordonnance puis consultations et contrôles réguliers. Voilà une médecine efficace, rémunératrice (en fonction du temps passé) et apparemment moderne techniquement, donc satisfaisante pour le patient. Car ce dernier peut aussi trouver son compte dans ces comportements stéréotypés : non seulement on lui promet des miracles en terme de prévention mais, encore mieux, cela pourrait être obtenu au prix du moindre effort et sans remise en cause du mode de vie et des conditions d'existence de chacun d'entre nous. Obtenir quelque chose d'efficace et sans effort, voilà bien ce à quoi nous rêvons tous, et pas seulement dans le domaine de la santé. Hélas, trois fois hélas, les miracles n'existent que dans les contes de fée ! Continuer à fumer, manger n'importe quoi et s'abstenir de toute activité physique conduit presque inéluctablement à des problèmes de santé, avec ou sans médicaments anticholestérol !

LA BONNE QUESTION

Pour des lecteurs non professionnels, et sans tomber dans une simplification abusive et infantile, on peut dire que les obligations de la pratique médicale répondent à la **règle des trois « ic »**, c'est-à-dire le diagnos**tic**, le pronos**tic** et la thérapeu**tique**. Qu'est-ce que le concept de « cholestérol facteur de risque » peut apporter à nos trois « ic » concernant spécifiquement les maladies cardiovasculaires ?

1) Est-ce que la mesure du cholestérol peut aider à poser le **diagnostic** de maladie du cœur ou de maladies vasculaires ?

2) Est-ce que la mesure du cholestérol peut aider à établir un **pronostic** chez un patient porteur ou non d'une maladie cardiovasculaire ?

3) Est-ce que les traitements anticholestérol doivent faire obligatoirement partie des **thérapeutiques** (curatives ou préventives) des maladies cardiovasculaires ?

La très grande majorité du public et aussi des experts du cholestérol que je connais répondraient oui à ces trois questions sans aucune hésitation.

De mon côté, j'aurais tendance, de façon très générale, à répondre par la négative, à quelques rares exceptions près. Et avec ce livre, les lecteurs vont comprendre pourquoi je réponds négativement.

ON SE TROMPE DE COUPABLE

Lundi 12 février 2007. Je fais un petit tour sur Internet à l'heure du déjeuner, histoire de voir les dernières nouvelles du jour. Site Yahoo! France Actualités, après une rapide lecture des titres de la rubrique internationale puis celle concernant la France, je file à la rubrique santé. Je tombe sur un article dont le titre est « *Moins, c'est mieux* » et dont l'auteur est *Destination Santé*. Je cite *in extenso* :

« *Voilà 60 ans que c'est devenu une évidence : l'excès de cholestérol bouche nos artères et fait le lit des maladies cardiovasculaires. Et de nombreuses études ont établi qu'en faisant baisser le cholestérol dans le sang on réduit ce risque.*

Aujourd'hui, les médecins s'intéressent surtout au LDL-cholestérol, le mauvais cholestérol, celui qui se dépose sur la paroi des artères aussi sûrement que le calcaire se dépose dans la tuyauterie de votre salle de bains. »

Le reste de l'article énumère quelques banalités notamment à propos des moyens disponibles pour diminuer le cholestérol, en insistant vraiment lourdement sur des traitements qui diminuent l'absorption digestive du cholestérol. Mais j'arrête là ma citation pour faire le commentaire suivant : **tout ce qu'a écrit ce rédacteur dans ces 6 lignes est faux** !

Je n'en veux pas du tout à ce rédacteur, probablement un ou une jeune journaliste, car il fait très bien son travail de vulgarisation et, en seulement 6 lignes, il a produit une sorte de condensé des croyances et méprises actuelles à propos du cholestérol.

Je lui en veux d'autant moins que si je me transporte sur un autre site, par exemple Doctissimo.fr, je trouve les mêmes informations à quelques nuances près, révélant les mêmes croyances ou le même type de délire.

Si maintenant j'utilise un vocabulaire un tout petit peu plus scientifique et si je reprends les idées formulées dans ces 6 lignes, la problématique du cholestérol vue par ce rédacteur pourrait être formulée en 3 brèves questions que je fais suivre de mes propres réponses.

1) Est-ce que le cholestérol bouche nos artères ?

La réponse est non.

2) Est-ce que le risque de mourir d'un infarctus est proportionnel au niveau de cholestérol mesuré dans le sang ?

La réponse est non.

3) Est-ce que la diminution du cholestérol par un aliment, un régime ou un médicament entraîne une réduction du risque de mourir d'un infarctus ?

La réponse est non.

Désolé Messieurs et Mesdames les rédacteurs (et bien d'autres avec vous), vous avez tout faux !

Je dois dire immédiatement que je ne suis pas très à l'aise avec mes réponses car, conformément au *principe d'incertitude* que tout bon scientifique se doit de respecter, j'aurais préféré répondre par un non mais (alternativement un oui mais, ce qui revient au même), en tous cas donner une réponse plus relativiste. Et puis, je n'aurais pas posé les questions de cette façon. Les lecteurs auront compris que je me suis aligné en la circonstance sur le mode de pensée et d'expression du journaliste qui, par obligation professionnelle, verse automatiquement dans la caricature. Il doit faire vite et court pour capter des lecteurs volages et éphémères.

Je n'ai pas les mêmes contraintes et j'ai choisi, pour répondre à ces questions, de rédiger 27 chapitres. Les lecteurs verront que les choses sont évidemment beaucoup plus compliquées que la façon dont elles sont exprimées dans les 6 lignes de *Destination Santé* ou dans les 3 questions que j'ai posées ci-dessus.

POURQUOI UNE TELLE ERREUR DE JUGEMENT ?

Si les réponses à ces 3 questions sont négatives, pourquoi faire tant d'histoire à propos du cholestérol ? Pourquoi raconter, écrire, et publier autant de niaiseries à propos du cholestérol ? Et finalement, pourquoi à ces trois premières questions la très grande majorité des lecteurs, beaucoup de médecins et bien d'autres acteurs du système de santé en France et ailleurs auraient répondu oui sans hésitation ?

C'est à cela que je vais essayer de répondre tout au long de ce livre. Mais dès maintenant, une première précision s'impose : il n'y a pas de raison médicale ou scientifique de faire du cholestérol une sorte d'ennemi public numéro un dans nos sociétés. Deuxièmement, s'il n'y a pas de raison médicale ou scientifique, cela signifie que nous avons quitté un certain champ de rationalité, au moins en apparence, ou que cette rationalité est à chercher ailleurs que dans les champs de la médecine et de la science. Si tel est le cas, nous voici dans un cas de figure très inquiétant où des comportements et des règles médicales seraient inspirés par des motivations sortant du cadre de la médecine. Hippocrate, et ton serment d'honneur, où avez-vous disparu ?

Suis-je en train de porter des accusations infondées voire de proférer des outrances qui, par définition, sont négligeables ? Ou vivons-nous une époque particulière qui requiert une analyse vraiment nouvelle des faits ?

Dans son livre *Le Pendule de Foucault*, Umberto Eco cite la phrase de GK Chesterton : *Quand les hommes ne croient plus en Dieu, ce n'est pas qu'ils ne croient plus en rien, c'est qu'ils croient en tout.*

Sommes-nous enclins aujourd'hui à croire en tout, donc à n'importe quoi ? J'y reviendrai dans différents chapitres de ce livre, mais je note qu'ici

Eco fait référence à une propension très contemporaine à s'abandonner à diverses formes de croyances ésotériques. Y a-t-il quelque chose d'un peu ésotérique aussi dans notre actuel « cholestérol delirium » ?

Peut-être, mais à propos du cholestérol il est peut-être temps d'ouvrir les yeux et de voir qu'il y a autre chose dans la marmite, une autre chose que nous laisse deviner le rédacteur de *Destination Santé* !

Quelle est cette autre chose ?

J'ai bien peur que cette autre chose soit en rapport avec le processus de marchandisation du savoir médical et de la santé dans nos sociétés. Ce processus peut prendre des aspects très variés suivant les contextes, et je vais citer de nombreux exemples dans cet ouvrage, mais avec l'article de *Destination Santé*, on suppose que l'on voulait très ponctuellement nous dire du bien de médicaments qui interfèrent avec l'absorption digestive du cholestérol. Mais cela ne concerne pas seulement les médias généralistes sur Internet, sur les ondes ou sur papier qui s'adressent aux simples citoyens et se contentent en général (mais n'est-ce pas leur rôle ?) de répéter ce qui se dit et s'écrit dans les médias spécialisés, médicaux et scientifiques. Je ne veux d'ailleurs faire de procès à personne et ce qu'a écrit le rédacteur de *Destination Santé* aurait pu être écrit, grosso modo, par des médecins spécialistes et nombre d'experts du cholestérol. Mais, avant de préciser mon point de vue, continuons un instant notre petit tour d'horizon.

LA DÉSINFORMATION À L'OEUVRE

Mercredi 22 novembre 2006. Internet à nouveau, même site que précédemment et probablement le même rédacteur. Le titre de l'article : « Prévenir c'est guérir… et aussi économiser ». Je cite : « *Directs et indirects, les coûts liés aux maladies cardiovasculaires dans l'Union européenne s'élèvent chaque année à 169 milliards d'euros ! Elles coûtent mais elles tuent surtout ! Car elles sont responsables de près de deux millions de morts par an. Et n'oublions pas… que les accidents vasculaires cérébraux sont la première cause de handicap chez les adultes en France. D'où l'impérieuse nécessité de prévenir. Faire baisser le taux de mauvais cholestérol… entraîne une baisse du risque… une baisse considérable même puisque une baisse de 0,4 g/l du taux de cholestérol réduit en moyenne de 25 % à 5 ans le risque d'infarctus ou d'accident vasculaire cérébral. C'est pourquoi les experts recommandent de réduire le LDL-cholestérol en dessous de 1g/l…*

Sus donc à l'excès de cholestérol ! D'autant que les médecins ont aujourd'hui plusieurs cordes à leur arc… ». Suit à nouveau un petit message concernant un médicament qui empêche l'absorption intestinale du cholestérol. On pouvait s'y attendre.

Tout n'est pas faux dans ce texte, sauf la petite antienne concernant la relation entre la réduction du cholestérol et la diminution du risque qui n'est en fait que la répétition du marketing d'un industriel commercialisant un médicament contre le cholestérol. Ce texte est révélateur d'une façon de désinformer le public qui ressemble un peu aux techniques des camelots sur les boulevards. Dans un premier temps, on rappelle l'ampleur économique et médicale du problème (qui est incontestable), puis on diffuse des informations (fortement inspirées du marketing industriel) dont le contenu est, sinon totalement faux, du moins extrêmement exagéré mais qui ont, dans le contexte créé par le rappel de la tragédie des maladies cardiovasculaires, toutes les apparences d'être des solutions possibles et donc des remèdes efficaces. Et voilà comment se diffuse l'information médicale de cette époque, sachant qu'elle est présentée de la même manière par la presse (spécialisée ou non) mais aussi les sites Internet créés et entretenus par l'industrie pharmaceutique dans le but d'informer les médecins. Par exemple, la formation permanente (post-universitaire) des cardiologues américains est en grande partie assurée sur Internet par des sites de l'industrie pharmaceutique, en liaison directe avec la corporation professionnelle des cardiologues américains (l'*American College of Cardiology*) qui, comme ses cousines européenne (*European Society of Cardiology*) ou française, ne survit dignement que grâce aux subventions des grandes entreprises de l'industrie pharmaceutique. Comme ces subventions sont d'une façon ou l'autre proportionnelles aux profits des entreprises donatrices, on voit qu'il est de l'intérêt de ces corporations que ces profits soient conséquents. Ces corporations professionnelles sont pourtant supposées défendre les intérêts de la profession et des clients de cette profession (donc des patients) ou au moins servir d'arbitre entre le monde de l'économie et du commerce et celui des médecins et des patients. Elles ne peuvent donc sainement juger de la qualité des dossiers des médicaments qui leur sont présentés. Elles sont ici typiquement juges et parties et cela me semble répondre à la définition du délit d'initiés. À ma connaissance, et faute de régulation nationale ou internationale, on peut s'adonner en toute impunité à ce type de pratiques dans cette drôle d'époque !

On voit donc que si, comme le propose et le décrit Umberto Eco, nous sommes probablement préparés à croire toutes sortes de fables ésotériques, l'idéologie actuelle sur le cholestérol n'a rien d'ésotérique mais repose sur de solides intérêts économiques.

À cet égard, il est temps que je précise que je n'ai aucune agressivité contre l'industrie pharmaceutique ou les industriels de l'agroalimentaire. Ces industriels doivent générer des profits pour garder la confiance de leurs actionnaires et, dans le système capitaliste libéral tous les moyens sont bons pour parvenir à ses fins. Et s'ils y parviennent, ils seront félicités et probablement médaillés à l'heure de la retraite ou avant !

Le problème c'est l'absence de contre-pouvoir. Hélas, les universités, les pouvoirs publics et les corporations médicales ont généralement renoncé à toute autonomie intellectuelle et scientifique et travaillent désormais main dans la main avec le secteur privé et marchand. On se nourrit sur les terres occupées disent les soldats !

Au nom de la guerre économique, de la lutte contre le chômage et les délocalisations, les pouvoirs publics protègent leurs industriels nationaux, encouragent les collaborations entre les universités (ou les instituts de recherche) et les industriels et, en conséquence, ferment les yeux sur les dérives marchandes du système.

La science est désormais au service de l'économie. La science médicale *sert à justifier* l'économie. Dans ce système, les notions de santé publique ou d'éthique médicale (ou simplement le point de vue du patient) sont au mieux des paravents au pire de grossiers alibis cache-misère.

C'est une des raisons pour lesquelles j'ai pensé qu'il était urgent d'écrire ce livre et ainsi aider ou de participer à la création d'une sorte de contre-pouvoir. Je n'ai pas la prétention de démêler le vrai du faux dans l'inextricable imbroglio de cette problématique vieille de plus d'un siècle. Pour chaque nouvelle strate ou chaque nouvelle direction ou rebondissement, des milliers d'articles scientifiques et médicaux sont publiés. Il faudrait discuter méticuleusement chacun d'eux et cela prendrait un volume. Il me faut donc simplifier. Pourtant, même en simplifiant, j'ai eu l'impression de rester un peu compliqué pour des lecteurs grand public ; et dans le même temps, je craignais que les professionnels ne m'accusent de simplisme ou de naïveté. Sans cesse, en écrivant ces chapitres j'ai été confronté à cette difficulté de devoir être compréhensible pour chacun de mes lecteurs et aussi explicite pour des professionnels. Pourquoi devrais-je me faire entendre de ces deux catégories de lecteurs si différents ? Parce que désormais, en médecine préventive (et souvent aussi curative), les décisions sont prises d'un commun accord par le médecin et son patient. À quoi servirait de convaincre des médecins qu'un traitement anticholestérol (ou antibiotique) est inutile, coûteux et probablement nocif si leurs patients continuent d'exiger ces traitements ?

Une des explications de ce « cholestérol delirium », outre les conflits d'intérêt, est qu'il provient de graves erreurs de raisonnement des scientifiques et des médecins (dont d'ailleurs je me suis aussi rendu coupable) qu'il est urgent de corriger aujourd'hui.

Pour illustrer ce point, je vais rapidement présenter et commenter un célèbre article, publié en 1994 dans la revue médicale américaine (*American Journal of Medicine* numéro du 16 février), qui m'a profondément influencé il y a quelques années et longtemps induit en erreur.

Son titre: « *Familial Hypercholesterolemia. What the zebra can teach us about the horse* » que je traduis par : « *Hypercholestérolémie familiale. Ce que le zèbre nous apprend sur le cheval* ».

En d'autres termes, est-ce que l'étude du zèbre peut nous aider à comprendre le cheval ?

Dans cet article, l'auteur assimile le zèbre aux formes rarissimes d'hypercholestérolémies familiales **homozygotes** (environ un cas sur un

million de naissances ; elles sont caractérisées par des taux de cholestérol très élevés) qui se compliquent très souvent d'infarctus du myocarde très tôt dans la vie. Le cheval, quant à lui, correspond à des formes moins rares d'hypercholestérolémies familiales **hétérozygotes** (un cas pour 500 à 1 000 naissances environ avec des taux de cholestérol élevés mais pas très élevés) qui se compliquent beaucoup plus rarement et plus tardivement d'infarctus.

J'ai longtemps pensé que l'étude des cas particuliers (le zèbre) pouvait aider à comprendre le cas général ou moins particulier (le cheval) et je suis arrivé à la conclusion que c'est totalement faux. Pour rester dans l'image et aussi faire le plus simple possible, je rappelle que le zèbre est condamné à mourir avec ses rayures comme le léopard avec ses taches. Façon de dire que leurs destins sont inéluctables. Il s'avère en effet que le zèbre est resté confiné à une petite zone africaine tandis que le cheval s'est adapté partout et a conquis la planète au point de pouvoir être aussi bien un cheval de trait, un cheval de cirque ou un pur-sang d'hippodrome.

Sur un mode de raisonnement semblable, les maladies cardiovasculaires ne sont pas des maladies inéluctables, même lorsque des profils génétiques comme les hypercholestérolémies familiales hétérozygotes y prédisposent, que les facteurs d'environnement et de mode de vie sont prépondérants dans leur survenue et que 99 % des cas d'infarctus rencontrés dans nos hôpitaux sont des maladies totalement différentes des hypercholestérolémies familiales malignes homozygotes (le zèbre) ou hétérozygotes (le cheval).

La grande erreur du rédacteur de *Destination Santé*, du public mal informé et de nombreux experts est de croire que les maladies rares ou rarissimes sont des archétypes (des modèles à l'état pur) des maladies cardiovasculaires communes qui tuent environ 180 000 personnes en France chaque année. Je reviendrai à plusieurs reprises sur ces questions avec des approches à la fois biologiques et épidémiologiques car je pense que, de façon volontaire ou non, cette méprise sur l'importance du cholestérol dans la survenue de l'infarctus (voir chapitre 1) vient en partie de l'importance excessive donnée à ces maladies génétiques rarissimes ou rares.

Pour faciliter la lecture des textes et la compréhension des messages contenus dans chaque chapitre, j'ai utilisé plusieurs astuces. Par exemple, j'ai rédigé chaque chapitre selon un plan identique avec un premier paragraphe décrivant le contenu du chapitre, une deuxième partie correspondant au développement des idées principales, une troisième partie, plus courte, rappelant ce qu'il faut vraiment retenir du chapitre et, enfin, une quatrième partie où j'ai rassemblé tout ce qui était un peu plus compliqué et qui en principe ne devait intéresser que des professionnels ou des amateurs très curieux.

Une deuxième astuce est de n'avoir pas hésité à conter quelques anecdotes de ma vie professionnelle et personnelle. Les scientifiques n'ont pas l'habitude de ces procédés dans leur littérature technique et j'ai dû me forcer un peu, mais je crois que ça peut aider les lecteurs à comprendre comment je suis arrivé à me positionner de façon très antagoniste par rapport à de nombreux experts.

Si je n'ai aucune agressivité particulière vis-à-vis des experts et spécialistes auxquels je m'oppose, les lecteurs verront assez vite que je suis quand même un peu en colère. En médecine et en science, la colère est bien mauvaise conseillère et je suis conscient de cette faiblesse. C'est pourquoi j'ai mis du temps avant de me décider à écrire ce livre sur le cholestérol. Et j'ai choisi, comme le dit Umberto Eco dans l'introduction à l'un de ses livres, *Kant et l'ornithorynque*, plutôt que « *de polémiquer avec mille autres, de polémiquer avec moi-même* », c'est-à-dire avec un certain nombre d'idées fausses auxquelles j'ai moi aussi, certes de façon transitoire, adhéré à certaines phases de mes recherches.

Malheureusement, il est des circonstances où, aussi respectueux que l'on soit des opinions des autres, il devient nécessaire de les citer pour pouvoir mieux les discuter et les contredire et il devient alors difficile de ne pas être un peu polémique. Il est aussi difficile de ne pas citer des experts omniprésents dans le champ médiatique pour au moins dire que l'on ne partage pas leurs opinions. J'espère que j'ai évité au maximum les polémiques gratuites et inutiles quoique j'ai conscience que pour certains lecteurs et experts, j'en ai déjà trop dit rien qu'en exprimant ma pensée.

J'ai aussi conscience d'aller un peu à contre-courant du flot médiatique actuel et il ne m'étonnerait guère que ce que je dis ici soit peu lu, peu cité et traité négligemment car, comme le dit Thomas Stearns Eliot dans *Meurtre dans la cathédrale*, « *Dans un monde de fugitifs, ce sont ceux qui vont dans le sens opposé qui ont l'air de s'enfuir* ». Pourquoi s'intéresserait-on aux dires d'un supposé poltron fuyard ?

Finalement, pour m'aider à rester placide et distancié, j'ai utilisé une troisième astuce dans la rédaction de certains chapitres. J'ai fait quelques emprunts à de vrais écrivains (ou des scénaristes) ayant produit une belle littérature et, pour justifier mon choix, je vais commencer dès maintenant par citer un grand écrivain. Il va expliquer mieux que moi pourquoi, même en science et en médecine, la littérature des autres peut beaucoup aider. Je veux parler de l'auteur des *Chroniques de Narnia*, C.S. Lewis et je cite un texte reproduit dans un livre de Simon Leys, *Les idées des autres*. Leys cite ce que Lewis écrit :

La littérature élargit notre être en nous introduisant à des expériences qui ne nous sont pas propres. Celles-ci peuvent être belles, terribles, impressionnantes, excitantes, pathétiques, comiques ou simplement piquantes. La littérature nous donne accès à elles toutes. Ceux d'entre nous qui ont été de vrais lecteurs toute leur vie réalisent rarement de façon plénière cette énorme extension de leur être qu'ils doivent aux auteurs. Nous en prenons mieux la mesure quand nous bavardons avec un ami qui ne lit guère. Il peut être plein de qualités et de bon sens, mais il habite un monde étriqué, un monde dans lequel nous aurions du mal à respirer. L'homme qui se contente de n'être que lui-même et dont l'individualité se trouve donc rétrécie, vit dans une prison.

Mes seuls yeux ne me suffisent pas… Même les yeux de toute l'humanité ne me suffisent pas. Je regrette que les bêtes n'écrivent pas. Comme je serais heureux de savoir quel visage ont les choses pour une souris ou pour une abeille… Quand je lis de la bonne littérature, je deviens mille autres hommes tout en restant moi-même. Comme le ciel nocturne d'un poème grec, je regarde avec une myriade d'yeux, mais c'est encore moi qui regarde.

Comme je le dis plus haut, Lewis explique mieux que je ne peux le faire l'importance que je vais donner dans certains chapitres aux citations et références. C'est simplement parce que cela m'aide à mettre en mots ce que je veux dire.

POURQUOI
LE CHOLESTÉROL
EST INNOCENT

CHAPITRE 1

NON, LE CHOLESTÉROL NE PROVOQUE PAS L'INFARCTUS

Ce que vous allez apprendre

• Quel est le lien entre la maladie artérielle (l'athérosclérose) et l'infarctus du myocarde ?

• Est-il vrai que le cholestérol n'a que peu d'intérêt en pratique clinique ?

• Est-il possible que la définition de nouvelles normes pour le cholestérol – lesquelles ont fait croire aux médecins et au public qu'il fallait un cholestérol toujours plus bas pour diminuer le risque d'infarctus – ne repose sur aucune base scientifique solide ?

AUJOURD'HUI C'EST UN LIEU COMMUN DE DIRE que le cholestérol présent dans le sang est responsable de l'infarctus du myocarde et de la majorité des décès d'origine cardiaque dans nos populations. Cette idée déjà centenaire a pourtant suscité de vives résistances parmi les médecins et encore aujourd'hui nombre d'entre eux restent sceptiques.

A juste raison.

Je vais essayer d'expliquer pourquoi.

Pour ce faire, je vais me référer à mon propre parcours médical et scientifique. On n'est jamais mieux servi que par soi-même, dit le dicton, et au moins sait-on de quoi l'on parle.

Il faut noter d'emblée qu'aucun expert sérieux n'a jamais osé affirmer que le cholestérol était **à lui seul** responsable des infarctus. Bien que la majorité des experts semblent penser que le cholestérol est un « *serial killer* » qui terrorise la société, les gens sérieux sont d'accord pour dire que le cholestérol est seulement un facteur contributeur, c'est-à-dire un facteur de risque et pas une cause, et que, selon une règle simpliste maintes fois énoncée, *plus le cholestérol est haut plus le risque de mourir d'un infarctus augmente et inversement plus il est bas et moins le risque est élevé !*

Ce postulat est généralement faux et j'explique pourquoi aux chapitres 5 et 6.

Un deuxième préalable avant de faire quelques confidences sur ma vie de cardiologue et de chercheur : je fais systématiquement la différence entre l'athérosclérose (un processus pathologique artériel qui peut être totalement silencieux) et l'infarctus du myocarde qui est une maladie aiguë du muscle cardiaque et dont l'expression clinique est à la fois bruyante (nécessitant par exemple souvent l'usage de la morphine pour calmer la douleur thoracique) et tragique (50 % des patients en décèdent presque immédiatement).

En faisant cette distinction, je ne veux pas dissocier systématiquement la pathologie de l'artère de celle du muscle cardiaque, car elles sont souvent liées, mais je veux rappeler que l'on peut avoir une athérosclérose disséminée dans tout son arbre artériel et ne jamais avoir d'infarctus et inversement que l'on peut mourir en quelques minutes d'une attaque cardiaque en n'ayant que de minimes lésions (non obstructives) dans ses artères coronaires.

MA VIE, MON ŒUVRE

Les lecteurs auront, je l'espère, compris l'ironie de ce sous-titre. Je vais seulement raconter mes relations (professionnelles) avec le cholestérol.

Je me suis intéressé de façon systématique et scientifique à la *théorie du cholestérol* en 1982-83 en découvrant les travaux de Brown et Goldstein sur les récepteurs des lipoprotéines transportant le cholestérol (LDL récepteurs) qui leur vaudront le Prix Nobel de médecine en 1985. A l'époque, je travaillais comme cardiologue au Centre de Cardiologie de l'Hôpital Universitaire de Genève où j'avais pendant les 5 années précédentes (et en plus de lourdes responsabilités cliniques) conduit des travaux de recherche clinique sur les lipides, les plaquettes sanguines et le risque de thrombose dans les artères. J'avais déjà obtenu des résultats significatifs, bien qu'assez mal exploités en termes de publications scientifiques – un savoir-faire qui ne s'acquiert que lentement au cours d'une carrière de chercheur. Ceci dit, j'étais loin d'être un débutant dans le métier et mes collègues cardiologues genevois, y compris les plus âgés, suivaient attentivement les résultats de mes recherches sur les plaquettes. J'avais, d'ailleurs, réussi à convaincre nombre d'entre eux qu'il fallait traiter nos patients coronariens avec des médicaments anti-plaquettaires. L'enjeu médical et scientifique de l'époque (entre 1975 et 1985) en cardiologie était effectivement de comprendre l'importance de la thrombose (par rapport à l'athérosclérose) dans le déclenchement de l'infarctus du myocarde (voir le 1er paragraphe de la section *Pour les professionnels*).

Pourtant, quand j'ai démarré mes premiers travaux cliniques sur le cholestérol à Genève (en collaboration avec les endocrinologues de l'Hôpital Universitaire), j'ai été surpris par les réactions très négatives de mes collègues. Obnubilés à l'époque par le traitement mécanique de la lésion artérielle (l'angioplastie), ils n'avaient aucun intérêt pour la problématique du cholestérol.

A côté des indifférents et des sceptiques, certains parmi les plus âgés manifestaient même une franche répulsion. Ces réactions, un peu irrationnelles de mon point de vue, demandaient des explications, que j'ai rapidement obtenues.

POURQUOI CETTE RÉSISTANCE DES CARDIOLOGUES ?

Pourquoi en 1984-85, la *théorie du cholestérol* laissait-elle les cardiologues suisses sceptiques ou indifférents ? Pour deux raisons principales.

La première tient simplement à l'observation que parmi leurs patients victimes d'un infarctus, peu d'entre eux présentaient un cholestérol élevé, selon les normes de l'époque. En outre, parmi les nombreux patients qui leur étaient envoyés pour un bilan cardiologique, ils en voyaient souvent qui étaient totalement indemnes de toute maladie artérielle malgré un cholestérol élevé, et cela jusqu'à un âge avancé. Ces observations ne permettaient évidemment pas de nier la théorie élaborée par les épidémiologistes et les biologistes (voir les chapitres 3, 4 et 5). Mais, inversement, elles montraient le peu d'intérêt clinique à mesurer le cholestérol : il y avait peut-être une relation statistiquement significative entre le cholestérol et le risque cardiaque à l'échelle des populations mais elle était trop faible pour permettre de prédire un risque au niveau individuel ou permettre d'identifier les patients pour lesquels le cholestérol présentait réellement un danger. A l'époque, et encore aujourd'hui, il n'y a rien à redire à cela.

La deuxième raison avancée par les cardiologues pour justifier leur scepticisme venait des résultats des essais cliniques visant à diminuer le cholestérol, soit par des régimes anticholestérol soit par des médicaments anticholestérol. Des essais avaient été conduits avec l'espoir de diminuer le risque cardiaque mais leurs résultats furent loin d'être enthousiasmants (chapitre 9). Notamment, on n'avait pas obtenu, lors de ces essais, d'effets significatifs sur la mortalité cardiaque malgré une diminution relative du risque de crises cardiaques non fatales. Cette étrange discordance dans les effets sur les infarctus mortels et non mortels ainsi que l'enregistrement de nombreux effets secondaires dans les groupes traités (plus de cancers, plus de pathologies digestives, plus de morts violentes) incitaient mes collègues cardiologues à la plus grande prudence. A juste raison !

CHANGEMENT DE CAP

C'est dans ce contexte de 1984-85 qu'avec mes collègues genevois nous avions élaboré une nouvelle hypothèse de travail pour essayer de renforcer (rendre plus crédible) la *théorie du cholestérol* à laquelle je croyais encore. Je raconte au chapitre 2 comment le doute s'est introduit dans mon esprit au fur et à mesure que je travaillais sur la problématique du cholestérol.

A cette époque, notre raisonnement était le suivant : puisque le cholestérol lui-même n'était pas un facteur prédictif suffisant à l'échelle individuelle, il nous fallait découvrir si un autre facteur lipidique – aisément mesurable dans le sang (et englobant l'information donnée par le dosage du cholestérol) – permettrait d'augmenter notre capacité à identifier les sujets à risque. De plus, au lieu de se contenter des données cliniques basiques habituelles, j'avais obtenu de notre chef de service la permission d'utiliser pour cette recherche les radiographies filmées des artères coronaires de tous les patients pour lesquels nous mesurions nos nouveaux paramètres biologiques.

Quels paramètres biologiques pouvions-nous utiliser pour compléter, ou se substituer à, la mesure du cholestérol ?

Cette question est importante et complexe et je la discute un peu plus au 2ᵉ paragraphe de la section *Pour les professionnels.*

En simplifiant, disons que nous avions choisi de mesurer les apoprotéines dans le sang de patients coronariens et d'analyser s'il existait une relation entre les concentrations sanguines des apoprotéines et la sévérité des lésions des artères coronaires. Cette hypothèse suscite plusieurs questions.

D'abord, que sont ces apoprotéines ? Ensuite, qu'entend-on par sévérité de la pathologie coronaire ?

1) Les **apoprotéines** sont les protéines qui constituent la structure des lipoprotéines qui sont elles-mêmes les complexes moléculaires qui servent de transporteurs aux lipides dans le sang. En effet, le cholestérol et les acides gras (qui sont les principaux lipides) ne sont libres dans le sang qu'en faibles quantités. Ils sont en général inclus dans des lipoprotéines. Les différentes lipoprotéines, LDL et HDL (voir *Pour les professionnels*), ne sont pas constituées des mêmes apoprotéines. Ayant des fonctions différentes, elles possèdent des structures différentes. En simplifiant, on peut dire que l'apoprotéine B caractérise les lipoprotéines qui transportent le cholestérol du foie ou des intestins vers les organes qui l'utilisent et que l'apoprotéine A caractérise les lipoprotéines qui rapportent le cholestérol au foie. On voit qu'en mesurant les apoprotéines B et A, on ajoute une dimension fonctionnelle, en théorie très importante, à la mesure du cholestérol.

2) La notion de **sévérité de la pathologie coronaire** est compliquée. J'en donne une version très simplifiée. Nous avons trois grandes artères coronaires et nous pouvons dénombrer les rétrécissements (sténoses) importants présents sur chacune de ces artères. D'autre part, nous avions décidé de ne considérer comme sténoses importantes que celles ayant certaines caractéristiques sur le film de la coronarographie. Ainsi, pour chaque patient, nous pouvions dire s'il avait une maladie de une, deux ou trois artères (quatre catégories de sévérité en comptant ceux dont les trois artères sont indemnes) et pour chaque catégorie de sévérité, compter le nombre de sténoses importantes.

QU'AVONS-NOUS TROUVÉ ?

Y avait-il une relation entre la sévérité de la pathologie coronaire et les apoprotéines ? Les patients les plus sévèrement atteints avaient-ils les concentrations de cholestérol ou d'apoprotéines B les plus élevées ? Ceux qui avaient des taux élevés d'apoprotéine A étaient-ils moins sévèrement atteints ?

Nous étions des investigateurs très motivés, c'est-à-dire que nous étions réellement acharnés à vérifier nos hypothèses (à conforter *la théorie du cholestérol*) et nos collègues observaient notre travail avec curiosité et amusement. Nous voulions avoir raison contre les sceptiques ! Si je décris ainsi notre état d'esprit c'est pour faire comprendre que s'il y avait eu quelque chose à voir, nous ne l'aurions pas ratée.

Et bien nous n'avons rien vu ! Ni le cholestérol ni les apoprotéines ne nous permettaient de deviner quels étaient les patients les plus sévèrement atteints, ni même de différencier ceux qui étaient malades de ceux qui étaient totalement indemnes. Point à la ligne !

Quelques mois plus tard je suis parti au Canada pour deux ans, à l'Institut de Cardiologie de Montréal, une institution au moins aussi prestigieuse que l'Hôpital Universitaire de Genève. J'y ai trouvé vis-à-vis de la problématique du cholestérol exactement le même état d'esprit qu'à Genève : scepticisme de la grande majorité des cardiologues, petite curiosité de la part de quelques-uns. J'y ai aussi rencontré un biologiste qui travaillait sur la *théorie du cholestérol*. Il avait cherché lui aussi à montrer une relation entre la sévérité des atteintes coronaires et des paramètres lipidiques et lui aussi avait échoué à vérifier cette hypothèse.

Je me souviens de longues discussions à la cafétéria de l'Institut où nous nous lamentions sur le scepticisme des cardiologues et aussi sur notre propre sort d'investigateurs malheureux puisque nous avions échoué à vérifier nos hypothèses. Le doute avait commencé à s'insinuer dans nos esprits quant à la validité de ces hypothèses mais personnellement je n'avais pas encore accepté l'idée que j'avais pu me tromper complètement à propos de l'importance du cholestérol dans les pathologies cardiovasculaires.

En effet, à la même époque, je pouvais lire dans des revues américaines prestigieuses toutes sortes d'argumentaires en faveur du cholestérol comme facteur déterminant majeur des pathologies coronaires. Il existait une extraordinaire discordance entre, d'une part, le monde des cardiologues qui négligeaient consciencieusement les paramètres (et les traitements) lipidiques dans leur pratique et, d'autre part, les mondes des épidémiologistes et des biologistes qui eux voyaient déjà dans le cholestérol une cible thérapeutique majeure pour diminuer la mortalité cardiovasculaire. Mais ni les épidémiologistes ni les biologistes n'étaient en charge de patients coronariens et, en conséquence, leurs arguments restaient inaudibles pour les cardiologues. En effet, aucun essai clinique n'avait montré une diminution significative de la mortalité cardiovasculaire en réponse à une diminution du cholestérol, et ils ne voyaient pas de relation entre le cholestérol et l'infarctus du myocarde dans leur pratique clinique quotidienne.

Si c'est à cette époque que j'ai commencé à avoir des doutes sur la validité de la *théorie du cholestérol*, j'ai aussi commencé à me poser des questions sur la qualité des travaux et résultats publiés dans les grandes revues médicales et scientifiques. En effet, mes résultats allaient totalement à rebours de publications récentes et de l'idéologie qui s'était implantée dans les milieux épidémiologiques. Pourquoi n'avais-je pas trouvé la même chose que les investigateurs américains ? Avions-nous tort ? Ou était-ce les autres ? Ou bien encore avaient-ils exagéré leurs résultats ? Avec mes collègues suisses (et je me souviens que mon collègue canadien avait réagi de la même façon), la négativité de nos résultats nous avait incités humblement à ne pas les publier. Nous pensions que nous n'avions pas su faire le bon travail pour valider notre hypothèse.

A posteriori, il est évident que nous aurions dû publier nos résultats négatifs, car l'avenir allait montrer que nous n'avions pas tort et que c'était les autres, les prestigieux investigateurs américains, qui étaient des blagueurs ! Nous avons manqué de courage ou de confiance en nous. Probablement trop modestes, ou trop jeunes ?

QUELLE A ÉTÉ LA SUITE ?

Comme on pouvait s'y attendre, les paramètres que nous avions testés sans succès – mais que d'autres, au même moment, présentaient comme de fantastiques innovations – n'ont pas fait la preuve de leur utilité clinique par la suite et sont utilisés aujourd'hui, soit de façon erratique par certains médecins sans que cela leur donne un avantage par rapport à ceux qui les négligent, soit dans des programmes de recherche d'un intérêt très relatif (voir le 3ᵉ paragraphe de la section *Pour les professionnels*).

Toujours dans le même esprit d'améliorer la rentabilité prédictive des paramètres lipidiques dérivés du cholestérol, d'autres paramètres ont été proposés par d'autres chercheurs. Je ne les énumèrerai pas pour ne pas faire de peine à ceux que j'oublierais par inadvertance. Aucun n'a fait la preuve de son utilité clinique.

Plus récemment, une autre approche a tenté de réhabiliter les paramètres lipidiques. Il s'agissait de proposer une batterie de nouveaux tests basés sur ce qu'on peut appeler la théorie oxydative de l'athérosclérose (chapitre 4). L'idée maîtresse est que ce n'est plus le cholestérol lui-même qui serait dangereux mais les lipoprotéines qui le transportent, en particulier les LDL (le *vilain* cholestérol), après avoir subi des modifications oxydatives.

Ces recherches, en général soutenues par des industriels qui avaient mis au point des tests diagnostics permettant d'évaluer les *LDL oxydées*, ont été tout d'abord couronnées de succès ! Malheureusement, confrontée à la réalité clinique, cette théorie et les tests diagnostics dérivés se sont avérés très décevants. Peu de médecins et de scientifiques ont aujourd'hui pris réellement conscience que l'histoire de la *théorie oxydative de l'athérosclérose* était probablement proche de sa fin, à moins d'un retournement inattendu (chapitre 4).

On peut parier que – malgré l'acharnement de ses défenseurs (qui certains défendent leur honneur, d'autres la légitimité d'un poste universitaire ou d'une carrière dans l'industrie, d'autres enfin simplement un gagne-pain via la vente d'antioxydants en tous genres) – cette théorie sera bientôt oubliée.

CONCLUSIONS ET PERSPECTIVES

Ce chapitre avait pour but de montrer que la mesure du cholestérol dans le sang, – bien que routinière, de nos jours, dans les cabinets médicaux – est en fait un paramètre de peu de valeur en pratique clinique pour la prévention de l'infarctus. Les meilleurs experts dans ce domaine et les plus convaincus des défenseurs de la *théorie du cholestérol* n'ont eu de cesse de proposer des paramètres lipidiques nouveaux qui auraient possédé une valeur clinique et prédictive supérieure.

Magnifique illustration, ou aveu non officiel, que le paramètre cholestérol est de peu d'intérêt ! Ces tentatives furent des échecs jusqu'à présent ! Les cardiologues suisses et canadiens sceptiques des années 1980 auxquels je fais référence dans ce chapitre avaient donc, de mon point de vue, raison.

Arrivé à ce point de mon raisonnement, deux questions se posent :

1) Est-il parfois utile de mesurer son cholestérol ?

2) Pourquoi tous ces cardiologues, autrefois si réticents vis-à-vis du cholestérol, sont-ils aujourd'hui devenus de véritables fanatiques des traitements anticholestérol ?

Ce sont deux très bonnes questions auxquelles il faut répondre.

1re **question** : il est utile de mesurer son cholestérol au moins une fois dans ses 20 premières années, surtout s'il y a des personnes avec un cholestérol élevé dans sa famille, pour savoir si on a pas eu la malchance de se faire transmettre un gène de l'hypercholestérolémie familiale. Dans ce cas, il ne faut certainement pas s'affoler car beaucoup de ces hypercholestérolémies sont bénignes (d'un point de vue cardiovasculaire) à condition d'être associées à un mode de vie protecteur. Elles peuvent même conférer une sorte de protection contre les maladies infectieuses (chapitre 19).

Dans certains cas toutefois, un cholestérol élevé (en dehors des cas familiaux) peut révéler un mode de vie et des habitudes alimentaires délétères. Dans ce cas, il est urgent de reconsidérer son mode de vie et, si l'on parvient à modifier certains facteurs notamment nutritionnels et d'activité physique de façon significative, on verra ce cholestérol diminuer. Par la suite, ce sont les paramètres du mode de vie et non le cholestérol qui doivent servir de guide et régulateur car c'est le mode de vie qui est dangereux et pas le cholestérol qui lui n'est, dans ces cas, qu'un marqueur de risque. Il n'est toutefois pas interdit de vérifier son cholestérol une fois tous les 5 ou 10 ans au cas où une forme familiale peu accentuée devenait plus torpide en vieillissant, par exemple au moment de la ménopause pour les femmes.

2e **question** : dans notre société, les cardiologues sont en charge de la prévention secondaire, c'est-à-dire de la prévention des récidives chez des patients qui ont déjà eu une crise cardiaque. Ce sont les généralistes qui sont en charge de la prévention primaire. Autrement dit, les cardiologues voient beaucoup d'infarctus et souvent leurs patients n'ont pas des profils de risque franchement inquiétants et ils n'ont pas d'explication claire à fournir à ces patients, et à eux-mêmes. La raison de cela est qu'ils ne posent pas toujours les bonnes questions (concernant le mode de vie) et ne font pas les bons tests sanguins.

C'est une situation peu confortable, il faut le reconnaître, et quand on leur a dit au milieu des années 1990 que certains médicaments anticholestérol faisaient des miracles, ils ont pour ainsi dire « sauté » sur cette bonne nouvelle. Enfin, ils avaient quelque chose de rassurant à dire à leurs patients ! Enfin, ils avaient un moyen de prévention ! Chapitre après chapitre, je montre dans ce livre que c'est une illusion.

Pourtant, les taux de cholestérol de leurs patients (qui auparavant n'étaient pas prédictifs et ne leur faisaient pas peur) n'avaient pas changé, et même si l'on en croit certaines études de population, ils ont plutôt eu tendance à diminuer au cours des 20 dernières années.

Comment expliquer cette incongruité ?

L'industrie pharmaceutique et ses affidés ont fourni une explication miracle : il suffisait de changer les valeurs dites *normales* du cholestérol. En décidant qu'un cholestérol normal est très bas (plus bas qu'auparavant), les cardiologues ne voient plus désormais que des cholestérols anormalement hauts ! Comme ils sont surchargés de travail, ils voient presque uniquement des patients avec une maladie coronarienne bien établie et ils n'ont plus aucun point de comparaison (chapitre 24). Ils n'ont évidemment pas le temps de s'enquérir du mode de vie de leurs patients et prescrivent des médicaments anticholestérol de façon presque automatique.

Les généralistes quant à eux sont submergés par des personnes en bonne santé dont les taux de cholestérol sont, selon les nouvelles normes (qui sont en fait des objectifs à atteindre et non plus des normes), gravement pathologiques (chapitre 24). Affolés et consciencieux, ils décident de traiter ces personnes. Comme ils n'ont pas le temps de les prendre en charge sur le plan du mode de vie, ils prescrivent des médicaments. Et comme ils se pensent, à juste raison, investis de la responsabilité de protéger leurs clients (pas forcément des patients) des maladies cardiovasculaires, ils vont utiliser les mêmes médicaments aux mêmes posologies que les cardiologues. Comme ils n'ont pas eux non plus de point de comparaison et ne disposent comme information que celle prodiguée par l'industrie, ils ne savent pas si ce qu'ils font est utile ou pas. Et voilà pourquoi 6 millions de Français consomment des médicaments anticholestérol. Cette séparation du travail entre les cardiologues en prévention secondaire et les généralistes en prévention primaire, et la remarquable opportunité de l'industrie pharmaceutique pour profiter de la situation et organiser la désinformation des médecins et du public, ont conduit à une situation aberrante et incontrôlable par les autorités sanitaires.

Au 4ᵉ paragraphe de la section *Pour les professionnels*, je discute un peu plus de cette question entourloupe qu'est la *normalité du cholestérol*.

Ce qu'il faut retenir

1- Depuis que le cholestérol est évalué dans le sang par les biologistes pour aider les docteurs à soigner leurs patients, il est source de frustration parce que l'information qu'il procure est de peu d'intérêt en pratique médicale : on peut faire un infarctus en ayant un cholestérol normal (selon les critères classiques) et on peut vivre très vieux avec un cholestérol parfois très élevé sans jamais présenter de complication cardiovasculaire.

2- La mesure du cholestérol dans le sang, bien qu'elle soit devenue de routine dans les cabinets médicaux, a peu de valeur clinique. Les meilleurs experts dans ce domaine et les plus convaincus des défenseurs de la théorie du cholestérol n'ont eu de cesse de proposer des paramètres lipidiques nouveaux pour compenser la faiblesse du paramètre cholestérol.

3- L'échec est patent. On n'a rien trouvé de mieux et le niveau du cholestérol dans le sang est resté un paramètre peu prédictif – même si on en modifie les normes pour faire en sorte que la majorité des patients victimes d'un infarctus du myocarde ou d'un syndrome apparenté puissent être qualifiés d'« *hypercholestérolémiques* ». Et, dans le même élan, on a aussi dit à une multitude de personnes en parfaite santé que leur cholestérol était pathologique (selon les nouvelles normes) et qu'elles devaient être traitées.

4- Finalement, il faut comprendre qu'il y a une grande différence entre maladie artérielle (athérosclérose) et infarctus du myocarde (pathologie du muscle cardiaque). On peut avoir de l'athérosclérose disséminée dans tout son arbre artériel et ne jamais souffrir d'un infarctus ; et inversement, on peut mourir en quelques minutes d'un infarctus en n'ayant que de minimes lésions non obstructives dans ses artères coronaires.

POUR LES PROFESSIONNELS ET LES CURIEUX

1- THROMBOSE *VERSUS* ATHÉROSCLÉROSE

Aussi archaïque que puisse paraître aujourd'hui une controverse de cette nature, elle fit rage entre 1975 et 1985. Certains avaient une idée que je qualifierais de tumorale de l'athérosclérose et d'autres, très minoritaires à l'époque, pensaient que l'obstruction de l'artère au moment de l'infarctus était due à la formation d'un caillot de sang initié par les plaquettes.

On avait aussi beaucoup discuté de l'importance du spasme artériel dans le processus d'obstruction artérielle, mais aujourd'hui (et depuis les années 1990) on pense que ce n'est pas crucial au moment d'un infarctus du myocarde. Mon travail de recherche à Genève (pour lequel j'avais obtenu des financements non négligeables de la Société Suisse de Cardiologie et que je menais en collaboration avec le groupe d'hématologues) consistait à essayer de comprendre le rôle des plaquettes dans l'infarctus et dans les syndromes coronariens. Les cardiologues et les médecins internistes (qui géraient les soins intensifs au CHU de Genève) ne croyaient absolument pas au rôle des plaquettes et j'étais régulièrement moqué (de façon courtoise, et très helvétique pour tout dire) quand, face à des cas cliniques résistants aux soins intensifs, je proposais l'usage de médicaments anti-plaquettaires, ce qui constitue maintenant un traitement systématique. Les anti-plaquettaires n'étaient pas utilisés sous le prétexte, je me souviens de la formule, que l'aspirine n'était pas un médicament anti-angineux (comme par exemple les bêtabloquants) qui étaient le traitement standard des syndromes coronariens résistants.

Les infirmières des soins intensifs m'avaient, en dérision, surnommé Docteur aspirine sachant qu'à l'époque l'aspirine était déjà vendue dans les épiceries et que ce sobriquet signifiait clairement que mes propositions thérapeutiques sortaient du cadre de la vraie médecine officielle et universitaire. Ce ne fut jamais méchant bien que mes amis genevois ne ratent jamais une occasion de se moquer de ces arrogants Français. Mais enfin, les événements (la publication d'essais cliniques montrant l'efficacité des anti-plaquettaires dans les syndromes coronariens notamment l'angor instable) ont montré ensuite que effectivement la thrombose, donc les plaquettes (et donc les traitements anti-plaquettaires) jouaient un rôle important dans l'infarctus !

Avec mes collègues genevois, nous avions été capables de montrer qu'il existait des patients indemnes (transitoirement ?) de maladie coronarienne mais qui avaient des plaquettes avec des comportements biologiques anormaux, susceptibles de favoriser les thromboses. J'ai parlé à propos de ces patients de plaquettes instables. Cela suggérait qu'on pouvait faire une thrombose en l'absence de maladie artérielle évoluée, ce qui aujourd'hui est une évidence.

Thrombose (ou caillot pour faire simple) veut dire : un bouchon artériel créé en quelques minutes.

Athérosclérose veut dire : rétrécissement qui se constitue en plusieurs années, un peu comme une tumeur grossit lentement jusqu'à boucher un conduit, une bronche ou un intestin. Les médecins pensaient vraiment que l'athérosclérose peut lentement progresser jusqu'à occlure la lumière de l'artère et provoquer l'infarctus. On sait aujourd'hui que ce processus n'existe probablement pas, et ceci pour une raison simple : plus la lumière se rétrécit et plus se constitue un réseau collatéral qui suppléé l'artère principale. Les stades ultimes d'une obstruction artérielle aiguë sont toujours accélérés et suscitent une thrombose généralement provoquée par l'ulcération d'une lésion artérielle qui n'est pas forcément très serrée, qui peut même être débutante, mais qui est inflammatoire.

Il faut bien retenir ceci : un processus considéré comme pathologique dans l'athérosclérose (la fibrose) est en fait protecteur contre l'infarctus ! Je le répète (car une fois qu'on a compris ça, on a beaucoup avancé dans la compréhension de la maladie des coronaires), la fibrose artérielle occlusive, c'est-à-dire la sorte de tumeur bénigne qui prolifère dans le mur artériel, peut même être considérée comme un processus protecteur contre l'ulcération artérielle qui provoque l'infarctus.

Je résume : un infarctus est dans 99 % des cas dû à la constitution d'une thrombose dans l'artère coronaire et le cholestérol ne joue pas de rôle dans la formation de la thrombose. Le thrombus se constitue souvent au niveau d'une sténose artérielle qui n'est pas forcément très serrée et qui, elle-même, est constituée pour 70 % au minimum de fibrose dont la formation est indépendante du cholestérol.

2- CHOLESTÉROL ET AUTRES PARAMÈTRES PRÉDICTIFS D'INFARCTUS

Depuis que le cholestérol est évalué dans le sang par les biologistes pour aider les docteurs à identifier les sujets à risque d'infarctus, il est source de frustration. Pour la simple raison que l'information qu'il procure est de peu d'intérêt en pratique médicale : on peut faire un infarctus en ayant un cholestérol normal et on peut vivre très vieux avec un cholestérol parfois très élevé sans jamais aucune complication cardiovasculaire.

Pour certains chercheurs, avoir un cholestérol élevé a pu constituer un réel avantage en termes d'espérance de vie à l'époque où les maladies infectieuses étaient la principale source de mortalité prématurée dans nos sociétés (chapitre 5). Mais depuis la Seconde Guerre mondiale et l'arrivée des antibiotiques, et aussi en parallèle avec l'extraordinaire allongement de l'espérance de vie, les problèmes des maladies cardiovasculaires dont la fréquence a explosé dans la deuxième moitié du xxe siècle, et donc du cholestérol comme facteur prédictif, sont devenus beaucoup plus importants pour les médecins. La mesure du cholestérol étant peu satisfaisante d'un point de vue clinique, divers autres paramètres lipidiques ont été proposés pour compléter l'information donnée par le cholestérol. Je n'ai pas l'intention d'en faire une revue exhaustive, d'abord parce que ce serait long et rébarbatif, mais surtout parce que ce fut globalement un échec, et ceci malgré les efforts méritoires déployés par certains industriels.

Cet échec n'est certainement pas dû au hasard ou au manque de travail. Il signifie que la théorie sous-jacente (la *théorie du cholestérol*) est en grande partie erronée. Parmi les nouveaux paramètres lipidiques testés, il y eut par exemple les fractions lipoprotéiques séparées par leur densité (*Low Density Lipoprotein* et *High Density Lipoprotein* aussi appelées LDL et HDL ou encore le *bon* et *le mauvais cholestérol*). Si la prédictibilité de ces fractions est un peu meilleure que celle du cholestérol, elle n'est pas satisfaisante cliniquement et toutes deux n'apportent pas grand chose en pratique médicale, peut-être même seulement un peu plus de confusion encore (chapitre 21). D'autres espèces de fractions lipidiques (isolées en utilisant diverses astuces biochimiques) ont été proposées au cours des 30 dernières années, mais aucune n'a réellement apporté quelque chose d'intéressant par rapport au cholestérol, toujours du point de vue de la pratique clinique.

Il y a peut-être une exception, c'est la lipoprotéine a (dite petite a). J'en dis quelques mots.

C'est une catégorie particulière de LDL qui contient une protéine appelée petite a dont la caractéristique biologique principale (en simplifiant outrageusement) est de favoriser les thromboses. Elle se distingue donc des autres LDL (qui n'ont rien à voir avec le risque de thrombose), mais pas seulement en termes de nocivité potentielle : cette protéine petite a est transmise par les parents à leurs descendants et on pense qu'une partie de l'héritabilité familiale du risque d'infarctus est due à cette protéine a. En fait, il y a beaucoup de discussion à propos de la nocivité potentielle et du risque déterminé par la lipoprotéine petite a. Certains disent que c'est important, d'autres disent le contraire. Après des années d'expérience sur ce sujet, mon avis est le suivant : ça peut être utile de savoir si un patient a des taux élevés de lipoprotéine petite a pour essayer de le motiver à changer son mode de vie si celui-ci semble particulièrement risqué. Par exemple, si un individu fumeur et sédentaire me déclare qu'il n'a pas l'intention de changer ses habitudes alimentaires, je peux penser que je serais un peu plus persuasif si je peux lui expliquer qu'il a, en plus, un facteur de risque familial et non modifiable par aucun traitement.

3- LES APOPROTÉINES EN RECHERCHE ÉPIDÉMIOLOGIQUE : LE PROJET « *INTERHEART* »

Ce programme international a été célébré, lors de sa récente publication (2004), comme la quintessence de la recherche en épidémiologie et comme une extraordinaire confirmation de la théorie du cholestérol.

Je vais essayer de montrer, sans arrogance, à quel point d'honnêtes chercheurs et, avec eux, de non moins honnêtes commentateurs (y compris dans les médias) peuvent se fourvoyer en se laissant hypnotiser par des *a priori* idéologiques. Consultez aussi le chapitre 5.

Le but principal de cette énorme étude internationale – conduite dans 52 pays et 262 centres de cardiologie, répartis sur les 5 continents (et comparant finalement plus de 15 000 victimes d'un infarctus avec un nombre équivalent de témoins indemnes d'infarctus) – était de montrer que les mêmes facteurs de risque d'infarctus, incluant le cholestérol, opéraient de façon identique partout dans le monde. Et implicitement, ces investigateurs voulaient dire que les mêmes stratégies de prévention devaient être appliquées partout dans le monde. Je ne vais pas discuter maintenant la naïveté et l'ethnocentrisme caricatural de cette approche. Pour le moment, j'ai un autre chat à fouetter !

Que font ces investigateurs ? Ils font une étude dite « cas-témoin », c'est-à-dire qu'ils recrutent des patients qui viennent de survivre à un infarctus, ils mesurent toutes sortes de paramètres, notamment le cholestérol ou des paramètres lipidiques incluant la variable cholestérol et ils comparent ces patients avec des patients témoins qui n'ont pas fait d'infarctus.

Quels résultats obtiennent-ils ? Ils redécouvrent l'eau chaude ! Autrement dit, ils montrent que la probabilité que les fumeurs, les diabétiques, les obèses, les sédentaires, les carnivores, les abstinents (d'alcool) et enfin les patients avec un cholestérol élevé aient un infarctus est plus élevée que celle des non fumeurs, non diabétiques, non hypertendus, non obèses, omnivores, buveurs d'alcool et ceux avec un cholestérol bas ! Au passage, ils nous disent (pour rester dans le thème de ce chapitre) que le paramètre lipidique utilisé à la place du cholestérol est un peu plus puissant que le cholestérol dans leurs analyses statistiques. La belle affaire !

Pourquoi cette étude est-elle contestable ?

Parce que les conclusions qui en sont tirées vis-à-vis du risque d'infarctus se veulent universelles alors même que les patients considérés sont une simple fraction de la totalité des patients qui font un infarctus. Sont-ils représentatifs de la totalité ? Certainement pas puisque ce sont des survivants alors que ceux qui manquent sont précisément ceux qui en sont morts et ne sont jamais arrivés jusqu'aux centres de cardiologie où ces patients étaient recrutés.

Quelles sont les proportions des décédés et des survivants lors d'un infarctus ? Une grande étude internationale – en partie financée par l'OMS et appelée MONICA (voir les chapitres 6 et 23) – nous a montré que ces proportions variaient d'un pays à l'autre, en fonction du sexe (et quelques autres facteurs) mais qu'en moyenne ces proportions étaient de 50/50. A chaque fois qu'un patient est hospitalisé pour un infarctus, un autre en meurt, généralement de façon rapide. En d'autres termes, les interprétations des chercheurs de l'étude *INTERHEART* étaient basées sur des données totalement biaisées puisqu'elles reposaient sur une population restreinte qui excluait les cas les plus graves c'est-à-dire mortels. Et nous savons bien que les facteurs de risque de mourir d'un infarctus ne sont pas les mêmes que ceux de faire un infarctus (chapitre 6), en particulier que le cholestérol n'est pas un facteur prédictif du *syndrome de mort subite* qui représente environ 65 à 75 % de la totalité des décès cardiaques. Il est donc probable que si on avait inclus les patients décédés de leur infarctus dans les analyses (je suis là dans la fiction), les apoprotéines n'auraient pas été (ou beaucoup moins) prédictives.

Ces investigateurs auraient dû, plus modestement, conclure que leurs données ne pouvaient concerner que les infarctus non mortels. C'eût été une information moins spectaculaire mais au moins réaliste, encore que l'on pourrait discuter la validité clinique de telles analyses. Je ne discuterai pas ici de ce point qui relève véritablement de spécialistes.

Finalement, la plus grande étude ayant jamais utilisé les apoprotéines comme marqueurs de risque à la place du cholestérol ne nous a apporté qu'une information terriblement biaisée et inutile par rapport à nos connaissances.

4- UN CHOLESTÉROL NORMAL ?

La modification des valeurs dites normales (c'est-à-dire conformes à un état de bonne santé et à une prévention optimale des maladies cardiovasculaires) de divers paramètres biologiques et physiologiques, et notamment du cholestérol, constitue un formidable tour de magie qui laisse pantois. Les modifications récentes de ces normes sont toujours allées dans le même sens c'est-à-dire que les valeurs dites normales sont de plus en plus basses et qu'il y a toujours plus de gens avec des valeurs anormales qu'il est urgent de traiter avec des médicaments.

La définition d'une norme est une question difficile et je la discute aux chapitres 6 et 24 et rapidement ici.

Pendant longtemps, les médecins biologistes ont décidé des valeurs normales des paramètres biologiques qu'ils mesuraient puis délivraient à leurs clientèles, qu'il s'agisse de médecins ou des patients de ces médecins.

Comment procédaient-ils ? Ils mesuraient ces paramètres sur un nombre déterminé de personnes en bonne santé, ils calculaient la moyenne et les déviations standard (les variations par rapport à la moyenne) puis ils décidaient jusqu'à combien de déviations on pouvait considérer ce paramètre comme normal. Si le nombre de mesures est suffisamment élevé et qu'il s'agit d'un paramètre indépendant du mode de vie ordinaire (urée, créatinine, hémoglobine), il n'y a rien à redire à cette façon de dire la normalité.

Quand il s'agit du cholestérol, de la pression artérielle ou du glucose qui sont à la fois des paramètres biologiques, des marqueurs de risque et des facteurs de risque profondément influencés par le mode de vie, et que la population générale est massivement engagée dans un mode de vie délétère (comme ce fut le cas par exemple aux Etats-Unis pendant les décennies 50, 60 et 70 du XXe siècle), il est évident que l'échantillon de personnes en bonne santé utilisé par le médecin biologiste pour déterminer les normes dans son laboratoire doit être sélectionné de façon très attentive. Cette sélection n'était pas faite par exemple à l'hôpital cardiologique de Lyon en 1987 (quand je suis arrivé) puisque la normale supérieure du cholestérol rendue par le laboratoire de l'hôpital était de 7,2 mmol/L, une valeur qui est aujourd'hui considérée comme gravement pathologique. Les cardiologues et biologistes lyonnais faisaient preuve là d'une confondante naïveté. En fait, un peu comme les cardiologues suisses et canadiens à la même époque (voir plus haut), ils n'y attachaient pas d'importance, un comportement que certains épidémiologistes qualifient d'inertie clinique. Je pèse mes mots.

Dans d'autres pays comme les Etats-Unis, on utilisait pour définir un cholestérol normal des équations déduites de grandes études épidémiologiques comme Framingham. Je ne discute pas ici la validité de cette méthode non utilisée en France.

Aujourd'hui, l'ambiance a totalement changé, en particulier en France, et les normes (qui ne sont plus des normes mais des objectifs à atteindre) sont décidées par des comités (américains et européens, pour ce qui concernent nos pratiques en France) peuplés d'experts travaillant en général pour l'Industrie pharmaceutique, d'une façon ou d'une autre. Les adaptations des normes (ou la détermination des objectifs à atteindre) ont été basées sur les résultats d'essais cliniques, ce qui est déjà plus rationnel que ce qui se faisait auparavant, mais évidemment tout dépend de ce que l'on pense de ces mêmes essais. Je m'exprime longuement sur ces essais et leur validité dans différents chapitres de ce livre. Les lecteurs ont compris que pour moi cette façon de procéder, apparemment objective et rationnelle, est totalement biaisée.

De nouvelles normes ont donc été décidées par ces comités. Un travail norvégien a évalué la répercussion de ces nouvelles normes (avec la pression artérielle, le diabète et des antécédents familiaux comme facteurs inclus, en plus du cholestérol) et a calculé qu'à l'âge de 40 ans (et évidemment au-delà) aucun homme norvégien ne pouvait être considéré à risque faible et seulement une femme sur 10 l'était. Autrement dit, tous les hommes et 9 femmes sur 10 devaient être considérés à risque et traités en conséquence.

Comment interpréter ces données ?

De façon simple à mon avis : d'un laxisme extraordinaire des années 1970-90, on est passé à une vision du risque d'infarctus incroyablement exagérée et rigide. C'est ainsi qu'on en est venu à clamer qu'au-delà de 55 ans tout le monde devait être traité avec une statine. D'autres avaient aussi dit que tout le monde devait l'être avec de l'aspirine, mais les effets secondaires de l'aspirine étant ce qu'ils sont, y compris à faibles doses, bien peu de médecins ont suivi ces recommandations. Par contraste, 6 millions d'adultes français consomment en 2007 des médicaments anticholestérol, en dépit du bon sens.

CHAPITRE 2

DU DOUTE À LA CRITIQUE : ITINÉRAIRE D'UN CHERCHEUR

Ce que vous allez apprendre

• Y a t-il un support scientifique solide associé à la théorie du cholestérol ?

• Cette guerre désespérée que nous menons contre le cholestérol, simple et anodine molécule, est-elle justifiée ?

L E LIEUTENANT DROGO ME VIENT À L'ESPRIT QUAND je rencontre, à titre personnel ou professionnel, quelqu'un qui s'inquiète pour son cholestérol et qui cherche, par un moyen ou un autre, à le faire baisser. Le Lieutenant Drogo est le personnage principal du roman de Buzzati *Le Désert des Tartares*. Drogo est un soldat qui ne fait jamais la guerre, parce qu'il n'y a pas de guerre à faire, sauf celle qu'il attend, et qui probablement n'aura pas lieu ; et l'ennemi tartare n'existe pas mais Drogo l'attend désespérément. Drogo veut faire une guerre à un ennemi imaginaire qui puisse donner sens à son angoisse existentielle, au vide de sa vie.

De la même façon, j'ai le sentiment que pour beaucoup aujourd'hui *la guerre contre le cholestérol est une guerre qui n'a pas lieu, qui n'a pas lieu d'être,* et contre *un ennemi qui n'existe pas.*

Une énorme surcharge anxieuse désormais s'attache à cette molécule pourtant insignifiante. Quand j'écris *insignifiante* je ne veux pas dire qu'elle n'a pas de rôle biologique, au contraire elle est très importante dans la vie des cellules et la physiologie de certains organes (voir le chapitre 7).

Mais le cholestérol n'a certainement pas le rôle considérable qu'on lui attribue dans les maladies cardiovasculaires, et abaisser son taux dans le sang n'a sûrement pas l'importance que lui donnent les industriels du médicament, des margarines et leurs alliés des mondes universitaires et médicaux.

De la même façon que j'aurais voulu rentrer dans le roman de Buzzati et aider Drogo, le faire sortir de sa forteresse, de sa dépression, le faire renoncer à attendre cet ennemi qui ne viendra jamais, sauver sa vie en somme, je voudrais aider ces millions de personnes qui, parasitées par une angoisse considérable et inutile, font quotidiennement une guerre désespérée et futile à un cholestérol qui est tout sauf un ennemi.

Je dirais plutôt qu'ils se trompent d'ennemi ou, différemment, qu'ils ont probablement choisi cet ennemi-là, pour éviter d'avoir à s'attaquer au véritable ennemi de leur santé que sont *nos modes de vie* contemporains et les *conditions d'existence* qui les déterminent.

UN PEU DE SCIENCE

La problématique du cholestérol recouvre, outre ses aspects socioculturels et économiques, au moins trois grands aspects que je peux résumer de la façon suivante :

1) l'aspect biologique qui comporte notamment l'étude du rôle du cholestérol dans l'athérosclérose, la pathologie vasculaire ;

2) l'aspect épidémiologique c'est-à-dire les relations entre les niveaux de cholestérol et la prévalence des maladies cardiovasculaires au niveau des populations ;

3) et finalement l'aspect clinique, c'est-à-dire la maladie éventuelle à l'échelon de l'individu.

C'est la convergence des informations venant de ces trois piliers et leur cohérence qui peut permettre de vraiment comprendre cette problématique ; et c'est en comprenant que c'est une fausse problématique que nous pourrons nous alléger de pratiques inutiles et d'angoisses infondées.

Arrivé ici, je vais faire un petit aveu à mes lecteurs.

C'est le troisième livre que j'écris sur le cholestérol. Je suis donc moi aussi une sorte de victime de cette question. Les deux premiers livres n'ont pas été publiés et j'en suis bien heureux car celui-ci, le troisième, les aurait contredits.

ET UN PEU DE « *PARADOXE FRANÇAIS* »

Comme chercheur, la pire des choses qui puisse arriver c'est de devoir se désavouer ou se contredire, c'est-à-dire admettre que j'ai publié des bêtises et devoir les corriger. Et comme je fais de la recherche médicale, c'est aussi admettre que j'ai probablement induit des collègues en erreur, avec peut-être des conséquences pour leurs patients.

Heureusement, pour le moment, ça ne m'est arrivé qu'une seule fois (et sans grande conséquence) à propos de la consommation d'alcool chez les patients cardiaques, et de ce qu'on appelle en épidémiologie le *French paradox* (le paradoxe français) c'est-à-dire l'observation que les Français en moyenne décèdent moins d'infarctus que leurs voisins européens (en particulier les Anglo-Saxons) malgré des facteurs de risque d'infarctus (notamment le cholestérol) semblables à leurs voisins.

Comprendre ce paradoxe est très important sur le plan scientifique car il remet en cause certains des fondements actuels de l'épidémiologie des maladies cardiovasculaires. Je l'explique avec quelques commentaires à la section *Pour les professionnels*, pour ne pas fatiguer les lecteurs pressés. En bref, il y a plusieurs explications possibles à ce paradoxe parmi lesquelles la consommation d'alcool des Français (notablement supérieure à celle de leurs voisins) et qui pourrait théoriquement être protectrice.

Il y a un peu plus de dix ans, j'avais expliqué à un grand meeting de cardiologie européen que je ne pouvais pas croire à cette explication car la consommation d'alcool entraîne une évidente péjoration des facteurs de risque d'infarctus, notamment le cholestérol, la pression artérielle et le poids, au moins tel que cela était perçu à l'époque.

Ayant acquis du fait de mes recherches en cardiologie une certaine réputation, ma déclaration avait été reprise par des médias de façon un peu bruyante. Ce que j'ai bien vite regretté car un épidémiologiste scandinave, d'un certain âge et plein de sagesse, était venu me voir après le meeting et m'avait suggéré quelques analyses supplémentaires basées non plus sur les facteurs de risque d'infarctus mais sur la réalité clinique. Ces analyses furent conduites par des statisticiens lyonnais de façon totalement indépendante de mon équipe de recherche et aboutirent à des conclusions qui, à ma grande surprise (et contrition), allaient tout à fait dans le sens d'une explication du paradoxe français par la consommation d'alcool, et cela malgré les effets délétères de l'alcool sur les facteurs de risque.

En d'autres termes, nos travaux montraient que l'effet protecteur

contre l'infarctus de l'alcool à doses modérées était beaucoup plus important que les effets (négatifs) de l'alcool sur les facteurs de risque d'infarctus
comme le cholestérol, la pression artérielle ou le poids. Je traduis en
termes encore plus clairs : un facteur de risque comme le cholestérol était
apparemment de peu de poids vis-à-vis d'un facteur potentiellement protecteur comme l'alcool. Certains évoqueraient à ce propos la théorie du
bon cholestérol, mais je montre clairement au chapitre 21 qu'il n'y a de
gentil cholestérol que dans les contes de fée.

Ces observations, et mon évidente erreur de jugement, m'ont laissé
un petit goût désagréable, mais cela m'a ouvert les yeux. Cela m'a conduit
une fois de plus à relativiser l'importance supposée du cholestérol dans le
risque d'infarctus, donc la théorie du cholestérol elle-même, ce que ce livre
précisément cherche à montrer.

Depuis ce petit épisode européen, je m'exprime de façon beaucoup
plus positive à propos de la consommation d'alcool et de ses effets sur la
santé (voir notre livre *Alcool, Vin et Santé*, aux Editions Alpen) et notamment sur le risque de maladies cardiovasculaires.

La question du *French paradox* a été pour moi une leçon de modestie
et je fais depuis lors très attention de ne donner mon avis sur quoi que ce
soit, par écrit ou par oral, qu'après en avoir vérifié tous les aspects possibles, et dans la mesure des moyens disponibles.

Et cette règle, je me l'applique évidemment à propos de *la théorie du
cholestérol* que je discute dans ce livre.

Comme je le dis plus haut, deux précédentes versions de ce livre sur
le cholestérol sont restées dans mes tiroirs. Je vais en dire quelques mots.

DES TENTATIVES AVORTÉES

J'ai écrit mon premier livre sur le cholestérol (un petit livre) au début
des années 1980. De façon très naïve, mais sincère, je célébrais les découvertes faites par les Américains Brown et Goldstein sur le rôle des récepteurs des LDL, qui leur vaudront un prix Nobel. J'avais une approche très
biologique de la théorie du cholestérol à l'époque, mais j'avais déjà aussi
beaucoup travaillé sur l'épidémiologie des maladies cardiovasculaires en
relation avec le cholestérol. Par contre, les essais cliniques testant l'intérêt
des thérapeutiques anticholestérol avaient été des échecs, globalement, et
comme nombre de mes collègues, j'attendais le traitement qui permettrait
enfin de tester la *théorie du cholestérol* dans des conditions adéquates. La

communauté des cardiologues en général ne s'intéressait pas au sujet. Toutefois, le directeur du centre de recherche de l'Institut de cardiologie de Montréal au Canada où je travaillais ces années-là avait trouvé ce manuscrit intéressant (il découvrait cette question) et avait décidé de le faire traduire en anglais et de le soumettre à un éditeur américain. Heureusement, pour des raisons sans importance maintenant, le manuscrit n'a jamais été publié.

Mon deuxième livre fut une extension du premier, beaucoup plus distancié, mais pas encore vraiment critique vis-à-vis de la *théorie du cholestérol*. Il fut soumis à des éditeurs français au début des années 1990. Par rapport à la version précédente, la problématique s'inscrivait dans une vision plus générale des maladies cardiovasculaires (j'avais dix ans de plus d'expérience professionnelle à la fois comme cardiologue, comme nutritionniste et comme chercheur) et la dimension nutritionnelle, totalement absente du premier livre, était prépondérante par rapport au cholestérol lui-même. J'avais déjà acquis la conviction que le cholestérol était plus un marqueur de risque que la véritable cause de l'infarctus ou, à la rigueur, un médiateur des processus pathologiques qui conduisent à l'infarctus. J'avais notamment beaucoup appris sur l'importance des lipides autres que le cholestérol, c'est-à-dire les acides gras, dans le déclenchement de la crise cardiaque et de ses complications fatales.

J'avais aussi compris que la vision simpliste (encore largement partagée aujourd'hui par de nombreux experts) de l'athérosclérose comme processus d'occlusion progressif de l'artère conduisant à l'infarctus n'avait pas de réalité clinique. Mais je n'avais pas encore vécu la période des statines, ces extraordinaires médicaments (en termes de réduction de cholestérol), et je ne pouvais pas encore analyser froidement quelles étaient les conséquences réelles d'une réduction drastique du cholestérol dans le sang sur le risque d'infarctus, comme je peux le faire maintenant, et constater que cela n'a finalement que peu ou pas d'impact sur le pronostic.

Ce deuxième manuscrit a été refusé par deux éditeurs avec le prétexte qu'il était trop compliqué et peu lisible par des lecteurs non professionnels. J'en conviens tout à fait et c'est pourquoi ma troisième tentative se veut plus simple et plus didactique.

Le message que je veux délivrer en racontant tout ceci est que je ne suis pas arrivé à mes conceptions actuelles sur le cholestérol après quelques lectures superficielles ou sur la foi d'un enseignement post-universitaire plus ou moins bien digéré. Je suis réellement passé par toutes les phases du chercheur à propos d'un sujet qui le passionne, de l'enthousiasme initial au doute tempéré, du scepticisme contrôlé à une sorte de rejet final de ce qui m'apparaît aujourd'hui plus comme de l'idéologie que de la théorie scientifique.

ITINÉRAIRE D'UN CHERCHEUR

La question tout à fait légitime que les lecteurs peuvent poser c'est : pourquoi ai-je changé d'avis ? Pourquoi d'un doute méthodique, assez commun chez les scientifiques, suis-je passé à une forte critique de la *théorie du cholestérol* ?

Mon évolution est le résultat d'un suivi attentif des publications internationales sur le sujet mais aussi de mes propres travaux conduits avec différentes équipes en Europe et en Amérique sur une trentaine d'années. J'ai la chance d'avoir travaillé dans des équipes très compétentes ayant des techniques et des cultures scientifiques très variées, j'ai travaillé en épidémiologie et j'ai conduit en tant que principal investigateur une dizaine d'essais cliniques pour tester des médicaments en double aveugle ou des diététiques spécifiques. Pour donner une idée de mon expérience en recherche clinique, le premier essai clinique en double aveugle auquel j'ai participé (testant l'utilité d'un médicament dans la pancréatite aiguë, donc sans rapport avec le cholestérol et l'infarctus) a fait l'objet de ma thèse de médecine passée en 1976 à Toulouse. Trente ans donc !

Mais encore ? Pourquoi avoir ainsi changé ?

Il y a de nombreuses raisons à mon changement de perspectives. Au chapitre 10, je vais expliquer deux raisons médicales (le scandale du sang contaminé et l'affaire du Vioxx) qui ont eu des conséquences sociales très importantes.

Pour le moment, je vais simplement expliquer deux raisons d'ordre purement scientifique.

La première raison vient de ce que deux aspects essentiels de la *théorie du cholestérol* se sont littéralement effondrés sous mes yeux. Comme je l'explique aux chapitres 3 et 4, le rôle du cholestérol dans l'athérosclérose et l'infarctus n'est concrètement envisageable que si l'on accepte deux lignes complémentaires de raisonnement (des béquilles théoriques) que j'appelle la théorie oxydative et *la théorie inflammatoire de l'athérosclérose*.

Il faut aujourd'hui admettre que ces deux soutiens et compléments de la *théorie du cholestérol* en relation avec l'athérosclérose, c'est-à-dire le processus d'obstruction progressive de l'artère, ont été réfutés par de multiples essais cliniques au cours des dernières années. Les traitements antioxydants et les traitements anti-inflammatoires non seulement n'empêchent pas l'infarctus mais peuvent augmenter le risque de mourir d'une crise cardiaque. Ces faits, solidement étayés par de la bonne recherche clinique, remettent totalement en question la *théorie du cholestérol* telle qu'elle a été formulée jusqu'à présent.

La deuxième raison vient de ce que je pourrais appeler *la saga des statines*. Ce que je vais dire ne concerne pas seulement les statines, on pourrait dire la même chose à propos d'autres médicaments ou margarines anticholestérol, mais c'est avec les statines que les choses ont pris l'aspect le plus caricatural. De quoi s'agit-il ? Je l'explique en détails dans certains chapitres mais j'en dis quelques mots maintenant.

Nous avons assisté en quelques années, avec les essais cliniques célébrant les miracles des statines, à une désagrégation des méthodes (et de l'éthique) scientifiques. Les absurdités, les contradictions et incohérences, les mensonges de certains, les gaffes des autres ont dessiné un paysage totalement nouveau dans ce champ de la médecine. Il est impossible de prouver (comme le feraient des policiers) que des malversations ont eu lieu, que de la désinformation a couru, que des ententes malsaines ou des complots ont été montés dans des cas précis, toutes choses qui permettraient la classique séparation du bon grain de l'ivraie et de dire que finalement, on pourrait tirer telle ou telle conclusion.

Le résultat est qu'il règne désormais la plus grande confusion, et que cette confusion survient au moment même où des industriels (les mêmes qui commercialisent les statines) sont surpris « la main dans le sac » dans l'affaire des Coxibs (médicaments anti-inflammatoires de dernière génération dont le Vioxx fait partie) que je discute au chapitre 10.

Quel rapport avec la théorie scientifique, pourrait me dire mes lecteurs ?

Je pense qu'il doit exister entre les médecins et les scientifiques une confiance totale dans ce que les uns et les autres font (les uns dans leur labo, les autres dans leurs services hospitaliers) et se rapportent dans les meetings spécialisés et les publications. En l'absence de confiance, aucun rapport n'est plus crédible. Si je pense que l'on cherche à me tromper à propos de l'effet d'un médicament sur tel ou tel paramètre, ou si les rapports de deux équipes s'avèrent totalement différents et contradictoires, je suis en droit de conclure que les hypothèses testées n'ont pas été vraiment vérifiées, et doivent donc être rejetées. C'est ce qui se passe aujourd'hui avec les statines : il est impossible de dire quel est l'effet réel et reproductible de ces médicaments sur les maladies cardiovasculaires. Quand bien même on aurait l'extrême bonhomie d'accepter qu'il y ait un modeste effet protecteur de ces médicaments chez certains patients, il est impossible de savoir si cet éventuel effet est dû à la diminution du cholestérol ou à un des effets annexes du médicament, par exemple son effet stabilisateur de l'oxyde nitrique (voir le chapitre 12). Dans ce dernier cas, il est évident que nous disposons de médicaments (ou de nutriments) protecteurs de l'oxyde nitrique qui n'ont pas d'effet sur le cholestérol et qui pourraient avoir des effets biologiques supérieurs à celui des statines, et pour un coût bien moindre.

De mon point de vue, le résultat global de cette récente *saga des statines* (qui, en fait, est la conséquence de la guerre que se mènent les industriels) est que les essais cliniques testant l'hypothèse qu'une diminution du cholestérol diminue le risque d'infarctus ou de mourir du cœur n'a pas été vérifiée concrètement et doit être rejetée.

EN FORME DE CONCLUSION TRANSITOIRE

Il est possible que dans certaines circonstances cliniques très particulières (par exemple les hypercholestérolémies familiales malignes) un traitement par statines puisse être utile ou qu'un médicament particulier (statine ou autre) puisse chez certains patients avoir des effets favorables. Je ne me permettrais pas d'être péremptoire à ce propos.

Ce que l'on peut toutefois rejeter c'est le postulat que pour chacun d'entre nous le cholestérol doit être le plus bas possible pour assurer notre santé présente et future ; et qu'il faille traiter des millions de personnes en France (des dizaines de millions aux Etats-Unis) avec des médicaments pour atteindre ce but.

Ce que je peux enfin affirmer c'est que l'actuel *cholestérol delirium* contribue à détourner le public, les patients, les médecins, et les pouvoirs publics des véritables problèmes de santé que nous devons affronter à l'aube de ce nouveau siècle et qui concernent avant tout notre mode de vie et donc nos conditions d'existence.

Il ne faut pas faire comme le lieutenant Drogo et livrer une guerre inutile contre un ennemi qui n'existe pas. C'est inutile et dangereux !

CE QU'IL FAUT RETENIR

1- La *théorie du cholestéro*l doit être envisagée selon trois lignes de raisonnement : la biologie expérimentale, l'épidémiologie et les essais cliniques. C'est la convergence des informations venant de ces trois piliers et leur cohérence qui doit étayer cette théorie et permettre de vraiment comprendre si la problématique du cholestérol est importante en médecine.

2- Nous avons vu qu'il s'agit en fait d'une fausse problématique.

3- Deux lignes complémentaires de raisonnement, la *théorie oxydative* de l'athérosclérose et la *théorie inflammatoire* de l'athérosclérose, ont été remises en question récemment laissant la *théorie du cholestérol* elle-même encore plus affaiblie.

4- Au niveau strictement médical, la confusion régnant dans le domaine des médicaments anticholestérol et une incapacité chronique à gérer les conflits d'intérêt remettent en question le postulat proclamé que le cholestérol doit être le plus bas possible pour assurer notre santé à long terme.

5- L'actuel *cholestérol delirium* contribue à détourner le public, les patients, les médecins, et les pouvoirs publics des véritables problèmes de santé que nous devons affronter à l'aube de ce nouveau siècle et qui concernent avant tout notre mode de vie et donc nos conditions d'existence.

6- Finalement, la question du « *paradoxe français* » n'est pas anecdotique car elle remet en question de façon radicale certains fondements de la *théorie du cholestéro*l.

POUR LES PROFESSIONNELS
ET LES CURIEUX

QU'Y A-T-IL DE PARADOXAL DANS LE « *PARADOXE FRANÇAIS* » ?

Les Français, par comparaison avec les Anglo-Saxons, meurent moins de maladies cardio-vasculaires bien qu'ils aient de façon générale les mêmes facteurs de risque que leurs cousins anglo-saxons. Aucun facteur génétique ou racial ne peut expliquer ce mystère.

Certains ont proposé l'idée que les Français étaient protégés du fait de leur mode de vie, notamment leurs habitudes alimentaires qui seraient de type méditerranéen au moins dans le Sud de la France. Cette explication ne tient pas car les Français ne sont pas, pour 90 % d'entre eux, des Méditerranéens et on enregistre la même mortalité cardiovasculaire à Paris qu'à Montpellier.

Une autre explication proposée est celle de la consommation d'alcool. Les Français boivent beaucoup, beaucoup plus en moyenne (en grammes d'alcool pur par personne et par an) que les Européens du Nord.

Mais quand on analyse les effets de l'alcool sur les facteurs de risque qui, en théorie, déterminent le risque cardiovasculaire, on est frappé de constater que la consommation d'alcool, y compris la consommation modérée, augmente ces risques. Par exemple, plus on boit (je fais ici une analyse simpliste et ne sépare pas les effets des différentes boissons alcoolisées, vin, bières, etc.) et plus le cholestérol, le poids, la pression artérielle, les triglycérides, l'acide urique (responsable de la goutte) augmentent. Il y a une exception, c'est le *gentil* cholestérol HDL (qui augmente sous l'effet de l'alcool), mais comme je le montre au chapitre 21, ce gentil facteur n'est pas forcément protecteur et pour beaucoup d'experts (y compris les plus fanatiques défenseurs du concept de *gentil* cholestérol HDL), son rôle dans l'infarctus est finalement mineur ou, ce qui revient au même, tarde à être démontré en clinique.

Bref, l'effet de l'alcool sur les facteurs de risque est plutôt délétère et il devient impossible d'expliquer une quelconque protection par l'alcool via ses effets sur les facteurs de risque, à moins de remettre en question un postulat fondamental de l'épidémiologie cardiovasculaire, l'importance des facteurs de risque dits classiques tels que le cholestérol, la pression artérielle, le poids etc. sur le risque d'infarctus. Sacrilège !

Le concept de « *paradoxe français* » est donc, si on suit le raisonnement jusqu'à son terme, une remise en question radicale de quelques aspects fondamentaux de l'idéologie régnante, et notamment de la *théorie du cholestérol*. On peut comprendre que quelques-uns aient un peu de mal à digérer la potion et qu'ils préfèrent remettre en question le concept de « *paradoxe français* » lui-même. Les lecteurs l'ont compris, mon cheminement a été différent, j'ai commencé par contester le concept, puis face à l'évidence, je me le suis réapproprié et dans le même mouvement j'ai été amené à remettre en question certains dogmes de l'épidémiologie que je qualifie ailleurs dans cet ouvrage d'*insoutenablement légers*.

CHAPITRE 3

NON, LE CHOLESTÉROL
NE BOUCHE PAS LES ARTÈRES

Ce que vous allez apprendre

• Que vaut, sur le plan scientifique, la théorie selon laquelle l'obstruction progressive de l'artère par une lésion qui se gonfle de cholestérol serait responsable de l'infarctus ?

• Que valent, sur le plan clinique, les modèles de souris génétiquement modifiées pour expliquer l'athérosclérose et l'infarctus du myocarde ?

• La théorie disant que *plus le cholestérol est haut plus le risque d'infarctus augmente et inversement plus il est bas et moins le risque est élevé* a-t-elle été validée par la recherche en biologie expérimentale (ou en pathologie clinique) ?

D ES SOURIS ET DES HOMMES [*Of Mice and Men* en anglais] est le titre d'un roman que John Steinbeck fait paraître en 1937. Je pourrais m'amuser à toutes sortes de rapprochements entre les souris des labos de biologie modernes et les personnages hallucinés de Steinbeck.

Comme les personnages de Steinbeck, certains biologistes et chercheurs qui travaillent sur le cholestérol et l'athérosclérose me semblent parfois vivre bien loin de la réalité de la maladie qu'ils prétendent étudier et bien loin de ce que sont les patients, leurs pathologies artérielles réelles, leurs syndromes cliniques et leurs souffrances.

L'idée principale que je vais défendre dans ce chapitre, et le suivant, est que les théories explicatives des maladies cardiovasculaires basées sur le cholestérol sont indéfendables sur le plan de la biologie expérimentale et de la pathologie clinique. Il est faux de dire que le cholestérol obstrue les artères et que plus le cholestérol est élevé dans le sang, plus on risque de mourir d'un infarctus.

Cette théorie bancale a besoin de sortes de béquilles pour lui permettre de tenir debout : les théories oxydative et inflammatoire exposées au chapitre 4 ont été conçues pour soutenir cette vision irréaliste du rôle du cholestérol. Malheureusement, l'expérience clinique a conduit à rejeter ces béquilles théoriques et donc à l'effondrement de ces châteaux de cartes de biologie expérimentale. Force est de constater que la reine, la *théorie du cholestérol*, est nue. Nous ne pouvons plus aujourd'hui, il faut en faire le deuil, nous appuyer sur une vision mécanistique cohérente du rôle du cholestérol dans les maladies cardiovasculaires.

DES SCÉNARIOS BIOLOGIQUES SANS FONDEMENT CLINIQUE

L'athérosclérose est le nom donné à un processus pathologique de la paroi des artères qui peut conduire à l'obstruction de ces artères et, en conséquence, à l'ischémie (manque d'oxygène) voire la nécrose, c'est-à-dire la mort des cellules des tissus irrigués par ces artères. C'est par exemple l'infarctus du myocarde après l'occlusion d'une artère coronaire ou bien la gangrène du pied si l'artère apportant l'oxygène à la jambe est fermée par un thrombus, une embolie ou une lésion d'athérosclérose.

Je ne rentrerai pas dans le détail de la description des lésions d'athérosclérose connues depuis des siècles et qui comportent, comme leur nom l'indique, des parties molles (l'athérome) et des parties dures et fibreuses (la sclérose). Le lecteur particulièrement intéressé trouvera dans les articles de Stary H.C. ou de Napoli C. matière à sa réflexion (voir bibliographie). En cherchant un peu, il trouvera aussi de très belles images via Internet et Google. Évidemment, par cette méthode de recherche, il obtiendra des informations classiques et conformistes. Pour une approche un peu plus critique et personnelle de la question, je propose aux lecteurs de lire le 1er paragraphe de la section *Pour les professionnels*.

Ce que les lecteurs doivent absolument comprendre c'est que l'infarctus n'est pas le résultat d'une obstruction progressive de l'artère par une lésion qui se gonfle de cholestérol à une vitesse proportionnelle aux concentrations dans le sang. Cette vision de l'infarctus est totalement fausse et doit être oubliée au plus vite.

En fonction des époques et des auteurs on a pu voir l'athérosclérose comme une maladie artérielle essentiellement fibreuse voire tumorale, parfois infectieuse et inflammatoire, thrombotique et enfin lipidique, pour ne citer que les grandes théories d'après la guerre de 1939-1945. Il n'y a pas lieu de répéter ici ces belles histoires qui se sont avérées rarement compatibles entre elles malgré les efforts de quelques scientifiques avides de consensus.

En 2007, nous sommes dans une période très *cholestérol* de la théorie de l'athérosclérose.

Si on demande à un expert contemporain du cholestérol et de l'athérosclérose (qui donc ignore ou néglige les autres théories explicatives) de nous décrire en quelques pages ce qu'est le processus d'athérosclérose, que dirait-il ?

Prenons par exemple Daniel Steinberg (un célèbre biologiste américain, certainement nobélisable pour ses travaux sur l'athérome et les lipides) qui a écrit et publié un article fin 2002 dans la célèbre revue britannique *Nature* [*Nature Medicine* novembre 2002, vol. 11, pages 1211 et suivantes].

Le titre de Steinberg en dit long sur sa vision de cette maladie : « *Athérosclérose en perspective : hypercholestérolémie et inflammation comme partenaires dans le crime* » (traduction libre par l'auteur). Nous voici dans le vif du sujet : le cholestérol serait un criminel et il aurait des complices, bref il appartiendrait à un gang.

Steinberg nous dit aussi que la responsabilité de l'athérosclérose ne peut être imputée exclusivement à cet ennemi (de l'intérieur ou de l'extérieur) que serait le cholestérol.

Selon lui, avoir un cholestérol élevé ne suffit pas pour occlure une artère, il faut d'autres facteurs (un gang au complet) et, parmi les plus dangereux complices, Steinberg retient l'oxydation et l'inflammation.

Steinberg, contrairement à beaucoup d'experts et prescripteurs de médicaments anticholestérol, ne voit donc pas le cholestérol du sang comme l'unique coupable de l'athérosclérose. Il a parfaitement conscience de la fragilité de la théorie du cholestérol et il est sensible aux critiques formulées par de nombreux scientifiques sérieux et indépendants de l'industrie. Il cherche donc à consolider cette théorie, si l'on peut dire, en trouvant de nouveaux arguments pour rendre cette théorie moins réfutable. Les deux complices (ou les deux béquilles si on pense que la *théorie du cholestérol* est boiteuse) proposés par Steinberg sont les hypothèses oxydative et inflammatoire (chapitre 4).

QUEL EST LE RAISONNEMENT DE STEINBERG ?

Comment Steinberg décrit-il la séquence des événements qui conduit selon lui à l'athérosclérose ? Il le fait avant tout en s'appuyant sur des modèles expérimentaux animaux. C'est une dangereuse restriction car les pathologies artérielles humaines sont très particulières. Rappelons que le modèle expérimental de référence, pour Steinberg, a longtemps été le lapin. Le chien et le rat sont beaucoup utilisés pour étudier le myocarde mais pas pour les mécanismes de l'athérosclérose. Depuis une dizaine d'années la souris génétiquement modifiée (« knock-out » et « knock-in ») est devenue l'animal-vedette.

Ce faisant, on s'est encore plus éloigné de la réalité clinique car, comme chacun sait, si l'homme n'est pas un gros rat, ce n'est pas non plus une très grosse souris ! Il est vrai que ces souris modifiées génétiquement constituent des outils de recherche fantastiques, notamment pour identifier les gènes impliqués dans certaines pathologies. On n'en voudra donc pas trop à nos collègues des laboratoires de prendre comme modèles ces charmantes petites bêtes. On nous permettra toutefois de regarder leurs résultats et conclusions avec une certaine distance et, à dire vrai, nous n'avons pas eu pour le moment grand-chose à retirer de ce type de travaux, dans l'intérêt bien compris de nos patients, cela va sans dire.

Le message du paragraphe précédent est, je l'espère, très clair pour les lecteurs : les théories biologiques de l'athérosclérose sont souvent présentées de façon dogmatique (*c'est la vérité, c'est prouvé !*) par leurs auteurs et leurs relais médiatiques, universitaires et industriels. Elles sont construites sur la base de modèles expérimentaux *très artificiels*. L'extrapolation aux situations humaines est périlleuse comme je le montre plus loin (voir aussi le 2ᵉ paragraphe de la section *Pour les professionnels*). Si ces scénarios peuvent être très intelligemment construits et très séduisants intellectuellement, ils n'ont pas de réelle traduction clinique ni même d'équivalent en pathologie humaine.

DES SOURIS ET DES HOMMES

Que nous disent les souris de Daniel Steinberg ? D'abord que la première lésion artérielle décelable, en réponse à un taux de cholestérol élevé induit génétiquement chez ces souris, est ce qu'on a appelé en français la **strie graisseuse** (*fatty streak* en anglais), une sorte d'infiltration superficielle de la paroi de l'artère, visible à l'œil nu du côté de la circulation du sang et pas sur la face externe de l'artère. Cette infiltration graisseuse provoque dans les cellules superficielles de l'artère (les cellules endothéliales) des modifications qui tendent à les rendre attractives pour les leucocytes (globules blancs) du sang, des acteurs fondamentaux du système immunitaire. Les leucocytes participent de façon quasi obligatoire à toutes les formes d'inflammation ; par exemple en réponse à des intrusions virales ou bactériennes. Selon Steinberg, après s'être collés à la paroi artérielle ces leucocytes pénètrent à l'intérieur du mur artériel où ils se gorgent des lipides présents et responsables de la strie graisseuse.

Pourquoi les lipides s'accumulent là et pourquoi les leucocytes les rejoignent et les absorbent sont des questions sans réponse. Comme certains leucocytes métabolisent mal le cholestérol, ils l'accumulent et deviennent de grosses cellules (des cellules obèses) paralysées dans la paroi artérielle. La présence de ces cellules obèses et paralysées dans la paroi artérielle serait la signature de l'athérome débutant, le vrai début de la maladie athérosclérose selon les défenseurs de la *théorie du cholestérol*. Pour d'autres chercheurs travaillant sur d'autres scénarios, le vrai début pourrait être inflammatoire, tumoral ou thrombotique et ils ont de très bons arguments aussi.

Sauf le très grand respect que je dois à mes collègues biologistes, je dois dire que cette histoire dite naturelle de l'athérosclérose a peu de validité clinique. Je n'insisterai pas sur les aspects bandes dessinées de la théorie : ces vilains globules autocollants qui se goinfreraient de mauvais gras et en tombent malades et paralysés ! Essayons de prendre au sérieux cette petite fable sympathique et envisageons sans rire les termes de ce conflit artériel.

Tout d'abord, de longue date, les pathologistes qui font les autopsies de personnes décédées, de causes connues ou inconnues, ont décrit ces stries graisseuses à tous les âges de la vie, y compris chez les fœtus, les enfants au moment de la pré-puberté et les jeunes adultes. Rien ne permet de dire que ces lésions vont conduire, dans des délais inconnus, à l'obstruction de l'artère.

En fait, la fréquence de ces lésions est très variable en fonction des âges de la vie et tout indique que ces états de l'artère sont transitoires, totalement régressifs et probablement pas pathologiques par eux-mêmes. Rien n'indique qu'il s'agisse de lésions précoces d'athérosclérose chez les humains, comme le prétendent certains défenseurs de la *théorie du cholestérol*. Quant à la petite histoire des leucocytes gonflés de lipides (et pas seulement de cholestérol) et paralysés, elle est séduisante mais ne repose sur aucune donnée clinique ou expérimentale *in vivo*. Les expérimentateurs les plus aguerris se sont avérés incapables de reproduire ce phénomène (que les biologistes appellent maintenant en anglais « *the foam cell paradox* », une expression facile à comprendre sachant qu'une foam cell est précisément une cellule obèse paralysée) dans des conditions métaboliques normales.

Cette incompréhension de la biologie du leucocyte dans l'athérosclérose a été fondamentale pour l'élaboration des béquilles de la *théorie du cholestérol* que sont la théorie oxydative et la théorie inflammatoire que j'expose au chapitre 4.

Les lecteurs auront toutefois compris que nous sommes, dans ces scénarios, très loin de l'infarctus du myocarde (ou cérébral) causé par une obstruction totale de la lumière de l'artère. Pour en arriver là, il faut soit une thrombose aiguë (dont les mécanismes sont indépendants des taux de cholestérol), soit une lésion compacte et solide que seul un processus de fibrose chronique (dont les mécanismes sont indépendants des taux de cholestérol) peut constituer.

Ce qu'il faut retenir

1- En fonction des époques et des auteurs on a pu voir l'athérosclérose comme une maladie artérielle essentiellement fibreuse voire tumorale, parfois infectieuse et inflammatoire, ou enfin lipidique, avec le cholestérol comme principal acteur.

2- Pour être validée, la *théorie du cholestérol* disant que les concentrations élevées de cholestérol dans le sang sont responsables de l'infarctus a besoin d'hypothèses qualitatives complémentaires : ce sont les hypothèses oxydative et inflammatoire qui sont discutées au chapitre suivant.

3- La vision d'une obstruction progressive de l'artère par une lésion qui se gonfle de cholestérol à une vitesse proportionnelle aux concentrations dans le sang est totalement fausse et doit être oubliée au plus vite.

4- Les souris ne sont pas des hommes, même après manipulation génétique, et les modèles d'athérosclérose construits avec ces animaux sont artificiels et irréalistes.

POUR LES PROFESSIONNELS ET LES CURIEUX

1- OBSTRUCTIVE ET PROTECTRICE : LE PARADOXE DE L'ATHÉROSCLÉROSE

La plus grande partie (70 % environ) de la lésion d'athérosclérose mature est constituée de tissu fibreux, rigide, de type cicatriciel, plus ou moins riche en cellules qui se multiplient de façon plus ou moins tumorale (comme une tumeur bénigne). C'est cette prolifération cellulaire qui obstrue progressivement la lumière de l'artère, au moins en l'absence d'inflammation (aiguë) qui en général se traduit par une rupture ou une ulcération de la lésion vers la lumière de l'artère et une complication thrombotique susceptible d'occlure brutalement l'artère et de provoquer un infarctus du myocarde.

La partie lipidique occupe en général le centre de la lésion et confère une certaine souplesse à la lésion. Cela signifie que sous l'effet de la pression régnant dans la lumière de l'artère (environ 100 mm de mercure), la lésion tend à s'écraser et à être moins sténosante, donc à laisser couler plus facilement le sang à travers la lumière artérielle résiduelle. En fait, la sténose d'une artère (coronaire par exemple) devient cliniquement gênante quand elle provoque des symptômes du fait de la réduction du débit sanguin qu'elle entraîne. Par exemple, au moment d'un exercice physique, le myocarde a besoin de plus d'oxygène et le débit dans l'artère coronaire augmente de façon proportionnelle à l'intensité de l'effort afin d'apporter l'oxygène nécessaire au travail des cellules. Si une sténose limite le débit dans l'artère, un déséquilibre entre le besoin en oxygène du myocarde pour un effort donné et l'apport possible en oxygène provoque la crise d'angine de poitrine qui est en fait la traduction d'une ischémie du myocarde, c'est-à-dire d'une souffrance du tissu cardiaque due au manque d'oxygène. Le même phénomène au niveau du cerveau entraîne rapidement une syncope. Une sténose devient invalidante à l'exercice quand elle réduit de 70 % environ la lumière de l'artère. L'angine de poitrine est le plus souvent un signe clinique relativement bénin car elle prévient le patient qu'une sténose est devenue gênante. Les types de sténose qui se signalent par de l'angine de poitrine progressent en général lentement et sont à prédominance fibreuse (manque de souplesse). Cette lenteur relative permet également le développement d'une circulation collatérale au niveau du myocarde souffrant d'ischémie à l'effort, c'est-à-dire que de nouveaux vaisseaux se créent à partir des branches situées en amont de la sténose et assurent l'oxygénation du myocarde situé en aval de la sténose.

C'est ainsi qu'en l'absence de symptômes angineux (des douleurs thoraciques), on peut voir se constituer des sténoses presque totales de l'artère (90 à 95 % d'obstruction de la lumière artérielle). On peut même voir, mais c'est rare, des occlusions artérielles (absence totale de flux sanguin à travers une lésion) sans symptôme et sans infarctus du myocarde. La différence entre infarctus et ischémie du myocarde est que dans l'infarctus, l'ischémie (le manque d'oxygène) dure assez longtemps pour provoquer la mort (la nécrose) des cellules souffrantes. Même une faible circulation collatérale peut s'avérer salvatrice en permettant la survie des cellules assez longtemps pour qu'un traitement adéquat de l'occlusion (une perfusion d'agent fibrinolytique qui lyse le thrombus ou une désobstruction mécanique avec un cathéter à ballonnet) rétablisse le flux sanguin.

Beaucoup plus dangereuses sont les occlusions brutales des artères coronaires, car en l'absence de circulation collatérale la nécrose cellulaire survient beaucoup plus rapidement, de même que les complications mortelles de la crise cardiaque. Des autopsies pratiquées sur des patients décédés rapidement (une à trois heures après le début des symptômes thoraciques) ont montré que les occlusions artérielles étaient très rares chez ces patients. Des sténoses serrées sont également rarement observées dans ce contexte clinique. Cela signifie que ces patients sont décédés en l'absence de lésions d'athérosclérose sévères mais en conséquence d'une occlusion transitoire (généralement thrombotique) de l'artère. Ces obstructions aiguës sont donc généralement dues à des thromboses (des caillots) formées au niveau de lésions coronaires peu sténosées mais qui se sont rompues ou se sont ulcérées dans la lumière de l'artère. Les lésions qui s'ulcèrent sont des lésions jeunes, peu évoluées, peu fibreuses et plutôt riches en lipides et cellules inflammatoires. La fibrose cicatricielle des lésions d'athérosclérose chronique constitue une protection contre l'ulcération du fait de la rigidité qu'elle procure à la partie luminale de la lésion.

Le **paradoxe** est donc que le processus sclérosant et chronique de l'athérosclérose est à la fois **obstructif** de l'artère (quoique lentement) et **protecteur** contre le risque d'ulcération et de thrombose aiguë de l'artère. Cette notion est absolument fondamentale : l'inflammation aiguë de la lésion d'athérosclérose tend à provoquer une ulcération (et une occlusion thrombotique) extrêmement dangereuse tandis que le même processus inflammatoire rentré dans sa phase cicatricielle et chronique tend à augmenter progressivement le degré d'obstruction mais, dans le même temps, contribue à stabiliser la lésion (à empêcher l'ulcération).

Cette dualité de l'inflammation, qui peut être à la fois déstabilisante ou stabilisante des lésions d'athérosclérose, constitue un problème majeur pour toutes les formes de prévention des complications cardiovasculaires. En donnant des médicaments anti-inflammatoires à un patient chez lequel peuvent coexister des lésions d'athérosclérose à des stades variés d'inflammation, on prend le risque de déstabiliser des lésions tout en stabilisant d'autres lésions.

Malheureusement ce risque n'est pas seulement théorique comme nous l'avons récemment appris à nos dépens avec les essais cliniques testant les médicaments anti-inflammatoires appelés COXIBs (chapitre 10).

2- LA VISION TRONQUÉE DE STEINBERG

Steinberg fait de l'hypercholestérolémie le principal facteur causal de l'athérosclérose. Il attache, paradoxalement, une importance très secondaire à des facteurs comme le tabac ou l'hypertension artérielle. Il ignore totalement les facteurs nutrition et sédentarité, au sens large. Il commet la même erreur que Russel Ross (voir bibliographie) qui lui aussi avait construit une théorie désincarnée, sans relation avec la réalité clinique et la vraie vie. En ce sens, il se range donc totalement dans la catégorie des *hallucinés* du cholestérol, tant décriés par de nombreux collègues. Le terme *hallucinés* ne se veut pas insultant, il traduit l'idée que les raisonnements de ces experts sont focalisés sur un concept unique et prédominant, l'effet délétère du cholestérol, et négligent dès lors d'autres facteurs qui, pour d'autres scientifiques, en particulier l'auteur de ces lignes, sont impossible à éluder, les facteurs descriptifs du mode de vie (tabac, sédentarité et nutrition essentiellement). On voit bien le fossé qui sépare ces deux approches de la pathologie. Si c'est le mode de vie le principal responsable des maladies cardiovasculaires, l'ennemi (selon les termes de Steinberg) qu'il nous faut combattre en priorité ce n'est évidemment pas une molécule diabolisée comme le cholestérol, mais notre mode de vie et donc nos conditions d'existence.

CHAPITRE 4

DES BÉQUILLES ANTIOXYDANTE ET ANTI-INFLAMMATOIRE

Ce que vous allez apprendre

• Pourquoi avons-nous besoin de théories de secours (de béquilles) pour consolider la *théorie du cholestérol* ?

• Qu'est-ce que la théorie oxydative ?

• Qu'est-ce que la théorie inflammatoire ?

• Ces deux théories de secours sont-elles convaincantes ?

C OMME ENVISAGÉ AU CHAPITRE PRÉCÉDENT, POUR OBTENIR expérimentalement les *cellules obèses paralysées* qui seraient les archétypes des cellules qui constituent la lésion d'athérosclérose débutante (qui n'est jamais obstructive de l'artère) il faut des conditions particulières : il faut mettre des leucocytes en présence de molécules riches en lipides, notamment en cholestérol (les lipoprotéines dites LDL pour *Low Density Lipoprotein*) d'une part, mais il faut aussi que ces LDL aient subi des modifications importantes de leur structure chimique, par exemple une *acétylation*. Dans ce cas, on obtient effectivement des drôles de cellules *obèses paralysées* qui ressemblent un peu à celles observées chez la souris génétiquement modifiée.

Le problème c'est que le processus d'*acétylation* des lipoprotéines utilisé par les biologistes dans les éprouvettes n'a jamais été mis en évidence chez la souris vivante, et encore moins, évidemment, chez l'homme.

Comme le dit sans ironie Daniel Steinberg lui-même dans son article (cité au chapitre précédent) : « *les recherches continuent pour identifier le processus d'altération des lipoprotéines qui permettrait de valider le modèle théorique développé à partir de la souris génétiquement modifiée* ».

Les lecteurs auront noté l'inversion du raisonnement scientifique : on ne cherche pas à expliquer ce que l'on a observé chez les humains mais on recherche désespérément chez les humains de quoi valider un mécanisme observé chez la souris...

Je discute un peu plus longuement cette question au 1ᵉʳ paragraphe de la section *Pour les professionnels*. D'autres modifications des LDL susceptibles de provoquer la formation de ces drôles de *cellules obèses paralysées* ont été étudiées. Aucune d'entre elles n'a été validée chez l'homme dans des conditions cliniques normales ou proches de la normale. L'une d'entre elles pourtant a donné beaucoup d'espoir, c'est la modification oxydative des lipoprotéines. J'ai moi-même longtemps cru à cette théorie et il eût été formidable pour nos patients qu'elle soit validée car la solution du problème, l'administration d'antioxydants pour empêcher l'altération des LDL, était évidente. Ce ne fut malheureusement pas le cas !

PREMIÈRE BÉQUILLE : LA *THÉORIE OXYDATIVE* DE L'ATHÉROSCLÉROSE

Si l'on modifie, dans un tube à essai, des LDL de façon à les oxyder, elles peuvent effectivement donner lieu à la formation de *cellules obèses paralysées* en culture. Les défenseurs de cette théorie prétendent que les LDL peuvent être oxydées soit dans la circulation sanguine soit après avoir pénétré dans la paroi artérielle, mais il n'y a aucune donnée scientifique sérieuse. Ils disent aussi que la concentration de LDL oxydées dans l'artère est proportionnelle à la concentration de LDL (donc de cholestérol) dans le sang et qu'une fois oxydées, les LDL ont de nouvelles propriétés qui favorisent l'inflammation et le processus d'athérosclérose. Cette théorie permettrait de réconcilier les théories de l'athérosclérose inspirées soit de l'inflammation soit du cholestérol.

Des milliers d'articles ont donc été publiés sur la théorie dite oxydative de l'athérosclérose et je n'en esquisserai même pas un résumé. Ce serait en effet inutile pour un lecteur de 2007 puisqu'il faut reconnaître qu'elle a été sévèrement prise en défaut par la recherche clinique.

Avant de montrer comment cette théorie s'est effondrée, je propose aux lecteurs curieux de s'instruire un peu au 2ᵉ paragraphe de la section *Pour les professionnels*.

En bref, l'altération oxydative des LDL provoquerait une réaction hostile des leucocytes qui auraient tendance à les absorber pour les éliminer, à les accumuler, jusqu'à en devenir obèses et paralysées. Bien qu'il n'y ait pas d'argument scientifique convaincant en faveur de cette séquence d'événements chez l'animal vivant et chez l'homme, ceci a été généralement accepté comme au moins concevable par la grande majorité des experts.

Pourquoi les leucocytes devraient-ils éliminer des *LDL oxydées* ?

Pourquoi ces *LDL oxydées* s'accumulent-elles dans l'artère et pas ailleurs ?

Les LDL des stries graisseuses décrites au chapitre 3 sont-elles oxydées ?

Nous n'avons pas de réponses à ces questions. Aujourd'hui, nous devons le reconnaître, nous avons fait preuve collectivement de beaucoup d'indulgence vis-à-vis de cette description de l'athérosclérose à partir des LDL oxydées. Des milliers de publications ont célébré de façon roborative cette théorie et je ne me souviens pas d'avoir lu une seule forte critique au cours des années où elle fut prépondérante parmi les chercheurs et les médecins, y compris jusqu'à aujourd'hui en avril 2007.

Pourtant, il y avait une façon simple de la vérifier : c'était de traiter des personnes ou des patients avec des antioxydants et de regarder si on avait un impact biologique (oxydation des LDL) ou clinique (moins d'infarctus) significatif. Plusieurs essais ont finalement été conduits et leurs résultats publiés.

Des antioxydants variés, seuls ou en combinaison, à des doses pharmacologiques ou nutritionnelles, ont été utilisés. Des milliers de patients ont été recrutés dans ces essais.

Les résultats ?

Globalement on peut, en avril 2007, dire deux choses : d'une part les antioxydants testés dans les essais cliniques empêchent réellement ou au moins diminuent de façon significative l'altération oxydative des LDL ; d'autre part, ces mêmes antioxydants n'ont pas eu d'effet clinique significatif, n'ont pas empêché l'infarctus et n'ont pas sauvé des vies.

Je ne détaillerai pas les différents essais cliniques testant les antioxydants publiés à ce jour mais tout le monde est d'accord pour dire qu'ils sont négatifs et qu'il n'y a en conséquence aucune raison de traiter des patients avec des antioxydants pour les protéger de complications cardio-vasculaires. Au 3ᵉ paragraphe de la section *Pour les professionnels*, je discute brièvement deux de ces essais car ils sont très représentatifs des problèmes que peuvent soulever les essais cliniques en général. Ceci dit, sur la base de l'ensemble de ces essais cliniques, il nous faut décider si la théorie oxydative de l'athérosclérose a été réfutée ou non.

LE VERDICT EST SANS APPEL

Pour avoir une vue d'ensemble sur le problème du stress oxydatif, des antioxydants et des maladies cardiovasculaires, je recommande la lecture du magnifique volume *Antioxidants and cardiovascular diseases* publié chez Springer en 2006 sous la direction de mes amis québécois Bourassa et Tardif de l'Institut de Cardiologie de Montréal. C'est un ouvrage collectif (dans lequel nous avons nous-mêmes rédigé le chapitre 8 consacré aux aliments et nutriments antioxydants) où la grande majorité des auteurs sont des défenseurs de la théorie oxydative, donc peu suspects de vouloir à tout prix démolir la théorie.

Comment interpréter les résultats des essais cliniques avec les antioxydants ? Ils sont négatifs, tout le monde est d'accord. Mais cela signifie-t-il qu'ils auraient été mal conduits ? Certains le disent en prétendant qu'avec d'autres antioxydants et d'autres doses les résultats auraient été différents.

C'est possible et je ne me prononcerai pas.

Ce qui est évident toutefois c'est qu'avec les doses et les produits (ou les cocktails de produits) testés dans ces essais, on a obtenu des effets significatifs sur l'oxydation des LDL qui devenaient (au cours des tests réalisés dans des tubes à essai pour le vérifier) plus résistantes à l'agression oxydative. En d'autres termes, la *théorie oxydative* n'est probablement pas descriptive des maladies cardiovasculaires. Et il faut en tirer toutes les conséquences. Je propose de le faire de la façon suivante :

1- Le rôle de l'oxydation des LDL dans les maladies cardiovasculaires n'a pas été confirmé. Donc, la *théorie oxydative*, première béquille élaborée pour pallier les insuffisances de la *théorie du cholestérol* dans l'athérosclérose, ne tient pas.

2- Si les *LDL oxydées* ne sont pas importantes dans les maladies cardio-vasculaires humaines, on peut se demander si les LDL (ou *vilain* cholestérol) elles-mêmes sont importantes.

Quel genre de réponse obtient-on des experts du cholestérol quand on fait valoir le raisonnement énoncé ci-dessus ?

On nous dit qu'en aucun cas on doit remettre en question la *théorie du cholestérol* car ce qui importe ce n'est pas l'oxydation des LDL (qui ne serait qu'une conséquence de l'inflammation vasculaire) mais l'inflammation vasculaire elle-même. Ce serait elle la vraie cause primordiale de l'athérosclérose. En empêchant l'oxydation des LDL on ne peut pas être très actif sur la progression de la maladie artérielle et la survenue des complications cardiaques car le vrai problème c'est l'inflammation vasculaire qui serait aussi la véritable cause de l'oxydation des LDL.

C'est une nouvelle version de la *théorie oxydative*. Elle ne manque pas d'intérêt et il n'y a aucune raison de la rejeter *a priori*. Toutefois, par ce raisonnement, on fait appel (après la béquille oxydative) à une deuxième béquille : la théorie *inflammatoire* de l'athérosclérose. Cet argumentaire doit donc être examiné soigneusement.

DEUXIÈME BÉQUILLE : LA THÉORIE INFLAMMATOIRE DE L'ATHÉROSCLÉROSE

Cette nouvelle version de la théorie inflammatoire, déjà beaucoup utilisée dans les années 1970-1980 (on se réfère ici aux travaux de Russel Ross par exemple, voir bibliographie), est une façon de réconcilier plusieurs approches apparemment contradictoires de l'athérosclérose. Elle réconcilie la théorie qui attribue au cholestérol un rôle central dans le développement des lésions artérielles obstructives et celle qui suggère que l'athérosclérose est une réponse de l'artère à une agression {théorie que Ross avait initialement décrite par la formule *The response to injury hypothesis* où les plaquettes jouaient un rôle prépondérant et qui aujourd'hui pourrait être appelée *Théorie inflammatoire*}.

Pour concilier ces deux théories il faut encore attribuer un rôle d'agresseur au cholestérol et donc caricaturer la physiologie. La *théorie inflammatoire* de l'athérosclérose est donc apparemment une version complexifiée de la *théorie du cholestérol*. Des livres entiers sont écrits à propos de cette théorie. Ce n'est pas le cas de ce livre-ci qui ne fait qu'aborder superficiellement le sujet au 4e paragraphe de la section *Pour les professionnels*.

Pourquoi superficiellement ?

Parce que cette théorie doit être validée cliniquement pour réellement présenter un intérêt pour moi et, évidemment, pour mes patients. Et ce n'est pas le cas !

Y a t-il des essais cliniques testant la théorie inflammatoire ?

La réponse est positive et la situation, réellement décantée au cours des deux dernières années, est assez épouvantable pour les scientifiques qui ont défendu cette théorie.

En effet, non seulement les médicaments anti-inflammatoires testés dans ces essais n'ont pas eu d'effet bénéfique sur le risque de complications cardiovasculaires, mais, pire encore, ils se sont avérés délétères avec une augmentation significative du risque (chapitre 10).

Pour certains de ces médicaments le risque est multiplié par 4 ! Tous les anti-inflammatoires sont délétères apparemment et l'on est bien obligé d'admettre que c'est l'effet anti-inflammatoire lui-même qui provoque les complications et non pas certaines molécules ayant des propriétés particulières. De plus, malgré quelques hypothèses séduisantes proposées par des experts de l'inflammation tout acquis aux industriels qui commercialisent ces médicaments, nous n'avons pas à ce jour d'explication satisfaisante à cet effet délétère des anti-inflammatoires.

L'explication la plus évidente et que l'on peut ainsi formuler (ce que personne n'a osé faire jusqu'à présent en cette année 2007), c'est que la théorie inflammatoire est, partiellement ou totalement, erronée. Elle ne permet pas de déchiffrer ce que la nature nous dit concernant la pathologie artérielle et les complications cardiaques. Il faut certes un peu de courage pour admettre ce naufrage théorique, surtout pour ceux qui ont basé toute une carrière, dans l'industrie ou dans les universités, sur cette théorie et sur les conséquences pratiques qui pouvaient en découler pour la marche du commerce des médicaments.

FAUT-IL REJETER LA THÉORIE INFLAMMATOIRE EN BLOC ?

C'est une question importante. Ce que nous devons surtout rejeter c'est le fait, dogmatiquement signifié par certains experts, que l'inflammation vasculaire explique les maladies cardiovasculaires, à la fois la naissance des lésions d'athérosclérose chez le bébé (selon ces théoriciens) et les complications fatales de l'adulte.

Dans le même élan, il nous faut aussi admettre qu'en réfutant l'une après l'autre les théories oxydative et inflammatoire, nous laissons une *théorie du cholestérol* très affaiblie et, pour tout dire, bien peu consistante, selon les raisonnements de Steinberg lui-même et bien d'autres.

Toutefois, il me paraît impossible d'oublier des faits et données qui ont contribué à l'élaboration de la théorie inflammatoire. Je les mentionne au 5ᵉ paragraphe de la section *Pour les professionnels*. De même, aux 6ᵉ et 7ᵉ paragraphes, je discute du rôle des infections (et des antibiotiques) et de l'inflammation systémique (par exemple chez les patients présentant une arthrite rhumatoïde) dans la prévalence des maladies cardiovasculaires. Ce sont des questions qui intéressent surtout les professionnels, évidemment.

DERNIÈRE QUESTION : LA DIMINUTION DU CHOLESTÉROL A-T-ELLE UN EFFET SUR L'ATHÉROSCLÉROSE ?

En d'autres termes, est-ce qu'un traitement qui diminue le cholestérol finit par faire disparaître ou au moins par diminuer l'athérosclérose ? Les lecteurs ont compris que c'est une question différente de celle qui consiste à se demander si les médicaments anti-cholestérol diminuent le risque d'avoir un infarctus ou encore de mourir d'un infarctus.

C'est en fait une question difficile, surtout pour des raisons techniques. En effet, si nous voulons évaluer l'effet d'un traitement sur un processus pathologique, il faut que les patients reçoivent ce traitement (donc qu'ils soient vivants) et il faut mesurer le processus pathologique avant et après le traitement. Or, la seule façon d'évaluer une pathologie artérielle c'est d'avoir l'artère sous les yeux, c'est-à-dire que le patient soit décédé. Il existe certes des techniques de quantification de l'athérosclérose chez le sujet vivant mais la validité de ces techniques est sujette à caution, en particulier pour les artères coronaires. Ces techniques, comme la coronarographie classique, sont indispensables pour poser des diagnostics et prendre des décisions thérapeutiques, mais elles sont insuffisantes pour quantifier l'évolution d'une maladie artérielle sur une période de temps limitée. On peut aussi mesurer des paramètres artériels indirects comme l'épaisseur de la paroi artérielle par ultrasons par exemple, mais je qualifierais ces paramètres de *substitution* car ils ne sont pas représentatifs du processus d'athérosclérose lui-même. L'information qu'on peut en tirer est donc très aléatoire.

Pour donner une idée de la confusion qui règne dans ce champ de recherche, et donc de l'intérêt très relatif que j'y trouve pour mes patients, je citerai un seul exemple, celui d'une catégorie de médicaments anticholestérol appelés fibrates (voir le 8ᵉ paragraphe de la section *Pour les professionnels*).

Ce que l'histoire des fibrates enseigne c'est que les conclusions tirées des études utilisant l'imagerie clinique sont de peu d'intérêt pour la prédiction des complications cliniques, notamment de la mortalité cardiaque.

Autrement dit, montrer que l'athérosclérose est moindre dans un groupe de patients à l'aide des techniques d'imagerie clinique des artères n'est pas une garantie que ces patients ont un risque d'infarctus diminué ou une meilleure espérance de vie. Ceci illustre, je l'espère clairement, l'idée que le ralentissement du processus pathogène d'athérosclérose induit par la diminution du cholestérol (quel que soit le moyen utilisé) n'est pas une hypothèse féconde quand on veut organiser la prévention des maladies cardiovasculaires.

CONCLUSION

Les lecteurs m'excuseront si j'ai été long ou compliqué. J'aurais pu faire beaucoup plus compliqué et j'aurais pu, à tout propos, rentrer dans le détail des argumentaires développés par les experts qui soutiennent la *théorie du cholestérol*.

Mais ce n'était pas mon but.

Ce que j'ai voulu montrer à travers ce panorama c'est l'inconsistance générale de cette théorie, avec ou sans les béquilles que représentent les théories complémentaires de l'oxydation et de l'inflammation. Et cela est évident dès que l'on confronte ces constructions théoriques avec la *terre ferme*, c'est-à-dire la clinique.

On a réellement l'impression de *châteaux de cartes* qui peuvent s'effondrer au moindre souffle d'air. On peut reconstruire la *théorie du cholestérol* en la réconfortant d'une pincée d'oxydation et d'inflammation et elle s'effondre à nouveau face à l'évidence clinique.

Cette théorie du cholestérol s'appuie en outre sur des données épidémiologiques fragiles (chapitre 5) et sur les résultats fort contestables des essais cliniques avec des médicaments anticholestérol qui, eux-mêmes, s'appuient sur la *théorie du cholestérol*. Comme je le montre dans les chapitres qui leur sont consacrés, ni les données épidémiologiques prises dans leur totalité ni les essais cliniques ne constituent des renforts solides à la théorie du cholestérol.

Force est d'admettre que nous assistons à une sorte de délire collectif à propos du cholestérol. Toutefois il faut reconnaître que ce délire est, comme certains délires paranoïdes, remarquablement structuré et que seule une analyse critique globale permet de mettre en évidence l'irrationalité profonde de l'ensemble de ce puzzle médical et scientifique.

Ce qu'il faut retenir

1- Concernant l'hypothèse oxydative, on peut dire qu'avec les doses et les produits antioxydants testés dans les essais cliniques on a des effets significatifs sur l'oxydation des LDL qui devenaient plus résistantes à l'agression oxydative.

2- Cette protection des LDL contre l'oxydation n'a eu aucun impact sur la maladie, c'est-à-dire qu'il n'y a pas eu moins d'infarctus du myocarde. *La théorie oxydative* doit donc être rejetée !

3- Concernant l'hypothèse inflammatoire, quelle que soit sa complexité biologique, le verdict clinique est encore plus sévère : les traitements anti-inflammatoires les plus puissants n'ont qu'un impact négatif sur le risque d'infarctus du myocarde. *La théorie inflammatoire* doit donc être rejetée !

4- Les deux piliers consolidants de la *théorie du cholestérol*, l'hypothèse oxydative des lipoprotéines et l'hypothèse inflammatoire de la lésion artérielle ont donc été réfutées par la recherche clinique.

5- Si les scénarios de biologie expérimentale peuvent être très intelligemment construits et très séduisants intellectuellement, ils ne présentent aucun intérêt médical tant qu'ils n'ont pas été confrontés à la réalité clinique.

POUR LES PROFESSIONNELS
OU LES CURIEUX

1- L'HOMME EST-IL UNE GROSSE SOURIS ?

Ce n'est pas la première fois dans l'histoire des théories de l'athérosclérose que des scientifiques élaborent des scénarios prétendument universels à partir de modèles animaux très exceptionnels. On pourrait écrire un livre entier à ce sujet ou en faire une thèse. Par exemple, nous avons connu des maladies artérielles virales de pigeons puis de poulets (la célèbre Maladie de Marek), l'athérosclérose du lapin Watanabe. Et il y en a d'autres !

Ces théories sont en général rapidement oubliées ou abandonnées (faute de validation clinique) ou recyclées sous des formes déguisées : par exemple, les théories infectieuses sont conciliables avec la théorie inflammatoire. Mais ce sont les théories tumorales (théorie monoclonale dite de Benditt, du nom de son inventeur, et très populaire dans les années 1970-1980) et infectieuses qui semblent les plus récurrentes. En 2005, dans la célèbre revue américaine *The New England Journal of Medicine* étaient de nouveau publiés deux essais cliniques testant l'hypothèse que *Chlamidia Pneumoniae*, une vilaine bactérie présente partout sur le globe et souvent pathogène, était partie prenante de l'athérosclérose. Les antibiotiques utilisés n'ont eu évidemment aucune efficacité au grand désespoir des industriels qui avaient financé ces essais. Il y aura, soyons-en sûrs, d'autres tentatives de prouver que l'athérosclérose est une maladie infectieuse.

Il est en effet difficile d'admettre, pour des raisons idéologiques, que les maladies cardiovasculaires sont des maladies du mode de vie (et des conditions d'existence qui déterminent les précédentes) et pas des maladies infectieuses. Pourquoi ?

Parce que cela remet en effet en question le mode de vie des citoyens des pays occidentaux ce qui est, nous le savons, quelque chose d'inacceptable dans certains pays comme les États-Unis : « Nul ne viendra nous dicter notre mode de vie » dit le Président américain comme principal argument de sa lutte contre les ennemis des États-Unis ! Mais cela remet surtout en question les conditions d'existence dans ces mêmes pays, et ce sont ces conditions d'existence qui constituent les vrais déterminants du mode de vie : conditions de travail, d'habitation, de transport, d'éducation, de loisirs mais aussi les conditions d'agriculture et d'élevage des animaux, etc. ! Autrement dit, en critiquant le mode de vie et les conditions d'existence des citoyens des pays occidentaux, c'est le type de sociétés que l'on remet en question. Mieux vaut donc s'inventer des ennemis bactériens ou viraux !

2- QUE SIGNIFIE LIPOPROTÉINE ?

Une lipoprotéine est formée de trois grands types de molécules. Comme son nom l'indique elle se compose d'une partie protéique et d'une partie lipidique, elle-même déclinable en deux catégories, le cholestérol et des acides gras. Les protéines et le cholestérol sont très résistants à l'oxydation.

En principe ce sont les acides gras qui constituent en situation physiologique la cible de l'oxydation. Parmi ceux-ci certains, les acides gras saturés et les monoinsaturés, sont très résistants à l'oxydation tandis que les polyinsaturés (ceux qui comportent plusieurs doubles liaisons) sont très sensibles à l'oxydation. Ces derniers sont donc les victimes toute désignées du processus d'oxydation. Pour faire simple, il faut au moins deux doubles liaisons (une insaturation de la chaîne carbonée) pour que l'oxygène vienne créer un pont entre deux atomes de carbone et donc modifier radicalement la structure de la molécule.

C'est cela une *lipoprotéine oxydée*. Cette notion est fondamentale car tous ces acides gras poly-insaturés sont essentiellement d'origine nutritionnelle (une notion totalement évacuée de la théorie de l'athérosclérose vue par Steinberg et ses collègues) d'une part et d'autre part, tous ces acides gras ne se comportent pas de la même façon quand ils sont intégrés dans les lipoprotéines. Par exemple, les **acides gras oméga-6 sont moins résistants à l'oxydation que les acides gras oméga-3,** au moins quand ils sont intégrés dans des structures cellulaires ou moléculaires. Autrement dit, la réponse des acides gras oméga-6 et oméga-3 inclus dans les lipoprotéines est totalement différente de leur comportement quand ils sont dans une bouteille d'huile quelconque. À l'évidence, les oméga-6 de l'huile de tournesol sont moins sensibles que les oméga-3 d'un poisson gras ! Chacun peut le constater, laissé à l'air libre (soumis à l'attaque de l'oxygène de l'air), le poisson rancit plus vite que l'huile de tournesol ! Ceci dit, nous n'avons aucune explication biologique à ce paradoxe. Mais l'absence d'explication ne doit pas nous empêcher de profiter de cette information pour nos patients : par rapport aux habitudes alimentaires de la majorité de nos contemporains, il faut diminuer la consommation d'oméga-6 et augmenter la consommation d'acides gras oméga-3. Nous y reviendrons au chapitre 25.

3- COMMENT COMPRENDRE ET INTERPRÉTER LES ESSAIS TESTANT L'HYPOTHÈSE OXYDATIVE ?

Je vais analyser brièvement deux de ces essais. Comme c'est le 1er chapitre où j'analyse des essais cliniques, je vais introduire quelques notions techniques. Elles serviront pour comprendre les problèmes soulevés par d'autres essais cliniques.

Le premier des ces essais est l'essai *SUVIMAX* conduit en France et testant l'effet d'un cocktail d'antioxydants à doses nutritionnelles (et non pharmacologiques) sur les risques de cancers et de maladies cardiovasculaires. Les investigateurs de cet essai méritent toute notre sympathie pour le courage dont ils ont fait preuve pour organiser et financer cet essai sans aucune aide de l'Institution publique de recherche, au moins initialement, pour lancer l'essai. Ils ont su aussi faire beaucoup de bruit pour vanter leurs mérites et ceux de leurs sponsors industriels. C'est de bonne guerre à notre époque. Malheureusement, ce fut beaucoup de bruit pour rien car les résultats de cet essai (publié en novembre 2004 dans les *Archives of Internal Medicine*) sont ininterprétables et, en conséquence, je ferais perdre du temps aux lecteurs à les analyser en détails. Je vais rester technique donc.

Pourquoi ne peut-on pas interpréter ces résultats ? Parce qu'un nombre considérable de personnes (plusieurs centaines) tirées au sort et incluses dans l'essai ont disparu sans laisser de leurs nouvelles : sont-ils morts ou sont-ils vivants ? Ont-ils été malades ou non ? Nul ne le sait ! Dans ces conditions, la fréquence des décès et des maladies dans cet essai ayant été très faible, et la possibilité d'une différence entre les groupes tirés au sort ne pouvant être que très faible, le manque d'information concernant les disparus de *SUVIMAX* empêche toute interprétation réaliste des résultats. Nous ne disons pas, comme les responsables de *SUVIMAX* et certains commentateurs bien peu experts de la recherche clinique, que l'essai est négatif ou positif, nous disons qu'il est **ininterprétable**. Défaut de jeunesse, ils feront mieux la prochaine fois ! Étant donné les efforts considérables faits par les investigateurs de cet essai, nous sommes désolés pour eux et aussi pour nous car l'information qu'ils nous promettaient à propos des antioxydants était du plus grand intérêt.

L'objectif de nos commentaires à propos de l'essai *SUVIMAX*, ce n'est pas évidemment de refaire du bruit à son propos. Il s'agit plutôt de montrer qu'il ne suffit pas de concevoir et de réaliser un essai clinique pour fabriquer une information pertinente. Il faut surtout que celui-ci soit **techniquement parfait et donc interprétable**.

Et c'est très difficile ! Les investigateurs de *SUVIMAX* ont eu la grande honnêteté (ou bien la grande naïveté, c'est selon) de décrire précisément leur travail et donc de donner à voir clairement les défauts de leur entreprise. Ce n'est hélas pas toujours le cas. Bien souvent, à un moment ou l'autre de l'analyse et de l'interprétation des résultats d'un essai, les investigateurs décèlent quelques défauts de leur travail et vont plutôt essayer de les cacher, lorsqu'ils sont conseillés par des experts qualifiés comme c'est souvent le cas dans l'industrie pharmaceutique. Dans ces conditions, seule l'expérience de bons professionnels permet, par l'entrecroisement judicieux des données fournies, de déceler les lacunes ou défauts qui biaisent les données et les rendent incohérentes. Je reverrai ces questions cruciales à propos des essais sur les médicaments anticholestérol et les statines dans tous les chapitres où je présente des essais.

Le deuxième essai qui mérite des commentaires particuliers est un essai avec la vitamine E (un des plus puissants antioxydants connus). C'est l'essai *GISSI* conduit en Italie par un large groupe de cardiologues italiens. Les résultats ont été publiés en 1999 dans la grande revue médicale britannique *The Lancet*. C'est un essai d'une exceptionnelle qualité technique. À titre d'exemple, alors que, comme dans *SUVIMAX*, des milliers de patients (plus de 11 000 dans GISSI) ont été inclus dans cet essai, aucun patient n'a disparu pendant le suivi. Les investigateurs (qui étaient en relation étroite avec les centaines de cardiologues qui constituent le consortium GISSI et qui sont eux-mêmes très proches de leurs patients) ont su, pour **chacun des patients recrutés**, ce qu'ils devaient savoir (et notamment s'ils étaient vivants ou morts, c'est le minimum) pour analyser les résultats de leur étude. L'essai GISSI n'a pas montré d'effet protecteur de la vitamine E.

La comparaison de ces deux essais cliniques conduits par des investigateurs au-dessus de tout soupçon en termes d'éthique nous permet de tirer la leçon suivante : il ne suffit pas de conduire (ou de citer et analyser) des essais cliniques pour fabriquer de l'information scientifique. Il faut surtout disposer des moyens techniques (y compris un minimum d'expérience professionnelle) et documentaires pour vérifier la qualité et également l'honnêteté (notamment dans les procédures d'analyse) de ces essais. Cette époque est en effet capable de fabriquer tous les documents et preuves nécessaires à la démonstration d'une vérité choisie par ceux qui disposent des pouvoirs d'influence, et pas seulement dans les médias qui bien souvent ne jouent que le rôle de haut-parleur, au sens propre du terme.

4- UN BREF APERÇU DE LA *THÉORIE INFLAMMATOIRE*

Cette théorie peut être décrite de façon simple et un peu naïve, ce qui risque d'agacer les experts, ou de façon compliquée et exhaustive, ce qui risque d'ennuyer les lecteurs. Le choix est difficile entre l'hostilité des experts ou l'ennui des lecteurs. C'est pour une troisième raison que j'ai finalement adopté la stratégie de la simplicité : les essais cliniques récemment publiés tendant à réfuter cette théorie inflammatoire, il ne me paraît pas logique de la développer en détails dans un livre consacré au cholestérol.

Pour des lecteurs intéressés par le phénomène inflammatoire lui-même, indépendamment de l'athérosclérose, je recommande la lecture de l'excellent volume (ouvrage collectif réunissant de nombreux experts du domaine) publié cette année 2007 chez Springer sous la direction de mon collègue américain Randall Harris. Nous avons nous-mêmes rédigé le chapitre 13 de la section VI [*Essential polyunsaturated fatty acids, inflammation, atherosclerosis and cardiovascular diseases*] concernant les propriétés inflammatoires et anti-inflammatoires des acides gras. Les lecteurs trouveront, entre autre, matière à réflexion à propos des médicaments anti-inflammatoires et de leur rôle dans les maladies inflammatoires (autres que cardiovasculaires) et cardiovasculaires.

Pourquoi parle-t-on d'inflammation à propos d'une pathologie artérielle alors qu'en général cette appellation est réservée à des circonstances (maladies infectieuses ou métaboliques, comme la goutte par exemple) où les cellules du système immunitaire (les globules blancs) sont des acteurs importants ?

Nous avons été nombreux à penser qu'effectivement les leucocytes jouent un rôle important dans l'athérosclérose et les complications cardiaques. Les leucocytes sont censés intervenir pour nous défendre lorsqu'un déséquilibre se produit quelque part dans nos organes. Les leucocytes sont supposés intervenir pour corriger ces problèmes, comme des braves petits soldats. Dans l'athérosclérose, une des formes de ce déséquilibre serait une anomalie structurale ou fonctionnelle (la cellule est normale mais fonctionne mal) des cellules (dites endothéliales) qui servent d'interface entre le sang et les cellules de la paroi artérielle. Ces dernières constituent le mur artériel qui doit être solide (sous peine d'hémorragie) et souple car le diamètre de l'artère doit s'adapter aux besoins de l'organe et donc aux variations de débit dans cette artère. Les cellules endothéliales produisent des substances qui empêchent que le sang qui circule dans les artères ne coagule contre les parois. Ces cellules endothéliales seraient, d'après la théorie inflammatoire, attaquées par divers agents ou facteurs (virus, monoxyde de carbone des fumeurs, surplus de pression des hypertendus ou les LDL oxydées) et c'est pour les défendre que les leucocytes se mobiliseraient. Malheureusement, à l'image de nombreux processus inflammatoires observés dans nos organismes (un bon exemple est l'arthrite rhumatoïde), les leucocytes activés sont à la fois protecteurs et toxiques. De même, dans l'athérosclérose ils deviennent rapidement plus délétères que protecteurs pour les cellules endothéliales et, pour certains chercheurs, c'est tout le système immunitaire qui semblerait impliqué. Il me faudrait donc décrire le système immunitaire pour décrire pleinement la *théorie inflammatoire*. Je ne le ferai pas mais je renvoie les lecteurs intéressés à un excellent article de Binder et ses collègues [*Innate and acquired immunity in atherogenesis*] publié dans *Nature Medicine* (numéro de novembre 2002) où ils pourront mesurer l'ampleur des travaux réalisés dans ce contexte théorique.

Ceci dit, ces travaux sont essentiellement conduits sur des modèles animaux très artificiels et leur implication clinique peut paraître illusoire. La majorité des investigateurs dans ce champ de recherche n'ont d'ailleurs pas la prétention de guider les cliniciens ou d'orienter les pratiques médicales. Ils sont simplement dans un autre monde que celui de la réalité clinique ;

‗st bien dommage car il existe des circonstances cliniques où le système immunitaire est ⸍rofondément altéré et où cette altération est associée à des pathologies artérielles. C'est, par exemple, l'infection par le SIDA (avec une dépression du système immunitaire) ou la transplantation d'organes où le système immunitaire est à la fois stimulé par la présence du greffon et inhibé par les médicaments immunosuppresseurs (chapitre 22).

5- ATHÉROSCLÉROSE ET IMMUNITÉ

En fait, les maladies cardiovasculaires sont tellement multifactorielles et leur développement au cours du temps est tellement complexe qu'il n'est pas très original de proposer que le système immunitaire puisse jouer un rôle à un moment ou à un autre. En effet, ces fameux leucocytes, qui deviennent, paraît-il, obèses et paralysés dans les lésions artérielles, sont en fait des agents anti-infectieux capables de sécréter des substances toxiques (des antiseptiques par exemple), donc capables de modifier des structures normales de nos cellules qui peuvent en conséquence devenir étrangères aux cellules de reconnaissance du soi (de notre spécificité individuelle), les lymphocytes.

La présence de ces structures devenues étrangères peut, au moins en théorie, stimuler notre système immunitaire. À son tour, le système immunitaire activé pourrait susciter la réaction inflammatoire et contribuer à la déstabilisation des lésions d'athérosclérose. Comme discuté à propos des théories oxydative et inflammatoire, plusieurs scénarios sont concevables et ne sont pas incompatibles entre eux.

Ce qui est illusoire, en revanche, c'est de penser qu'un seul de ces scénarios peut expliquer tous les événements de la vie d'une artère et qu'il serait possible d'intervenir dans ce scénario particulier avec un moyen thérapeutique uniforme (un médicament anticholestérol, un antioxydant, un antibiotique, un anti-inflammatoire) pour l'interrompre. Cette entreprise aurait toutes les chances de faire autant de mal que de bien et, dans certaines circonstances, plus de mal que de bien. C'est malheureusement ce que les essais cliniques avec les COXIBs (chapitre 10) ont démontré et ce qu'ont confirmé ultérieurement les études de pharmacovigilance avec la majorité des anti-inflammatoires. C'est aussi ce que suggèrent certains essais avec les antibiotiques (voir le paragraphe suivant).

6- INFECTIONS ET MALADIES CARDIOVASCULAIRES

On sait depuis longtemps que le principal marqueur biologique de l'existence d'une maladie infectieuse (y compris silencieuse) chez un individu, le compte leucocytaire (c'est-à-dire le nombre de globules blancs en circulation dans le sang), est aussi un puissant facteur prédictif de la survenue d'une complication cardiaque.

Sa valeur prédictive est au moins égale à celle du cholestérol, sinon supérieure. On peut en effet émettre l'hypothèse que la présence d'un agent infectieux quelque part dans notre corps (par exemple au niveau de l'appareil bucco-dentaire, une banalité) puisse stimuler le système immunitaire qui, comme déjà dit, dispose de moyens puissants pour lutter contre les agents infectieux. Que le système immunitaire se trompe de cible (pour une raison ou une autre) et attaque non seulement l'agent infectieux en cause mais aussi des cellules qui participent à la stabilité des lésions artérielles est aussi possible. Cette observation d'une relation positive entre les leucocytes et le risque cardiovasculaire, constante dans la majorité des grandes études épidémiologiques, est à l'origine de la théorie infectieuse de l'athérosclérose (une théorie concurrente de la *théorie du cholestérol*) et a servi de base à de grands essais cliniques avec des antibiotiques.

Tous ces essais se sont avérés négatifs (pas d'amélioration du pronostic) mais certains d'entre eux (en particulier l'essai CLARICOR testant un antibiotique de la famille des macrolides, donc très utilisé en médecine quotidienne) ont montré, de façon assez inattendue, une augmentation de la mortalité cardiovasculaire dans le groupe traité par l'antibiotique. On pourrait bien sûr évoquer l'effet du hasard, ou de la malchance, dans cette observation et faire comme si on n'avait rien vu. C'est ce que la presque totalité des experts a fait.

Oserais-je dire que ce genre de réactions ne contribue pas vraiment à augmenter le respect que je devrais à mes collègues, au moins au titre de l'éthique professionnelle !

En effet, quand la même observation se répète dans plusieurs essais et qu'au total des milliers de patients tirés au sort ont contribué à démontrer que ces antibiotiques augmentent la mortalité cardiovasculaire, il est difficile de comprendre pourquoi l'ensemble d'une communauté s'efforce de faire la sourde oreille.

Est-ce que cet antibiotique-là seulement est délétère pour le cœur ou est-ce l'antibiothérapie en général ?

Comment concilier l'hypothèse qu'une infection chronique favorise les complications cardiaques et que l'éradication d'agents infectieux puisse également favoriser ces complications cardiaques ?

Si le processus infectieux est délétère, agit-il de façon locale (au niveau des lésions artérielles qui se développent) ou de façon systémique, par une action globale sur le système immunitaire ?

Mais finalement ce qui devrait nous inquiéter le plus c'est que la banale prescription pour deux semaines d'un traitement antibiotique largement utilisé pour son efficacité contre toutes sortes d'infection, et bien toléré en général en apparence, puisse entraîner une augmentation de la mortalité cardiovasculaire chez des patients coronariens stables.

Une deuxième question non moins troublante, et qui concerne spécifiquement l'antibiotique testé dans l'essai CLARICOR, est que celui-ci interfère avec le métabolisme de la majorité des médicaments anticholestérol : en retardant leur destruction par le foie il augmente et prolonge leur activité thérapeutique avec un risque de toxicité, par une sorte de surdosage. Sachant que la grande majorité des patients inclus dans CLARICOR recevaient certainement cette sorte de médicaments anticholestérol, on est étonné qu'ils n'aient pas bénéficié d'une sorte de protection. Comment expliquer en effet qu'une augmentation de l'activité anticholestérol dans le groupe traité par l'antibiotique se soit traduite par une augmentation des complications cardiovasculaires et non l'inverse ? Cela indique au moins qu'une sorte de surdosage (certes transitoire) en médicaments anticholestérol n'a pas eu d'effet bénéfique dans cet essai. Une autre possibilité c'est que ce type d'antibiotique (macrolide) puisse avoir influencé le risque de mort subite puisqu'ils peuvent effectivement agir sur l'activité électrique du cœur (prolongement du QT pour les spécialistes). Mais comment expliquer qu'un traitement de deux semaines puisse entraîner des complications sur deux ans ?

Je ne chercherai pas ici à répondre à chacune de ces questions. Il faudrait beaucoup de discussions et de documents. Mais je ne vois pas pourquoi, collectivement, nous *faisons l'autruche* !

7- MALADIES INFLAMMATOIRES ET COMPLICATIONS CARDIOVASCULAIRES

Il est maintenant bien établi, au moins chez les adultes, que les maladies inflammatoires chroniques (par exemple, pour les plus fréquentes, le lupus érythémateux disséminé et l'arthrite rhumatoïde) entraînent une augmentation du risque de maladies cardiovasculaires. En fait, la plupart des décès chez des sujets porteurs de ces maladies chroniques sont des décès d'origine cardiovasculaire.

L'étonnant, en apparence, est que cet excès de mortalité ne puisse pas s'expliquer par une présence augmentée de facteurs de risque traditionnels (cholestérol, tabac, hypertension) chez ces patients.

Mais bien sûr, peuvent dire les défenseurs de la théorie inflammatoire, c'est l'inflammation systémique (non pas celle localisée aux articulations mais celle généralisée à l'organisme entier) qui serait responsable. C'est une hypothèse qu'on aurait tort de rejeter trop vite.

Selon certains investigateurs il y aurait en effet corrélation entre la sévérité de la maladie vasculaire et la sévérité de l'inflammation. À l'inverse, il a été impossible de montrer un effet protecteur cardiovasculaire des traitements anti-inflammatoires ou immunosuppresseurs chez ces patients. Au contraire, ces médicaments augmentent le risque. De nombreux arguments ont été proposés pour expliquer cette contradiction, les deux principaux étant que ces médicaments (notamment les stéroïdes et les traitements immunosuppresseurs) sont eux-mêmes toxiques pour les artères par des mécanismes plus ou moins directs (voir le chapitre 14) et que plus les patients sont sévèrement atteints, plus on utilise ces médicaments à fortes doses et il est alors impossible de différencier les effets de la maladie inflammatoire de ceux des traitements anti-inflammatoires en termes d'athérosclérose.

8- FIBRATES, ATHÉROSCLÉROSE ET INFARCTUS DU MYOCARDE

Les fibrates sont des médicaments anticholestérol très intéressants car non seulement ils diminuent le cholestérol dans le sang (par un mécanisme probablement différent de celui des statines) mais ils diminuent aussi les triglycérides. C'est la deuxième catégorie la plus utilisée de médicaments anticholestérol.

Un mot rapide sur les triglycérides : c'est un paramètre lipidique différent du cholestérol dont la relation avec les maladies cardiovasculaires, la mortalité et l'espérance de vie est moins claire. Des livres ont été écrits à leur sujet et je n'ai pas l'intention de résumer cette problématique ici, même si certains médecins et chercheurs (souvent proches des industriels qui commercialisent les fibrates) font de la question des triglycérides un enjeu crucial de la prévention des maladies cardiovasculaires. Ce n'est pas mon avis et les lecteurs vont vite comprendre pourquoi. Ils comprendront aussi pourquoi je ne vais pas écrire beaucoup de pages au sujet des triglycérides et des fibrates.

Ces médicaments ont été longtemps utilisés avec, comme seule justification, qu'ils diminuaient le cholestérol et les triglycérides. Selon le postulat que la diminution du cholestérol ne peut être que bénéfique, personne ne critiquait le fait qu'aucun essai clinique n'ait été jamais publié pour donner un support scientifique à ces prescriptions pourtant génératrices d'un chiffre d'affaires (et de coûts pour l'assurance maladie) non négligeable.

Avec l'arrivée des statines, les choses vont changer car pour s'implanter et conquérir le maximum de parts de marché, les industriels des statines vont faire valoir qu'aucune

étude testant les fibrates en prévention cardiovasculaire n'avait jamais été conduite, ce qui n'était pas tout à fait vrai puisque le clofibrate avait donné lieu à de véritables expérimentations humaines. Je ne vais pas raconter l'histoire du clofibrate, l'ancêtre des nouveaux fibrates actuellement commercialisés, mais seulement rappeler qu'elle s'est terminée par un retrait de ce produit (du fait de nombreux effets secondaires délétères) dans la majorité des pays européens. Cela se passe de commentaires.

Des industriels vont donc tenter de documenter scientifiquement la valeur préventive des nouveaux fibrates. Comme promis, je ne rentre pas dans les détails et, d'ailleurs, les expérimentations vont donner des résultats absolument parallèles. Il y eût deux étapes. Tout d'abord des publications ont annoncé que ces nouveaux fibrates avaient des effets bénéfiques sur la progression de l'athérosclérose, cette progression étant évaluée chez des patients coronariens par des coronarographies répétées et des logiciels d'imagerie perfectionnés. En d'autres termes, selon les investigateurs de cette première série d'étude, la diminution du cholestérol obtenue avec ces nouveaux fibrates entraînait une régression de l'athérosclérose comme on pouvait (selon eux) s'y attendre. La deuxième étape a été moins triomphale puisqu'il s'est avéré que ces nouveaux fibrates n'avaient pas d'effet significatif sur les complications cliniques, en termes de complications mortelles et non mortelles. Certes, les investigateurs ont procédé à des analyses secondaires pour essayer de valoriser l'énorme travail produit pour tester ces médicaments et surtout essayer de sauver ces produits face à la concurrence des statines. La validité des ces analyses secondaires est nulle pour tout bon professionnel et il faut s'en tenir sans autres commentaires aux résultats basiques de ces essais.

Conclusion : les fibrates n'ont pas eu d'effet protecteur contre les maladies cardiovasculaires dans les essais cliniques où ils ont été testés. Ils auraient peut-être eu plus de chance dans d'autres contextes cliniques, mais cela reste une pure spéculation. Il y a donc une terrible contradiction entre les effets supposés bénéfiques sur la progression des lésions d'athérosclérose évaluée par l'imagerie et l'absence d'effets sur le pronostic clinique. Leçon évidente pour un médecin traitant : aucun intérêt à évaluer la progression des lésions. Deuxième leçon : il n'y a pas d'indication clinique claire pour les fibrates aujourd'hui.

CHAPITRE 5

L'INSOUTENABLE LÉGÈRETÉ DE L'ÉPIDÉMIOLOGIE

Ce que vous allez apprendre

• Quelle est la valeur réelle des études épidémiologiques qui montrent une relation entre cholestérol et maladies cardiovasculaires ?

• La population anglo-saxonne blanche masculine de moins de 55 ans serait-elle devenue la référence universelle pour évaluer le risque d'un individu de mourir d'un infarctus?

• L'épidémiologie serait-elle victime de l'ethnocentrisme américain ?

• Qu'entend-on par *cas finlandais* ?

Tomas et Teresa sont les deux pôles du célèbre roman de Kundera *L'Insoutenable légèreté de l'être*. Faut-il choisir de porter le poids du passé sur ses épaules, comme Teresa qui ne peut se passer de la Tchécoslovaquie qu'elle a pourtant fuie après le Printemps de Prague et l'invasion des chars soviétiques en 1968 ?

Ou bien faut-il préférer la *légèreté de l'être* qui caractérise Tomas (et aussi Sabina, la maîtresse amie qui seule peut le comprendre), ce séducteur qui saisit la vie au jour le jour oubliant le matin les ennuis de la veille et le soir ceux du matin?

Mes collègues épidémiologistes, brillants statisticiens, sont aussi souvent empêtrés dans ce dilemme : ils parlent (et calculent des taux) de mortalité sans jamais voir des personnes autrement que comme des numéros dans les fichiers des ordinateurs. Eux aussi oscillent entre l'insoutenable légèreté de leurs chiffres désincarnés et l'implacable réalité du combat quotidien de la vie et de la mort.

LES PARADOXES FRANÇAIS ET FINLANDAIS

En épidémiologie cardiovasculaire, la France et la Finlande sont des cas très particuliers. Je parle assez ailleurs du paradoxe français. Voyons la Finlande.

C'est un petit pays (5 millions d'habitants environ) du nord de l'Europe (climat très rude) dont la population a été frappée d'une incroyable épidémie de maladies cardiovasculaires au XXᵉ siècle. Je le dis au passé parce que ces maladies ont beaucoup diminué au cours des dernières décennies après avoir atteint des sommets dans les années 1950-70. Les chiffres publiés restent certes très élevés mais il y a eu des progrès et on est sur une bonne pente. Les Finlandais ont changé beaucoup de choses dans leur mode de vie et ce sont probablement ces changements qui, selon leurs experts, sont à l'origine de ces bons chiffres. Par contre, ces progrès ne peuvent pas s'expliquer par de nouveaux traitements (notamment avec des médicaments) ou des évolutions de paramètres simplistes comme le cholestérol.

Parce que le risque de mourir d'un infarctus était très élevé en Finlande, il y a eu beaucoup de recherche dans ce pays pour comprendre et lutter contre cette épidémie et les chercheurs finlandais sont, dans ce domaine, parmi les meilleurs du monde. Nous avons donc tout intérêt à regarder attentivement ce qui s'est passé en Finlande.

Devons-nous pour autant extrapoler à la France les données ou les pratiques finlandaises et s'en inspirer pour résoudre nos propres problèmes ? Je ne le crois pas et je dirai pourquoi. Mais avant cela, je vais faire un petit tour du côté de mes amis épidémiologistes qui ont beaucoup contribué à faire avancer les sciences médicales au cours des dernières décennies. Néanmoins, parfois, ils ont la fâcheuse tendance à aller un peu vite en besogne, ce que je me permets de qualifier de façon littéraire d'*insoutenable légèreté*.

DES CALCULS DE PROBABILITÉ AUX RECOMMANDATIONS DE SANTÉ

Les épidémiologistes et les statisticiens sont désormais présents partout dans les sciences médicales. Je ne vais pas m'en plaindre car cela traduit l'émergence d'une approche scientifique de la médecine. Je pense même qu'il en faudrait plus dans certains secteurs de la recherche médicale. Étant médecin, cardiologue et chercheur au CNRS, je suis moi-même la traduction de cette tendance lourde et internationale de la recherche. Je dirais même plus, encore aujourd'hui je fais appel à des amis statisticiens ou épidémiologistes pour critiquer, corriger ou relire certaines de mes publications.

Les sciences médicales sont des sciences humaines autant que de la biologie ou de la biophysique et il est clair que seule une approche probabilitaire (c'est-à-dire utilisant des calculs, en particulier des calculs de risque) permet de minimiser nos erreurs et incertitudes. Encore faut-il que ces calculs soient pondérés d'un minimum de bon sens et surtout d'une honnêteté intellectuelle sans faille, sans parler d'éthique ! Le fait d'être un excellent mathématicien ou statisticien ne garantit pas que ces trois conditions soient réunies chez un même individu.

En effet, il ne suffit pas de faire des calculs pour faire de la bonne science, pas plus que l'usage d'une technologie complexe n'est synonyme de science. L'ingénierie, aussi sophistiquée soit-elle, n'est pas de la science ! C'est, en recherche médicale, d'une brûlante actualité : disposer d'appareillages lourds ou sophistiqués, de complexes logiciels de statistiques ou d'énormes fichiers n'ouvre pas les portes de la connaissance ou de la compréhension !

Dans un récent article du *British Medical Journal* (16 octobre 2004) titré « *The scandal of poor epidemiological research* », [traduction : *Le scandale de la mauvaise recherche épidémiologique*], des chercheurs allemands font la désolante démonstration qu'on publie n'importe quoi dans les meilleures revues médicales et scientifiques contemporaines. Ils ne sont pas les seuls à le dire et à l'écrire. Un des exemples utilisés pour leur démonstration concerne le traitement hormonal de la ménopause, un domaine où les conflits d'intérêt et les enjeux économiques et industriels ont littéralement aveuglé les scientifiques, les experts et les médecins pendant au moins deux décennies. Bon sens et éthique disais-je !

Une des règles absolues, pour rester dans le domaine du traitement hormonal, c'est de respecter la règle qu'une observation d'ordre épidémiologique ne présage en rien une relation de causalité. En d'autres termes, ce n'est pas parce que l'on observe que les utilisatrices de traitement hormonal ont moins d'infarctus que ce sont ces hormones qui les protègent. D'autres facteurs peuvent avoir joué un rôle. Pour démontrer une causalité, il faut des essais cliniques comportant un tirage au sort. Celui-ci garantit que tous les facteurs de confusion possibles sont répartis de façon identique dans les deux groupes, à l'exception du facteur étudié, celui qui fait l'objet du tirage au sort. Et effectivement, ce sont les essais cliniques qui ont montré que le traitement hormonal de la ménopause n'était pas anodin et qui ont contredit les études épidémiologiques antérieures. C'est une des plus désolantes démonstrations de l'insoutenable légèreté de l'épidémiologie.

La recherche médicale concerne des malades et, face aux questions soulevées, le bon sens et l'honnêteté, bien qu'indispensables, ne suffisent pas. Il faut aussi avoir un minimum de connaissance ou d'expérience pratique de ces questions spécifiquement médicales. Je ne crois pas que l'on puisse faire de la recherche médicale sans médecin et je suis, à dire vrai, fasciné que l'époque nous octroie l'extraordinaire privilège de voir les médecins praticiens être conseillés, surveillés et souvent sermonnés par des individus qui n'ont jamais vu un patient de leur vie mais qui, sur la foi d'enquêtes ou d'essais cliniques (réalisés par d'autres qu'eux-mêmes et souvent dans des contrées et avec des populations qui n'ont rien à voir avec le bon peuple de France), pensent détenir une vérité *scientifiquement démontrée*. Les résultats ont été calculés avec des logiciels de statistiques, c'est visible sur l'écran de l'ordinateur ou lisible dans le dernier numéro du *Lancet* nous dit-on, donc c'est vrai !

Sur la base de cette *vérité scientifiquement démontrée*, des recommandations sont édictées, recommandations dites officielles qui vont rarement à l'encontre d'intérêts économiques de nature variable. « Officielles » parce que « quatre pelés et un tondu » appartenant à une quelconque académie ou société savante, s'étant autoproclamés experts, ont décidé de se réunir, aux frais d'industriels concernés, pour des réunions de consensus où l'on aura fait bien attention de ne pas inviter tout individu qui ne serait pas *dans la ligne des partis invités*, comme au bon vieux temps.

Et souvent plane sur ces « drôles » de relations professionnelles la menace d'être accusé de mauvaises pratiques si l'on ne respectait pas lesdites recommandations (chapitre 27). La crainte du juge ou de l'avocat d'un quelconque parti adverse (ou le simple souhait de ne pas d'avoir d'ennuis) constitue de nos jours une puissante incitation à prendre connaissance de ces recommandations officielles et à les respecter. Qui viendra vous défendre à la barre du tribunal si ce n'est un de ces experts auteurs de ces recommandations auquel vous aurez présenté vos profondes révérences ?

Insoutenable légèreté, je le répète, quand il s'agit de vie ou de mort pour des centaines de milliers de personnes chaque année en France.

Que les épidémiologistes se mêlent d'affaires médicales et puissent servir de sorte de contre-pouvoir face à l'arrogance médicale, assez fréquente encore aujourd'hui, ne serait pas si tragique s'ils faisaient réellement ça et que ça. Malheureusement, comme de plus en plus souvent dénoncé (par exemple dans une lettre au *Lancet* publiée le 16 Juin 2001 et titrée « *Epidemiology a show business* »), nos amis épidémiologistes font beaucoup d'autres choses, de plus en plus, se mêlant de tout, jusqu'à confondre faits et hypothèses, un jour à propos de *la température du scrotum des petits garçons porteurs de couches comme cause possible de cancer du testicule*, un autre jour présentant *l'infection par Helicobacter pylori* [le germe responsable de l'ulcère de l'estomac] *comme cause de la mort subite du nourrisson.*

Chaque livraison hebdomadaire des revues médicales et scientifiques nous apporte son lot de révélations tonitruantes, rarement confirmées mais toujours immédiatement diffusées vers le grand public comme des découvertes scientifiques majeures. Et en conséquence, ce que l'on pourrait appeler, d'après la fable du poète grec Ésope, le *syndrome de l'enfant qui crie au loup* a généré auprès des médecins et du public le plus grand scepticisme vis-à-vis du savoir médical, scepticisme dont les effets en pratique médicale quotidienne sont évidemment catastrophiques. Ce sont désormais souvent les patients qui exigent le traitement antibiotique ou le traitement anticholestérol que leurs médecins sont (à juste raison) réticents à prescrire, pour ne citer qu'un exemple de cette dérive et revenir à mon sujet principal qui est la *théorie du cholestérol* vue par les épidémiologistes.

COMMENT LES ÉPIDÉMIOLOGISTES ONT VU ET CONTINUENT DE VOIR LE CHOLESTÉROL ?

Au début du XXe siècle, le cholestérol comme cause possible d'infarctus fut un problème de pathologistes (chapitres 3 et 4). Ils voyaient les cristaux de cholestérol dans les artères des patients décédés au moment de l'autopsie, mais seulement parfois, pas toujours, d'où un doute persistant tout au long du XXe siècle quant à l'existence d'une relation de causalité entre le cholestérol présent dans l'artère et le décès. En fait, ces cristaux de cholestérol se voyaient chez des patients plutôt âgés et plutôt dans des lésions anciennes très évoluées. Or, si elles étaient anciennes, c'est qu'elles n'étaient pas très dangereuses.

L'argumentaire développé par les épidémiologistes est d'un autre ordre puisqu'ils mesurent le cholestérol dans le sang puis cherchent à établir des relations statistiques entre le niveau de cholestérol et la survenue d'une maladie fatale ou non.

Selon les données classiques (d'origine anglo-saxonne essentiellement), quand le cholestérol augmente, le risque de faire un infarctus augmente. Mais cela ne signifie pas qu'il y ait relation de causalité, c'est-à-dire que le cholestérol soit responsable de cette augmentation de risque et cela ne signifie pas non plus qu'il s'agisse d'une loi générale et universelle.

Il faut en effet reconnaître beaucoup d'exceptions à cette règle présentée comme intangible par nos amis épidémiologistes. Non seulement il y a des exceptions mais aussi des nuances, que je vais essayer de discuter sereinement maintenant et aussi au chapitre 6. Je dis sereinement parce que toute discussion sur ce sujet suscite rapidement beaucoup d'hostilité ou un franc mépris de la part de ceux qui pratique *la religion cholestérol* (voir le 1ᵉʳ paragraphe de la section *Pour les professionnels*).

En 1999, j'ai été invité à écrire un article de synthèse sur le rôle de la nutrition dans le risque d'infarctus par un journal américain (*Current Opinion in Cardiology*) très lu par les cardiologues dans le monde entier. Dans cet article publié en 2000 (numéro 15, pages 364 et suivantes), j'ai simplifié pour mes lecteurs (et exprimé sous forme de graphique) des données épidémiologiques extraites de l'une des plus grandes études épidémiologiques jamais conduites, *The Seven Countries Study*, dont un des avantages est d'avoir très consciencieusement étudié les habitudes alimentaires des 7 populations incluses dans l'étude. En 25 ans, 2 289 décès ont été enregistrés parmi les 12 500 hommes âgés de 40 à 59 ans entrés dans l'étude. Les populations étudiées étaient américaine, finlandaise, néerlandaise, yougoslave, italienne, grecque et japonaise. Je ne vais pas entrer dans le détail de cette formidable étude. Ce que je montrais dans mon article, c'est que la relation entre cholestérol et mortalité par infarctus était extraordinairement variable d'une population à l'autre. Je reproduis une représentation graphique de cette relation au 2ᵉ paragraphe de la section *Pour les professionnels*.

On peut voir qu'il n'y a pas de relation du tout chez les Japonais, une très faible relation chez les Méditerranéens en général (Grecs et Italiens) et les Slaves (Dalmates et Serbes) et une très forte relation pour les Finlandais. En d'autres termes, le cholestérol ne semblait pas pouvoir jouer de rôle significatif dans l'infarctus des Japonais, un petit rôle peut-être chez les Méditerranéens et les Slaves et potentiellement un rôle important chez les Finlandais (voir aussi le 3ᵉ paragraphe de la section *Pour les professionnels*). Il semblait donc réellement y avoir *un cas finlandais*. Les Américains présentaient une relation entre cholestérol et mortalité coronarienne plus proche de celle des Finlandais que des Méditerranéens.

De ce fait, par un phénomène d'ethnocentrisme typique de l'époque, cette relation positive entre cholestérol et risque d'infarctus (seulement évidente dans les cohortes finlandaises et américaines) est devenue **LA** norme universelle alors qu'elle n'est probablement qu'exceptionnelle.

Ces données ne permettaient pas d'établir une relation de causalité mais elles étaient, au moins pour les Finlandais, en faveur de la *théorie du cholestérol*. Les données concernant les Américains et les Néerlandais étaient, comme je le dis ci-dessus, plutôt comparables à celles des Finlandais (ce qui n'est pas très étonnant) quoique moins impressionnantes, mais donc également plutôt en faveur de la théorie. Il est également évident que si l'on met ensemble les 4 courbes du bas, du Japon, de la Serbie, de la Grèce et de l'Europe du Sud continentale (Italie et Dalmatie), la relation entre cholestérol et mortalité est, sinon absente, au moins très faible.

Je ne vais évidemment pas discuter chacun des aspects plus ou moins curieux de cette étude dont le contenu a été globalement confirmé dans de nombreuses publications ultérieures. Je me contenterai simplement de constater qu'il y a des exceptions remarquables tendant à remettre en cause le caractère scientifique de la théorie du cholestérol vue par les épidémiologistes. En fait, 4 populations sur 7 ne répondaient pas ou mal à la *théorie du cholestérol* dans cette étude, ce qui n'est plus du domaine de l'exception, chaque lecteur peut le comprendre facilement.

Arrivé à ce stade de la réflexion, on peut se poser **trois questions**.
1) À l'exception de cette étude dite des *Sept Pays,* y a-t-il d'autres études suggérant que les Japonais et les Méditerranéens répondent mal à la *théorie du cholestérol* ?
2) Y a-t-il d'autres populations qui ne répondent pas ou mal à cette théorie ?
3) Serait-il possible que les Finlandais (et dans une moindre mesure les Néerlandais et les Américains) constituent, eux, une exception, c'est-à-dire que ce soit une population entretenant avec le facteur cholestérol une relation particulière ?
Réponses
1) Oui, d'autres études, certaines récentes, ont confirmé que le cholestérol n'est probablement pas un facteur important dans la survenue de l'infarctus chez les Japonais (chapitre 11). On a même observé une augmentation du

cholestérol chez les nouvelles générations (un phénomène qualifié de *paradoxe japonais* puisque en principe les personnes de 60 ou 70 ans ont un cholestérol plus élevé que ceux de trente ans, sauf au Japon où les jeunes générations ont un cholestérol supérieur à celui des seniors) mais en parallèle une diminution de la mortalité cardiovasculaire. Le même type d'observation a été rapporté pour les Méditerranéens, notamment en Italie et en Espagne.

2) Oui, d'autres populations échappent à la règle et constituent aussi des exceptions : des populations coréenne, russe, américaine (Honolulu) et autrichienne pour ne citer que des rapports récents. Dans d'autres populations, l'absence de relation entre le cholestérol et le risque d'infarctus concerne seulement les femmes ou les personnes de plus de 60 ans (qui forment dans ces mêmes populations les gros bataillons des victimes de l'infarctus). Dans certaines populations âgées (par exemple dans une célèbre étude néerlandaise), les taux de cholestérol élevés étaient, contrairement à ce que la *théorie du cholestérol* prédisait, associés à une meilleure espérance de vie et non au risque de mourir. Tout cela suggère que le cholestérol ne serait prédictif de la mortalité cardiovasculaire que dans certaines populations : en gros il s'agit des hommes blancs anglo-saxons de moins de 55 ans qui ne constituent pas à notre époque et en général une population à haut risque d'infarctus.

3) Oui, la population finlandaise est exceptionnelle à plus d'un titre et pas seulement pour le cholestérol. J'explique pourquoi au 3e paragraphe de la section *Pour les professionnels*.

De cet ensemble de faits ordonnés en toute logique, il ressort que la *théorie du cholestérol*, telle qu'elle est formulée par les épidémiologistes, est sérieusement critiquable ou bien peu résistante. Il apparaît même que les fortes relations entre cholestérol et risque cardiovasculaire décrites uniquement dans certaines populations (États-Unis et Europe du Nord), ne concernent en fait que les hommes blancs et jeunes (moins de 55 ans environ), donc une faible portion d'une population restreinte sur les plans géographique et ethnique.

Il s'avère donc que les exceptions que nous recherchions constituent de fait la généralité et que ce sont les relations étroites entre cholestérol et risque d'infarctus qui sont exceptionnelles.

Il n'est donc pas exagéré de dire que **la relation entre cholestérol et maladies cardiovasculaires ne peut être qualifiée de *loi générale*** et que ceux qui l'ont fait (dont j'ai longtemps fait parti) ont montré, je l'avoue et m'en excuse, une *insoutenable légèreté* !

SERIONS-NOUS TOMBÉS DANS LE PIÈGE
DE L'ETHNOCENTRISME AMÉRICAIN ?

Autrement dit, à l'image de bien d'autres aspects culturels et sociaux de l'époque, aurions nous accepté le modèle américain (ou anglo-saxon) comme standard universel ?

Ma réponse est positive. De façon collective et comparable à notre fascination pour le Mac Donald, Coca Cola et Hollywood, nous nous sommes laissés subjugués par les argumentaires nord-américains et nous avons acceptés, sans aucun esprit critique, une vision de la théorie du cholestérol *made in et made by America.* Bienvenu à *Cholestérollywood* !

Regardons de plus près cette affirmation.

Quelles références utilisons-nous aujourd'hui pour évaluer le risque d'infarctus d'un individu donné à un certain moment de son existence ?

Plusieurs bases de données (Framingham, Procam par exemple) sont en effet disponibles pour calculer ce risque à partir de paramètres considérés comme obligatoires : l'âge, le sexe, le tabac, le cholestérol, le diabète, la pression artérielle, le poids, par exemple. À partir de ces paramètres, des statisticiens ont construit des scores de risque (chapitre 15) qui permettent de dire à une personne donnée quel risque elle court dans les 10 ou 15 ans à venir. Dans ces scores aucun paramètre de mode vie autre que le tabac n'est pris en compte (les « méga » facteurs de risque que sont la sédentarité et les habitudes alimentaires sont *oubliés*) ; la marge d'erreur est évidemment considérable.

Il n'aura échappé à aucun lecteur que Framingham est une petite ville de Nouvelle Angleterre (pas loin de Boston) et que les habitants de ce charmant petit bourg ne sont même pas représentatifs de la population occidentale. Quant au score PROCAM, il est dérivé d'une étude conduite dans la ville de Munster en Allemagne et nous savons que la proportion de germaniques dans la population américaine est très importante. Évidemment, quand ces scores de risque sont testés dans des populations différentes, ça ne marche pas.

Par exemple des chercheurs russes ont eu l'idée de tester le score de Framingham et un score un peu différent calculé par des Norvégiens sur leur population russe.

C'est l'objet de la *Arkhangelsk Study 2000* dont les résultats ont été publiés en 2003 dans l'excellente revue *European Journal of Epidemiology* [volume 18, pages 871 et suivantes]. Située au nord de Moscou, cette région serait plutôt comparable à la Finlande. Pourtant, aucun des scores de risque *occidental* (élaborés il y a plus de 20 ans) ne donnait des résultats en accord avec la réalité sur le terrain ; autrement dit ces scores sont sans grand intérêt pour cette population **aujourd'hui**.

Ils sont aussi sans intérêt pour les populations méditerranéennes qui sont évidemment très différentes, en termes de mode de vie et de niveau de risque, des populations du nord de la Russie ou de Scandinavie. La Société Européenne de Cardiologie a reconnu ce fait et demandé que ces scores soient adaptés aux populations européennes à faible risque, notamment les populations méditerranéennes. Cette manipulation arithmétique est de peu d'intérêt car le risque d'infarctus des Méditerranéens dépend avant tout de leurs modes de vie et habitudes alimentaires et ces facteurs ne sont pas pris en compte dans les nouveaux scores proposés aujourd'hui.

Comment doit-on classer la France ? Les Français ne sont pas des Méditerranéens mais ils sont quand même, dans l'ensemble, à faible risque. Voilà le bien fameux paradoxe français dont de charmants épidémiologistes ont contesté l'existence sans le moindre argument scientifique mais avec une puissante artillerie idéologique. *Insoutenable légèreté*, disais-je !

Quel score pourrions-nous utiliser pour les Français ? Certains disent que le mieux certainement serait de n'en utiliser aucun car ils ne servent à rien en pratique médicale. Je suis d'accord avec cette position.

Une triste conclusion s'impose donc : nous sommes effectivement et lourdement tombés dans le piège ethnocentriste. La *théorie du cholestérol*, telle qu'elle est formulée aujourd'hui par les épidémiologistes d'obédience anglo-saxonne, devrait donc être rejetée à la lumière de multiples données issues de contrées et populations différentes de celles utilisées comme référence universelle (anglo-saxonne, blanche, masculine, de moins de 55 ans).

Ceci dit, et comme je l'ai déjà dit dans plusieurs chapitres, la cohérence de la *théorie du cholestérol* repose sur un trépied (essais cliniques, biologie expérimentale et épidémiologie) et je dois aussi examiner attentivement d'une part les bases biologiques de la théorie du cholestérol (chapitres 3 et 4) et les renseignements fournis par les essais cliniques (chapitres 12, 15, 16, 17, 18).

Pour ce dernier aspect des choses, c'est-à-dire l'intérêt des essais cliniques pour conforter ou réfuter la *théorie du cholestérol*, nous devons à nouveau essayer d'éviter le piège ethnocentriste et nous interroger en ces termes : les populations testées dans les essais cliniques sont elles aussi des populations spécifiques (anglo-saxonnes, blanches, masculines et de moins de 55 ans) et, si c'est le cas, ces données sont-elles extrapolables à d'autres populations ?

Autrement dit, est-ce qu'un médecin français peut s'inspirer d'essais cliniques conduits en Finlande pour organiser la prévention de l'infarctus chez ses patients à Poitiers ou Marseille ?

La réponse est évidemment négative et je discute ce point plus en détails dans la section *Pour les professionnels*.

L'autre et dernière question est la suivante : si un essai clinique teste l'efficacité d'un médicament qui a d'autres propriétés que celle de diminuer le cholestérol, par exemple l'effet pléiotrope des statines (chapitre 12), peut-on considérer que c'est la *théorie du cholestérol* qui est testée dans cet essai ?

La réponse est négative ; cela se passe de commentaires ou plutôt chaque lecteur peut se faire les siens.

Ce qu'il faut retenir

1- L'argumentaire développé par les épidémiologistes est différent de celui des biologistes puisqu'ils mesurent le cholestérol dans le sang puis cherchent à établir des relations statistiques entre le cholestérol et la survenue de l'infarctus. Ils ne testent pas de relations de causalité.

2- L'épidémiologie transculturelle nous a montré deux choses importantes. 1) le *cas finlandais* n'est évidemment pas représentatif de l'histoire des maladies cardiovasculaires dans d'autres pays que la Finlande ; 2) nous ne pouvons pas extrapoler les données du cas finlandais à d'autres pays où les conditions d'existence, le mode de vie et les profils de risque sont très différents.

3- Cela signifie également que des traitements efficaces en Finlande ne seraient pas forcément efficaces en France, pays du *French paradox*. Il faudrait des essais conduits en France pour confirmer que ces traitements sont aussi efficaces pour la population française.

4- La base actuelle de l'épidémiologie cardiovasculaire souffre *d'ethnocentrisme nord américain*, les exemples nord européens et américains ne peuvent servir de modèle universel.

5- La *théorie du cholestérol* telle qu'elle est formulée aujourd'hui par les épidémiologistes d'obédience anglo-saxonne est réfutée (trop d'exceptions), et devrait donc être rejetée à la lumière de multiples données issues de contrées et populations différentes de celles utilisées comme référence universelle (anglo-saxonne, blanche, masculine, de moins de 55 ans).

POUR LES PROFESSIONNELS ET LES CURIEUX

1- POURQUOI L'EXISTENCE D'EXCEPTIONS EST IMPORTANTE EN SCIENCE ?

La connaissance dite scientifique repose sur des théories qui ne sont pas extraites de *Livres Sacrés* mais au contraire évoluent avec le temps. On ne devrait jamais dire qu'une théorie est *vraie* (ou qu'elle est *prouvée*) mais seulement qu'elle est résistante à la critique.

Une découverte scientifique importante est souvent la découverte de faits qui permettent de réfuter une théorie ancienne. Réfuter une théorie revient à démontrer qu'elle ne permet pas de décrire intelligiblement la parcelle de nature qu'elle est censée expliquer.

Pour ceux qui voudraient un peu plus de discussion sur cette façon de voir la science, je recommande la lecture des ouvrages des épistémologistes (les philosophes qui réfléchissent sur ce qu'est la Science) et en premier lieu ceux de Karl Popper bien qu'il ne soit pas mon préféré (j'ai un penchant pour Paul Feyerabend), mais il est très célèbre et ses ouvrages (et concepts) sont en accord avec les choses très élémentaires que je vais dire maintenant.

Une théorie scientifique, y compris dans les Sciences de la Vie, a l'ambition d'expliquer ou décrire une parcelle de nature, comme je disais ci-dessus, où qu'elle soit et quelle que soit l'époque. Une théorie scientifique se veut universelle pour utiliser des grands mots. En d'autres termes, l'existence de cas particuliers ou d'exceptions doit être prévue par la théorie qui se doit d'intégrer ou d'englober ces exceptions. En conséquence, la multiplication d'exceptions inexplicables par une théorie est une façon scientifique de réfuter une théorie.

Pour revenir à ma question concernant l'existence d'une relation positive entre le cholestérol et le risque d'infarctus, qui est une donnée d'ordre observationnelle donc très aléatoire (susceptible d'être créée par l'effet du hasard), on peut dire que la mise en évidence d'exceptions multiples est une façon très efficace de réfuter cette théorie. Voilà pourquoi il nous faut rester serein quand on examine cette possibilité. Les données de l'épidémiologie transculturelle décrite dans ce chapitre à propos de la *Seven Countries Study* sont très éclairantes.

2- L'INSOUTENABLE LÉGÈRETÉ DE L'ÉPIDÉMIOLOGIE CLINIQUE : TRAVAUX PRATIQUES

Comme je le discute aussi au chapitre 6, la relation entre cholestérol et mortalité prend, de façon graphique, la forme d'une courbe en J (voir ci-contre). Parfois, comme dans des études de populations asiatiques, il s'agit d'une courbe en U (chapitre 11) encore plus difficile à interpréter.

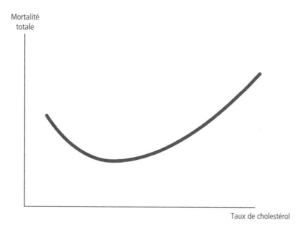

Tous les lecteurs comprennent qu'avec une relation en J de ce type qui, en plus, varie d'une population à l'autre et en fonction de nombreux facteurs notamment l'âge et le sexe, il est impossible de dire quel est le niveau de cholestérol optimal pour être en bonne santé, sauf qu'il est peut-être préférable de pas faire partie de la petite minorité (un dixième de la population totale peut-être ?) située dans la partie droite extrême de la distribution.

Cette courbe en J décrit la relation entre le cholestérol et la *mortalité toute cause*, ou l'espérance de vie sur une période déterminée. Certains experts du cholestérol prétendent que ce qui importe le plus c'est la relation entre cholestérol et *mortalité par infarctus* ou *mortalité coronarienne*. Je ne suis pas d'accord, car il est assez évident pour chacun d'entre nous que ce qui compte le plus c'est d'être vivant, et certainement pas d'être indemne d'infarctus mais mort quand même. Toutefois, par courtoisie pour mes lecteurs, je vais examiner l'argumentaire de ces experts.

Il consiste à dire qu'il existe une relation exclusivement positive entre le cholestérol et la *mortalité coronarienne* ; un peu comme si on avait amputé la courbe ci-dessus de sa partie gauche. La courbe analysant la *mortalité coronarienne* prend alors l'aspect d'une sorte d'asymptote comme indiqué sur la figure ci-dessous (courbe avec un trait gras).

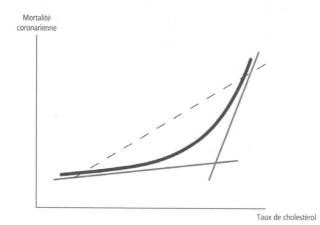

Dans ce cas effectivement, plus le cholestérol augmente et plus la mortalité coronarienne augmente. Ceci dit, on voit bien que l'augmentation du risque est très progressive et que pour les taux de cholestérol les plus communs (les parties gauche et centrale), la pente de la droite est très faible. Ce n'est qu'à partir d'un certain seuil (qui varie d'une population à l'autre) que le risque augmente de façon importante. C'est une représentation schématique, je le rappelle, pour aider les lecteurs à comprendre. En fait, ce type de courbe n'a été décrit que pour des populations anglo-saxonnes, et seulement pour des âges inférieurs à 55 ans. **Au-delà de 55 ans, cette relation entre cholestérol et risque de mourir d'un infarctus n'existe pas**, même chez les Anglo-saxons. C'est précisément à ces âges que le risque d'infarctus augmente dangereusement et devient maximal. Dans de nombreuses populations, cette relation n'existe pas même chez les moins de 55 ans.

On pourrait très bien choisir une autre façon (plus puissante statistiquement) de décrire cette relation, par exemple en décidant de séparer cette population unique en deux groupes, l'un très majoritaire avec une très faible corrélation entre le cholestérol et la *mortalité coronarienne* (partie presque horizontale de la courbe) et un groupe très minoritaire mais avec une forte corrélation (partie de la courbe tendant à se verticaliser). La figure précédente montre ces deux droites (en grisé, trait plein) faisant un angle d'environ 120 degrés. Des épidémiologistes japonais ont proposé que la deuxième droite représente la petite population de personnes ayant hérité d'une hypercholestérolémie familiale maligne (chapitre 20) et chez lesquelles le risque d'infarctus est élevé tandis que la majorité de la population générale est représentée par la première courbe presque horizontale. Cette hypothèse est intéressante car elle explique pourquoi la corrélation positive disparaît après 55 ans quand, selon ces auteurs, tous les sujets avec hypercholestérolémie maligne ne font plus partie de la cohorte (parce qu'ils ont présenté un accident cardiaque), les seuls restant étant ceux ayant une hypercholestérolémie bénigne (chapitre 19). C'est une hypothèse intéressante, parce qu'elle est explicative.

Par contre, la représentation par une droite unique (droite en pointillés sur la figure) revenant à dire qu'il y a une relation proportionnelle entre le cholestérol et le risque de mourir d'un infarctus, n'est pas intéressante de mon point de vue, même si des statisticiens nous disent que cela peut aussi représenter la relation du cholestérol avec le risque d'infarctus. C'est une simplification abusive des faits que l'on peut qualifier de biaisée. C'est pourtant celle-ci qui, contre toute logique et bons sens, prévaut actuellement parmi les experts en cholestérol. Il est facile de comprendre pourquoi ces experts font ce choix-là. En effet, sur cette base il est plus facile de défendre l'idée qu'il faut diminuer son cholestérol et que *plus il est bas et mieux c'est* !

Tous les lecteurs ont compris qu'il y a une petite part de « possiblement crédible » (pour une population blanche anglo-saxonne de moins de 55 ans), mais que ça ne peut être une *Loi Générale*. En effet, on pourrait multiplier les exemples de populations qui ne répondent pas à cette représentation : les plus de 55 ans y compris les Anglo-saxons, les Asiatiques, les Slaves, la majorité des Méditerranéens, probablement les Français (voir au paragraphe 4, l'autre paradoxe français) !

Si maintenant je reviens à l'*Etude des Sept Pays* (ou *Seven Countries Study*) que j'ai discutée dans le texte principal et qui décrit aussi une relation entre cholestérol et mortalité coronarienne dans différentes zones géographiques, je peux examiner comment elle s'intègre dans l'ensemble du raisonnement. Regardons la représentation graphique publiée dans le numéro du 12 Juillet 1995 du *Journal of the American Medical Association*.

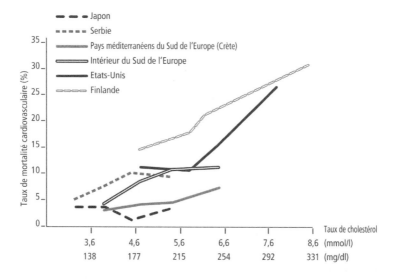

J'ai déjà décrit et commenté cette figure dans le texte principal. Pour 4 de ces populations, la corrélation entre le cholestérol et la *mortalité coronarienne* est très faible et inexistante pour les Japonais. Si 5 des courbes sont regroupées pour en former une seule, en excluant la courbe des Finlandais qui constituent un cas très particulier (voir le paragraphe suivant), on retrouve globalement notre asymptote (figure ci-dessous) avec une partie horizontale légèrement ascendante jusqu'à 6,6 mmol/L, puis une verticalisation de la courbe au delà de ce seuil mais dans laquelle on ne retrouve qu'une population sur 5, celle des Etats-Unis. Tous les individus recrutés dans cette étude sont des hommes de moins de 59 ans. Il est donc évident qu'une analyse transculturelle est compatible avec l'interprétation proposée par nos collègues japonais.

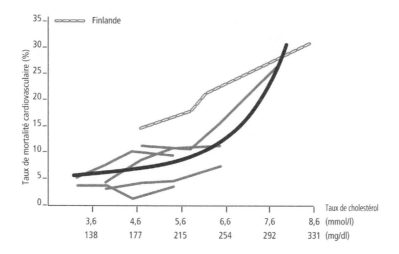

Finalement, je pense pouvoir conclure (voir le texte principal) qu'il n'y a pas, de façon générale, de relation proportionnelle entre cholestérol et *mortalité coronarienne* (à l'exception peut-être de populations particulières par exemple blanches anglo-saxonnes de moins de 55 ans). Dans ce cas particulier, la relation décrite est de type asymptotique et ne peut constituer un argument valable pour élaborer des stratégies de prévention basée sur l'idée qu'il faut s'acharner à diminuer le cholestérol chez tous les individus de n'importe quelle population, selon le principe du « *plus c'est bas et mieux c'est !* ». Ceci dit, seuls les essais cliniques peuvent permettrent d'argumenter sur la question de diminuer ou non le cholestérol par des médicaments ou d'autres moyens.

3- LE CAS FINLANDAIS

Les Finlandais étaient dans les années 1960 les champions du monde de la mortalité par maladies cardiovasculaires : plus de 6 décès sur 10, tous les âges et les deux sexes confondus, étaient la conséquence d'une crise cardiaque.

Qu'est-ce qui pouvait expliquer une telle hécatombe ?

Une extraordinaire concordance de hasards malheureux. En peu de mots, je vais l'expliquer. Tout d'abord, du fait des conditions climatiques et de l'isolement géographique de la Finlande, la population avait des habitudes alimentaires particulières, très opposées schématiquement à celles des populations méditerranéennes, avec beaucoup de graisses animales, peu de graisses polyinsaturées, peu de fruits et légumes. En plus, ils ne connaissaient pas d'huile d'olive et n'étaient pas intéressés par les vins. Les Finlandais sont des grand amateurs de poissons, mais ils consommaient spécifiquement les poissons des lacs (la Finlande est typiquement décrite comme *le pays des lacs*) qui malheureusement étaient très riches en métaux lourds, notamment en mercure. La population finlandaise des années 1960 était massivement contaminée par le mercure. L'antidote naturel du mercure est le sélénium. Comble de malchance, les sols finlandais sont naturellement très pauvres en sélénium et donc la population finlandaise était déficitaire en sélénium. Du fait de leurs apports faibles en fruits, légumes, huile d'olive et vins (sources de phytonutriments très importants comme les polyphénols et les flavonoïdes), les Finlandais étaient sévèrement déficitaires en antioxydants naturels.

Que s'est-il passé ? Les autorités finlandaises ont organisé la prévention en prenant des mesures générales. Par exemple, les agriculteurs finlandais ont été fournis en sélénium qu'ils épandent maintenant dans leurs champs au même titre que les phosphates. Les populations ont cessé de consommer les poissons des lacs et se sont tournées vers les poissons de mer. L'importation saisonnière des produits de l'agriculture méditerranéenne (orange d'Italie, tomates d'Espagne, etcetera) a été organisée et une information intelligente concernant les habitudes alimentaires a été diffusée. En 1996, un premier bilan pouvait être publié où l'on constatait qu'effectivement la population avait réagi de façon adaptée. Par exemple, entre 1972 et 1992, la consommation de graisses saturées avait diminué de 15 % et la consommation de graisses polyinsaturées avait augmenté de 65 %. Cela se traduisait bien sûr par une diminution significative du cholestérol dans la population, mais aussi par un contexte nutritionnel global plus favorable à la protection cardiaque. Egalement, d'autres paramètres du mode de vie avaient été modifiés (tabac, exercice physique) et d'autres facteurs de risque (hypertension artérielle, diabète) avaient été améliorés avec finalement une diminution de la mortalité cardiovasculaire exceptionnelle pendant la même période, beaucoup plus importante évidemment que ce que l'on pouvait s'attendre du seul fait de la diminution du cholestérol. C'est une belle histoire de succès de mesures salutaires de Santé Publique ! Des progrès importants ont été enregistrés par la suite avec une amélioration continue, quoique moins rapide, de la mortalité cardiovasculaire. Mais je ne vais pas continuer à décrire le *cas finlandais* qui ne m'a servi ici qu'à montrer deux choses importantes : 1) le *cas finlandais* n'est évidemment pas représentatif de l'histoire des maladies cardiovasculaires dans d'autres pays que la Finlande. C'est un cas tout à fait exceptionnel ; 2) nous ne pouvons pas extrapoler les données du *cas finlandais* à d'autres pays où les conditions d'existence, le mode de vie et les profils de risque sont très différents du cas finlandais. Il n'est même pas certain que l'incroyable concours de circonstances des années 1950-70, avec notamment la triade *mercure-sélénium-flavonoïdes*, puisse encore servir d'exemple aux Finlandais eux-mêmes pour le nouveau millénaire.

A ma connaissance, aucune autre population n'a eu à subir un environnement aussi toxique pour le système cardiovasculaire. Il est possible que certaines populations de Nouvelle-Zélande aient eu aussi à souffrir d'un environnement un peu comparable, par exemple pour les déficits en sélénium et en flavonoïdes mais apparemment sans l'intoxication au mercure. Toute extrapolation des données néo-zélandaises à nos populations serait donc également très aléatoire.

Ceci dit, il est possible que certaines populations de l'ex-Union Soviétique, où l'on observe aujourd'hui même, des fréquences de maladies cardiovasculaires qui rappellent le cas finlandais des années 1950-60, soient confrontées à des circonstances un peu comparables. Les responsables sanitaires de ces pays seraient bien inspirés d'étudier le *cas finlandais*.

4- UN AUTRE PARADOXE FRANÇAIS

On sait que la mortalité cardiovasculaire n'est pas homogène en France. Il y a des variations importantes d'une région à l'autre. On aurait pu croire qu'elle était plus basse au Sud qu'au Nord puisque les sudistes (Provence-Côte d'Azur et Midi-Pyrénées) sont censés se rapprocher des habitudes alimentaires méditerranéennes protectrices. Ce n'est pas le cas : la plus basse mortalité cardiovasculaire est enregistrée en Poitou-Charente et en Gascogne, deux régions qui ne sont pas méditerranéennes et la mortalité cardiovasculaire semble identique à Montpellier et à Paris. Les *maxima* sont enregistrés au centre (Auvergne) et au nord-est (Alsace et Nord-Pas de Calais). Paradoxalement, ce n'est pas dans ces régions (selon l'étude *SUVIMAX*) que l'on enregistre les plus fortes prévalences d'hypercholestérolémie. On aurait pu s'attendre aussi à ce que les sudistes aient un cholestérol plus bas que les nordistes en moyenne : ce n'est pas le cas non plus !

Je ne sais pas si les industriels du médicament sont au courant de ces données épidémiologiques, mais je peux comprendre qu'ils n'aient jamais tenté de faire un essai clinique avec des médicaments anticholestérol dans un pays aussi paradoxal.

CHAPITRE 6

ABAISSER LE CHOLESTÉROL N'EMPÊCHE PAS DE MOURIR DU CŒUR

Ce que vous allez apprendre

• Comment meurt-on quand on meurt d'une maladie du cœur ?

• Que signifie *syndrome de mort subite* ?

• Le cholestérol est-il un facteur de risque du *syndrome de mort subite cardiaque* ?

• Quelle est la valeur du postulat selon lequel il faut à tout prix diminuer son cholestérol pour améliorer sa santé et son espérance de vie ?

LES MALADIES CARDIOVASCULAIRES SONT RESPONSABLES d'environ 180 000 décès chaque année en France, près d'un million aux États-Unis. Cela nécessite évidemment de *grands cimetières* mais ce qui me frappe c'est l'espèce de résignation de notre société face à cette tragédie.

Les *Grands Cimetières sous la lune* est un texte de Georges Bernanos dans lequel il dénonce violemment les répressions franquistes de la guerre d'Espagne. Je reproduis quelques lignes sélectionnées dans Wikipédia sur Internet :

« Bernanos (qui eût des sympathies franquistes) dit avoir commencé ce travail quasi expiatoire (l'écriture du livre) en voyant passer des camions de condamnés à mort qui savaient seulement qu'ils allaient mourir :

J'ai été frappé par cette impossibilité qu'ont les pauvres gens de comprendre le jeu affreux où leur vie est engagée. {...} Et puis, je ne saurais dire quelle admiration m'ont inspiré le courage, la dignité avec laquelle j'ai vu ces malheureux mourir.

En fait, Bernanos ne comprend pas l'attitude résignée des victimes certes, mais pas non plus l'attitude complice des spectateurs (dont lui-même) et de ceux qui se donnent l'apparence d'être des braves gens innocents. Dénonçant d'abord la toute-puissance des « imbéciles et bien-pensants, la résignation petite-bourgeoise, l'idolâtrie de l'ordre établi et enfin l'ignoble prestige de l'argent (p. 37) ».

Voilà, tout est dit par Bernanos et je laisse à chaque lecteur le soin de faire, ou non, ses propres transpositions avec la tragédie des maladies cardiovasculaires et la façon dont elle est considérée à notre époque.

Jean-Claude est un collègue comme nous en avons tous dans nos activités professionnelles. Ni un ami, ni un ennemi et respectable sous bien des aspects. Jean-Claude (ce n'est pas son vrai nom bien sûr) est un universitaire, épidémiologiste, expert en santé publique. Jean-Claude est un peu conformiste et pense en toute bonne foi que la science du cholestérol est, comme on dit parfois, une fantastique *success story* ! Ce n'est pas mon avis.

Jean-Claude et moi ne sommes pas d'accord sur divers points à propos du cholestérol mais il y en a un particulier sur lequel nous nous opposons frontalement, c'est l'importance du cholestérol pour notre espérance de vie. C'est ce que je vais discuter dans ce chapitre.

Devenu l'objet d'un intérêt presque obsessionnel de la part du public en général et de nombreux médecins mal informés, le cholestérol est aussi un problème économique et social. Il est en effet une source de profits considérables pour l'industrie pharmaceutique et pour l'agroalimentaire et, par voie de conséquence, il est générateur de coûts astronomiques pour les assurances maladie. Se demander si cet investissement dans la lutte contre le cholestérol est justifié d'un point de vue médical et scientifique n'est donc pas une question anodine.

Il faut reconnaître que c'est une question difficile et, dans ce chapitre, je vais en discuter un seul aspect particulier, la relation entre cholestérol, mortalité (dans un intervalle de temps précis) et espérance de vie (voir le 1er paragraphe de la section *Pour les professionnels*). Je vais utiliser des optiques complémentaires pour mon analyse : l'épidémiologie d'observation et les essais cliniques.

Contrairement à une opinion largement partagée par les experts, l'importance du cholestérol sur le risque de décès prématuré ou sur notre espérance de vie – deux facettes du même problème – a été considérablement surévaluée.

Le problème peut se décliner de la façon suivante :

1) est-ce que le cholestérol est une cause de mortalité prématurée?

2) si la réponse est non, pourquoi une telle surévaluation de son rôle?

De multiples controverses, au cours des dernières décennies, ont animé les milieux épidémiologiques à propos du cholestérol et de sa relation avec diverses maladies, et donc avec le risque de décéder des complications d'une de ces maladies. Si le cholestérol a été accusé de favoriser les maladies cardiovasculaires, des scientifiques ont aussi défendu l'idée que le cholestérol ou les lipoprotéines riches en cholestérol protégeaient contre certaines maladies infectieuses (voir le 2e paragraphe de *Pour les Professionnels*) ou cancéreuses. Je laisserai à chacun des clans le soin de défendre hardiment ses théories. Pour le moment, je vais rappeler brièvement quelques évidences de physiologie et biologie humaines, parfois méconnues, souvent oubliées.

QUEL LIEN EXISTE-T-IL ENTRE LE CHOLESTÉROL ET LA MORTALITÉ ?

La relation entre cholestérol et mortalité (ou l'état de santé en général) répond aux types de relations généralement décrites pour la très grande majorité des paramètres physiologiques et biologiques. Ces relations peuvent se schématiser par ce que nous appelons, en épidémiologie, des courbes en J ou en U (voir chapitre 5).

Qu'est-ce que cela signifie ? Pour des valeurs médianes de ces paramètres, la mortalité toute cause sur une période de temps donnée est minimale, formant un creux ou une cuvette. Au-delà ou en deçà de ces valeurs médianes, la mortalité tend à augmenter. L'étonnant c'est que pour des valeurs très différentes, plus basses ou plus hautes que les valeurs médianes, on observe une augmentation à peu près comparable (les deux branches du U) de la mortalité. C'est vrai pour la fréquence cardiaque ou la pression artérielle : trop bas par rapport aux valeurs médianes, ce n'est pas bon pour la santé, mais trop haut ce n'est pas bon non plus. En général, l'augmentation du risque est plus progressive du côté des valeurs hautes que du côté des valeurs basses où l'on se heurte plus rapidement à une sorte de mur, c'est-à-dire des valeurs incompatibles avec la survie immédiate, d'où l'aspect de la courbe en J.

Pour les hématies, les lymphocytes, le fer sérique, les phosphatases alcalines et bien d'autres paramètres où il n'y a pas de question de survie immédiate, l'aspect est plutôt en U. Il y a bien quelques exceptions mais comme dit l'adage, elles confirment la règle. Le cholestérol ne fait pas exception (voir chapitre 5).

Cette notion de courbe en J ou en U recoupe l'idée chère aux médecins biologistes qu'il y a des valeurs dites *normales* pour ces paramètres et des valeurs *anormales* au-delà de certaines limites. C'est exactement ce que nous pouvons comprendre d'un bilan sanguin pratiqué dans un laboratoire de biologie en ville ou à l'hôpital. Les raisons pour lesquelles notre risque de mourir augmente si nos plaquettes (ou un autre paramètre) sont trop hautes ou trop basses peuvent varier évidemment. De même, l'augmentation de risque liée à un cholestérol bas ou élevé ne relève pas des mêmes pathogenèses.

En général, dans une population de taille suffisante, les valeurs d'un paramètre biologique se distribuent de façon homogène (on parle de distribution *normale* ou *gaussienne*), c'est-à-dire symétrique par rapport à sa valeur médiane (la fameuse courbe en cloche des statisticiens) et les *anomalies* se définissent en termes d'écarts par rapport à la moyenne. On voit donc que, de façon très générale, la courbe décrivant la distribution des paramètres biologiques dans une population (la forme de cloche) est l'inverse de la relation entre ce paramètre et la mortalité (la forme en U). En conséquence, si nous superposons les courbes, on obtient une cloche posée sur un U, en schématisant beaucoup. Le message qu'il faut retenir c'est simplement que la mortalité minimale, la cuvette du U (ou du J), correspond au sommet de la cloche, c'est-à-dire à la très grande majorité de la population ; et que les valeurs extrêmes du cholestérol (vers le bas ou vers le haut) sont associées à de très petites fractions de la population.

Il est donc évident que l'affirmation selon laquelle plus le cholestérol est bas et mieux c'est pour notre santé (l'axiome désormais célèbre « *the lower the better* ») ne relève d'aucune rationalité biologique ou physiologique. En conséquence, le postulat disant qu'il nous faut à tout prix diminuer notre cholestérol pour améliorer notre santé et notre espérance de vie est tout simplement faux.

Au risque de décevoir les adeptes de multiples diététiques et traitements médicamenteux destinés à diminuer le cholestérol dans notre circulation sanguine, il faut pourtant admettre qu'avoir un cholestérol bas naturellement ou de façon programmée (quel que soit le moyen utilisé) n'apportent aucune garantie de bénéficier d'un bonus d'espérance de vie.

D'où vient cette illusion qu'en diminuant notre cholestérol nous améliorons notre santé et notre espérance de vie ? Difficile question. Une des pistes de raisonnement est celle des essais cliniques dits randomisés. En effet, c'est souvent sur la base des résultats des essais cliniques avec des diététiques ou des médicaments anticholestérol publiés au cours de la dernière décennie qu'est défendue la thèse qu'une diminution significative du cholestérol est immanquablement associée à une diminution du risque de mourir prématurément.

DE LA QUALITÉ DES ESSAIS CLINIQUES

Il y a de légitimes questions à se poser concernant l'information fournie par les essais cliniques et les professionnels des essais cliniques ont pu, ces dernières années, mesurer la dégradation accélérée de la qualité technique des essais publiés, sans parler du problème désormais omniprésent de l'indépendance des investigateurs vis-à-vis des sponsors et financeurs. Ceci étant dit, je vais faire dans ce chapitre *comme* si tous les essais cliniques publiés sont parfaits techniquement et qu'aucun ne présente de biais rédhibitoires.

Comme l'analyse d'une publication scientifique ou médicale est un peu compliquée, j'explique au 3ᵉ paragraphe de la section *Pour les professionnels* un aspect de ma technique personnelle pour essayer de faire la part du bon grain de l'ivraie parmi les multiples essais cliniques qui nous sont proposés.

QUELLE EST L'INFORMATION À RECHERCHER ?

Pour de nombreux experts en cholestérol, le principal avantage d'avoir un cholestérol bas ou de le diminuer avec un traitement quelconque c'est de nous protéger des maladies des artères coronaires et de leurs complications. Ces maladies sont très souvent fatales à court ou moyen termes et il est donc effectivement crucial de nous en protéger. À titre d'exemple, la mortalité due à un infarctus du myocarde est d'environ 50 %. Cela peut varier d'une population à l'autre, en fonction de l'âge et du sexe, mais globalement un individu présentant un infarctus en meurt de façon rapide une fois sur deux. Il n'est donc pas exagéré de dire que la maladie des artères coronaires est le plus terrible *serial killer* de nos sociétés développées. Et évidemment la mortalité due aux maladies cardiovasculaires représente la première cause de décès dans nos pays, environ 35 % de la mortalité totale en France et beaucoup plus dans certains autres pays. Il est donc évident que si l'on propose une stratégie de santé publique contre la maladie des coronaires, il faudra avant tout évaluer son efficacité sur la **mortalité**. Dans un tel contexte, les effets sur d'autres complications non mortelles, sans être négligeables, sont évidemment secondaires. Certains commentateurs parlent dans ce cas d'un effet essentiellement « cosmétique ». Je n'irais pas jusque là mais la position inverse qui consiste à dire que le critère de mortalité est peu important car *il faut bien mourir de quelque chose* (c'est la position de nombreux experts qui ne veulent pas affronter la réalité des données de mortalité) est ridicule.

Comme je l'explique au chapitre 10 (les recommandations du Baron perché), et étant donné les multiples possibilités de biais dans les essais publiés, je pense aussi que la mortalité est le premier paramètre à prendre en considération dans les essais en cardiologie. Si les autres paramètres confirment les données de mortalité, tant mieux, mais en l'absence d'effet significatif sur la mortalité je considère que l'essai est négatif ou techniquement incorrect (échantillonnage insuffisant ou mal calculé), donc ininterprétable. Quand je parle de mortalité, je veux parler de *mortalité toute cause* (ou de l'espérance de vie en générale) et pas seulement de la mortalité cardiovasculaire. L'expérience nous a en effet montré que certains médicaments pouvaient à la fois diminuer le risque de décès d'origine cardiovasculaire et augmenter celui de mourir d'une autre cause, ce qui en définitive, chacun en conviendra, est de bien peu d'intérêt puisque l'espoir de tout thérapeute est d'avoir un effet sur l'espérance de vie de ses patients : *mourir guéri* est une perspective peu enthousiasmante !

Une question importante pour comprendre cette problématique est de savoir quelle est la cause (le mécanisme) des décès qui surviennent au cours de l'infarctus du myocarde. Pour répondre à cette question nous avons besoin de données solides sur les causes de décès dans une population.

En 2002, selon les statistiques officielles du ministère de la santé des États-Unis, parmi les 719 456 personnes de plus de 35 ans décédées du cœur, 65 % étaient décédées de façon subite. Le *syndrome de mort subite cardiaque* répond à des définitions variables. Je ne rentrerai pas dans ce type de discussion réservée à quelques spécialistes. Pour les statistiques américaines citées ci-dessus, la mort subite cardiaque est un décès survenant à l'extérieur d'un hôpital ou d'une structure de soins quelconque ou dans le département des urgences de l'hôpital ou concernant un patient considéré comme déjà décédé à son arrivée à l'hôpital. Tous ces décès sont survenus chez des individus ayant présenté des symptômes thoraciques évoquant l'infarctus. Selon les mêmes statistiques, chez les personnes de 35 à 55 ans (l'âge des décès dits prématurés), la mort subite représentait 75 % des décès cardiaques en 2002 aux États-Unis. Cela signifie que la très grande majorité des personnes qui décèdent précocement d'une maladie cardiaque décèdent très brutalement.

PREMIÈRE CAUSE DE MORTALITÉ CARDIAQUE : LE *SYNDROME DE MORT SUBITE*

La grande majorité des décès d'origine cardiaque (60 à 75 % suivant les populations concernées) sont dus au *syndrome de mort subite cardiaque* qui est lui-même, dans 80 à 90 % des cas, la conséquence d'une arythmie ventriculaire maligne. Il s'agit d'un trouble du rythme cardiaque. Le cœur se contracte de manière inefficace ou incontrôlée, ce qui peut conduire à la mort. Voir aussi le chapitre 23.

QUELLES SONT LES CAUSES DU *SYNDROME DE MORT SUBITE* ?

Répond-il aux mêmes facteurs de risque que les maladies cardiovasculaires en général ? Concernant la problématique cholestérol qui nous occupe ici, on peut formuler cette interrogation de façon encore plus précise :

- Est-ce que le cholestérol sanguin est prédictif du syndrome de *mort subite* ?

- Ou encore : est-ce que la mesure du cholestérol peut nous permettre d'identifier dans la population les personnes qui risquent de faire une *mort subite* ?

C'est une question un peu compliquée et peu d'études épidémiologiques ont enregistré des données de qualité pour y répondre. Quelques études, notamment américaines, donnent pourtant des indications et comme elles vont en général toutes dans le même sens, on peut leur accorder quelque crédibilité : que ce soit pour les hommes ou pour les femmes, le cholestérol ne semble pas associé au risque de *mort subite* !

À l'inverse, le diabète et le tabac semblent être des facteurs prédictifs de la *mort subite*. Mais tous ces arguments sont relativement indirects. Et puis nous savons qu'il faut se méfier de l'épidémiologie d'observation, assez souvent prise en défaut. La meilleure façon de vérifier si un cholestérol élevé augmente le risque de mort subite c'est d'examiner cette question dans le contexte d'un essai clinique randomisé avec un traitement anticholestérol. Techniquement, cette question est assez facile à vérifier puisque le syndrome de *mort subite* est un des diagnostics cardiologiques les plus facilement vérifiables. Inversement, le diagnostic d'infarctus du myocarde, lui, est difficile à poser car il nécessite des données cliniques (description détaillée des douleurs thoraciques), électrocardiographiques et biologiques répétées. Comme les populations recrutées dans les essais cliniques, de même que la façon de poser les diagnostics cardiologiques, en particulier celui de *mort subite*, ont pu varier de façon importante au cours du temps, il est certainement préférable d'examiner les données des essais cliniques conduits au cours d'une période relativement brève.

QUE NOUS DISENT LES ESSAIS CLINIQUES SUR LE RISQUE DE *MORT SUBITE* ?

Curieusement, la grande majorité des récents essais ne donnent aucune information sur la survenue des morts subites. Les auteurs ont-ils oublié d'en parler ? Ou ont-ils oublié d'inclure ce diagnostic ? Par courtoisie, je ne répondrai pas à leur place. Mais les lecteurs doivent savoir que quand on le leur demande, ils ne répondent pas. Ce fait introduit une sorte de malaise dans notre approche ouverte et équilibrée de ces problèmes, d'autant plus que finalement je suis bien frustré de ne pouvoir répondre à ma question initiale qui était de savoir si la diminution du cholestérol réduit le risque de *mort subite*. Cela m'aurait en outre permis de valider les données des épidémiologistes qui prétendent qu'il n'y a pas de relation entre cholestérol et *mort subite*.

L'absence totale de données sur la *mort subite* dans les essais récents est d'autant plus troublante que dans ces mêmes essais de prévention primaire, les médicaments anticholestérol ne semblent pas induire d'effet significatif sur le risque de décès (quelle qu'en soit la cause on dit mortalité toute cause ou MTC). Une récente méta-analyse confirmait cette impression en montrant que les médicaments anticholestérol n'ont pas d'effet sur la MTC en prévention primaire, c'est-à-dire chez des personnes qui n'ont pas ou n'ont pas eu de manifestations cliniques de maladie des coronaires.

Les médicaments anticholestérol de la classe des statines étant les plus efficaces pour diminuer le cholestérol, on peut considérer que seuls ces médicaments devraient être inclus dans les analyses de mortalité.

ACTUALISATION ET EXTRAPOLATION
DES RÉSULTATS DES ESSAIS CLINIQUES

Est-il raisonnable que des essais conduits dans les années 1980 en Finlande (l'essai 4S par exemple) servent de référence thérapeutique pour des patients marseillais ou poitevins 25 ans plus tard ?

Le décalage dans le temps est un important facteur de confusion car le reste des approches thérapeutiques a considérablement évolué. Mais c'est surtout le fait que les patients finlandais dans l'essai 4S avaient des caractéristiques de risque totalement différentes des Français actuels. Cette différence est illustrée par le concept de *paradoxe français* mais aussi par le fait que la population finlandaise est elle-même très particulière, comme je le discute au chapitre 5. Bref, un Finlandais de 1990 ne ressemble pas à un Poitevin ou un Marseillais de 2007 et il est absurde d'extrapoler des résultats finlandais (ceux de l'essai 4S) à la population française en général. D'autant plus que les données de 4S présentent quelques incongruités laissant penser, au minimum, qu'il y avait quelques biais dans l'essai ou que la population recrutée n'était pas représentative de la population finlandaise ! Si les patients étudiés dans 4S ne sont pas représentatifs de la population finlandaise, il y a peu de chance qu'ils soient représentatifs de la population française de 2007. Ce point est discuté à nouveau au chapitre 11.

Objection recevable ! Regardons donc ce que nous disent les plus récents essais (publiés depuis 2002) avec les statines dans des populations ayant des profils semblables, c'est-à-dire un mélange de patients ayant une maladie coronarienne établie et de patients ayant un risque très élevé de faire un infarctus à court terme. Il est très important de procéder à une analyse de populations homogènes car alors on peut penser que les patients inclus dans ces essais bénéficiaient tous des traitements médicamenteux et non médicamenteux optimaux. On élimine ainsi une cause majeure de biais potentiel.

Que nous disent ces essais cliniques ?

Curieusement, à nouveau, aucun de ces essais récents avec les statines ne fait mention du syndrome de *mort subite*. En tenant compte des données (ou plutôt de l'absence de données) à disposition, on pourrait conclure que probablement les statines et la réduction des concentrations sanguines de cholestérol en général n'ont pas d'effet significatif sur le risque de *mort subite.* On peut en effet penser qu'à l'image des investigateurs travaillant sur d'autres types de molécules, les experts des statines auraient discuté des effets des statines sur la mort subite s'ils avaient pu fournir quelques données vérifiables. Dans une société où le marketing est roi, l'absence de marketing est un aveu d'échec !

Étant donné l'importance de la *mort subite* comme cause de décès dans nos sociétés, on est dès lors en droit de se demander si les médicaments anticholestérol en général, et les statines en particulier, peuvent avoir un effet important sur le risque de décès quelle qu'en soit la cause (MTC). On peut supposer que s'il y a un effet, il ne peut être que modeste.

Pour ne pas lasser mes lecteurs non spécialisés avec des chiffres, j'analyse ces essais dans la section *Pour les Professionnels*, au paragraphe 4.

EN CONCLUSION

De l'ensemble de ces données publiées dans des grandes revues internationales, il ressort que la diminution du cholestérol n'a pas d'effet significatif sur la mortalité chez les femmes (en prévention primaire et secondaire), en prévention primaire (hommes et femmes confondus) et chez les seniors (hommes et femmes confondus et de plus de 70 ans). Autrement dit, et conformément aux données épidémiologiques, on voit bien qu'un cholestérol bas ou une diminution programmée du cholestérol n'ont probablement pas d'effet bénéfique sur la mortalité toute cause et donc sur l'espérance de vie.

Ou bien, s'il y a un effet bénéfique, il ne peut être que modeste. On pourrait en effet spéculer que dans certains groupes particuliers, hommes d'âge moyen avec un cholestérol très élevé survivants d'un infarctus récent, diabétiques avec cholestérol élevé (chapitre 17), ou encore dans certaines hypercholestérolémies familiales malignes (chapitre 20), certains médicaments pourraient être efficaces. Cela reste possible mais si effet il y a, il est probable qu'il est modeste. Si des industriels ou quelques-uns de leurs alliés voulaient me convaincre de l'efficacité des statines sur la mortalité cardiovasculaire en France (pays *paradoxal* s'il en est) ou dans les pays méditerranéens, pourquoi n'ont-ils pas organisé un essai en France (ou dans un pays méditerranéen) ?

Pour rester sur l'image du « *serial killer* » utilisée ci-dessus à propos de l'infarctus, on peut se demander pourquoi faire tant de bruit sur les succès de la police quand le nombre de victimes de l'assassin reste désespérément stable. Pourquoi de telles discordances dans l'appréciation des effets

COMMENT SE PROTÉGER
DU SYNDROME DE *MORT SUBITE* ?

Nous connaissons au moins trois façons simples de se protéger de la mort subite :
1) avoir un niveau d'activité physique suffisant (chapitre 13) ;
2) consommer de l'alcool modérément (chapitre 23) ;
3) corriger toute déficience en acides gras oméga-3 (chapitre 23).
Si à ces manœuvres simples on ajoute l'abstention tabagique et l'adoption des grands principes d'une diète méditerranéenne (voir le chapitre 25), le risque de mort subite est probablement proche de zéro. Comme ce syndrome représente 65 à 75 % de la mortalité cardiaque totale, il est aisé de comprendre que ces mesures simplissimes pourraient, en toute innocuité, provoquer une révolution en médecine préventive.

thérapeutiques des médicaments anticholestérol, et des statines en particulier ?

La principale contradiction observée dans le dossier tel qu'il se présente aujourd'hui est que les traitements anticholestérol soient aussi remarquablement efficaces contre certaines complications non fatales de l'infarctus mais qu'ils n'aient par contre aucun effet sur la mortalité alors même que l'infarctus est mortel dans environ 50 % des cas.

Cette discordance entre les effets sur la morbidité et la mortalité trouve son origine dans la qualité technique des essais et dans l'absence de réelle indépendance des investigateurs vis-à-vis des sponsors. Volontaires ou inconscientes, les erreurs sont nombreuses et se traduisent par des chiffres incompatibles entre eux ou incohérents, comme je le montre par exemple à propos de l'essai ASCOT (chapitre 15), de l'essai PROSPER (chapitre 16) ou des essais conduits chez les diabétiques (chapitre 17).

Les enjeux économiques et sociétaux étant considérables, on peut anticiper que la controverse n'est pas prête de s'éteindre. On peut aussi assez aisément se mettre d'accord sur deux aspects de la prévention des maladies cardiovasculaires contemporaines.

1) Rien ne justifie que des millions de Français (autour de 6 millions probablement) consomment à longueur d'années des médicaments anticholestérol dans l'espoir d'améliorer leur espérance de vie.

2) Si l'on veut vraiment se protéger des maladies cardiovasculaires, et en particulier du risque de mourir prématurément d'un infarctus, il est urgent de considérer d'autres facteurs que le cholestérol dans toute stratégie préventive.

Mon collègue Jean-Claude n'est évidemment pas du tout d'accord avec cette analyse, comme d'ailleurs tous les défenseurs de la *théorie du cholestérol*. Je laisse chaque lecteur, professionnel ou pas, juger de la pertinence de ma vision des faits.

CE QU'IL FAUT RETENIR

1- La plus fréquente façon de mourir du cœur est le *syndrome de mort subite.*

2- Le cholestérol n'est pas un facteur de risque du syndrome de mort subite dans les études épidémiologiques.

3- Les investigateurs des essais récents avec les statines ne rapportent pas de données concernant le syndrome de mort subite ce qui suggère que les statines n'ont pas d'effet sur ce syndrome.

4- Il ressort que la diminution du cholestérol n'a pas d'effet sur la mortalité toute cause chez les femmes, en prévention primaire (hommes et femmes confondus) et chez les plus de 70 ans (hommes et femmes confondus).

5- Conformément aux données épidémiologiques, on voit qu'un cholestérol bas ou une diminution programmée du cholestérol n'ont probablement pas d'effet bénéfique sur la mortalité toute cause et donc sur l'espérance de vie.

POUR LES PROFESSIONNELS
ET LES CURIEUX

1-POUR L'ANECDOTE, À PROPOS DE CE CHAPITRE

Certaines parties du texte de ce chapitre ont déjà servi pour un article en langue anglaise dont le titre est « *Cholesterol lowering and mortality: time for a new paradigm ?* » que nous avons publié dans un journal européen [NMCD, en septembre 2006]. Cet article a sa petite histoire amusante. Nous l'avons d'abord soumis au *British Medical Journal* où il nous fut répondu que l'hypothèse de travail était de la plus grande importance (1ᵉʳ relecteur) mais que l'importance que nous donnions à la mortalité dans les maladies cardiaques était sans objet car il faut bien mourir de quelque chose (2ᵉ relecteur qui recommande, en conséquence, de ne pas publier notre article). Nous décidons donc de le soumettre au *Lancet* où, sans le faire examiner par un relecteur, un éditeur nous déclare que ce que nous disons à propos de l'absence d'effet des médicaments anticholestérol sur la mortalité est une évidence bien connue et que, en conséquence, notre article ne présente pas un intérêt suffisant (c'est-à-dire *original*) pour cette prestigieuse revue. Nous vivons donc une étrange époque où l'on peut se faire refuser deux fois la publication d'un même article pour des raisons exactement opposées. Cela montre que le travail de relecture dans les grandes revues internationales n'est pas fait sérieusement, probablement parce que des relecteurs sérieux coûteraient trop chers aux revues en termes de salaires.

Nous soumettons alors notre article au NMCD où il nous est dit que l'article est du plus haut intérêt et accepté pour publication mais qu'il sera accompagné, du fait de son aspect controversé, d'un « *commentary* ». L'auteur du « *commentary* » écrit simplement que nous disons des faussetés (voire des bêtises) et que, en fait, la diminution du cholestérol par les médicaments était certainement associée à un effet sur la mortalité même si ce n'était pas visible dans les essais cliniques.

Ce type de commentaire dépasse l'entendement ! Il vaut mieux en rire !

Ce n'est pas un cas isolé ! Contre toute évidence, l'auteur de ce « *commentary* » refuse d'admettre ce que les essais cliniques disent. À vrai dire, s'il l'admettait, que resterait-il de l'architecture de son raisonnement scientifique ? Des décombres !

2-CHOLESTÉROL ET MALADIES INFECTIEUSES

J'ai discuté aux chapitres sur l'athérosclérose (chapitres 3 et 4) la théorie que certains agents pathogènes pouvaient de façon directe (par leur propres effets toxiques) ou indirecte (via la stimulation du système immunitaire) participer au processus d'athérosclérose.

Une autre théorie défend l'idée que les lipides sont des agents fondamentaux du système immunitaire et nous aident à nous défendre contre les agents infectieux. En conséquence, certains prétendent que diminuer le cholestérol dans notre circulation sanguine, et également diminuer d'autres lipides associés au cholestérol dans les lipoprotéines, pourraient diminuer nos défenses immunitaires et nos capacités à nous défendre contre des agents infectieux et donc favoriser l'athérosclérose et ses complications. Parmi ces complications, on trouve celles liées à une inflammation vasculaire et à l'ulcération de lésions chroniques stables. Chaque lecteur peut discerner les aspects contradictoires de ces théories !

Selon des chercheurs, on trouve là une des explications au fait que la majorité des essais cliniques avec des traitements anticholestérol n'aient pas pu conclure à un effet significatif sur l'espérance de vie.

Certes, face à des maladies aussi complexes et multifactorielles que les maladies cardiovasculaires, une *explication infectieuse* à l'échec de certains traitements peut paraître simpliste. Cependant, je pense qu'il existe un argumentaire solide suggérant que des concentrations faibles de cholestérol dans le sang ou la diminution du cholestérol par un traitement pourraient favoriser des pathologies infectieuses. Dans les pays développés où des antibiotiques sont à disposition pour nous guérir des maladies infectieuses, on peut penser que cet argument a peu de poids.

Ce n'est pas mon avis, et cela pour plusieurs raisons : 1) l'usage intensif des antibiotiques dans nos sociétés a un coût important, peut-être considérable à court terme, et pas seulement par le prix du médicament lui-même ; 2) en effet, cet usage intensif et souvent inapproprié génère des résistances aux antibiotiques ce qui nécessite l'introduction de molécules toujours nouvelles avec des coûts de recherche et de développement importants ; 3) on a accusé les antibiotiques d'être à l'origine de pathologies nouvelles, notamment certaines **maladies allergiques**, qui génèrent des coûts importants pour les systèmes de santé.

Sans faire preuve d'un cynisme obligé, on notera que les profits générés par les traitements antibiotiques, anticholestérol et anti-allergiques convergent vers les mêmes coffres-forts dont les propriétaires détiennent le pouvoir d'information des médecins et du public.

Finalement, il me paraît important de rappeler que si le cholestérol et les lipoprotéines qui transportent le cholestérol peuvent, selon certains scientifiques, constituer des sortes d'agents anti-infectieux (hypothèse tout à fait raisonnable), cette approche me paraît d'une excessive naïveté si elle se réduit au seul cholestérol, et cela pour une raison fondamentale : la majorité des lipides (en masse et en variétés) transportés dans notre sang sont des acides gras et le cholestérol n'en représente qu'une faible portion. Parmi les acides gras, certains sont les précurseurs d'agents absolument fondamentaux de nos défenses immunitaires, notamment les prostaglandines. Pas de système immunitaire efficace en l'absence de prostaglandines !

Cette observation est fondamentale car tous les traitements qui s'attaquent à notre système immunitaire (traitement immunosuppresseur chez les transplantés ou chez les patients atteints de maladies inflammatoires sévères) ont pour conséquence de favoriser des complications infectieuses et aussi le développement de tumeurs cancéreuses. Le cholestérol lui-même, bien qu'il soit presque toujours associé à des acides gras, ne semble pas intervenir dans le fonctionnement du système immunitaire. Autrement dit, se focaliser sur le cholestérol, et presque exclusivement en termes de quantités transportés dans le sang, est d'une désespérante simplicité, ce qui en grande partie explique la confusion qui règne dans ce champ de recherche. Pour une approche plus approfondie des connaissances actuelles sur les acides gras, je renvoie les lecteurs intéressés à notre ouvrage *Le Pouvoir des Oméga-3* paru aux Éditions Alpen.

En conclusion de ce paragraphe, je veux rappeler que la problématique soulevée ici est différente de celle concernant le fait que certains traitements antibiotiques pourraient favoriser la survenue de complications cardiovasculaires (chapitres 3 et 4). Tout cela suggère qu'il n'est pas anodin de *bricoler* nos lipides ou notre système immunitaire. Si on doit le faire, il faut vraiment être sûr que cela en vaut la peine.

3- UNE MÉTHODE PERSONNELLE D'ANALYSE BASÉE SUR LA DISTINCTION ENTRE LA PRÉVENTION SECONDAIRE ET LA PRÉVENTION PRIMAIRE

Pourquoi cette distinction est-elle importante ?

Commençons par définir ces termes. *Prévention primaire* signifie que l'on veut empêcher l'apparition d'une maladie chez une personne en bonne santé, au moins en apparence, au moment de l'entrée dans l'essai. *Prévention secondaire* signifie que l'on veut empêcher une récidive chez un patient qui a déjà présenté un infarctus. Sachant que la fréquence du décès au cours d'un infarctus est d'environ 50 %, on voit immédiatement qu'un patient qui a survécu à un infarctus est en fait un cas particulier qui, pour une raison ou une autre, a su résister aux complications mortelles de l'infarctus. Ce patient (contexte de prévention secondaire) n'est donc absolument pas représentatif des individus à risque de faire un infarctus dans la communauté en bonne santé apparente (contexte de prévention primaire) puisque parmi ceux-ci, environ 50 % décèderont au moment de leur premier infarctus. Cela ne veut pas dire qu'il ne faille pas tenir compte des résultats des essais de prévention secondaire pour organiser la prévention primaire mais il faut savoir les utiliser à bon escient.

Par exemple, si de façon systématique les essais testant les médicaments anticholestérol ne montrent pas d'effet significatif sur la mortalité en prévention primaire, on ne saurait éluder cette information cruciale sous prétexte que des essais de prévention secondaire ont montré, avec les mêmes médicaments, des effets plus ou moins significatifs sur la mortalité. Et vice versa. Autrement dit, extrapoler des effets obtenus en prévention secondaire au contexte de la prévention primaire témoigne d'une incompréhension totale à la fois de la rationalité des essais cliniques et de la pathogenèse des complications mortelles ou non mortelles des maladies cardiovasculaires. Inversement, si des données épidémiologiques d'observation obtenues dans un contexte de prévention primaire viennent corroborer des résultats de la prévention secondaire, il n'y a pas de raison de ne pas extrapoler ces résultats en prévention primaire, même si aucun essai de prévention primaire n'a été conduit pour tester cette hypothèse ou cette stratégie préventive. Un bon exemple est celui de la diète méditerranéenne, discutée au chapitre 25 : les données épidémiologiques en prévention primaire étant totalement concordantes avec les données d'essai en prévention secondaire, on ne prend pas beaucoup de risque en disant que ce modèle alimentaire est bon pour tout le monde.

4- ANALYSE DES DONNÉES DE MORTALITÉ TOUTE CAUSE (MTC) DANS LES ESSAIS LES PLUS RÉCENTS AVEC LES STATINES EXCLUSIVEMENT

En fait, quand on analyse ces essais randomisés en cherchant minutieusement les données de mortalité, on constate que les effets des statines sur la mortalité toute cause sont soit non significatifs, soit très faibles. À titre d'exemple, dans les essais HPS, PROSPER,

ALLHAT-LLT, ASCOT-LLA et ALLIANCE, le rapport des risques de décès étaient 0,87 (ce qui indique une diminution du risque de décès de 13 %), 0,93 (non significatif), 0,99 (non significatif), 0,87 (non significatif) et 0,92 (non significatif) respectivement. De plus, il s'agit de risques relatifs et quand une réduction de 13 % de risque relatif est traduite en réduction de risque absolu, cela peut paraître négligeable en termes de santé publique, quoique cela puisse faire débat j'en conviens.

Enfin, dans une récente méta-analyse concernant les effets des statines spécifiquement chez les femmes, les auteurs concluent, après avoir inclus les données de 13 essais enregistrés dans la base de données *Cochrane*, que les statines n'ont pas d'effet significatif sur la mortalité chez les femmes, aussi bien en prévention primaire que secondaire. Une autre et très récente (publiée fin 2006) méta-analyse confirme que les statines très spécifiquement (et pas les traitements anticholestérol en général) n'ont pas d'effet significatif sur la MTC et sur la mortalité cardiovasculaire en prévention primaire. Finalement, l'analyse minutieuse des données concernant les personnes de plus de 70 ans montre que les statines n'ont pas d'effet dans cette classe d'âge, comme indiqué très spécifiquement dans l'essai PROSPER (chapitre 16).

CHAPITRE 7

OUI, LE CHOLESTÉROL EST INDISPENSABLE

Ce que vous allez apprendre

• La biologie du cholestérol.

• Le rôle du cholestérol dans la digestion des lipides, dans la reproduction sexuée et comme précurseur des hormones du stress.

• Les conséquences possibles d'un déficit en cholestérol.

N' AYANT PAS L'INTENTION D'ÉCRIRE UN TRAITÉ DE BIOCHIMIE du cholestérol, et encore moins de faire une analyse de la symbolique désormais attachée au cholestérol dans notre société et à notre époque, je vais formuler quelques généralités simples.

En introduction, je veux rappeler que c'est avant tout une molécule biologique, innocente en principe et certainement pas un *serial killer* qui terroriserait nos villes et nos campagnes. Il y a quelque chose de violemment absurde, et probablement unique dans l'histoire de la médecine, à rendre une molécule (par ailleurs indispensable à nos organes et à notre physiologie) responsable des maladies cardiovasculaires, première cause de mortalité dans nos sociétés.

Une molécule criminelle, et à éradiquer, telle est l'image du cholestérol pour nombre d'entre nous ! Avant d'essayer de mettre à jour et disséquer cette outrance, je vais énumérer quelques faits très simples.

DE MULTIPLES RÔLES BIOLOGIQUES

Le cholestérol n'est pas une énorme molécule (si on la compare avec l'ADN, la molécule porteuse de nos gènes), mais c'est quand même une molécule assez importante en termes de poids moléculaire (27 atomes de carbone) et relativement complexe (formée de plusieurs cycles carbonés).

C'est une belle molécule, bien structurée, et si j'avais des tendances « *punk gothique* », je dirais qu'il s'agit d'une sorte de belle cathédrale moléculaire.

Le cholestérol est apporté par l'alimentation (source exogène) mais il est aussi synthétisé par toutes nos cellules (source endogène).

Cette capacité de synthèse endogène est spécifique aux cellules animales (pas de cholestérol dans les végétaux) d'où l'intérêt qu'il présente pour les biologistes à une époque de décryptage des génomes et de l'analyse des spécificités des espèces vivantes.

La synthèse du cholestérol est complexe et comporte une cyclisation multiple avec de nombreuses étapes. La biologie et la physiologie moderne nous montre que le cholestérol est absolument crucial dans plusieurs systèmes qui conditionnent non seulement la survie des individus mais aussi l'espèce.

Le cholestérol est par exemple le précurseur des acides et **sels biliaires**, qui sont indispensables à la digestion des graisses et lipides, notamment les acides gras essentiels et plus particulièrement les acides gras oméga-3 dont on connaît l'importance dans la prévention des maladies cardiovasculaires. Ce point est crucial car tout ce qui favorise l'absorption intestinale des lipides et donc des acides gras oméga-3 est favorable à notre santé tandis que tout ce qui empêche l'absorption des lipides tend à aggraver nos déficits en oméga-3.

Le cholestérol est aussi le précurseur des hormones stéroïdes, notamment les **hormones sexuelles**. Ces hormones sont indispensables à la reproduction sexuée et donc à la perpétuation des espèces.

Les stéroïdes sont les **hormones du stress** (donc des réactions de survie face au danger) et sont d'ailleurs parfois utilisées par les sportifs comme dopants. Enfin, le cholestérol est précurseur de la vitamine D qui est fondamentale pour notre système ostéo-articulaire et, par exemple, la prévention de l'ostéoporose.

Inversement, quelques pathologies sont associées à des anomalies du métabolisme du cholestérol. Ainsi les calculs (les pierres) dans la vésicule biliaire sont presque toujours des **lithiases** de cholestérol. Un effondrement des taux sériques de cholestérol est un excellent marqueur de l'**insuffisance des fonctions hépatiques**, un signe biologique qui est généralement très inquiétant pour la survie à court terme. Son rôle dans **certaines formes très particulières de maladies cardiovasculaires** est possible, en cas notamment de troubles sévères de son métabolisme (chapitre 20) et il existe une polémique interminable sur le rôle du cholestérol dans **certains cancers** (un faible taux de cholestérol augmenterait le risque de ces cancers).

Il n'est donc pas très étonnant que le cholestérol suscite quelques réactions passionnelles.

Au-delà de son caractère indispensable comme précurseur d'hormones ou de vitamines, le cholestérol est par lui-même une molécule très importante de la physiologie des membranes cellulaires. Comme les autres lipides (les acides gras), il est un constituant structurant des membranes cellulaires qui sont des *bicouches lipidiques* comme disent les biophysiciens des membranes. Mais, contrairement aux acides gras polyinsaturés qui sont fluidifiants, le cholestérol est un constituant rigidifiant des membranes. Il délimite des secteurs membranaires un peu comme des plaques tectoniques à la surface de la cellule. Les propriétés physiologiques de ces plaques membranaires, que les biologistes appellent des radeaux (*rafts* en anglais), sont inconnues, au moins en grande partie, mais on suspecte qu'elles puissent être importantes.

DÉTAILLONS TOUT CELA UN PEU PLUS

Mon propos n'est pas de faire un traité de médecine et je serai schématique. Tout lecteur intéressé par des détails peut aller sur Internet et faire le tour d'une question précise en tapant un ou deux mots clé(s). Quel que soit le moteur de recherche, on trouve à peu près tout ce que l'on veut en plusieurs langues, et même des images !

L'organe central du métabolisme du cholestérol est le foie. Il est le principal producteur de cholestérol endogène (pour assurer les besoins des cellules fortement consommatrices pour leurs besoins propres) et le régulateur de l'utilisation du cholestérol exogène apporté par l'alimentation.

Le foie est aussi, à partir du cholestérol, à l'origine de la synthèse des acides biliaires qui sont indispensables à la digestion des lipides alimentaires. Les acides biliaires sont stockés dans la vésicule biliaire et sécrétés dans le tube digestif sous formes de sels biliaires au moment des repas. Toutes les maladies hépatiques un peu sévères vont donc se traduire par des troubles digestifs du fait d'un défaut de sels biliaires.

De même, les syndromes dits d'insuffisance hépatique ont pour traduction biologique une diminution de la concentration sérique du cholestérol puisque le foie est le principal lieu de synthèse endogène du cholestérol. Cela explique en partie le paradoxe du cholestérol dans sa relation avec le pronostic vital, l'aspect de courbe en J des épidémiologistes : trop de cholestérol est apparemment associé à une diminution de l'espérance de vie mais trop peu de cholestérol est également de mauvaise augure (chapitres 5 et 6).

Enfin, les sels biliaires permettent la solubilisation du cholestérol présent en quantités relativement importantes dans la bile. En cas de déficience relative en sels biliaires, le cholestérol tend à précipiter et former des calculs. La présence de calculs biliaires est très fréquente chez les femmes après 60 ans mais, heureusement, le plus souvent asymptomatique. Quand ces calculs se manifestent cliniquement, c'est en provoquant des douleurs (on dit des coliques) dans le ventre. Il faut parfois les enlever (par la chirurgie ou des techniques moins invasives) car ils peuvent entraîner des complications comme des infections de la vésicule biliaire ou des pancréatites.

Sur le plan endocrinien, il faut savoir que le cholestérol est le précurseur des hormones stéroïdes, parmi lesquelles figure le cortisol, et les hormones sexuelles.

La problématique du cholestérol renvoie donc à deux domaines mythiques des Sciences de la Vie : l'adaptation au stress et la reproduction des espèces, et en particulier la nôtre. En cas de perturbation grave du métabolisme du cholestérol, c'est donc symboliquement la survie de l'espèce qui est en jeu, c'est-à-dire sa capacité à s'adapter à un environnement hostile d'une part et sa capacité à évoluer (dans le sens darwinien du terme) en se reproduisant d'autre part.

En effet, les hormones stéroïdes formées à partir du cholestérol, dans les glandes surrénales surtout, font partie des hormones du stress. En faisant simple et en se référant à des conditions d'existence primitives, on peut dire qu'elles conditionnent nos capacités à échapper aux dangers qui nous menacent (par exemple quand nous sommes une proie) et à survivre dans un environnement hostile, notamment quand nous sommes les prédateurs contraints à tuer pour survivre.

Le cholestérol est également précurseur des hormones qui, au niveau du rein, régulent notre équilibre en sodium : ce sont les hormones dites minéralo-corticoïdes.

Quant aux hormones sexuelles, synthétisées à partir du cholestérol dans nos glandes sexuelles (ovaires et testicules essentiellement), elles sont indispensables à la reproduction des espèces : pas d'hormones signifie pas d'attraction sexuelle, pas d'accouplement, pas de fécondation de l'œuf, etcetera.

Le cholestérol est aussi le précurseur de la vitamine D dont la forme active finale dépend d'autres transformations moléculaires en relation notamment avec l'exposition aux UV. La vitamine D est cruciale pour la formation de notre squelette et pour la santé ultérieure de notre système ostéo-articulaire, jusqu'aux âges avancés de la vie. Mais la vitamine D est aussi très importante dans la prévention des maladies cardiovasculaires et de certains cancers et certains chercheurs proposent aujourd'hui de sup-plémenter les populations adultes à risque (par exemple celles ayant une faible exposition au soleil et une peau foncée) avec de la vitamine D pour prévenir ces maladies chroniques dégénératives.

QUELLES SONT LES CONSÉQUENCES D'UN DÉFICIT EN CHOLESTÉROL ?

Il y a deux origines possibles à un déficit en cholestérol : il peut s'agir d'un manque d'apport en cholestérol alimentaire ou d'un défaut de synthèse endogène du cholestérol par nos cellules. Ces deux systèmes semblent co-régulés et lorsque nous avons peu de cholestérol dans notre alimentation, nos cellules en synthétisent plus à la fois au niveau du foie et au niveau des cellules périphériques qui l'utilisent. Ainsi, les végétariens très stricts qui ne consomment aucun produit d'origine animale (et donc pas de cholesté-rol) survivent apparemment très bien à condition de corriger quelques autres déficits inéluctables en certaines vitamines et acides aminés indis-pensables.

En fait, nous ne disposons pas d'études chez l'homme qui auraient évalué les conséquences à long terme de très faibles apports alimentaires en cholestérol associés à un blocage persistant de la synthèse endogène du cholestérol, par exemple avec des médicaments.

On peut toutefois en avoir une idée indirecte à partir des données four-nies par l'étude du métabolisme du cholestérol chez le fœtus. Ce dernier a en effet besoin de beaucoup de cholestérol pour se construire et il est très dépendant du cholestérol maternel dont les apports sont en général relativement limités. Que se passe t-il si le fœtus est atteint de troubles de la synthèse endogène du cholestérol ?

Nous connaissons 7 défauts du métabolisme endogène du cholestérol qui sont en fait des défauts des enzymes de la synthèse du cholestérol transmis génétiquement. Six sont presque immédiatement létaux mais un d'entre eux autorise la survie d'enfants qui naissent souvent avec de graves malformations. C'est le SLOS (ou *Smith-Lemli-Opitz Syndrome*) qui est généralement considéré comme la conséquence d'un déficit en cholestérol pendant la vie fœtale. Je ne vais pas décrire ici les différentes formes cliniques du syndrome qui inclut des dysmorphies, des malformations organiques multiples, des dysfonctions neurologiques et des sévères retards mentaux.

Ce que ces syndromes nous disent c'est que le cholestérol est crucial au niveau de la majorité des organes, et en particulier au niveau du cerveau.

Dans l'immédiat, nul n'a de réponses réellement documentées à ces questions. Certains diront que jusqu'à présent aucune maladie grave n'a été déclenchée par des traitements anticholestérol à hautes doses. C'est peut-être vrai en termes de symptômes cliniques (chapitre 14) mais pas forcément vrai pour certaines fonctions dont l'expression clinique peut être masquée : biologie du muscle ou fonctions cognitives par exemple. D'autres diront qu'il est trop tôt pour le dire mais qu'il existe suffisamment de données avec des études anciennes suggérant qu'un blocage intense de la synthèse endogène du cholestérol pourrait avoir des conséquences fâcheuses chez certaines personnes, en termes de risque de cancers ou de pathologies psychiatriques. Encore faut-il chercher ces effets secondaires potentiels sachant que l'aphorisme classique chez les scientifiques qui dit qu'*on ne trouve jamais que ce qu'on cherche vraiment avec insistance* s'applique également aux sciences médicales et à la recherche d'effets secondaires délétères des médicaments.

Nous reparlerons de cette problématique au chapitre 14 qui traite des effets secondaires des traitements anticholestérol.

Des experts alliés de l'industrie pharmaceutique pourraient dire que c'est du temps perdu parce que les essais cliniques récents avec de fortes doses de statines et des diminutions drastiques du cholestérol n'ont rien révélé de particulier. Ce genre de propos témoigne d'une mauvaise foi, ou d'une naïveté déconcertante car on sait bien que les patients inclus dans les essais sont soigneusement sélectionnés pour ne pas porter préjudice au médicament testé. Ce qui est de bonne guerre d'ailleurs car nul ne voudrait démolir un nouveau médicament avant même qu'il ne soit commercialisé. Ceci veut néanmoins dire que les essais cliniques ne sont pas le meilleur moyen de vérifier l'innocuité d'un médicament à l'échelle d'une population. Dans l'essai HPS qui testait la simvastatine, une première phase de l'essai avait permis de sélectionner les patients qui seraient randomisés dans l'essai véritable et de rejeter plus du tiers des patients pour toutes sortes de raison notamment celles ayant trait à la probabilité de développer un effet secondaire pendant l'essai. Et les patients inclus dans cette pré-étude n'étaient pas eux-mêmes représentatifs de la population qui ultérieurement se verrait prescrire le médicament ! Bref, les déclarations d'innocuité sur la base des essais cliniques sont sans intérêt réel pour le médecin praticien.

Ce qu'il faut retenir

1- Le cholestérol est apporté par l'alimentation mais il est aussi synthétisé par toutes nos cellules (source endogène vue comme un élément indispensable à la survie des cellules).

2- Il est à l'origine des sels biliaires qui sont indispensables à la digestion des graisses et lipides, notamment les acides gras essentiels, et plus particulièrement les acides gras oméga-3 qui sont souvent en quantités insuffisantes dans notre alimentation.

3- Le cholestérol est le précurseur des hormones sexuelles qui sont indispensables à la reproduction sexuée, des hormones du stress (donc des réactions de survie face au danger) et de la vitamine D.

4- Quelles sont les conséquences d'un déficit en cholestérol ? En fait, nous ne disposons pas d'études qui auraient évalué chez l'homme les conséquences à long terme de très faibles apports alimentaires en cholestérol associés à un blocage persistant de la synthèse endogène du cholestérol avec des médicaments.

POUR LES PROFESSIONNELS ET LES CURIEUX

1- UNE PINCÉE D'ANALYSE SOCIOLOGIQUE

Le cholestérol est un nutriment caractéristique des cellules animales et, pour certains milieux emprunts de religiosité, il symbolise des habitudes alimentaires carnivores et donc nocives. Cette vision du cholestérol, emblème d'animalité, est probablement très importante dans certains milieux scientifiques, notamment aux Etats-Unis, où la consommation de céréales et de végétaux est, par contre, souvent assimilée à un acte religieux (*quakers*). De façon consciente ou inconsciente, pour de nombreux chercheurs et médecins américains (et dans le grand public aussi), faire la guerre au cholestérol a donc quelque chose à voir avec la religion et la purification de nos péchés (et de nos abus). C'est aussi aux Etats-Unis que l'enseignement de la théorie de l'évolution (Darwin pour les intimes) est considéré quelques fois par des citoyens de certains états ou districts comme une dangereuse activité immorale voire anti-américaine.

Contrairement au cholestérol, les équivalents végétaux du cholestérol (les stérols végétaux, ou *phytostérols*) sont systématiquement présentés, encore aux Etats-Unis, comme obligatoirement bénéfiques pour la santé humaine, ce qui est bien pratique pour ceux qui en ont fait des marchandises médicalisées (chapitre 8).

2- UNE DEUXIÈME PINCÉE DE SOCIOLOGIE

Y a-t-il une seule autre molécule biologique qui ait suscité autant d'intérêt, y compris dans le grand public, autant de passion et de publications (aussi bien scientifiques et médicales que dans la grande presse, et pas seulement féminine), que le cholestérol ?

Pourquoi une « substance » qui ne devrait intéresser logiquement que des chimistes organiciens ou des biochimistes spécialisés, des médecins et des pharmacologues, suscite-t-elle autant de controverses ?

Le cholestérol a, en effet, donné lieu à de violentes polémiques (et pas seulement dans les milieux médicaux) et disputes (et quelquefois des vraies pétitions pour condamner les déclarations ou publications de certains d'entre eux). Des médecins spécialistes, pourtant très bien élevés, et des scientifiques, souvent lourdement titrés, se sont chamaillés comme des garnements à son propos. Pourquoi ? Quels enjeux incertains se cachent derrière ces querelles qui, au premier regard, ont toutes les caractéristiques de celles qui agitaient les clergés byzantins ?

Pour répondre à ces questions, il faut peut-être élargir notre champ de vision et se demander si, derrière cette molécule et ce qu'elle représente, il n'y aurait pas croisement de lignes de force, économiques et sociales, et coagulation de problématiques variées où les réalités concrètes (coût de la santé, sécurité sociale, marketing, innovation technologique) et symboliques (à connotations archéologiques et religieuses) viennent s'entremêler pour créer une confusion conceptuelle dans laquelle il devient difficile de reconnaître l'utile et de rejeter le dérisoire.

Bref, un peu délirant tout ça !

CHAPITRE 8

N'AYEZ PAS PEUR DU CHOLESTÉROL ALIMENTAIRE

Ce que vous allez apprendre

• Quelles sont les 3 erreurs classiques à propos du cholestérol alimentaire ?

• Le cholestérol présent dans les aliments influence-t-il le cholestérol sanguin et le risque d'infarctus?

• Y a-t-il des modifications nutritionnelles qui augmentent le cholestérol et, en même temps, diminuent le risque d'infarctus ?

• Que penser des margarines (et autres aliments) enrichies en phytostérols ?

• N'y a-t-il vraiment aucun danger à surcharger son régime avec des phytostérols ?

L'HISTOIRE D'ANTOINETTE

Antoinette est secrétaire au département marketing d'une société agroalimentaire dont je tairai le nom. Elle entend beaucoup parler de graisses alimentaires, d'huiles, de margarines, de maladies liées au cholestérol, et de bien d'autres choses terribles. De façon naturelle, et comme par imprégnation, elle a fini par se faire une idée de la problématique liant le cholestérol et la santé. Mais ce n'est pas son idée, c'est l'idée qu'un certain milieu se fait du cholestérol.

Néanmoins, Antoinette se croit bien informée.

Progressivement, elle a donc entrepris de modifier les habitudes alimentaires de sa famille (un mari et deux grands garçons), tous des inconditionnels du beurre, et profondément dégoûtés par la seule vue d'une barquette de margarine. Elle-même évidemment ne mange plus de beurre, qu'elle a remplacé par une margarine dite légère, et elle oublie régulièrement d'acheter du beurre, persuadée que ses hommes finiront bien par goûter sa margarine et par accepter que ce n'est pas si mauvais au goût.

Récemment, Antoinette s'est entendue dire par son médecin qu'elle devait faire attention à son cœur, parce qu'elle commençait vraiment sa ménopause et qu'elle avait un cholestérol un peu élevé. Mais elle savait déjà ce qu'elle devait faire : *encore plus attention*, comme elle dit, et diminuer encore le cholestérol dans son alimentation.

Elle pourrait donc céder à la dernière mode des margarines *spécial anticholestérol*, riches en phytostérols. Elle a travaillé à une campagne promotionnelle pour ce type de produits alimentaires et elle préfère de loin ce type de médecine douce à la prise de médicaments dont son médecin lui a pourtant parlé : « *Si vous continuez à avoir ce cholestérol, il faudra prendre un de ces médicaments remboursés par la Sécurité Sociale* ». « *C'est plus efficace et ça revient moins cher que vos margarines* » lui a-t-il dit en plaisantant sachant fort bien qu'elle connaissait ces produits pour des raisons professionnelles. Sa réponse fut immédiate : « *Mais, docteur, je choisirai une margarine remboursée par les Mutuelles !* » Et voilà le bon docteur laissé sans voix ! Mais Antoinette a raison, certaines mutuelles ont passé des accords avec des fabricants de margarine pour rembourser les (ou contribuer au coût des) margarines commercialisées par ces fabricants-là (pas par les autres).

Ce fut une grande surprise pour nombre de professionnels de la santé même si ces pratiques sont désormais courantes en Europe !

LA MARGARINE FAIT-ELLE BAISSER LE CHOLESTÉROL ?

Les margarines sont des aliments très artificiels fabriqués à partir d'huiles végétales, ce sont des huiles végétales solides. Elles ne contiennent pas de cholestérol et, en général, elles sont pauvres en acides gras saturés. Pour cette raison, la consommation de margarine a été encouragée pour remplacer le beurre et la crème dans les régimes anticholestérol. Cette mesure est-elle réellement efficace pour diminuer le cholestérol ?

Cela dépend de nombreux autres facteurs présents ou non dans le régime en question. On peut obtenir des diminutions de 10 à 30 % du cholestérol avec ces régimes mais cela ne peut être attribué à la margarine exclusivement. Antoinette était donc fière d'avoir tenu tête à son docteur.

Pourtant, Antoinette fait **trois erreurs**. Ce qu'on ne saurait lui reprocher. En effet, sa culture nutritionnelle se limite à ce que son entreprise veut bien dire à ses clients, c'est-à-dire, disons-le franchement, un vulgaire boniment. La prétendue information aux clients et au grand public n'est en fait qu'une falsification des faits, formulée habilement, pour avoir l'air objectif. Mais je reviendrai sur ces procédés de falsification de l'information au chapitre 26.

LA PREMIÈRE ERREUR D'ANTOINETTE

Elle est commune et consiste à croire que toute diminution du cholestérol dans le sang est immanquablement associée à une diminution du risque cardiovasculaire.

Ce postulat est faux, certains régimes ou traitements anticholestérol sont même dangereux ! Je renvoie les lecteurs au chapitre consacré aux régimes anticholestérol (chapitre 9) et aussi à la controverse autour des margarines enrichies en phytostérols (3ᵉ paragraphe de la section *Pour les professionnels*).

Ce qu'il est très important de comprendre, et qui n'est évidemment jamais dit dans les publicités vantant les aliments anticholestérol, c'est que certaines modifications du mode de vie qui sont clairement associées à une diminution du risque d'infarctus et de décès cardiaque peuvent entraîner une augmentation du cholestérol dans le sang.

Au moins deux de ces modifications sont très bien connues : la consommation de gras (ou d'huile) de poisson et celle d'alcool y compris modérément. Dans les deux cas, on peut observer chez certaines personnes (ce n'est certes pas systématique chez tout le monde), une augmentation du cholestérol – *le vilain*, comme *le gentil* pour reprendre cette vision naïve de la physiologie des lipides (chapitre 21). Pourtant de façon générale, les consommations d'huiles ou de gras de poisson et de boissons alcoolisées sont associées à une diminution de la mortalité cardiovasculaire et à une meilleure espérance de vie, tous les autres facteurs étant égaux par ailleurs.

Donc, Antoinette se trompe en pensant que le risque cardiaque qu'elle pense associé à la survenue de sa ménopause diminuera si elle réduit son cholestérol. Cette assimilation de la maladie à un marqueur de risque (la confusion entre le thermomètre, la fièvre et la maladie qui provoque la fièvre) constitue une constante et une catastrophe dans la médecine préventive moderne, c'est en outre une pure négation des bases de la médecine scientifique.

LA DEUXIÈME ERREUR D'ANTOINETTE

On peut la formuler sous la forme d'une question : est-ce que beaucoup de cholestérol dans son assiette va entraîner une augmentation du cholestérol sanguin chez Antoinette ?

Antoinette pense que oui. On ne peut pas lui reprocher cette conviction puisqu'elle est encore partagée par certains experts non cliniciens. D'autres experts minimisent cet effet du cholestérol alimentaire sur le cholestérol sanguin.

La polémique n'est pas récente et date plus ou moins de la dernière Guerre mondiale quand des biochimistes étudiaient le rôle des différentes graisses de l'alimentation sur la régulation du cholestérol du sang dans diverses espèces animales et chez l'homme, en bonne santé ou malade. Certains experts parmi les plus fameux ont même établi des équations permettant de prédire les variations du cholestérol en fonction des changements de régime. On pourrait écrire un roman (aurais-je des lecteurs ?) sur ce sujet. Je vais donc résumer en quelques mots en espérant que les spécialistes me pardonneront d'être un peu expéditif avec un sujet qui a fait coulé tellement d'encre.

Certaines graisses alimentaires tendent à augmenter le cholestérol, c'est les cas des graisses saturées, tandis que d'autres tendent à le diminuer, c'est le cas des graisses insaturées qu'elles soient mono- ou polyinsaturées. D'autres lipides alimentaires, les acides gras *trans* (voir le 1er paragraphe de la section *Pour les professionnels*) augmentent aussi le cholestérol.

Certains experts incluent le cholestérol alimentaire dans leur équation en lui attribuant un faible coefficient (donc peu d'importance), d'autres le négligent complètement car il pèse peu par rapport aux acides gras. Que cela signifie-t-il ? Tout simplement que chez certaines personnes (en fonction de caractéristiques génétiques), le cholestérol alimentaire influence le cholestérol sanguin tandis que chez d'autres il n'a pas d'effet : en moyenne, sur une population donnée de quelque importance, l'effet est faible ou négligeable (voir le 2e paragraphe de *Pour les professionnels*). Ce qui ne veut pas dire que certaines personnes, ou certaines populations, ne sont pas sensibles au cholestérol alimentaire. En moyenne, ce n'est pourtant pas important, y compris dans les cas d'hypercholestérolémie familiale (chapitre 20).

De toute façon, comme ce n'est pas bien important en termes de risque cardiovasculaire, la conclusion évidente est que c'est un **faux problème**. En conséquence, je vais en rester là à propos de cette deuxième erreur d'Antoinette.

LA TROISIÈME ERREUR D'ANTOINETTE

On peut à nouveau la formuler sous forme de question : est-ce que le cholestérol alimentaire pourrait être nocif pour notre santé indépendamment de son effet sur le cholestérol sanguin ?

Les données internationales sur ce sujet sont plutôt obscures puisqu'une ou deux études épidémiologiques anciennes (techniquement limitées) sont positives tandis que les études plus récentes sont négatives. Surtout, les essais cliniques dans lesquels une diminution du cholestérol alimentaire était recommandée aux patients du groupe expérimental n'ont apporté aucun argument en faveur de l'idée que le cholestérol alimentaire puisse augmenter le risque cardiovasculaire. Enfin, une étude récente a montré que la consommation d'œufs, un aliment très riche en cholestérol, n'est pas associée à une augmentation du risque cardiovasculaire. Je ne vais pas prolonger cette discussion parce que même les plus fervents défenseurs du concept de nocivité directe du cholestérol alimentaire (notamment celui présent dans les œufs) pour le cœur sont d'accord pour dire que si effet il y avait, il serait faible.

Et tout le monde est maintenant d'accord pour dire qu'une consommation modérée d'œufs (et d'autres aliments riches en cholestérol) n'a rien de dangereux pour la santé et est même recommandée pour certaines populations parce qu'ils sont une source de nutriments majeurs, notamment certaines vitamines et des protéines qui sont de très bonne qualité dans l'œuf. Et c'est particulièrement vrai pour certaines populations à risque de déficit nutritionnel potentiellement catastrophique, comme les personnes âgées.

Enfin, le coût de l'œuf comme source de nutriments indispensables le laisse pratiquement sans concurrent.

Ceci étant dit, et pour en terminer avec l'œuf et son cholestérol, il faut rappeler que celui-ci n'est pas sous forme libre mais lié à des acides gras. La composition en acides gras de l'œuf est selon nous beaucoup plus importante pour notre santé que son contenu en cholestérol. Cette composition en acides gras dépend de la façon dont la poule pondeuse est nourrie. S'il s'agit d'une poule grecque vivant en liberté, l'œuf devient une source importante d'acides gras oméga-3, 10 à 15 fois plus d'oméga-3 que si la poule est nourrie avec du maïs.

Les consommateurs doivent donc, et impérativement, faire attention de consommer des œufs ayant une composition en acides gras adéquate. Des industriels ont maintenant compris l'importance de cet enjeu (sans commune mesure avec celui du cholestérol des œufs) et proposent des œufs dont la composition en acides gras est proche de celle des œufs de poules grecques vivant en totale liberté (concept Colombus de l'industriel *Belovo* ou concept *Bleu-Blanc-Cœur*). Ces poules sont simplement nourries avec des aliments proches de ceux que trouve la poule grecque. Voilà une rassurante collaboration entre l'agriculture, l'élevage, l'industrie, la science et la médecine qui montre que cela n'est pas impossible !

Antoinette peut donc faire des omelettes à ses hommes, encore doit-elle faire attention aux œufs qu'elle achète au supermarché et aussi à l'huile qu'elle verse dans sa poêle : colza et olive exclusivement s'il vous plaît Antoinette !

LES PHYTOSTÉROLS EN QUESTION

Les phytostérols (voir le 3e paragraphe de *Pour les professionnels*) sont devenus un élément important de la problématique du cholestérol pour deux raisons principales.

La première c'est que les margarines riches en phytostérols sont recommandées précisément aux personnes qui ont un cholestérol élevé.

La deuxième c'est que le devenir de ces phytostérols dans notre organisme et leurs effets sur notre santé sont visiblement dépendants de la façon dont chacun de nous métabolise son cholestérol.

Comme je le raconte dans la section *Pour les professionnels*, des industriels ont proposé d'enrichir certains aliments avec des phytostérols parce que ces substances sont supposées avoir un effet sur les taux de cholestérol, ce qui a été clairement montré dans des essais cliniques de bonne qualité. Pour des doses quotidiennes de 1,5 à 3 grammes par jour, on a montré une diminution de 10 % environ du cholestérol sanguin. Certains mauvais esprits ont dès lors prétendu qu'on pouvait par extrapolation en attendre une diminution de 25 % du risque d'infarctus. Cela tiendrait de l'opération du Saint-Esprit mais c'est un véritable mensonge !

En effet, aucun essai clinique n'a jamais été entrepris, à ma connaissance, pour démontrer la validité de ces ridicules hypothèses. Comme je le montre au chapitre 9, l'approche nutritionnelle du cholestérol s'est avérée inefficace, ce que d'ailleurs les marchands de médicaments ne cessent de clamer pour justifier la prescription de médicaments anticholestérol plutôt que des régimes anticholestérol. L'extrapolation est donc interdite, ou relève de la pure désinformation, mais elle a été en son temps reprise et amplifiée par les industriels qui commercialisent des aliments ou des compléments nutritionnels contenant des phytostérols.

Mais il y a plus grave : certaines études ont montré une relation positive entre les concentrations sanguines de phytostérols et le risque d'infarctus, en totale contradiction avec les burlesques extrapolations sur la diminution du risque d'infarctus avec la consommation de phytostérols citées ci-dessus.

D'autres études, il est vrai, ne confirment pas cette augmentation du risque. Mais il faut noter que, parmi elles, certaines sont financées par les industriels des phytostérols et leurs auteurs ont été parfois très impliqués dans le marketing de ces produits enrichis en phytostérols. Une d'entre elles au moins a été vigoureusement dénoncée comme étant (volontairement ?) biaisée dans un éditorial (publié en 2005 dans une des revues de l'*American Heart Association*) signé par Jan Breslow de l'université Rockfeller, un grand investigateur des lipides et que l'on ne saurait suspecter d'être défavorable à la théorie du cholestérol.

Titre de l'éditorial : *Les concentrations de stérols végétaux sont-ils un nouveau facteur de risque d'infarctus ?*

De même, un spécialiste français des lipides, généralement très modéré dans ses affirmations, écrivait récemment à propos de la prétendue diminution du risque d'infarctus avec les phytostérols : « *Aucune étude chez l'homme ne permet de corroborer cette hypothèse. Au contraire, des doutes apparaissent, et des questions sont posées.* » (J.-M. Lecerf, Revue NAFAS, février 2005)

Si je cite ces auteurs, c'est simplement pour montrer, au cas où certains lecteurs seraient amenés à penser que j'exagère dans la surenchère à force de vouloir être démonstratif, que certains experts reconnus (avec lesquels je ne suis pas toujours d'accord), arrivent aux mêmes conclusions que moi concernant les phytostérols.

Mais ce n'est pas fini. Tous les experts, sur la base de publications incontestables reconnaissent que la consommation de ces fortes doses de phytostérols empêche l'absorption digestive de certaines vitamines liposolubles, notamment les caroténoïdes. Ces vitamines sont impliquées dans le risque de certains cancers, notamment celui du sein. Le risque de cancer du sein peut doubler entre les femmes qui présentent de faibles concentrations sanguines en caroténoïdes et celles qui en ont de fortes. Il est difficile de dire aujourd'hui quels sont les caroténoïdes les plus importants impliqués dans ce risque.

Nos experts en phytostérols rejettent cet argument en prétendant que l'effet des phytostérols n'est pas supérieur à celui des variations saisonnières et qu'il suffit de manger 5 à 7 portions de fruits et légumes riches en caroténoïdes pour contrebalancer les effets néfastes des phytostérols. Cet argument est évidemment irrecevable scientifiquement, médicalement et socialement.

Y a-t-il quelques données épidémiologiques indépendantes des industriels qui puissent nous rassurer ?

La réponse est malheureusement négative, pour la raison que seuls des laboratoires subventionnés d'une façon ou l'autre par l'industrie des phytostérols ont mené des études sur les phytostérols. Ainsi, une équipe hollandaise a travaillé sur l'hypothèse que les phytostérols puissent diminuer le risque de cancer du côlon et du rectum chez les humains, sur la base d'expériences conduites sur des modèles expérimentaux. Ils n'ont pas pu confirmer qu'une forte consommation de phytostérols diminue le risque de cancer du côlon. Au contraire, ils montrent des tendances suspectes (et statistiquement significatives) en faveur d'une augmentation du risque de cancer du côlon et du rectum avec certains phytostérols.

Que concluent-ils pourtant ? Qu'une forte consommation de phytostérols ne diminue pas le risque de cancers du côlon et du rectum. Ils négligent donc leurs données suspectes, comme s'ils ne voulaient pas les voir.

Qu'est-ce que, personnellement, j'en conclus ? Qu'une forte consommation de phytostérols pourrait augmenter le risque de cancer du côlon et du rectum.

En outre, vue l'absence d'intérêt des phytostérols sur le plan cardiovasculaire (et même le danger potentiel qu'ils peuvent représenter), vu leurs effets néfastes sur les caroténoïdes (avec un effet potentiel sur le risque de cancer du sein) chez certains individus, je suis amené à penser que ces substances représentent plus un danger pour notre santé qu'un bénéfice. En conformité avec l'application du principe de précaution, je pense que leur consommation ne devrait pas être encouragée comme certaines mutuelles ont voulu le faire en dépit du bon sens, et devrait même être découragée.

Ce qu'il faut retenir

1- Des modifications nutritionnelles (comme la consommation d'huile de poisson ou la consommation modérée d'alcool) sont clairement associées à une diminution du risque d'infarctus et de décès cardiaque mais entraînent pourtant des augmentations du cholestérol dans le sang et pas seulement du *gentil* HDL, aussi du *vilain* LDL.

2- Les variations de la quantité de cholestérol dans notre alimentation ont très peu (voire pas du tout) d'impact sur les taux de cholestérol sanguin et sur le risque d'infarctus.

3- Les aliments enrichis en phytostérols (notamment les margarines qui en contiennent) n'ont pas d'effet bénéfique pour notre santé.

4- Des apports importants en phytostérols, quelle qu'en soit la forme, sont probablement nocifs pour notre santé et l'application simple du principe de précaution devrait conduire à ne pas encourager leur consommation.

POUR LES PROFESSIONNELS
ET LES CURIEUX

1- BEURRE ET MARGARINES, UNE GUERRE DE 100 ANS

L'invention de la margarine a répondu à une nécessité économique aux Etats-Unis, pour conserver et valoriser l'huile de coton qui était abandonnée comme un sous-produit de sa fibre, et en France, pour nourrir les soldats du Second Empire à une époque où le beurre était trop cher. Je résume et je simplifie évidemment.

Au cours du XXe siècle, au moment où le beurre et les produits laitiers ont été accusés de favoriser les maladies cardiovasculaires (sous prétexte qu'ils étaient riches en cholestérol et en graisses saturées), les margarines sont devenues des concurrentes directes du beurre. En effet, elles sont fabriquées à partir d'huiles végétales (soja, tournesol, maïs) en principe pauvres en acides gras saturés, dépourvues de tout cholestérol puisque d'origine végétale, et riches en acides gras polyinsaturés. Conformément à la *théorie du cholestérol*, qui dit qu'il faut faire baisser le cholestérol, les margarines étaient donc un substitut idéal au beurre.

Les fabricants de margarine, très puissants dans plusieurs pays, menèrent une véritable guerre conte le beurre puisqu'ils visaient le même marché. Pourtant, aucune étude et aucun essai clinique n'a permis de confirmer l'hypothèse que ces margarines étaient supérieures au beurre vis-à-vis du risque cardiovasculaire, malgré l'induction d'une diminution significative du cholestérol dans les essais cliniques (chapitre 9). Cette observation tendait à mettre en péril la *théorie du cholestérol*.

Cette théorie fut apparemment sauvée quand des collègues américains (le groupe de Walter Willett à Harvard) proposèrent que l'inefficacité des margarines contre l'infarctus était due en fait à la présence d'acides gras *trans* dans ces margarines. Ces acides gras *trans* sont produits lors de la fabrication de la margarine, c'est-à-dire le processus de solidification de l'huile par hydrogénation des acides gras polyinsaturés. Cette proposition provoqua un scandale notamment aux Etats-Unis avec dans les medias des titres comme *Les margarines tuent les infirmières* parce que les études montrant la nocivité des margarines avaient été conduites sur des cohortes d'infirmières américaines.

Je ne rentre pas dans le détail mais les études épidémiologiques et les études de biologie expérimentale (montrant notamment que les trans sont encore plus toxiques que les acides gras saturés) ont convaincu les autorités sanitaires de nombreux pays (surtout en Europe) d'interdire les margarines contenant des *trans*. Ce qui fut dit fut fait, et aujourd'hui il n'y a plus de margarines contenant des *trans* commercialisées en France. Nous ne sommes toutefois pas totalement libérés des trans que l'on retrouve maintenant dans les produits de l'industrie (plats préparés, biscuits, viennoiseries, etc.) qui continue d'utiliser ces graisses de médiocre qualité pour toutes sortes de bonnes raisons, en particulier leur coût et leur résistance à l'oxydation.

Les nouvelles margarines ne contenaient plus de *trans* mais étaient toujours fabriquées (selon des procédés autres que l'hydrogénation) à partir des mêmes huiles polyinsaturées, à l'exception d'une ou deux fabriquée(s) à partir d'huile de colza.

Une deuxième polémique se développa quand des chercheurs de plusieurs nationalités (et notamment notre groupe) défendirent l'idée que la composition en acides gras de ces margarines (reflet des huiles qui servaient à leur fabrication) n'était pas favorable à la santé, et pourrait même favoriser les maladies cardiovasculaires (et d'autres maladies inflammatoires) plutôt que les empêcher. Les seules exceptions étaient les margarines fabriquées à partir du colza, et une margarine de cette sorte avait été testée avec succès dans l'*Etude de Lyon* avec des résultats extrêmement positifs. Pourquoi le colza serait-il différent des autres oléagineux ? Simplement à cause de la composition en acides gras du colza : pauvre en saturés et en oméga-6 mais riche en monoinsaturés et en oméga-3. C'est l'idéal pour la prévention de l'infarctus, selon la théorie générale de la diète méditerranéenne.

En général, et au moins en France, les professionnels de santé (particulièrement en cardiologie) ont adhéré à ces idées tandis que le grand public continue hélas de consommer des margarines pauvres en acides gras monoinsaturés et en oméga-3 et riches en oméga-6.

Pour les chercheurs, les *trans* n'étaient donc pas les seuls coupables dans les échecs des margarines. Leur richesse en oméga-6 et leur pauvreté en oméga-3 participaient au déséquilibre nutritionnel des populations occidentales de l'époque, et par ce biais favorisaient l'émergence de nouvelles épidémies de maladies chroniques sans diminuer le risque cardiovasculaire (voir nos livres sur les oméga-3 aux Editions Alpen et EDP Sciences).

La troisième controverse concerne les phytostérols et leurs effets sur la santé. Elle n'est que naissante mais elle risque à la fois de durer et de prendre de l'ampleur parce que les industriels concernés, et leurs alliés, n'ont pas d'échappatoires technologiques (comme pour les *trans*).

2- EFFET DU CHOLESTÉROL ALIMENTAIRE SUR LE CHOLESTÉROL SANGUIN

Lors d'un séjour dans un laboratoire de physiologie humaine, j'ai été amené à travailler sur ce problème de l'effet du cholestérol alimentaire sur le cholestérol du sang. J'étais à l'époque très intéressé par cette problématique (régulation génétique du cholestérol en interaction avec les aliments) et j'avais obtenu un financement adéquat des Hospices civils de Lyon pour une étude chez des humains (étude publiée dans la revue *LIPIDS* en 1998, vol 33, pages 1177-86). Nous avions donc recruté des volontaires qui acceptaient de changer leurs habitudes alimentaires. L'intervention nutritionnelle comportait notamment une phase de régime dépourvu de toutes graisses puis la réintroduction de lipides, sous forme d'œufs essentiellement parce qu'ils contiennent de grandes quantités de cholestérol. Pendant cette phase d'apports contrôlés en cholestérol, ceux-ci étaient en moyenne d'environ 800 mg (environ 3 gros œufs par jour).

Que s'est-il passé chez ces volontaires ayant un mode de vie très semblable au nôtre par ailleurs, mais mis dans des conditions expérimentales extrêmes pour tester l'effet du cholestérol alimentaire ?

En moyenne, ces apports massifs en cholestérol ont effectivement entraîné une faible augmentation du cholestérol de 6 %, avec une augmentation de 10 % du bon cholestérol HDL. Autrement dit, si l'on raisonne dans les termes classiques de la théorie du cholestérol, celle que nous contestons, cet effet pourrait exister dans certaines circonstances mais sa signification clinique est très faible, voire négligeable.

3- LES PHYTOSTÉROLS : ALICAMENTS OU POISONS ?

Nos cellules ne fabriquent pas et n'ont pas besoin de phytostérols.

Ce sont des xénobiotiques qui, à doses nutritionnelles, sont probablement sans effet sur notre santé. Ces substances sont présentes naturellement dans certaines plantes, notamment les oléagineux ou encore l'huile de bois de pin.

Il y en a de plusieurs sortes mais au total un Européen moyen en consomme entre 100 et 400 mg par jour, donc des quantités assez proches du cholestérol alimentaire. En principe, ils sont peu absorbés par notre tube digestif et n'ont pas d'intérêt nutritionnel, jusqu'à preuve du contraire. Certains individus malchanceux absorbent ces phytostérols de façon anormalement élévée (ils sont porteurs d'une particularité génétique). Dans ce cas, les phytostérols s'accumulent dans certains organes, en particulier les artères, et les personnes développent une maladie rare appelée **sistostérolémie**. Cette maladie est donc génétique et ressemble à l'hypercholestérolémie familiale (HF) que j'évoque au chapitre 20.

En deux mots, les personnes qui ont une sistostérolémie ont un risque très élevé de faire un infarctus très jeunes. Entre ceux qui sont homozygotes pour le gène responsable et développent une maladie précoce et les normaux indemnes, il existe des hétérozygotes apparemment normaux sauf que certains d'entre eux présentent des taux sanguins de phytostérols élevés avec deux questions angoissantes aujourd'hui : quelle est la fréquence réelle des hétérozygotes dans nos populations et quel est leur risque de faire un infarctus à cause de leurs taux élevés de phytostérols dans le sang ?

Ces personnes sont difficiles à identifier car elles ont aussi souvent une hypercholestérolémie (plutôt modérée) et, quand elles font un infarctus, on accuse leur cholestérol sans savoir qu'elles sont en fait porteuses d'une autre anomalie génétique potentiellement responsable, au moins en partie, de leur infarctus.

Le problème est que ces personnes qui absorbent beaucoup les phytostérols (et qui ont aussi un cholestérol élevé) sont toute désignées, conformément à la théorie du cholestérol, pour être encouragées à consommer des quantités importantes, voire massives, de phytostérols via les margarines et autres aliments enrichis dans le but de faire diminuer leur cholestérol.

Jamais la formule « *creuser sa tombe avec ses dents* » n'a été aussi vraie !

Des chercheurs finlandais, au-dessus de tout soupçon face à cette problématique (puisqu'ils étaient à l'origine de la première margarine enrichie en phytostérols mise sur le marché) ont récemment publié un article dans le *JACC*, le journal officiel du Collège des Cardiologues Américains (Miettinen et al, 2005;45:1794-1801) montrant que mieux on absorbait le cholestérol alimentaire et plus les concentrations de phytostérols étaient élevées dans le sang et dans les lésions artérielles. Encore pire, les patients qui prenaient des médicaments anticholestérol (une statine dans leur étude) avaient tendance à absorber plus les phytostérols que ceux qui recevaient le placebo. La conclusion de ces auteurs est terrible : « *The role of dietary plant sterols in the development of atherosclerosis is unknown* »!

Autrement dit, ils suspectent fortement que les phytostérols pourraient augmenter le risque d'infarctus dans des proportions indéterminées dans la population générale, mais ils manquent de preuves définitives.

Et dans le même temps, ils ne sont pas gênés par le fait que des industriels, avec un marketing forcené et le soutien de la grande majorité des communautés scientifiques et médicales concernées, encouragent et recommandent la consommation de ces phytostérols à doses massives (jusqu'à 3 grammes par jour, c'est-à-dire plus de 10 fois la ration quotidienne normale d'un individu non végétarien) !

Pour quel avantage potentiel ? Une réduction espérée de 10 % environ du cholestérol dans le sang ! Alors que nous savons qu'une diminution du cholestérol de cette ampleur n'a jamais sauvé une vie ! Alors qu'aucun essai clinique n'a jamais montré que la consommation de 1, 2 ou 3 grammes de phytostérols ait un quelconque effet bénéfique pour la santé !

Que dirait le principe de précaution dans de telles circonstances ?

Pourquoi un tel silence de la communauté médicale ?

CHAPITRE 9

LES RÉGIMES ANTICHOLESTÉROL « CLASSIQUES » PEUVENT ÊTRE DANGEREUX

Ce que vous allez apprendre :

• Les régimes anticholestérol sont-ils efficaces pour réduire le risque d'infarctus et le risque de mourir subitement d'une attaque cardiaque ?

• A trop vouloir diminuer son cholestérol, peut-on au contraire augmenter son risque d'infarctus ?

• Alternativement, peut-on diminuer son risque d'infarctus en changeant ses habitudes alimentaires sans pour autant diminuer son cholestérol ?

L'HISTOIRE D'ALFRED

Je vais raconter l'histoire d'Alfred, mais je préviens mes lecteurs, elle est triste, terriblement triste.

Alfred est un patient qui a participé à l'Etude de Lyon, mieux connue sous le nom de *Lyon Diet Heart Study* dans les milieux (internationaux) de la recherche. Je résume en quelques lignes ce que fut cette essai clinique randomisé au 1er paragraphe de la section *Pour les professionnels*.

Alfred a fait un infarctus du myocarde sans complication majeure à l'âge de 61 ans. Il a été hospitalisé en soins intensifs à l'hôpital cardiologique de Lyon où je l'ai contacté pour lui proposer de participer à un essai de prévention secondaire de l'infarctus du myocarde. Alfred, son épouse et ses enfants (qui lui étaient très proches) ont eu une conscience aiguë (et assez tragique) de l'infarctus qu'il a présenté. Je veux dire qu'ils ont tous compris qu'Alfred était un survivant, puisque nous savons qu'environ 50 % des patients qui présentent un infarctus en meurent, le plus souvent avant même d'arriver à l'hôpital (chapitre 1). Quand je lui ai proposé de participer à cet essai clinique, il a accepté avec enthousiasme. Il a été tiré au sort et il est tombé dans le groupe témoin : il ne reçut comme conseils nutritionnels que ceux délivrés par les diététiciens de l'hôpital cardiologique de Lyon qui étaient, à l'époque et en conformité avec l'idéologie dominante, ceux généralement prodigués pour diminuer le cholestérol (considéré comme le facteur de risque primordial de l'infarctus) sur le modèle de ceux formulés par l'*American Heart Association*, une institution américaine équivalente à l'INSERM en France, mais spécialisée dans les maladies cardiovasculaires.

Alfred avait parfaitement compris qu'il ne fallait pas fumer. Il souffrait d'une sorte d'arthrite (douleurs articulaires surtout matinales) et en conséquence avait peu d'activité physique. Il prenait scrupuleusement tous les médicaments qui lui étaient prescrits car au décours de son infarctus, on lui avait découvert une tendance au cholestérol et à l'hypertension artérielle. Enfin, il suivait presque parfaitement les conseils diététiques qui lui avaient été donnés à l'hôpital, il choisissait des aliments peu gras et ne consommait que de l'huile ou de la margarine de tournesol comme matières grasses d'assaisonnement (qui lui avaient été recommandées pour lutter contre son cholestérol). Il avait chassé de son régime certains aliments prétendus trop gras ou riches en cholestérol (jamais d'œuf, de poisson gras, de fromages, de fruits oléagineux, par exemple) et ne buvait jamais d'alcool (qui augmente la pression artérielle). Alfred avait pris un peu de poids, rien de bien terrible pour quelqu'un qui avait été mis à la retraite anticipée à la suite de son infarctus, et son cholestérol était revenu dans des limites tout à fait acceptables. La seule chose que je constaterai de particulier (et d'anormale) sur son bilan biologique à la suite de sa première récidive, c'est une dérive de son glucose sanguin et de son hémoglobine glyquée (marqueur d'une hyperglycémie chronique) avec une légère augmentation de ses triglycérides et une diminution de son *bon* cholestérol HDL.

Il est probable qu'à force de se priver de lipides, Alfred consommait (de façon évidemment compensatoire) beaucoup trop de sucres et qu'il avait un peu déséquilibré un diabète latent, ce que traduisait également sa prise de poids. Mais ce n'était pas un vrai diabète, juste un début !

Alfred a récidivé environ deux ans après son premier infarctus, d'abord sous la forme d'un syndrome d'angine de poitrine qui le conduisit à l'hôpital en urgence où il bénéficia d'une coronarographie et d'une angioplastie. Pris à son tout début, cet épisode de poussée d'athérosclérose avait été arrêté à temps. Triomphe de la médecine et de la technologie moderne ! On ajouta au passage un médicament anti-diabétique et voilà Alfred reparti chez lui un peu étonné que malgré tant d'efforts et de privation, il se soit à nouveau retrouvé aux Soins Intensifs.

Trois mois plus tard, nous apprenions que Alfred était décédé brutalement alors qu'il jouait aux boules avec ses copains. A la fin d'une partie en début d'après midi, il se déclara un peu las et alla s'étendre sur un banc à l'ombre. Après plusieurs tentatives lointaines pour le réveiller et le faire revenir à la partie, un de ses copains alla jusqu'au banc d'Alfred pour le secouer un peu et obtenir qu'il rejoigne son équipe. Il tomba du banc à la première secousse et quand les médecins du SAMU arrivèrent on le déclara décédé malgré quelques tentatives de réanimation.

QUE NOUS APPREND L'HISTOIRE D'ALFRED ?

La façon dont Alfred est parti est souvent appelée *une belle mort*, ce que ne manquèrent pas de souligner ses copains boulistes : *il n'a pas souffert !* Pour les médecins, cette façon de mourir s'appelle le syndrome de mort subite cardiaque (chapitres 6 et 23).

Au téléphone, son épouse me déclara qu'Alfred avait continué de suivre scrupuleusement tous ses traitements et son régime et que son dernier dosage du cholestérol était absolument normal. En somme, Alfred était mort guéri ! Et si je raisonne comme beaucoup de biologistes aujourd'hui à la recherche de coupables à la suite d'un décès, je poserais les questions suivantes :

- Si ce n'est pas son cholestérol, qu'est-ce qui a tué Alfred ?

- Et je devrais répéter la question en disant : qui sont les coupables ?

Des maladies aussi complexes que les maladies cardiovasculaires sont bien sûr multifactorielles, c'est-à-dire qu'elles sont le résultat d'un ensemble de facteurs et prédispositions, ces ensembles variant d'une personne à l'autre. On sait toutefois que le mode de vie est de loin le paramètre de risque le plus fondamental. Par exemple, des anomalies nutritionnelles (déficit, insuffisance ou excès en certains acides gras par exemple) peuvent jouer un rôle très important dans l'infarctus sans avoir d'influence sur le taux de cholestérol. Et en corrigeant le taux de cholestérol, on ne change rien aux anomalies nutritionnelles réellement importantes pour empêcher une récidive. Pire, en s'astreignant à vouloir normaliser un cholestérol trop élevé, on peut créer ou aggraver des anomalies nutritionnelles autrement plus importantes pour la survie que le taux de cholestérol. Par exemple, en diminuant ses apports en lipides ou bien en prenant des médicaments qui diminuent les concentrations de lipides dans le sang, on induit dans le même temps une diminution des concentrations sanguines (et tissulaires) en certains acides gras qui peuvent sauver la vie, comme les acides gras oméga-3. C'est peut-être (ou probablement, aurais-je tendance à dire) ce qui s'est passé pour Alfred. A force de vouloir bien faire et de se priver de tout, il s'est vraisemblablement mis dans un état de dénutrition relative et il n'a pas pu bénéficier de facteurs protecteurs qui auraient pu compenser les insuffisances créées par le régime anticholestérol.

Deux questions donc :

- Quelle anomalie nutritionnelle a pu favoriser le syndrome de mort subite qui a emporté Alfred ?

- Et, question subsidiaire, quel facteur protecteur (dont se privait peut-être Alfred) aurait pu retarder ou empêcher le syndrome de mort subite ?

Il est aisé de répondre à ces questions et les deux points que je vais rapidement discuter maintenant faisaient partie des conseils nutritionnels que recevaient les patients du groupe expérimental dans l'Etude de Lyon, et que n'a pas reçus Alfred puisqu'il se trouvait dans le groupe témoin.

Pour répondre à la première question, je dois préciser que nous avons mesuré dans le sang de tous les patients de l'Etude de Lyon les concentrations en acides gras. L'augmentation des acides gras oméga-3 était en effet un objectif absolument prioritaire des conseils nutritionnels dans le groupe expérimental.

Nous savons maintenant (en 2007), sans l'ombre d'un doute, et nous le suspections très fortement au début de l'Etude de Lyon (en 1987) mais sans démonstration formelle, que les acides gras oméga-3 protègent du syndrome de mort subite. Pour un patient ayant fait un premier infarctus comme Alfred, des apports quotidiens modérés diminuent de 50 % environ le risque de mort subite par rapport à des patients ne recevant pas d'oméga-3.

Le pauvre Alfred ne recevait pas cet apport quotidien nécessaire par son alimentation et, du fait des restrictions excessives qu'il s'imposait pour diminuer son cholestérol, il était même sévèrement déficitaire en oméga-3 comme nous avons pu le constater en vérifiant les concentrations d'oméga-3 dans son sang. Il est même probable que les médicaments anti-cholestérol qu'il recevait contribuaient aussi à déséquilibrer son bilan sanguin en acides gras oméga-3. J'oserais dire que malgré une extraordinaire volonté de bien faire, Alfred a programmé son décès.

C'est très dur d'écrire une chose pareille. Si je le fais, c'est pour marquer l'esprit de mes lecteurs. Je veux qu'ils comprennent qu'il est beaucoup plus important de s'assurer qu'on a des niveaux sanguins et tissulaires suffisants d'oméga-3 plutôt que de s'acharner à diminuer son cholestérol !

Quant à la deuxième question posée ci-dessus (est-ce qu'un autre facteur nutritionnel aurait pu le protéger et compenser le déficit en oméga-3 ?), il y a aussi une réponse immédiate. La consommation modérée de boissons alcoolisées (qui n'étaient ni interdites ni encouragées dans les deux groupes de l'Etude de Lyon) semble protéger contre la mort subite. C'est peut-être le vrai secret du *French Paradox*, cet avantage qu'ont les Français de moins mourir du cœur que les Anglais ou les Américains bien qu'ils aient en apparence plus de facteurs de risque que ces derniers (chapitres 1 et 5).

Pourquoi l'alcool à doses modérées (généralement sous forme de vin en France) protège du syndrome de mort subite ? Ici, nous n'avons que des hypothèses, et je serai très bref : la consommation modérée d'alcool a un effet direct sur le myocarde, comme s'il permettait à celui-ci de devenir résistant au manque d'oxygène provoqué par l'occlusion de l'artère coronaire et qui provoque l'infarctus. Une autre possibilité est que l'alcool ait un effet sur le métabolisme des acides gras oméga-3, un peu comme si en buvant de l'alcool on mangeait du poisson gras (la principale source alimentaire d'oméga-3 marins).

Je n'aborderai pas (ou alors de façon anecdotique) dans ce livre la problématique des oméga-3 et je renvoie le lecteur intéressé à nos livres *Le Pouvoir des Oméga-3* aux Editions Alpen ou Le *Régime Oméga-3* chez EDP Sciences.

Finalement, ce que le cas Alfred et l'Etude de Lyon nous montrent, c'est que la meilleure façon de se protéger contre l'infarctus et contre sa principale complication qu'est le syndrome de mort subite (représentant à lui seul 65 à 75 % de la mortalité cardiaque dans nos sociétés), ce n'est pas de déclarer la guerre au cholestérol et de décider de façon obsessionnelle de faire diminuer sa concentration dans notre sang. Il y a d'autres moyens et il est urgent de les connaître, afin de ne pas se laisser distraire par les chimères des traitements anticholestérol (qui sont inefficaces) et de bien intégrer l'idée qu'il n'est jamais trop tard pour prendre sa santé en mains.

Ce qu'il faut retenir

1- Les régimes anticholestérol ne sont efficaces ni pour réduire le risque d'infarctus, ni pour réduire celui de mourir subitement d'une attaque cardiaque.

2- Les régimes anticholestérol n'ont apparemment aucun avantage pour notre santé.

3- À trop vouloir diminuer son cholestérol, on peut augmenter son risque d'infarctus.

4- Alternativement, on peut effectivement diminuer son risque d'infarctus et de mort subite en changeant ses habitudes alimentaires sans pour autant avoir d'effet important sur le cholestérol.

POUR LES PROFESSIONNELS ET LES CURIEUX

1- L'ETUDE DE LYON (EN RÉSUMÉ)

L'Etude de Lyon (1987-1998) est un essai de prévention de la récidive d'infarctus après un premier infarctus. Les patients (je ne détaille pas les facteurs d'inclusion et d'exclusion) sont tirés au sort et ceux qui sont dans le groupe expérimental se voient proposés des conseils nutritionnels spécifiques pour protéger leur cœur contre la récidive. La base de ces conseils n'est pas très originale puisqu'il s'agit de l'adaptation de la diète méditerranéenne traditionnelle (modèle crétois modifié) parce que dans des études épidémiologiques antérieures il avait été constaté que c'étaient les Crétois qui avaient la meilleure espérance de vie, avec les Japonais, et le plus faible risque de faire un infarctus du myocarde (chapitre 25).

Ces conseils nutritionnels ne se référaient pas à la problématique du cholestérol. Bien qu'un régime de type méditerranéen (à base d'huile d'olive) fasse baisser le cholestérol par rapport à un régime riche en beurre (par exemple), le but de notre intervention nutritionnelle n'était pas de diminuer le cholestérol.

Bien que les Méditerranéens en général et les Crétois en particulier n'aient pas un cholestérol très élevé ou très bas par rapport à d'autres populations, le cholestérol n'était pas notre référence dans cette étude. Nous voulions diminuer le risque d'infarctus sans relation avec une éventuelle diminution du cholestérol car nous pensions déjà à cette époque qu'il fallait dissocier les deux problèmes. La suite, c'est-à-dire les 20 ans qui ont suivi l'élaboration de cet essai, nous a montré que nous avions raison.

Pourquoi avions-nous finalement adopté cette stratégie ?

Parce que dans plusieurs essais antérieurs (aux Etats-Unis et en Scandinavie notamment) et conduits sur la base d'une hypothèse anticholestérol, les régimes testés n'avaient pas donné des résultats satisfaisants en termes de complications cliniques malgré des diminutions significatives du cholestérol. Nous estimions donc que la *théorie du cholestérol* avait été réfutée et notre hypothèse de base était différente. Sans rejeter l'idée que le cholestérol puisse être un marqueur de risque (une sorte de thermomètre), nous pensions que ce cholestérol n'était pas la principale cause des infarctus. D'autres facteurs nutritionnels de la diète méditerranéenne, ou d'autres facteurs biologiques modifiés par la diète méditerranéenne étaient selon nous beaucoup plus importants que le cholestérol. Pour rester au chapitre des lipides, il était par exemple évident que les acides gras (saturés, monoinsaturés, oméga-3, oméga-6, *trans*, etc.) étaient beaucoup plus importants que le cholestérol.

Les événements devaient nous donner raison bien au-delà de ce que nous avions imaginé initialement. Malheureusement pour leurs patients, la majorité des spécialistes du cholestérol n'ont pas encore compris ces faits avérés, obsédés qu'ils sont par leur approche pharmacologique et cholestérol de la prévention de l'infarctus. En effet, nous eûmes deux surprises considérables dans cet essai, et en contradiction avec ce l'on nous avait dit des patients lyonnais : d'une part, les patients et leur famille ont adhéré de façon incroyable à nos recommandations et d'autre part, nous avons très rapidement vu une différence de pronostic entre nos deux groupes de patients, différence qui ne nécessitait pas de faire de complexes calculs statistiques pour être mathématiquement certifiée ; c'est-à-dire que presque à chaque fois que nous apprenions une mauvaise nouvelle (un décès, un nouvel infarctus ou une hospitalisation), le patient concerné était du groupe témoin tandis que les patients du groupe expérimental (méditerranéen) semblaient étrangement (et extraordinairement) protégés.

Les résultats de l'Etude de Lyon ont été publiés en deux épisodes, sous forme d'un premier rapport intermédiaire en 1994 dans *The Lancet* à la demande du Comité Scientifique de l'Etude et un rapport final en 1999 dans *Circulation* qui présentait la totalité des résultats cliniques. Entre les deux analyses (rapportées par les deux articles), l'Etude n'avait pas été interrompue. En effet, à la suite du rapport intermédiaire et à la demande du Comité Scientifique, tous les patients de l'Etude ont été reconvoqués pour être informés des résultats de l'Etude et, pour les patients du groupe témoin, être informés de ce qu'était la diète méditerranéenne testée dans l'essai afin qu'ils puissent eux aussi bénéficier de cette diète. Par la même occasion, évidemment, nous avions pu vérifier l'état de santé de chaque patient. En résumé, on peut dire que les résultats de l'Etude de Lyon peuvent se décliner selon six chapitres principaux :

1- nous avons observé des différences très importantes dans les complications cliniques, des diminutions de risque allant de 50 à 70 % en fonction du type de complications dans le groupe expérimental par rapport aux témoins. En particulier le nombre de décès était plus petit chez les expérimentaux ;

2- nous avons observé des différences importantes dans la façon de se nourrir des deux groupes ;

3- nous n'avons observé aucune différence dans les principaux facteurs de risque dits traditionnels tels que le cholestérol, les LDL et les HDL ;

4- nous avons observé des différences importantes pour d'autres facteurs lipidiques, notamment les acides gras ;

5- d'autre part, le nombre de cancers s'est avéré inférieur parmi les expérimentaux (un résultat certes surprenant sur un espace de temps aussi bref que 4 ans mais qui a été confirmé par des études épidémiologiques postérieurs) ;

6- enfin, dans une étude spécialement conçue par des épidémiologistes de l'INSERM pour trouver où (et comment) l'étude aurait pu être biaisée pour obtenir ces résultats aussi inattendus que spectaculaires, aucun biais n'a été détecté à la suite de cette enquête exécutée par des spécialistes.

Pour toutes ces raisons, l'Etude de Lyon et les principes qu'elle a établis sont devenus la référence pour la prévention nutritionnelle de l'infarctus du myocarde. Ses principes sont notamment publiés dans le *textbook* publié par la Société Européenne de Cardiologie (à l'intention des cardiologues européens qui s'occupent de prévention) et aussi dans le textbook américain édité par Braunwald dans le *Companion textbook* consacré spécialement aux syndromes coronariens aigus (Théroux Editeur).

2- LES ANCIENS ESSAIS DE PRÉVENTION NUTRITIONNELLE

L'Etude de Lyon a été conçue en 1985-86 en réaction à des essais cliniques antérieurs qui avaient échoué à améliorer le pronostic de patients qui avaient survécu à un infarctus du myocarde en modifiant leur alimentation. En effet, l'épidémiologie transculturelle des années 1950-60 (chapitre 5) avait suggéré que les habitudes alimentaires des populations étaient la principale cause de l'épidémie d'infarctus qui décimait certaines populations anglo-saxonnes à l'époque, notamment aux Etats-Unis où la mortalité par infarctus représentait plus de 50 % de la mortalité totale, une tragédie !

Selon les théoriciens de l'époque, le principal médiateur de ces habitudes alimentaires délétères était le cholestérol : en mangeant mal (beaucoup de graisses animales dites saturées telles les viandes grasses, les charcuteries et le beurre), on augmentait son cholestérol dans le sang et ce vilain cholestérol allait boucher les artères. Sur cette base théorique naïve, de nombreuses équipes décidèrent de vérifier leur hypothèse sur le terrain en organisant des essais de prévention de l'infarctus. La stratégie fut la même à peu près partout : on proposait à des patients tirés au sort de changer leurs habitudes alimentaires (dans certain essais on les aidait beaucoup en leur fournissant certains aliments) avec comme objectif de diminuer leur cholestérol. Ces patients expérimentaux étaient comparés à des patients qui continuaient, en principe, à suivre leurs habitudes antérieures.

Je ne vais pas détailler ces régimes expérimentaux puisque, les lecteurs l'ont déjà compris, ils échouèrent à modifier de façon significative le pronostic des patients qui les adoptaient. Autant donc les oublier !

Ce qu'il ne faut pas oublier, par contre, c'est que ces régimes étaient des régimes anticholestérol ! Et ces régimes anticholestérol sont très différents de la diète méditerranéenne (bien que celle-ci puisse permettre de diminuer le cholestérol si on la compare aux diètes occidentales classiques). Aujourd'hui encore certains médecins et diététiciens consultés pour diminuer le cholestérol de patients ou de personnes en bonne santé apparente s'inspirent de certains aspects de ces régimes anticholestérol. Il faut donc que j'en dise quelques mots pour que mes lecteurs en soient avertis. La manœuvre principale de ces régimes anticholestérol est de diminuer la consommation des acides gras saturés (viandes, beurre, fromages) et de les remplacer par des polyinsaturés.

Les investigateurs disaient à leurs patients d'utiliser des huiles et des margarines (qu'ils leur fournissaient dans certaines études) polyinsaturées (à base de maïs, de soja ou de tournesol) à la place du beurre. Le principal acide gras polyinsaturé que l'on trouve dans ces huiles végétales est un oméga-6 (l'acide linoléique) qui est le précurseur de l'acide arachidonique, le principal médiateur de l'inflammation dans notre organisme (tous les médicaments anti-inflammatoires de base sont "anti-arachidoniques" en simplifiant à outrance). Et dans ces huiles végétales, il y a peu ou pas d'oméga-3 et d'acides gras monoinsaturés qui sont pourtant les acides gras vedettes de la diète méditerranéenne ; mais les investigateurs de l'époque ignorent royalement l'huile d'olive ou l'huile de colza. Quand il y a un peu d'oméga-3 dans ces huiles polyinsaturées, comme dans l'huile de soja, il est peu biodisponible donc mal absorbé.

Est-ce que les acides gras oméga-6 utilisés à très fortes doses dans ces essais, dans l'espoir de diminuer le plus possible le cholestérol dans le sang, furent efficaces ?

La majorité des investigateurs se déclarèrent déçus. En moyenne, malgré des efforts considérables des patients qui acceptèrent de modifier (souvent d'appauvrir) considérablement leurs habitudes alimentaires, la diminution du cholestérol n'excédait pas 15 à 20 %, sauf exception. Ce qui n'est pas si mal de mon point de vue mais est moins bien que ce l'on peut obtenir aujourd'hui avec certains médicaments, jusqu'à 40 % ou même 50 % de réduction du cholestérol avec les statines.

Mais la déception la plus grande des investigateurs fut la clinique, autrement dit le degré de protection obtenu chez les patients qui avaient diminué leur cholestérol. Certains commentateurs, encore aujourd'hui, essaient de faire croire que ces essais ne furent pas des échecs complets et que, à tout bien considérer, on peut quand même penser que…

Les investigateurs eux conclurent dans leur grande majorité de façon assez tragi-comique que l'on ne les y reprendrait pas. Je ne vais pas rentrer dans le détail des essais conduits à Los Angeles, Oslo, Londres ou Sydney ! Disons-le sans détour, ces essais furent des échecs à plusieurs points de vue : non seulement on n'avait pas pu identifier une stratégie efficace pour diminuer la mortalité due à l'infarctus, mais en plus on n'avait pas vérifié la théorie disant qu'en diminuant le cholestérol on ne pouvait avoir que des bénéfices pour la santé. Double échec ! Dans certains essais, on enregistra plus de cancers, ce qui rajoutait au pessimisme.

Comment ces échecs furent-ils interprétés ?

Globalement, il y avait deux écoles interprétatives dont le seul point commun était un profond pessimisme, ce qui peut se comprendre de la part d'investigateurs qui avaient beaucoup cru à leur théorie et qui avaient passé à peu près 10 ans de leur carrière à essayer de la vérifier, mais sans succès.

La première école était celle de ceux qui pensaient que la diminution du cholestérol n'avait pas été suffisante (15-20 %) dans ces essais et que, en conséquence, seule une approche médicamenteuse permettrait de combattre efficacement l'infarctus. Ces investigateurs furent dès lors dans l'attente anxieuse de la drogue miracle qui ferait vraiment diminuer le cholestérol.

Ceux de la deuxième école pensaient qu'en faisant ces essais chez des patients qui avaient déjà fait un premier infarctus on s'était lourdement trompés. Chez ces patients-là, c'était trop tard, il aurait fallu intervenir avant. La maladie des artères était trop avancée, elle était devenue comme autonome et une véritable prévention était impossible.

Seuls des traitements palliatifs (chirurgie de pontage), ou symptomatiques (médicaments anti-angineux), permettraient d'améliorer le sort de ces patients. Une vision très négative de la situation !

Très peu d'investigateurs de l'époque n'osèrent donc remettre en question la *théorie du cholestérol* et donc, comme on dit chez les épistémologistes, proposer un changement de paradigme.

Tous étaient enfermés dans un mode de pensée clos sur lui-même. La situation n'a pas beaucoup changé en 2007 parmi les adeptes de la *théorie du cholestérol*, version médicament cette fois-ci.

Après cette vague d'essais nutritionnels négatifs et décevants, deux autres essais d'intervention nutritionnelle furent conduits. Ils furent pour nous une importante source d'inspiration, surtout le premier (appelé *La deuxième Étude d'Oslo* pour les spécialistes), et d'encouragement notamment le deuxième (appelé DART par les spécialistes).

Dans les deux cas, les investigateurs obtinrent une réduction significative de la mortalité cardiovasculaire et totale, autour de 30 %. Les stratégies nutritionnelles adoptées dans ces deux essais (que je ne vais pas discuter ici) étaient complètement différentes de celles choisies dans la première vague d'essais et surtout elles ne visaient pas spécifiquement à diminuer le cholestérol. Et effectivement dans ces deux essais, la diminution du cholestérol dans les groupes expérimentaux était soit faible (comme à Oslo), soit nulle (comme dans DART).

Et pourtant, en opposition totale avec les essais antérieurs, on avait observé des effets cliniques hautement significatifs, bien au-delà de ce que les plus optimistes des théoriciens pouvaient espérer. Et ces résultats furent ultérieurement confirmés dans d'autres essais, notamment ceux de DART dans l'essai GISSI et ceux d'Oslo dans l'Étude de Lyon.

Autrement dit, et en contraste avec le pessimisme qui prévalait à l'époque dans le sillage de la première vague d'essais basés sur la *théorie du cholestérol* et qui furent des échecs, des investigateurs démontraient qu'il était possible de diminuer considérablement le risque d'infarctus et la mortalité cardiovasculaire sans effet parallèle sur le cholestérol. Aujourd'hui de nombreux experts pris dans les mailles du filet cholestérol ignorent tout de ces essais ou font semblant de les ignorer ! Une situation délirante ! Et je pèse mes mots.

PROBLÈME DES STATINES ET CAS CLINIQUES

CHAPITRE 10

DE L'ÉTONNEMENT À LA COLÈRE : LA RÉVOLTE DU MÉDECIN

Ce que vous allez apprendre

• Quelle leçon avons-nous tiré du *scandale du sang contaminé* en France ?

• Est-il possible que des corps de métier entiers puissent encore aujourd'hui se laisser abuser par quelques malfaisants individus ou groupes d'individus ?

• Qu'apprend-on de *l'affaire des COXIBs* ?

• Quelles conclusions devons-nous tirer de ces faits avérés pour nos pratiques médicales contemporaines ?

• Quelles recommandations pouvons-nous faire pour crédibiliser la recherche médicale et rétablir la confiance ?

EN LISANT CET OUVRAGE, DES LECTEURS POURRAIENT PENSER que je suis un chercheur découragé, pessimiste voire dépressif, et même certains concluront que je suis un peu paranoïaque, à voir le mal et des complots partout et à faire preuve du plus grand scepticisme quant aux productions médicales et scientifiques de l'époque.

Après avoir lu le chapitre 25, j'espère qu'ils changeront d'avis : ni parano ni déprimé je ne suis ! Et je serais tellement heureux qu'en refermant ce livre, mes lecteurs aient retrouvé joie de vivre, de boire, de manger et plaisir de danser, comme Zorba sur les plages de Crète, plutôt que se morfondre à scruter les variations saisonnières de leurs taux de cholestérol en prenant des médicaments ou des aliments censés réduire leur cholestérol pour améliorer leur santé et préserver leur avenir, mais qui pourraient bien les empoisonner à petit feu !

Mais en attendant, il nous faut regarder le monde tel qu'il est. Qu'on voie notre monde et nos conditions d'existence (de l'air que l'on donne à respirer à nos enfants jusqu'aux aliments pour les nourrir) se dégrader à toute allure ne relève pas du pessimisme mais du réalisme.

Il est aussi très réaliste de penser que cela ne tombe pas du ciel mais est exactement le résultat de nos activités, et aussi de nos mentalités. Et certains l'avaient annoncé et prévu ! D'autres avaient même indiqué exactement comment cela se passerait et avaient clairement désigné les mécanismes générateurs de la catastrophe annoncée. J'ai écrit nos activités et mentalités. Je pense effectivement que nous sommes collectivement responsables de ce qui est en train de nous arriver, changements climatiques, désertification océanique et tout le reste.

Et je pense également que ce que je peux voir de mon poste d'observation en sciences et médecine, un peu comme le Baron Perché d'Italo Calvino dans son arbre à mi-chemin du sol et des cimes, peut être vu comme une illustration des mécanismes souterrains à l'œuvre dans nos sociétés.

En un mot, la *problématique du cholestérol* est emblématique des problèmes socio-économiques et environnementaux contemporains et il serait absurde de l'isoler de ces calamiteux contextes.

MAIS QUI SONT CES BARON PERCHÉ ET ITALO CALVINO ?

Italo Calvino me pardonnera sans doute de faire quelques emprunts à sa bonne littérature. C'est pour une bonne cause car son Baron peut m'aider à emmener mes lecteurs vers un dangereux itinéraire dans la misère de l'époque, alors qu'ils pourraient s'attendre à trouver en ma compagnie sinon havre ou refuge au moins réconfort et compassion. Ils auraient pu espérer à ma lecture ne rencontrer que la rigueur et l'austérité du raisonnement scientifique. Mais le spectacle des sciences de la vie aujourd'hui est plutôt celui des errements et des compromissions.

Je ne suis pas Baron et ne suis pas, comme Côme du Rondeau, monté dans les arbres à 12 ans pour ne plus en redescendre. Je ne me suis pas refusé à manger les escargots préparés par ma sœur car j'aurais bien aimé avoir une sœur qui me préparât des escargots à la crétoise, ail et huile d'olive. Je n'ai pas adopté un basset nommé *Optimus Maximus*, ni séduit de fantasque marquise et je n'ai pas reçu Napoléon en grande pompe. Mais j'ai vu pire que les escargots de ma soeur et, faute d'empereur, j'ai rencontré la morbide tyrannie de cette époque crépusculaire. Alors, je me serais bien perché aussi sur une grosse branche mais ne l'ai point fait encore !

Pour le moment, je vais raconter ce qui m'a fait évoluer progressivement de l'étonnement à la colère et finalement à la révolte. On pourra penser qu'il s'agit d'anecdotes personnelles de peu d'intérêt, mais peut-être cela aidera-t-il certains à mieux comprendre et ouvrir les yeux.

HISTOIRE VÉCUE

Pour commencer, transportons nous quelques instants dans une salle d'opération de chirurgie cardiaque à l'Hôpital Universitaire de Genève en 1982. Je suis assistant dans ce service, non pas comme chirurgien attitré mais comme cardiologue en charge de diverses fonctions spécifiquement médicales (traitements médicamenteux, suivi des arythmies, des pacemakers) que les chirurgiens n'ont pas le temps d'assumer. Je rends, en plus, service en salle d'opération pour aider les chirurgiens et les soulager de toutes sortes de petits travaux un peu fastidieux (prélèvement de greffon veineux, fermeture de thorax et de peau, pose de drains et de fils de pacemakers) mais toujours en position subalterne. Le grand intérêt pour moi, cardiologue, est de visualiser à cœur battant la physiologie et l'anatomie des cœurs malades, ce qui est fondamental surtout en cardiologie pédiatrique.

Ce jour-là, je suis numéro 3 en salle d'opération et deux autres chirurgiens remplacent la valve aortique d'un patient relativement âgé et dont l'état de santé est plus que précaire du fait d'une double pathologie : une maladie de sa valve et une hépatite aiguë de type B (donc fortement contaminante par les contacts sanguins notamment). Il a été décidé de l'opérer en urgence parce que l'on pense qu'avec une prothèse aortique, il a une chance de survivre. Le patient est très ictérique (jaune) et nous savons que nous courons un risque élevé de contamination si nous avons le moindre contact avec son sang ; et les opérations cardiaques, avec la circulation extracorporelle entre autres, sont des opérations très sanglantes. Nous prenons évidemment de nombreuses précautions (3 paires de gants, lunettes, par exemple). Et ce qui ne devait pas arriver arriva : au moment de la fermeture du thorax pour laquelle on utilise des gros fils et des grosses aiguilles pour traverser le sternum (l'os que l'on a scié pour accéder au cœur) et rapprocher les deux bords, l'opérateur fait une fausse manœuvre, dérape et me traverse la paume de la main avec la grosse aiguille à sternum. Je saigne dans mon gant, et je sors de salle pour nettoyage immédiat mais la probabilité de contamination par le virus de l'hépatite B est maximale et l'on sait que dans ce contexte hospitalier particulier l'hépatite B est particulièrement virulente et parfois fatale.

Panique et désarroi dans notre service de chirurgie ! Les spécialistes consultés m'injectent des immunoglobulines spécifiques anti-B et l'on me vaccine en urgence contre l'hépatite B en espérant que je fabriquerai mes anticorps suffisamment vite pour empêcher la diffusion du virus. Curieusement, nous étions exactement à l'époque où les premiers vaccins anti-hépatite B apparaissaient sur le marché et la direction de l'hôpital avait décidé de mener une campagne de vaccination auprès de son personnel. J'en fus l'un des tout premiers bénéficiaires et tout le service de chirurgie cardiaque, traumatisé par mon expérience, s'est fait également vacciné en priorité et en urgence.

Pas plus de deux semaines plus tard, nous lisons dans la presse locale que « *le vaccin choisi par l'hôpital pour vacciner son personnel est hautement suspect de contenir le virus du SIDA* ». Selon les journalistes (informés par la société concurrente de celle qui a été choisie par l'hôpital pour lui fournir les vaccins), le matériel utilisé pour fabriquer les vaccins aurait été prélevé chez des prisonniers porteurs du virus de l'hépatite B, mais souvent aussi porteurs du virus du SIDA. En effet, pour les deux virus la voie de contamination la plus fréquente (outre les relations sexuelles non protégées pour le SIDA) est la même, ce sont les seringues des drogués.

Inutile de décrire la situation dans notre service où pendant plusieurs jours nous avons tous cru que nous nous étions fait injecter le virus du SIDA au moment de la vaccination. Finalement, un chercheur de la société qui fabrique les vaccins vient nous expliquer que cette information est totalement irrationnelle car le processus de fabrication du vaccin inclut un chauffage pour tuer le virus de l'hépatite B et, le virus du SIDA étant encore plus sensible à la chaleur que celui de l'hépatite B, il n'a aucune chance d'avoir survécu. Donc, la fausse information diffusée par la presse locale (mais reprise en France) a fait long feu ! Aucun d'entre nous n'a été contaminé par le virus du SIDA et moi-même je n'ai fait ni SIDA ni hépatite B.

Toute cette petite histoire pour dire qu'en 1982, le niveau des connaissances concernant le virus du SIDA, les risques de contamination par les produits sanguins et l'importance du chauffage pour le neutraliser, était déjà chose acquise dans un hôpital situé à quelques kilomètres de la frontière française. Le fournisseur de vaccins était français. On parle et on écrit français à Genève. Il n'y avait pas de problème de traduction. J'étais hors de France entre 1983 et 1987 et je ne sais pas ce qui s'est passé réellement, mais quand je suis rentré du Canada en 1987 et que j'ai entendu parler de l'*affaire du sang contaminé*, j'ai été stupéfait !

VINGT ANS SEULEMENT !

Je me souviens que lorsque j'ai appris que l'on avait injecté des produits sanguins non chauffés à des hémophiles jusqu'en 1985-1986 en France, j'ai été à la fois horrifié pour les victimes et leurs familles, et aussi profondément humilié comme médecin, vu ma propre expérience de 1982. On a toujours tendance à défendre ses confrères, et un peu sa caste, car nul n'est parfait et aussi nul ne peut prétendre qu'il aurait été meilleur que les autres. Je ne le fais donc point, je n'attaque personne, je partage l'humiliation collective, mais je constate qu'un corps de métier (les hématologues en charge des hémophiles et aussi quelques autres médecins et spécialistes censés connaître ces sujets) dans son ensemble s'est laissé anesthésier par quelques escrocs nommés à quelques postes-clé dans diverses institutions et officines et ont collectivement laissé faire ce crime sans réagir. La bonne parole tombée du Centre Nationale de Transfusion Sanguine n'était pas critiquée et l'on continuait ce petit commerce un peu partout en France, sans remise en question ?

A 37 ans, j'ai compris qu'en médecine aussi il ne fallait jamais croire personne sur parole, que les consensus professionnels ne peuvent être que la traduction d'une forme de laxisme, de lâcheté ou de paresse intellectuelle. Cette leçon s'est inscrite en lettres sanglantes, je pèse mes mots, sur mon cortex cérébral. Je me suis juré que l'on ne m'y reprendrait pas !

Depuis l'*affaire du sang contaminé*, je suis très méfiant et la meilleure façon de se prémunir d'un tel drame, c'est d'essayer en permanence de se distancier, de prendre du recul (ou de la hauteur comme le petit Baron) par rapport à toute nouveauté apparente, afin de conserver son esprit critique et rester capable d'évaluer sereinement les développements de la médecine moderne. J'ai depuis lors mon double, mon Baron perché à moi auquel je me réfère quand je ne comprends pas bien. Malheureusement, on a un peu l'impression aujourd'hui que l'histoire s'accélère et que les scandales se répètent à un rythme rapide. Inutile de les énumérer ici, je me contente de faire part de choses vécues.

LE SCANDALE DU VIOXX

Très récemment, j'ai vécu à nouveau une de ces expériences professionnelles traumatisantes où l'on perd ses repères et aussi sa crédibilité face aux
patients : c'est ce que l'on peut appeler l'*affaire des COXIBs*.

La question des médicaments anti-COX-2 (aussi appelés COXIBs,
médicaments anti-inflammatoires de dernière génération dont fait partie
le Vioxx) a donné lieu à de terribles discussions au cours des années 2004
et 2005 et alimentera régulièrement la chronique judiciaire dans les pro-
chaines années – notamment aux Etats-Unis, où plus de 6000 plaintes
avaient déjà été déposées à la moitié de l'année 2005. J'écris *terrible* en
toute connaissance de la force du mot car j'ai effectivement vécu le développement de cette affaire comme un traumatisme personnel et à nouveau
une remise en cause de quelques solides certitudes professionnelles. Une
sorte de rappel de vaccination après l'*affaire du sang contaminé*. Je vais m'en
expliquer.

Mais il faudrait tout d'abord quelques mots de médecine et de science pour éclairer la lanterne de mes lecteurs. Pour les lecteurs curieux et
pour les professionnels, j'ai donné quelques explications sur la problématique
des *COXIBs* à la fin de ce chapitre.

En bref, les *COXIBs* sont des médicaments qui inhibent une enzyme,
la cyclo-oxygénase, comme d'autres médicaments le font aussi (aspirine,
ibuprofène), leur conférant d'excellentes propriétés anti-inflammatoires et
antalgiques. L'avantage des *COXIBs* est qu'ils n'ont pas, en théorie, les
effets secondaires nocifs – notamment sur l'estomac – des autres anti-
inflammatoires traditionnels.

Nous voici donc avec de formidables médicaments pour traiter
l'inflammation et la douleur et de nombreux médecins se sont mis à les
prescrire à la place des antalgiques classiques (ibuprofène, paracétamol),
croyant bien faire.

Chaque grand groupe industriel impliqué dans le domaine des antalgiques a développé son *COXIB*, et un marketing effréné nous a rapidement convaincu de cette bonne nouvelle.

Malheureusement, la réalité est un peu différente et la spécificité des
COXIBs n'est pas parfaite. En fait, on se retrouve plus ou moins dans la
situation des anti-inflammatoires traditionnels avec la nécessité de trouver
les doses adéquates pour moduler les effets antalgiques et anti-inflammatoires, un effet anti-plaquettaire potentiel, un effet anti-prostacycline

(donc favorisant les thromboses) qui lui n'est pas théorique mais avéré, et l'effet toxique sur l'estomac. Pas facile la médecine !

Si je résume, il était évident pour certains experts qu'il y avait un risque cardiovasculaire théorique avec ces nouveaux médicaments ! Je savais par mes travaux dans mon laboratoire de cardiologie expérimentale à Lyon que la manipulation de ces voies métaboliques était une affaire délicate. Nous avions testé des nouvelles molécules proposées par l'industrie pharmaceutique et ces produits s'étaient avérés très toxiques pour le cœur, au point que les expériences avaient été rapidement interrompues et que ces produits ont rapidement disparu des labos.

Comme avec tous les médicaments efficaces, le médecin doit donc prescrire en tenant compte des avantages et inconvénients du médicament et aussi des problèmes multiples d'un patient donné et des priorités qu'il se donne face à ces problèmes. Evidemment, il doit aussi évaluer le profil de risque cardiovasculaire de son patient. Un *COXIB* peut être très utile chez un patient qui souffre de douleurs importantes et dont l'estomac est très sensible aux anti-inflammatoires classiques (comme l'aspirine ou l'ibuprofène) mais peut être inutile chez un patient qui a peu de douleurs et un estomac résistant, et finalement très dangereux chez un patient qui est à la fois arthritique et cardiaque. La médecine est un art et aucune étude randomisée (aucun expert de Santé Publique, énarque ou polytechnicien, ou pharmacien) ne peut remplacer ce dialogue singulier entre un médecin et son patient qui revient à trouver la meilleure solution possible pour ce cas particulier, sachant que chaque patient et chaque situation clinique est toujours un cas particulier.

Hélas, nous vivons des temps étranges où les banalités écrites ci-dessus ne sont plus entendues, y compris par de nombreux médecins pourtant fort bien intentionnés en général ; comme s'il s'agissait du rabâchage rabat-joie de mauvais prophètes plus ou moins séniles. L'heure est aux profits rapides, au respect de *recommandations officielles*, à l'expertise aveugle, à la médecine systématique et aux précautions juridiques.

ALORS, QUE S'EST-IL PASSÉ AVEC LES COXIBS POUR ME METTRE AINSI EN COLÈRE ?

Chaque lecteur peut aller sur Internet et se faire raconter l'histoire, soit par une victime d'un *COXIB* avec un certain degré de subjectivité, soit via un site – créé et financé par l'industrie pharmaceutique pour servir de contre-feux – qui rapporte l'affaire de façon édulcorée. Les archives secrètes sont évidemment inaccessibles, y compris pour moi, et donc ce que je peux en dire relève en partie des informations données par les médias, en partie de l'interprétation, et non de la preuve policière documentée que personne n'aura jamais.

En bref, les *COXIBs* ont été testés dans de grands essais cliniques ayant toutes les apparences d'une parfaite facture scientifique et éthique, et les conclusions de ces essais étaient sans équivoque ni bavure : pas de meilleur antalgique ni de meilleur anti-inflammatoire et pas d'effets vraiment importants sur l'estomac. Miracle donc ! Et des millions de gens, y compris des patients fragiles, ont adopté (et payé fort cher) ces nouveaux médicaments.

Aucune autorité sanitaire ou de surveillance, ou même de pharmacovigilance, nulle part dans le monde, ne mit le moindre bémol ou n'émit le moindre doute ! Nous étions apparemment bien rares à nous étonner d'un tel miracle et je me souviens d'entretiens discrets, en aparté, avec quelques collègues (notamment mes amis Cleland en Australie ou Simopoulos aux Etats-Unis), au cours desquels nous nous demandions si nous ne devrions pas démissionner et prendre nos retraites sans retard à la vue des erreurs de jugement que nous avions commises à propos des *COXIBs* en osant soupçonner qu'ils pouvaient avoir des effets délétères sur le cœur.

Mais la roue a tourné et, brusquement, à la faveur d'un événement inattendu, le pot au rose a été découvert ! Je dis tout en vrac, sans respecter l'ordre chronologique, ça n'a pas d'importance : c'est lors d'un essai clinique testant l'hypothèse de l'efficacité du *COXIB* quant à la prévention des cancers, que des investigateurs – dont la bride avait été laissée trop lâche par le sponsor probablement – ont laissé entendre que le médicament pouvait augmenter le risque d'accidents cardiovasculaires.

Très vite, on s'est aperçu que cette augmentation de risque était réelle et importante, avec un risque multiplié par 4 par rapport à un placebo. Ce risque concernait probablement tous les *COXIBs*. Autre mauvaise nouvelle : les autres anti-inflammatoires (anti-COX non spécifiques) n'étaient pas innocents, c'est-à-dire qu'ils augmentaient également le risque cardiovasculaire (bien qu'ils soient, pour certains, utilisés depuis des décennies), au même titre que l'aspirine à fortes doses.

Il apparaissait clairement que les industriels et leurs alliés savaient mais avaient sciemment caché cette information ; je répète : les industriels et leurs alliés n'avaient pas divulgué l'existence de ces effets secondaires délétères. Il s'avérait également que les autorités sanitaires dites compétentes n'avaient pas fait leur travail d'expertise, d'audit et d'information, que les médecins et leurs patients n'avaient pesé strictement pour rien face aux intérêts financiers considérables en jeu. Pour mesurer l'importance de ces « *petits* » problèmes, il faut savoir qu'un des industriels concernés a vu, depuis l'éclatement du scandale, ses positions extrêmement fragilisées vis-à-vis des banques et des Bourses de Valeurs, ce qui explique de façon indirecte l'importance d'un seul produit pour certains industriels.

Le scandale a été étouffé le plus vite possible (dans les médias un scandale chasse l'autre) et il ne reste plus que les victimes des *COXIBs* pour se plaindre, comme les victimes du sang contaminé.

Loin du monde et de ses basses servitudes dont le Baron Perché s'est libéré, comment voit-on tout ceci ? Qu'en pense notre paranoïaque et dépressif Baron Perché du haut de sa branche ?

LES LEÇONS DU BARON

Le Baron pense qu'il est bien au calme sur sa branche perché ! Et que de là-haut, on voit les choses autrement que lorsqu'on est au ras du sol. Il voit aussi qu'en vingt ans, depuis *le scandale du sang contaminé*, les choses ne se sont pas arrangées. Non seulement, aucune confiance ne peut être donnée à des individus ou des groupes d'individus engagés dans des guerres commerciales, mais on voit que les valeurs éthiques ne pèsent rien face aux intérêts supérieurs de la marchandise, que tous les coups sont permis et que les garde-fous mis en place pour servir de contre-pouvoirs ou de surveillance sont d'une dérisoire inefficacité. On voit que les institutions censées protéger les consommateurs (et financées par eux) ne fonctionnent pas, que les procédures dites de pharmacovigilance ont été impuissantes à déceler les effets secondaires des anti-inflammatoires classiques, et cela après des décennies de commercialisation.

L'affaire du sang contaminé en 1982-1986 a concerné surtout des patients français et le centre national de transfusion sanguine et l'on aurait pu penser qu'elle reflétait une sorte de décadence à la française. Le *scandale des COXIBs* à l'aube du XXIe siècle est une affaire internationale car ni les institutions américaines ni les institutions européennes, ni aucune autre institution nationale n'a donné l'alerte et ce n'est que **par inadvertance** que l'affaire a *éclaté*. Cela montre que c'est l'ensemble du système marchand qui, lorsqu'il s'applique aux secteurs de la médecine et de la recherche, conduit dans tous les pays, et pas seulement en France, aux dérives les plus scabreuses.

Finalement, sans entrer dans un délire paranoïaque et commencer à croire que les bons citoyens sont cernés par des comploteurs, on peut toutefois en toute naïveté se demander ce que l'on nous cache d'autre. Nous vivons dans un monde où prédomine le secret et où toutes sortes de décisions sont prises *en faisant semblant* de les prendre en toute clarté. Pour ce qui concerne les agissements des industriels, on peut en avoir une idée à la lecture de quelques témoignages affligeants (voir l'encadré).

LE GRAND SECRET DE L'INDUSTRIE PHARMACEUTIQUE

C'est le titre d'un livre édité aux Editions de La Découverte en 2003. L'auteur, Philippe Pignard, un ancien cadre de l'Industrie pharmaceutique nous livre quelques secrets et modes de pensée de ses employeurs. Il y décrit le monde de l'Industrie pharmaceutique, son monde à lui, en 2003, un gang ou une bande à Bonnot comme on veut dont la principale préoccupation serait apparemment de nous faire avaler quelques couleuvres. Je recommande à mes lecteurs médecins la lecture des pages consacrées aux essais cliniques, on y perd toute illusion concernant la bonne foi des rapporteurs. Je ne vais pas citer monsieur Pignard précisément, car tout son livre est une condamnation sans appel des pratiques actuelles de l'Industrie pharmaceutique.

QUELLES SERAIENT LES RECOMMANDATIONS DU BARON ?

Le Baron perché n'est pas docteur mais, une fois le diagnostic posé, il se doit de rédiger une ordonnance. Quelles seraient ses prescriptions ?

1- Le Baron recommanderait de bien regarder ce qui nous est dit à propos des essais cliniques dans les articles et les rapports (toutes les publicités ne méritent évidemment que la poubelle), tout lire et relire plusieurs fois, **ne jamais se contenter des résumés des essais**, ne pas attendre les commentaires des faux experts et éditorialistes, et déceler si possible de façon indirecte toutes les formes d'incongruité qui peuvent, par inadvertance, avoir échappé aux investigateurs qui rédigent les rapports des essais et nous révéler ce que l'on veut peut-être nous cacher.

2- Spécifiquement, à propos des essais cliniques, le Baron recommanderait de ne pas donner trop de crédit aux essais qui n'ont pas été organisés et réalisés de façon **totalement indépendante des sponsors**, et aucun crédit du tout aux essais conduits par les industriels eux-mêmes, de faire très attention à la façon dont les relations entre les investigateurs et les sponsors sont décrites (des maladresses sont toujours possibles de la part des auteurs déchirant le voile de pudeur que l'on a essayé de tendre pour distraire notre curiosité), de vérifier comment s'articulent le travail des investigateurs chargés d'enregistrer les événements cliniques sur le terrain (les données brutes), celui des experts chargés de valider et classifier ces événements cliniques et celui des statisticiens en charge des analyses et s'il a été possible de remonter des analyses publiées jusqu'aux données brutes.

3- Le Baron recommanderait également de faire très attention à la description des modes de recrutement des patients (la façon de les sélectionner) et des effets secondaires et aux fréquences rapportées de ces effets secondaires – sachant que, pour que les résultats d'un essai soient extrapolables à la population générale, il faut que les patients ou les personnes inclus dans les essais soient représentatifs de cette population cible. A titre d'exemple, si on prétend qu'un traitement n'a pas d'effet sur le risque de cancer dans un essai, il faut vérifier si la fréquence de ce cancer dans la population recevant le placebo est proche de celle que l'on pouvait attendre d'une population comparable hors de l'essai. Si la fréquence des cancers dans l'essai est vraiment très faible, le Baron aurait tendance à penser que les investigateurs n'ont probablement pas fait les efforts nécessaires pour enregistrer tous les cancers dans l'essai et qu'aucune conclusion sérieuse ne peut être déduite de ces analyses.

4- Le Baron recommanderait enfin d'examiner minutieusement les conditions dans lesquelles un essai est arrêté prématurément, ce qui ne devrait arriver que très rarement car il s'agit d'une véritable mutilation de cet essai dont les résultats deviennent quasiment ininterprétables, à moins de s'entourer de précautions particulières autres que des calculs statistiques invérifiables par des lecteurs de bonne volonté.

5- Finalement, le Baron insisterait sur le fait que, dans certains essais, il est presque impossible d'avoir une idée claire de la façon dont l'essai a été conduit. Le manque d'information dans ces cas peut traduire soit un certain amateurisme de la part des investigateurs soit la volonté délibérée de masquer la réalité des conditions de l'essai. Dans ces deux cas, le Baron recommanderait la plus grande circonspection dans la lecture et l'acceptation des résultats publiés.

Telle serait la méthode à suivre selon monsieur le Baron perché, et c'est celle que je vais suivre systématiquement, à propos des essais avec les médicaments anticholestérol que je vais analyser dans ce livre. Nul ne devra dès lors s'étonner de mes doutes ou de mon scepticisme.

Bien entendu, et comme toujours dans les sciences de la vie, les recoupements d'information et les analyses globales peuvent s'avérer prépondérantes pour évaluer la crédibilité d'une théorie.

Les lecteurs trouveront abondamment, dans les prochains chapitres, de quoi alimenter leur propre réflexion. Attention, les sujets sont complexes et je n'ai pas voulu me laisser aller à la facilité de la dénonciation systématique et de simplification abusive sous prétexte que mes lecteurs ne sont pas tous des experts.

CE QU'IL FAUT RETENIR

1- Le scandale du sang contaminé et l'*affaire des COXIBs* laissent penser que des corps de métier entiers, et a *fortiori* le public, peuvent se laisser abuser par quelques individus bien organisés.

2- Plutôt que de sombrer dans le pessimisme ou la paranoïa, il nous faut au contraire prendre nos destinées en main et essayer d'exercer un contrôle (absolu ?) sur l'information médicale et scientifique.

3- Les questions soulevées par le délire actuel sur le cholestérol sont une bonne occasion de tester notre perspicacité.

4- La méthode et les exigences nécessaires pour exercer ce contrôle sont énumérées dans ce chapitre avec les conseils et recommandations du Baron Perché. Il pourrait y en avoir d'autres. Appliquons déjà celles-là systématiquement !

5- Ces recommandations concernent la recherche médicale d'une part et les implications pratiques pour les médecins.

POUR LES PROFESSIONNELS ET LES CURIEUX

LA PROBLÉMATIQUE DES ANTI-COX

A côté du cholestérol, certains lipides ont des fonctions très importantes dans notre organisme, ce sont les acides gras polyinsaturés. Les deux plus importantes séries de polyinsaturés sont les acides gras oméga-6 et oméga-3. Ces derniers sont devenus célèbres récemment pour leurs extraordinaires propriétés protectrices notamment contre les maladies cardiovasculaires (chapitre 9).

Comme expliqué au chapitre 22, à propos des formes malignes de coronaropathie (notamment après transplantation cardiaque), le principal acide gras oméga-6, l'acide arachidonique, est métabolisé entre autre par la cyclo-oxygénase (ou COX) présente dans de nombreuses cellules. Pour ce qui nous concerne en cardiologie, les principales cellules d'intérêt sont les plaquettes, les cellules de la paroi artérielle (aussi appelées cellules endothéliales) et les leucocytes, trois importants acteurs de l'infarctus du myocarde (voir aussi les chapitres 3 et 4).

On distingue deux COX, l'une dite native qui fonctionne en permanence, c'est la COX-1, avec des effets sur les plaquettes (facteur de thrombose), les cellules endothéliales et la muqueuse gastrique. L'autre est induite, c'est-à-dire qu'elle n'apparaît qu'en cas d'inflammation, c'est la COX-2, et elle est présumée peu importante au niveau de l'estomac, des plaquettes et de l'endothélium, mais très présente au niveau des cellules de l'inflammation, les leucocytes. Dans la plaquette, la COX-1 donne naissance aux thromboxanes – qui favorisent la thrombose – et, dans l'artère, à la prostacycline – qui est une substance anti-plaquettaire physiologique, une anti-thrombose. De l'équilibre entre ces deux types de substances dépend notre risque de thrombose. De fortes doses d'aspirine (un anti-COX-1) bloquent totalement la production de thromboxanes et de prostacycline et ont plutôt tendance à favoriser les thromboses. Il a fallu plus de 30 ans aux chercheurs pour déterminer la dose adéquate d'aspirine à prescrire à nos patients en cardiologie pour empêcher les thromboses avec ce raisonnement final simpliste : le mieux est à l'évidence la dose la plus basse possible ! En effet, il y a une grande différence entre les cellules qui produisent la prostacycline et les plaquettes qui produisent les thromboxanes. Ces dernières n'ont pas d'ADN (pas de gène) et lorsqu'elles ont reçu de l'aspirine, leur COX-1 est définitivement bloquée et les plaquettes sont incapables de synthétiser une nouvelle COX-1. Pour avoir des plaquettes libres de toute aspirine, il faut en fabriquer de nouvelles, ce qui prend du temps et, avec de petites doses quotidiennes d'aspirine, on peut bloquer la COX-1 de toutes les nouvelles et jeunes plaquettes. Les cellules qui produisent la prostacycline ont le gène de la COX-1 et peuvent synthétiser de nouvelles molécules de COX à la demande si certaines sont bloquées par un traitement d'aspirine. En conséquence, avec des petites doses d'aspirine, on a toujours de la COX-1 capable de produire de la prostacycline et l'équilibre est en faveur de la prostacycline et de l'effet anti-thrombose, mais à la condition de toujours rester dans les faibles doses.

En 1975, les premières prescriptions d'aspirine tournaient autour du gramme par jour. Cela avait pour conséquence une toxicité sur l'estomac car la COX-1 est aussi la source prédominante de mucus gastrique protecteur contre les acides dans l'estomac. Aujourd'hui, la plupart des cardiologues recommandent des doses de 50 à 75 milligrammes (et pour certains un jour sur deux, soit des doses près de 30 fois inférieures) non seulement pour diminuer la toxicité sur l'estomac mais aussi pour diminuer le risque de thrombose en préservant au maximum la production de prostacycline par l'artère tout en bloquant la production des thromboxanes par les plaquettes !

Malgré tout et globalement, l'efficacité de l'aspirine en cardiologie reste très discutable et, après 40 années d'utilisation dans de nombreuses circonstances cliniques, la discussion fait rage encore aujourd'hui entre les pro- et les anti-aspirine. Tout le monde est toutefois d'accord pour dire que si ce médicament (avec ses nombreux effets secondaires notamment gastriques) était testé aujourd'hui comme un nouveau médicament, il ne serait jamais commercialisé.

Personnellement, je pense que l'aspirine peut être très utile chez des patients dont l'équilibre entre prostacycline et thromboxane a été modifié (quelle que soit la cause), par exemple au moment d'un accident cardiaque ou d'une attaque cérébrale ou immédiatement après. Nous disposons de données assez claires montrant l'effet protecteur (ou correcteur) de l'aspirine dans un délai de 6 semaines après un infarctus ou bien dans l'année qui suit un angor instable chez des patients dont les lésions artérielles n'ont pas été traitées par angioplastie ou *stenting*. De même, chez des patients ayant présenté une attaque cérébrale, notamment transitoire et sans séquelle, et qui manifestent l'existence d'un déséquilibre pro-thrombotique (et pro-inflammatoire au niveau d'une lésion de l'artère carotide), l'aspirine peut s'avérer très utile et contribuer à la restauration de l'équilibre entre thromboxanes et prostacycline. Par contre, prescrire de l'aspirine à long terme chez des patients stables cliniquement (sans déséquilibre évident entre thromboxanes et prostacycline) avec l'espoir qu'on empêchera la survenue d'une attaque cardiaque est illusoire et il y a de fortes chances pour que d'éventuels effets bénéfiques contre les plaquettes soient compensés par des effets nocifs sur la paroi artérielle. En général, l'aspirine testée en prévention primaire s'est avérée peu efficace et les effets secondaires l'emportent généralement sur les bienfaits préventifs.

Tout ceci concerne la COX-1, une cyclo-oxygénase présente *naturellement* dans nos cellules et les anti-COX-1 – notamment l'aspirine ou les anti-inflammatoires bien connus, comme l'ibuprofène.

Mais il y a aussi une COX-2 qui n'existe dans nos cellules que lors des syndromes inflammatoires. Le gène de la COX-2 est dormant en général et l'inflammation (ou des *stimuli* pro-inflammatoires, par exemple les virus) le réveille. Il n'y a pas de COX-2, en principe, dans les plaquettes car il n'y a pas de gène susceptible d'être réveillés dans les plaquettes. Celles-ci ne sont pas en effet de vraies cellules (comme expliqué ci-dessus) et n'ont pas de noyau. Inversement, il y a beaucoup de COX-2 dans les leucocytes qui sont par définition les cellules de l'inflammation. Il y a aussi de la COX-2 dans la paroi de l'artère ce qui n'est pas étonnant puisque toute inflammation s'accompagne d'une dilatation de nos vaisseaux et que celle-ci est produite par des substances générées par la COX-2 à partir de l'acide arachidonique, et aussi d'ailleurs à partir de l'acide eicosapentanoïque (EPA), son concurrent oméga-3. L'industrie pharmaceutique a donc réussi à fabriquer des anti-COX-2. L'historique de cette découverte est fort bien raconté dans le livre collectif dirigé par Randall

Harris et publié chez Springer en 2007, *Inflammation in the pathogenesis of chronic diseases. The COX-2 controversy.*

Les anti-COX-2 étaient en principe destinés à traiter l'inflammation générée à partir des leucocytes, donc les maladies inflammatoires douloureuses comme les polyarthrites, en essayant d'épargner l'estomac des patients. Ces nouveaux anti-inflammatoires et antalgiques (les *COXIBs*) ont donc l'immense avantage (ça faisait partie du cahier des charges) d'être en principe très peu toxiques pour l'estomac contrairement à l'aspirine. Les *COXIBs* (présumés spécifiques) bloquent la production de la prostacycline (anti-thrombose) de l'artère sans bloquer la COX-1 de l'estomac (donc moins de toxicité gastrique) et la COX-1 des plaquettes (et la production de thromboxanes). En toute logique, on ne peut que favoriser les thromboses tout en épargnant l'estomac et en traitant la douleur. A l'inverse, les médicaments anti-COX-1 comme l'aspirine bloquent à la fois la production de thromboxanes et de prostacycline ; mais, grâce à des dosages astucieux, beaucoup plus les thromboxanes que la prostacycline avec un net effet anti-thrombose, au moins chez certains patients ou certaines circonstances cliniques. Les effets anti-douleurs sont en théorie équivalents mais l'estomac n'est pas épargné. Il fallait donc trouver les bonnes doses de *COXIBs* à prescrire aux bons patients et seuls les médecins au cas par cas sont capables de pratiquer cette bonne médecine. Mais ceci n'est pas très intéressant pour l'industrie qui préfère des prescriptions systématiques délivrées à des millions de patients indifférenciés, ce pour le moindre bobo.

CHAPITRE 11

LE MONDE SELON STATINE

Ce que vous allez apprendre

• Pourquoi la question du cholestérol est devenue indissociable de celle des statines ?

• Y a-t-il des taux de cholestérol optimaux pour diminuer son risque d'infarctus ?

• Doit-on s'inspirer des orangs-outangs pour déterminer nos normes biologiques ?

• Quelles sont les conséquences de la prescription massive de statines sur les statistiques nationales de santé ?

JOHN IRVING NE SERA PAS LE SEUL SANS DOUTE À DEVINER le petit emprunt que je lui fais avec le titre de ce chapitre. Ce que je veux dire c'est qu'aujourd'hui beaucoup d'experts et de médecins ne voient plus les maladies cardiovasculaires que sous l'optique des statines, un peu comme l'auteur de *Le Monde selon Garp* ne veut plus voir le monde qu'avec les yeux de Garp, son personnage. Une sorte de décalage à la réalité ou de solide *astigmatisme* qui rend les choses toujours un peu différentes de ce qu'elles sont vraiment, ou au moins différentes de ce que les autres voient.

Les statines ne naquirent pas de façon aussi rocambolesque que Garp. Si vous ne vous souvenez pas de la conception de Garp, retournez-y, ça en vaut la peine !

En effet, les statines existent à l'état naturel dans des levures et la médecine chinoise (avec le *red yeast fermented rice*) les connaît apparemment de longue date, mais pas forcément comme anticholestérol et évidemment pas aux doses que l'on connaît actuellement avec ces médicaments.

La présence de molécules anticholestérol dans des levures a été découverte par des chercheurs japonais, mais ce sont des industriels américains qui ont réellement développé ces molécules et, en particulier, fabriqué les molécules de synthèse qui dominent aujourd'hui le marché des médicaments anticholestérol, les désormais célèbres statines.

Comme celle de Garp, la jeunesse des statines fut tumultueuse et sans doute ont-elles aussi pratiqué la lutte sous l'autorité d'excellents mentors car elles ont fini par s'imposer comme des médicaments incontournables en médecine préventive et en cardiologie. Mais la place qu'elles occupent est incommensurablement plus importante que leur réelle utilité clinique.

Je peux même dire que désormais il y a *un monde selon statines* dont la relation à la réalité médicale est problématique.

ON NE PLAISANTE PAS AVEC LES STATINES

Il n'y a pas si longtemps j'ai été invité en Suisse alémanique à une réunion d'information médicale destinée à des cardiologues et organisée (par un industriel) selon une procédure très originale. Plusieurs thèmes d'intérêt majeur étaient débattus par des conférenciers experts, l'un défendant une option et un autre son contraire. On m'avait demandé de parler des statines de façon négative et j'étais opposé à un fringant jeune cardiologue tout acquis à la cause des statines. Le débat promettait d'être chaud et de nombreux curieux se pressaient dans la salle. Me sachant minoritaire dans ce milieu littéralement intoxiqué par le marketing (et très peu cultivé concernant les questions de nutrition et de métabolisme des lipides) et n'étant pas suicidaire, j'avais décidé d'adopter une position plutôt négative certes, mais modérée. Mon intention était de dire seulement que l'usage de ces médicaments (et les idées qu'on s'en faisait) était exagéré et qu'il fallait revenir à une position plus modérée.

Pour illustrer mon propos j'avais préparé quelques diaporamas reproduisant des slogans de l'époque (une sélection faite dans des revues scientifiques ou des sites Internet spécialisés) du genre : *Statines : médicaments miracles !*

Ou : *Statines : des équivalents de la pénicilline dans les maladies infectieuses !*

Ou : *Faut-il mettre des statines dans l'eau de boisson ?*

Ou encore : *Doit on mettre des statines dans les biberons ?*

Mais j'avais fait une grave erreur d'appréciation. Je voulais faire un peu d'esprit et faire rire mon auditoire. Grave erreur ! J'avais oublié que le rigolo Garp d'Irving n'était pas dans la salle !

Un peu surpris de n'entendre aucune réaction à des slogans aussi ridicules, je m'arrête de parler et observe quelques instants mon auditoire de cardiologues, des gens très sérieux et qui, en principe, ne s'en laissent pas conter avec des balivernes.

Et je ne constate aucun sourire, aucune réaction ironique à mon diaporama. À ma stupéfaction, l'auditoire était tout simplement d'accord avec les slogans que j'avais reproduits.

Si un lecteur venait à penser une seule seconde que seuls des cardiologues suisses pouvaient tomber dans un tel panneau, je les contredis tout de suite : j'ai répété l'expérience en France dans d'autres circonstances, la réaction a été identique !

Le reste de ma présentation, les questions qui suivirent et finalement l'exposé triomphal de mon opposant furent pour moi réellement calamiteux. À part quelques individus isolés qui vinrent me réconforter en fin de séance (mais sans avoir osé intervenir pendant les débats), je fus vraiment seul contre tous.

Une petite touche finale pour illustrer cette pénible expérience : je n'ai jamais été réinvité par cet industriel. Je ne sais pas si c'est parce que je ne fus pas « intéressant » en termes scientifiques ou si c'est, au contraire, parce que je fus dangereusement convaincant.

Si j'ai raconté cette petite anecdote, c'est pour montrer qu'avec les statines, ça ne plaisante pas.

CHOLESTÉROL ET STATINES : INDISSOCIABLEMENT LIÉS

Aujourd'hui, il s'avère impossible de traiter la question du cholestérol sans aborder dans le même élan la question des statines.

Pourquoi ?

Parce que les essais cliniques avec les statines sont devenus le principal argument des défenseurs de la *théorie du cholestérol* et que la théorie du cholestérol est devenue pour l'industrie des statines la pierre angulaire de son argumentaire scientifique. En l'absence d'essais avec les statines, la *théorie du cholestérol* ne tient plus debout (chapitres 3, 4 et 5). Et sans *théorie du cholestérol* les essais avec les statines sont immédiatement **réinterprétés** et leurs miraculeux bienfaits réévalués à la baisse.

Il est donc crucial pour les experts du cholestérol (y compris quand ils sont indépendants de l'industrie) de défendre les statines et pour l'industrie des statines et ses alliés de défendre *la théorie du cholestérol*.

Imaginons un instant maintenant que l'on admette que l'effet protecteur des statines (s'il y en a un) ne soit pas dû à leur effet sur le cholestérol mais uniquement à un de leurs effets biologiques indépendants du cholestérol et dits pléiotropes (chapitre 12). Que deviennent le rationnel et le marketing du marchand de margarine ou de yaourts enrichis en phytostérols (chapitre 8) ?

Il est donc également fondamental pour l'agrobusiness de défendre les statines **et** la *théorie du cholestérol*. C'est un jeu de *je te tiens par la barbichette* à plusieurs que Garp aurait adoré pratiquer avec ses enfants.

Dans la section destinée aux professionnels, je fais un point rapide sur la situation actuelle (mars 2007) qui est devenue totalement aberrante (1er paragraphe) et je fais un rapide historique des essais avec les statines (entre 1994 et 2007) qui donne une sorte de description évolutive du *monde selon statines* (2e paragraphe).

QUEL EST LE NIVEAU OPTIMAL DE CHOLESTÉROL SANGUIN À ATTEINDRE ?

Cette question est de peu d'intérêt dès lors que l'on s'est un peu penché sur ce que l'on peut appeler l'épidémiologie du cholestérol (chapitre 5). En effet, les relations entre le cholestérol et l'état de santé sont complexes (aspect de courbe en J ou en U) et il est clair que des valeurs très hautes et des valeurs très basses sont de mauvaise augure. Mais pour les industriels de statines, il est important de faire croire que *plus le vilain LDL est bas et mieux c'est !* On les comprend, c'est la justification de leurs ventes.

Pour soutenir cette position, ils font appel à des sortes de mercenaires de la médecine qui développent des raisonnements pseudo-scientifiques qui devraient seulement faire rire mais qui sont publiés dans de grandes revues médicales et qui, malheureusement, sont souvent pris très au sérieux par les médecins et le public. La dernière de ces succulentes trouvailles est que le niveau de *vilain* LDL optimal, et physiologiquement normal, serait celui des chasseurs-cueilleurs des sociétés pré-agricoles ou des primates (grands singes) vivant en liberté dans la jungle, c'est-à-dire un taux très bas se situant autour de 0,5 g/L.

Pour obtenir des niveaux aussi bas, la majorité d'entre nous devrait donc consommer une statine.

Ce que ces brillants esprits ne disent pas c'est si nous ne devrions pas aussi adopter le mode de vie de ces primates pour atteindre ces taux de LDL : se nourrir exclusivement de fruits et de feuilles, se déplacer en sautant de branches en branches et assumer une vie sexuelle qui, pour la majorité d'entre nous, nécessiterait une consommation massive et quotidienne de Viagra.

Nous ne sommes pas des orangs-outangs dans la jungle de Sumatra, il faut s'y habituer ; nous avons évolué un peu, développé une vie sociale et des activités économiques utiles. De plus, nos espérance et notre qualité de vie sont notoirement meilleures que celles de nos ancêtres vivant dans les arbres ou les grottes, malgré nos taux de cholestérol anormalement élevés. Peut-être même que pour évoluer ainsi, notamment en termes de capacités cognitives, nous avons eu besoin du cholestérol. C'est du moins ce que suggèrent les associations statistiques entre la perte de ces capacités cognitives chez nos seniors et la diminution du cholestérol, y compris sous l'effet des statines.

Pour prétendre que le niveau de cholestérol physiologique optimal est celui des primates ou des chasseurs-cueilleurs, il faut ignorer à la fois l'épidémiologie du cholestérol et la qualité et l'espérance de vie des chasseurs-cueilleurs. L'évidente conclusion c'est qu'avec nos niveaux de cholestérol aberrants, nous ne sommes pas si mal adaptés à notre monde et notre époque.

Plus généralement, cette question d'*avoir le cholestérol le plus bas possible* soulève une autre question, celle de vouloir s'imposer des cibles à atteindre en termes de cholestérol (par exemple les niveaux enregistrés chez les grands singes).

La question est pour moi de peu d'intérêt, j'ai assez dit pourquoi, mais des lecteurs influencés par des médias qui s'inspireraient des débats en cours, aux États-Unis par exemple, pourraient souhaiter que je discute cet aspect des choses. Je ne le ferai pas mais je renvoie ces lecteurs à un article publié dans les *Annals of Internal Medicine* le 3 octobre 2006, sous le titre « *Narrative review : lack of evidence for recommended LDL treatment targets : a solvable problem* » [traduction : « Revue : Absence d'évidence scientifique en faveur de la définition de cibles thérapeutiques pour les LDL : un problème soluble »].

Rien ne permet, selon ces auteurs (qui ne sont pas des ennemis de la *théorie du cholestérol*, bien au contraire, mais qui ont conservé un peu de lucidité), de définir des cibles à atteindre pour les LDL avec les traitements anticholestérol. Je ne vais pas reprendre leurs arguments qui sont en général excellents et me confortent dans l'idée que je ne suis pas le seul à penser que nous ne sommes pas des orangs-outangs. Les auteurs font preuve de beaucoup de modestie dans leur discussion, présentant toujours les poncifs actuels sur le cholestérol non pas comme stupides ou niables mais comme simplement questionnables.

LA CONSOMMATION MASSIVE DE STATINES A-T-ELLE ENTRAÎNÉ UNE DIMINUTION DE LA FRÉQUENCE DES INFARCTUS ?

Depuis la publication des résultats de l'essai *4S* en 1994 nous avons assisté à une progression extraordinaire de la consommation des statines dans la population générale. Aujourd'hui, environ 6 millions de Français consomment des médicaments anticholestérol, essentiellement des statines, des dizaines de millions aux États-Unis. Dans la même période, des millions d'Occidentaux ont été convaincus de consommer des margarines enrichies en phytostérols qui diminuent également le cholestérol. On peut penser que ce sont surtout des individus à risque élevé (en théorie) qui consomment ces statines et ces margarines. En conséquence, la fréquence des infarctus et autres complications cardiovasculaires supposément dépendantes du cholestérol devrait massivement être à la baisse grâce à ces produits.

Ci-dessous j'ai inséré la reproduction d'une figure publiée le 12 novembre 2004 dans le *British Medical Journal* montrant en pointillé l'évolution des prescriptions de statines en Angleterre entre 1996 et 2002 et les admissions dans les hôpitaux anglais pour infarctus du myocarde (ligne continue).

Je pense que ces deux courbes parlent d'elles-mêmes. La prescription massive de statines n'a eu aucun impact sur le risque d'infarctus. Et évidemment, l'hypothèse selon laquelle il est trop tôt pour voir les effets bénéfiques de l'utilisation massive des statines au niveau des populations n'est pas recevable puisque, par ailleurs, des investigateurs clament que l'effet protecteur des statines est quasiment immédiat et qu'il faut démarrer le traitement à l'arrivée aux soins intensifs.

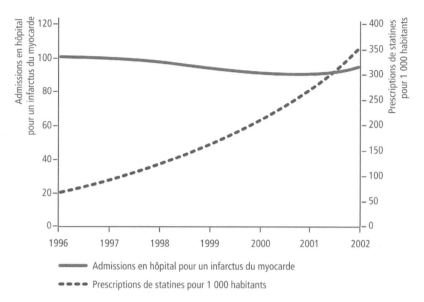

━━━━━ Admissions en hôpital pour un infarctus du myocarde

● ● ● ● Prescriptions de statines pour 1 000 habitants

Une autre façon de voir les choses est d'analyser l'évolution des procédures coronariennes non chirurgicales (angioplasties et stents par exemple) pendant une période comparable à l'analyse présentée ci-dessus. Si vraiment les statines ralentissent la progression des maladies coronariennes, les besoins en procédures urgentes ou semi-urgentes devraient diminuer.

Ci-après, j'ai inséré la reproduction d'une figure montrant l'évolution des procédures coronariennes entre 1993 et 2001 aux États-Unis. Ne figure pas sur la courbe l'évolution des prescriptions de statines mais elle est comparable à celle représentée en Angleterre sur la figure précédente. Les chiffres français sont comparables, peut-être pires. Pendant la période où la consommation de statines devenait massive, l'utilisation des stents augmentait également de façon massive. Ceci est certes également dû au fait que les stents ont en partie pris la place des angioplasties à ballonnet dans les revascularisations non chirurgicales. C'est pourquoi je reproduis une 3ᵉ figure (plus bas) où est montrée la totalité des procédures (angioplasties à ballonnets plus stents) et on peut constater une augmentation continue pendant l'époque où les statines envahissaient les consultations de cardiologie. Les statines n'ont visiblement aucun impact sur les besoins en procédures !

Mais le point intéressant dans la figure juste ci-après c'est que dans la période où les stents arrivent sur le marché on observe un déclin, certes modeste, mais notable, de la fréquence des resténoses, une complication de l'angioplastie à ballonnet qui survient moins fréquemment avec les stents. Autrement dit, quand un nouveau traitement, en l'occurrence les stents, est vraiment efficace contre une complication (la resténose), on en voit assez rapidement l'effet sur les statistiques nationales. On ne voit rien avec les statines !

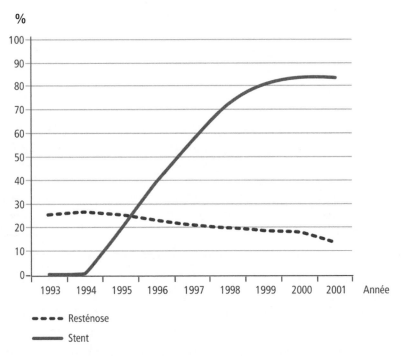

Source : article publié le 24 janvier 2006 dans la revue Circulation.

Qu'en est-il, demanderaient les lecteurs curieux, pour les autres procédures cardiologiques (tests d'effort, coronarographies diagnostiques) pendant la même période où des dizaines de millions d'Américains se voyaient prescrire une statine ? On a une réponse sur la figure reproduite ci-dessous. Les chiffres indiquent que la fréquence des infarctus est restée, comme en Angleterre, désespérément stable tandis que les besoins en tests diagnostiques ne diminuaient pas, pire ils augmentaient.

Comment expliquer une telle discordance entre l'adoption massive d'un traitement considéré comme hautement efficace et la totale absence de traduction de cette efficacité dans les statistiques de santé ?

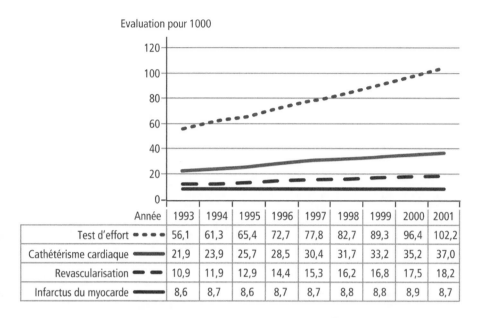

Evaluation pour 1000

Année	1993	1994	1995	1996	1997	1998	1999	2000	2001
Test d'effort ••••	56,1	61,3	65,4	72,7	77,8	82,7	89,3	96,4	102,2
Cathétérisme cardiaque ▬	21,9	23,9	25,7	28,5	30,4	31,7	33,2	35,2	37,0
Revascularisation ▬ ▬	10,9	11,9	12,9	14,4	15,3	16,2	16,8	17,5	18,2
Infarctus du myocarde ▬	8,6	8,7	8,6	8,7	8,7	8,8	8,8	8,9	8,7

Source : article publié le 24 janvier 2006 dans la revue Circulation.

LE MIRACLE POLONAIS

Est-il illusoire d'espérer voir à court terme des évolutions rapides des statistiques de santé publique dans un pays donné, par exemple sous l'effet d'un traitement nouveau ?

La réponse est non. Certaines modifications du mode de vie peuvent effectivement se traduire rapidement par des évolutions favorables des statistiques de santé.

C'est le cas par exemple en Pologne où des modifications mineures des habitudes alimentaires ont été associées à des changements rapides et importants de la mortalité cardiaque. Ce déclin de la mortalité cardiaque a commencé nettement avant l'introduction des statines en 1994. On ne peut donc évidemment pas leur attribuer ce succès. La seule modification importante et continue qui puisse expliquer ce *petit miracle épidémiologique polonais* est, selon les auteurs, le changement des habitudes alimentaires avec, notamment, l'adoption massive dans ce pays de nouvelles huiles de table. Ainsi ces huiles, et principalement celle de colza, remplacèrent les graisses saturées d'origine animale avec l'énorme avantage d'apporter des acides gras oméga-3 et des acides gras monoinsaturés. La figure ci-dessous est un peu difficile à comprendre. Elle montre qu'entre 1990 et 1999 le doublement du rapport acides gras insaturés / acides gras saturés a été associé à une diminution de 30 % de la mortalité cardiaque.

Cet exemple montre que l'argument des experts des statines, selon lequel il serait impossible de voir l'effet d'une stratégie préventive efficace sur des statistiques nationales à court terme, est ainsi parfaitement contredit.

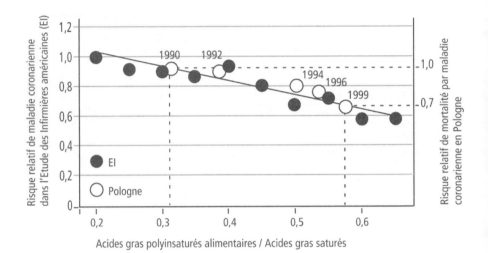

Relation entre le rapport acides gras polyinsaturés alimentaires / acides gras saturés et la mortalité due aux maladies coronariennes en Pologne (par rapport aux taux de 1990) surimposée à celle entre ces mêmes données observées cette fois dans l'étude américaine dites « des infirmières ».

Source : numéro du 25 juillet 2005 du British Medical Journal.

Voilà une façon efficace de protéger son cœur, de façon indépendante de tout effet important sur le cholestérol car, comme indiqué sur le graphe ci-dessus, une augmentation de 0,3 à 0,6 du ratio acides gras polyinsaturés à saturés entre 1990 et 1999 ne peut entraîner qu'une très modeste diminution du vilain cholestérol LDL.

On peut donc protéger son cœur sans modifier son cholestérol !

COMMENT EXPLIQUER L'ÉCHEC DES STATINES LÀ OÙ LE COLZA RÉUSSIT ?

Une explication est que l'efficacité des statines revendiquée par les résultats des essais cliniques (dont les conditions cliniques sont souvent très contestables) n'est pas répercutée sur la population générale en dehors des conditions protégées des essais cliniques avec des populations sélectionnées.

Une autre explication possible est suggérée par les résultats d'une expérience conduite au Japon chez plus de 40 000 personnes présentant une hypercholestérolémie (figure ci-dessous).

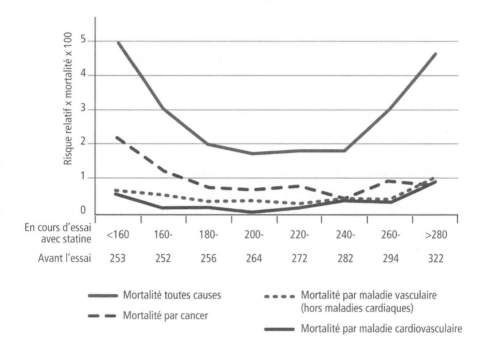

Source : volume 96 de la revue World Review of Nutrition and Dietetics, page 62.

Les investigateurs ont étudié les relations entre les taux de cholestérol mesurés (avec ou sans statine) et la mortalité sur une période de 6 ans. Les résultats montrent l'exacte reproduction de la courbe en J (ici c'est plus un U qu'un J) observée en épidémiologie d'observation pour la mortalité totale, la quasi-absence de relation entre le cholestérol et la mortalité par infarctus et finalement une augmentation de la mortalité par cancer pour les cholestérols les plus bas. Les courbes sont les mêmes avec ou sans la statine, il suffit de déplacer l'échelle du cholestérol montrée en abscisse. La meilleure espérance de vie était à l'évidence obtenue pour des taux de cholestérol moyens (et pas pour ceux se rapprochant des taux mesurés chez les orangs-outangs).

Mais le point le plus important à mon avis c'est que pour le même niveau de cholestérol (par exemple 270 ou 280) l'espérance de vie est apparemment moins bonne avec la statine. Si l'effet des statines chez les Anglais ou les Américains est comparable à celui observé chez les Japonais dans cette étude, on peut comprendre pourquoi aucune modification des statistiques nationales n'a été enregistrée après l'invasion des statines dans ces pays.

On pourrait dire que les conditions de vie au Japon étant différentes de celles des États-Unis ou du Royaume-Uni, il n'est pas certain que ce qui se voit au Japon dans cette étude se verrait aussi aux États-Unis et au Royaume-Uni. Cette observation est pertinente et les données américaines et anglaises existent certainement dans les ordinateurs des quelques industriels qui ont testé les statines. Il suffirait de les sortir et de les publier. Si ce n'est pas encore fait, on peut se demander si ces données sont réellement favorables au médicament et se dire qu'elles sont donc probablement semblables à ce que les épidémiologistes japonais ont publié.

L'ensemble de ces données montre que s'il y a un effet des statines chez certains patients, il est modeste et ne justifie pas la prescription de ces médicaments à des centaines de millions de personnes en leur faisant miroiter l'espoir que ces médicaments les protègent. Il y a mieux à faire, comme le montre l'exemple polonais.

CE QU'IL FAUT RETENIR

- Faut-il mettre des statines dans l'eau de boisson ? Doit-on mettre des statines dans les biberons ? Telles sont les questions que certains médecins et cardiologues se posent aujourd'hui. Comment expliquer un tel délire ? En fait, les questions du cholestérol et des statines sont maintenant indissociables : la *théorie du cholestérol* ne tient debout que parce que les essais avec les statines ont (soi-disant) montré une réduction du risque cardiovasculaire et l'efficacité des statines est artificiellement soutenue par l'idée que la diminution du cholestérol est *obligatoirement* associée à une diminution des maladies cardiovasculaires.

- Ces deux postulats ne reposent pas sur des données scientifiques solides.

- Le cholestérol des grands singes n'est pas le cholestérol physiologiquement idéal pour les humains.

- L'utilisation massive des statines dans nos sociétés (par des millions de citoyens abusés) n'a eu aucun effet sur les statistiques de santé publique.

POUR LES PROFESSIONNELS ET LES CURIEUX

1- STATINES ET SANTÉ : ÉTAT DES LIEUX ET RÉSUMÉ

En 2007, au comble du délire, les idéologues du cholestérol détiennent (*via* leurs alliés dans l'industrie pharmaceutique et dans l'agroalimentaire qui financent la plupart des institutions qui génèrent les règles de prescription – les *guidelines*) tous les pouvoirs pour décider de ce qu'est la bonne médecine préventive.

Après que les experts américains ont formulé leurs règles, les experts de chaque pays leur emboîtent généralement le pas (avec partout les mêmes conflits d'intérêt et les mêmes experts patentés) comme si tout le monde devait partir en guerre de la même façon contre le cholestérol.

En fonction du degré de risque global calculé selon des algorithmes simplistes dont je discute ailleurs (chapitre 15), il a été décidé que le vilain cholestérol LDL devait être inférieur à 0,7 ; 1,1 ou 1,3 g/L. Comment arriver à de tels objectifs qui, selon des chercheurs norvégiens (un pays où la mortalité cardiovasculaire est relativement basse), reviendraient à traiter la majorité de la population norvégienne adulte ? Les experts américains (pour résumer la question de façon simpliste) répondent qu'il y a deux moyens :

1- les statines

2- les modifications du mode de vie

Autrement dit, pour ces experts, **le *vilain* cholestérol LDL est la vraie cause de l'infarctus et les modifications du mode de vie seulement un moyen pour réduire le vilain LDL.**

Je pense que ce raisonnement est totalement faux, que la cause de l'infarctus n'est pas les LDL mais bien le mode de vie. Certes, un mode de vie toxique peut éventuellement, mais pas toujours, se refléter dans un taux de cholestérol élevé et donc des LDL élevées peuvent éventuellement constituer un marqueur de ce mode de vie dangereux. Mais des LDL élevées ne sont pas forcément pathogènes (tout dépend du mode de vie associé) et, pour le même niveau de LDL, le risque d'infarctus peut varier considérablement. En conséquence, le premier objectif de tout traitement préventif devrait être de modifier le mode de vie.

Mais pour les idéologues du cholestérol, à la solde des industriels des statines, et contre toute rationalité scientifique, une fois les objectifs définis il va falloir consolider cette idéologie (chapitre 26). Et bien des interprétations de résultats d'essais cliniques ne semblent être marquées que du sceau de la consolidation d'une idéologie préétablie (chapitre 18). De plus, les essais sont rarement conduits de façon indépendante des sponsors ce qui remet en cause la validité même de leurs résultats et la crédibilité de leurs conclusions.

Pour ces différentes raisons, et bien que la validité d'une théorie dont l'ambition est d'expliquer une maladie humaine doit être mesurée sur des données humaines, je pense que nous ne devons jamais donner le dernier mot aux essais cliniques organisés par des industriels ou leurs amis ; **nous devons exiger une cohérence entre les données de l'épidémiologie, de la biologie expérimentale et des essais cliniques.**

2- LES CIRCONSTANCES À L'ORIGINE DES INCONGRUITÉS DES ESSAIS AVEC LES STATINES

Comme je l'ai déjà dit, et contrairement aux experts de la théorie du cholestérol, je ne donne pas le dernier mot, scientifiquement parlant, aux essais cliniques qui ne sont pas toujours de bonne qualité et rarement conduits indépendamment des sponsors, mais à la cohérence générale de la théorie. En conséquence, je ne vois pas l'intérêt de discuter chaque essai pied à pied ou de discuter les discordances observées entre essais.

Ceci dit, je comprends que de nombreux lecteurs puissent souhaiter que je discute certains essais particuliers, notamment parce qu'ils peuvent être directement concernés par les résultats de ces essais, leur médecin prenant le prétexte des résultats d'un de ces essais pour les traiter, ou pas, avec un médicament (chapitre 15).

Nous avons vécu plusieurs périodes avec les statines et les frontières temporelles de ces périodes dépendent surtout de l'introduction de nouvelles molécules qui doivent, de gré ou de force, se faire une place sur le marché des anticholestérols et de la prévention des maladies cardiovasculaires.

Tout retard à l'implantation d'une nouvelle molécule se paye très cher pour l'industriel puisque, le temps passant, les plus anciennement introduites deviennent des génériques et concurrencent les nouvelles de façon déloyale.

Un autre aspect non négligeable de la pharmacologie clinique des statines est que les nouvelles molécules, censées apporter un progrès par rapport aux molécules déjà implantées, ne peuvent pas être testées de la façon la plus adéquate, c'est-à-dire contre placebo, puisque l'efficacité supposée des anciennes molécules interdit (pour des raisons éthiques) de ne pas les utiliser chez des patients à haut risque.

De ce fait, les nouvelles molécules sont souvent testées dans des conditions que je qualifierais de difficiles et les essais conduits avec ces nouvelles molécules sont souvent de qualité très médiocre. La publication des résultats obtenus avec ces essais récents donne pourtant lieu à une propagande effrénée, comme si l'agitation médiatique pouvait suppléer une recherche clinique calamiteuse. Les nouvelles molécules sont peut-être un peu meilleure (en termes de diminution du cholestérol) que les anciennes mais on n'en a pas vraiment besoin, sauf à vouloir enrichir à tout prix des industriels arrivés un peu trop tard sur le marché *très porteur* des anticholestérols.

Une des stratégies adoptées pour démontrer que les nouvelles molécules sont supérieures aux anciennes est de faire croire que *plus c'est bas, mieux c'est !* C'est-à-dire que plus le vilain cholestérol est abaissé, meilleur est le pronostic. Les données épidémiologiques (la courbe en J de la relation entre cholestérol et espérance de vie) et biologiques allant contre cette idéologie, il va falloir construire un argumentaire très artificiel pour la soutenir.

Seuls des essais cliniques (et la bonne foi ainsi que la vaillance d'investigateurs au-dessus de tout soupçon) peuvent autoriser à nier les évidences scientifiques ou la simple observation épidémiologique. On va donc multiplier des essais cliniques censés démontrer l'extraordinaire utilité des nouvelles molécules. Et quand les résultats ne sont pas à la hauteur des espoirs (ou des souhaits des industriels), ces essais sont présentés de façon biaisée, de façon presque indétectable dans certains cas.

C'est cet ensemble de circonstances qui explique à la fois les discordances et incongruités que je rapporte dans ce livre à propos des essais avec les statines et aussi une certaine arrogance des statinologues de toutes sortes que l'on rencontre autour de ces essais, soit comme investigateur, soit comme superviseur, soit comme commentateur. Tous ces experts de la pharmacologie des statines ont une caractéristique commune, je le dis sans malice : une très grande ignorance des sciences médicales, biologiques et épidémiologiques. On peut le comprendre. D'une part ils ne sont pas payés pour ça, d'autre part il faut accumuler des années d'expérience dans ces différents domaines pour parvenir à une vision un peu panoramique des questions soulevées par le cholestérol et les maladies cardiovasculaires. Rares sont les pharmacologues qui ont une culture épidémiologique, rares sont les biologistes qui traitent des patients au moment d'un infarctus (heureusement), rares sont les épidémiologistes qui connaissent la biochimie du cholestérol.

Et pendant ce temps, dans l'ombre, quelques espiègles supervisent les essais avec la seule intention de faire passer un message marketing. C'est cet aspect des choses qui explique probablement que des gens apparemment sensés puissent gober certaines des bêtises qui se racontent (et que je rapporte dans ce chapitre) à propos des *statines dans les biberons* ou *du cholestérol des orangs-outangs*.

3- RAPIDE HISTORIQUE DES ESSAIS CLINIQUES AVEC LES STATINES

La première période commence en 1994 avec la publication de l'essai 4S qui sera suivi des essais *LIPID* et *CARE*. Ces 3 essais sont conduits en prévention secondaire, donc chez des patients ayant déjà fait un infarctus mais cliniquement stables. Ils vont marquer les imaginations, surtout les deux premiers, car le 3ᵉ (*CARE*) était plus problématique du fait de l'absence d'effet significatif sur la mortalité. En tenant compte de ces 3 essais ensemble, on a pu admettre que sur une période de 5 ans environ on pouvait, avec ces médicaments, obtenir une diminution de 20 % environ de la mortalité cardiovasculaire chez des patients qui avaient survécu à un premier infarctus. C'était la première fois qu'un traitement médicamenteux permettait un tel succès. Ni l'aspirine, ni les bêtabloquants (des médicaments systématiquement prescrits après un infarctus) ne permettent une telle amélioration du pronostic. Les cohortes de patients recrutés n'étaient pas considérables et malgré quelques bizarreries dans les essais on pouvait admettre (et j'admets) que les résultats publiés étaient de qualité acceptable.

Une question importante restée en suspens était de savoir si des résultats obtenus avec l'essai *4S* à la fin des années 1980-début des années 1990 en Scandinavie (où les maladies cardiovasculaires ont toujours pris des aspects particuliers) et l'essai *LIPID* en Australie et Nouvelle-Zélande (où les maladies cardiovasculaires ont aussi une épidémiologie particulière) étaient extrapolables à d'autres populations, par exemple aux Asiatiques, aux Français ou à d'autres Européens, notamment des Méditerranéens. Déjà dans l'essai *CARE* aux États-Unis, les résultats étaient très différents de ceux obtenus en Scandinavie et en Nouvelle-Zélande, sans effet significatif sur la mortalité.

Pourquoi les résultats de *4S* ne seraient-ils pas extrapolables à des patients français à Marseille ou à Poitiers ? C'est un point très important et la question peut se prolonger pour d'autres populations, méditerranéenne, asiatique ou slave. En effet, la relation épidémiologique entre le cholestérol et les maladies cardiovasculaires est totalement différente dans ces différentes populations : Scandinavie d'un côté ou Nouvelle-Zélande, et Russie ou zone méditerranéenne d'un autre côté (chapitre 5). En bonne logique, si le cholestérol n'est pas un facteur de risque dans une population, sa diminution ne devrait pas améliorer le pronostic, y compris en prévention secondaire, car cela signifie que d'autres facteurs sont prépondérants dans cette population.

Il aurait fallu vérifier sur la population française, pays paradoxal, mais aussi sur les populations méditerranéennes, slaves et asiatiques, si les résultats de 4S étaient reproductibles.

On peut évidemment se demander qui aurait financé ces essais ?

Ignorant l'épidémiologie cardiovasculaire, les cardiologues de France et d'ailleurs suivirent les consignes infligées par l'industrie et leurs alliés. Encore aujourd'hui, nul ne peut répondre à cette question fermement. À quoi servent nos instituts nationaux et leurs chercheurs fonctionnarisés si ce n'est pas pour vérifier que les traitements adoptés massivement par les corporations médicales sont réellement utiles ? Un seul d'entre eux s'est-il même posé la question ?

Malheureusement, les résultats de *4S* et *LIPID* n'ont jamais été reproduits ailleurs et à d'autres époques, pour toutes sortes de raison, mais en particulier parce que personne n'a vraiment essayé de le faire aux époques où ces essais étaient publiés.

D'où la très mauvaise surprise quand, dans le récent essai *IDEAL*, conduit dans une population comparable à celle de *4S* (mêmes pays, mêmes circonstances) mais 10 ans plus tard, il est apparu que les profils de risque des patients et leur réponse au traitement étaient bien différents de ce qu'on avait vu lors de *4S*. Les investigateurs d'*IDEAL*, probablement un peu dépités, concluent que le contexte, c'est-à-dire le mode de vie des patients, avait considérablement changé pendant la dernière décennie en Scandinavie. Faute de données concrètes, je m'abstiendrais de tout commentaire et enregistrerais au passage **qu'il n'est certainement pas raisonnable en 2007 de traiter des patients français sur la base d'essais conduits en 1990 en Scandinavie (ou aux antipodes) puisque même en Scandinavie ces résultats ne sont plus reproductibles.**

Une autre possibilité est que les résultats de *4S* aient été un peu embellis à l'époque. Mais ici je tombe dans une évidente discourtoisie très peu professionnelle !

La deuxième vague d'essais concernait la prévention primaire chez des patients présentant un risque élevé (ou prétendu tel) dû à leur cholestérol. Certains de ces essais présentaient de graves défauts méthodologiques et aucun ne montra un effet significatif sur la mortalité. Ces essais sont désormais un peu oubliés car de peu d'intérêt clinique.

La troisième vague avait pour but, soit avec des produits classiques (simvastatine dans *HPS*) soit avec de nouvelles molécules de synthèse (atorvastatine surtout), de montrer qu'il fallait élargir les indications de statines, c'est-à-dire au-delà de la prévention secondaire stricte.

L'idée était que le niveau de cholestérol ne devait plus être un critère de sélection. Du moment qu'un patient présente un risque considéré élevé, selon des critères arbitraires, il faut le traiter avec une statine. Et plus on obtient un vilain cholestérol LDL bas, mieux c'est.

Ainsi, on a pu dire qu'il fallait traiter presque systématiquement les diabétiques et les hypertendus et, plus récemment, tout individu de plus de 55 ans.

Je discute assez ces propositions (et les essais censés les soutenir) dans les différents chapitres et je n'y reviens pas ici. C'est avec ces essais que l'on assiste aux dérapages les plus inquiétants.

La quatrième et dernière vague concerne la dernière génération de statines (rosuvastatine) pour lesquelles il est devenu encore plus difficile de trouver un créneau. Pour le moment, rien de bien méchant n'a encore été annoncé mais on voit bien, à la lecture de rapports préliminaires, que les tentations sont fortes et que l'on voudrait bien montrer que les petites dernières (on les appelle des *me too* [des moi aussi] dans le jargon professionnel) ont quand même quelques qualités. *Wait and see !*

Zoo Saint-Martin-la-Plaine (France)

Le cholestérol des grands singes, orangs-outangs ou gorilles *(photo)*, n'est pas le cholestérol physiologiquement idéal des humains.

CHAPITRE 12

LES STATINES PROTÈGENT-ELLES LES ARTÈRES ?

Ce que vous allez apprendre

- Ce que signifie pléiotropie
- Comment expliquer la discordance entre des effets apparemment protecteurs des statines sur certaines complications cliniques très souvent mortelles et l'absence d'effet sur l'espérance de vie ?
- Est-ce que les statines pourraient protéger par un mécanisme indépendant de l'effet sur le cholestérol ?
- Cela contribuerait-il à la confusion qui règne à propos de ces médicaments ?
- Cela pourrait-il diminuer le risque d'accident vasculaire cérébral ?

L'EFFET PLÉIOTROPE

On parle beaucoup d'effet pléiotrope à propos de certains médicaments anticholestérol, notamment les statines. Quelle est la signification du mot pléiotrope, celle qui m'intéresse ?

Pléiotropie : *nom féminin* (du grec *pleiôn*, plus nombreux) *qualifiant un mode d'hérédité où un seul gène affecte plusieurs tissus ou organes et détermine des effets variés.*

Cela signifie que ces médicaments anticholestérol pourraient avoir des effets biologiques, et potentiellement thérapeutiques, autres que celui de diminuer le cholestérol.

Les essais cliniques réalisés avec ces médicaments constituent l'un des trois piliers de la *théorie du cholestérol* avec la biologie du cholestérol (chapitres 3 et 4) et l'épidémiologie cardiovasculaire (chapitre 5). J'ai, en grande partie, réfuté les argumentaires développés dans les deux premiers piliers. D'autre part, dans cet ouvrage, je montre que la plupart des essais cliniques étaient soit négatifs (notamment pour les effets sur la mortalité), soit souffraient de sévères défauts méthodologiques qui compromettaient la validité des résultats qu'ils rapportaient (voir en particulier les chapitres 15, 16, 17 et 18).

Si nous pouvons rejeter sans scrupule la *théorie du cholestérol* en tant que loi générale (ou universelle) expliquant la genèse des maladies cardiovasculaires, il me faut aussi essayer d'expliquer certains faits troublants rapportés par des investigateurs dans des champs particuliers de la médecine ou de la recherche.

En particulier, comment expliquer la discordance entre des effets apparemment protecteurs des statines sur certaines complications cliniques très souvent mortelles (50 % des infarctus) et l'absence d'effet sur l'espérance de vie ?

Est-ce que l'effet pléiotrope des statines aurait pu contribuer à cette confusion ?

En effet, si le rôle du cholestérol en tant que cause des maladies cardiovasculaires paraît très incertain, on peut en déduire que la diminution du cholestérol par un médicament peut difficilement avoir un effet thérapeutique très important, sauf dans quelques cas cliniques particuliers, notamment les hypercholestérolémies familiales malignes (chapitre 20).

En conséquence, on peut se demander si des effets biologiques des statines indépendants de leurs effets sur le cholestérol pourraient expliquer au moins en partie les discordances notées dans les essais cliniques entre mortalité et morbidité ?

LES PROPRIÉTÉS DES STATINES HORS CHOLESTÉROL

Des milliers de publications ont rapporté des effets variés des statines autres que leur effet sur le cholestérol. On en a tellement rapporté que je ne peux certainement pas me vanter d'en avoir fait le tour. La plupart de ceux qui sont décrits ne sont jamais confirmés en recherche clinique et sont donc sans intérêt de mon point de vue.

Concernant les propriétés dites anti-inflammatoires et *immunomodulatrices* de ces molécules, je les discute au 1ᵉʳ et 2ᵉ paragraphes de la section *Pour les professionnels*. Je ne pense pas que ces propriétés soient importantes (chapitres 3 et 4).

La possibilité que les statines puissent exercer une forme de protection endothéliale est beaucoup plus intéressante à mon avis. Cela pourrait avoir des conséquences en termes de risque de thrombose et de régulation de la motricité artérielle (capacité des vaisseaux à modifier leur calibre pour répondre aux demandes d'augmentation de débit des organes qu'ils irriguent) et donc en termes de manifestations cliniques (douleurs thoraciques angineuses notamment).

Si ce mécanisme est réel chez les humains, il rappelle certains médicaments (autrefois très utilisés en cardiologie) comme la nitroglycérine et donc pourrait expliquer certaines données contradictoires de la clinique des statines. Je n'y crois pas beaucoup, certes, mais comme scientifique, je me dois d'envisager cette hypothèse.

Je vais donc examiner la théorie selon laquelle les statines peuvent réduire la fréquence des crises cardiaques bénignes (non mortelles), et voir si éventuellement un mécanisme biologique (autre que la diminution du cholestérol) peut servir de substrat à cet effet clinique.

Qu'est-ce qu'une crise cardiaque bénigne ?

Les crises cardiaques bénignes sont en général le résultat d'une obstruction plus ou moins complète, mais transitoire, d'une artère coronaire. L'obstruction est incomplète et transitoire parce que nos artères sécrètent des substances qui empêchent la solidification et la perpétuation du caillot qui se forme dans l'artère. On peut dire que ces mécanismes de défense sont fondamentaux pour empêcher les crises cardiaques mortelles et les statines n'ont aucun effet sur ces mécanismes de défense, contrairement à certains médicaments anti-plaquettaires ou anticoagulants.

Il est possible, toutefois, que les statines puissent interférer avec certains mécanismes mineurs de défense (un peu comme fait la nitroglycérine) et donc au moins diminuer la fréquence et l'intensité des symptômes d'angine de poitrine (pour plus d'explications lire le 3ᵉ paragraphe de *Pour les professionnels*).

Des données biologiques laissent en effet penser que les statines pourraient avoir un effet sur l'endothélium vasculaire en augmentant la production ou la durée de vie d'une molécule appelée NO (oxyde nitrique). Elles seraient assimilables à d'autres classes de molécules que l'on qualifie de *donneurs de NO* dont le chef de file est, les lecteurs l'ont deviné, la célèbre nitroglycérine. Il est donc concevable que chez des patients qui ne reçoivent pas de médicaments *donneurs de NO* par ailleurs, les statines puissent modifier l'intensité de certains symptômes, sans toutefois réellement changer le pronostic global de la maladie (notamment la survenue de complications mortelles) et le pronostic vital.

Il faut souligner que depuis que les cardiologues considèrent la survenue d'une angine de poitrine comme une indication à un bilan coronarien immédiat avec, si nécessaire, angioplastie dans la foulée (traitement mécanique d'une sténose coronaire), les médicaments dits symptomatiques de la maladie des artères coronaires, comme la nitroglycérine et les autres *donneurs de NO*, ne sont plus beaucoup utilisés.

Suivant le classique « *qui va à la chasse, perd sa place* », les statines pourraient donc, chez les millions de patients qui les consomment tous les jours en France, avoir un petit effet anti-angineux qui serait resté invisible si les cardiologues avaient continué de prescrire les médicaments *donneurs de NO*.

A ce propos, je ferais trois observations supplémentaires : la première est que cet effet de type nitroglycérine des statines ne peut être que modeste par rapport à la nitroglycérine elle-même (effet vasodilatateur presque immédiat qu'on ne retrouve jamais avec les statines).

La deuxième observation est que si les statines ont comme principal effet thérapeutique celui de la nitroglycérine, ça fait vraiment une très dispendieuse nitroglycérine !

La troisième observation, c'est que cet effet des statines a pu effectivement tromper certains investigateurs testant les statines dans des essais cliniques qui ont comptabilisé moins d'événements cliniques dans le groupe statine que dans le groupe contrôle, faisant croire de façon artificielle que les statines étaient supérieures au placebo. Cette possibilité reste évidemment une hypothèse de travail. Je n'ai aucun argument scientifique pour la défendre plus fortement.

Je vais maintenant – à la lumière de ce que nous pouvons supposer des effets de type nitroglycérine des statines – discuter le rôle potentiel de ces médicaments en pathologie vasculo-cérébrale.

STATINES ET ACCIDENTS VASCULAIRES CÉRÉBRAUX

Une catégorie particulière de médecins s'est particulièrement intéressée aux effets des statines indépendants de ceux sur le cholestérol : ce sont les neurologues qui s'occupent des patients victimes d'accidents vasculaires cérébraux (on dit AVC), et qui essaient de mettre en place des stratégies de prévention.

Pourquoi s'y sont-ils intéressés récemment?

Parce que, contrairement au risque d'infarctus, le risque d'AVC est peu ou pas prédit par les taux de cholestérol. Nous savons que le cholestérol, le *gentil* comme le *vilain*, est un prédicteur médiocre du risque d'infarctus au niveau individuel, mais encore plus mauvais quant au risque d'AVC. Certaines études ont même suggéré que des taux abaissés de *vilain* cholestérol étaient associés à une augmentation du risque d'AVC hémorragique.

Pourtant, les premiers essais cliniques avec les statines ont suggéré une diminution de la fréquence des AVC dans les groupes traités, sans mention particulière concernant les AVC hémorragiques. C'est ce que des scientifiques ont appelé le *Stroke Paradoxe* (ou, en français, *le paradoxe de l'AVC*). C'était en effet paradoxal puisque le cholestérol n'étant pas associé au risque d'AVC, il était difficile de comprendre pourquoi une diminution du cholestérol pouvait modifier le risque d'AVC. L'effet nitroglycérine des statines apportait une solution à ce paradoxe puisqu'il suggérait un effet protecteur indépendant du cholestérol.

En fait, les données sont très contradictoires d'un essai à l'autre avec des résultats encourageants dans HPS par exemple, mais totalement négatifs dans *PROSPER* (chapitre 16). L'effet éventuellement protecteur des statines semble donc dépendre de nombreux facteurs associés, notamment l'âge. Ceci dit, biologiquement, l'hypothèse d'un effet des statines sur le NO et celle de leur capacité à diminuer le risque d'AVC n'étaient pas absurdes. De plus, puisque des industriels étaient prêts à financer de nouveaux essais cliniques visant spécifiquement à tester l'effet d'une statine sur le risque d'AVC, pourquoi ne pas y participer ?

Je pense qu'il fallait effectivement tester cette hypothèse car, en dehors des traitements anti-plaquettaires (et anti-hypertenseurs chez les patients avec une hypertension artérielle), nous sommes plutôt démunis face à une pathologie qui semble, avec le vieillissement de la population, prendre une ampleur vraiment inquiétante.

J'insiste sur ce point : nous assistons à une augmentation de la fréquence des AVC **malgré** l'utilisation massive des médicaments anticholestérol dans nos sociétés ! C'est un deuxième *paradoxe de l'AVC* qu'il faudra garder en mémoire au moment d'analyser les résultats des essais avec les statines.

SPARCL : L'ESSAI « STATINES CONTRE AVC »

Je présente rapidement l'essai *SPARCL*, le seul essai spécifiquement destiné à tester l'hypothèse que les statines diminuent le risque de récidive d'AVC après un premier AVC, au 4ᵉ paragraphe de la section *Pour les professionnels*.

En deux mots, ses résultats : 80 mg d'atorvastatine n'ont eu aucun effet sur le risque de décéder, quelle qu'en soit la cause, malgré une diminution de plus de 40 % du *vilain* cholestérol LDL. Par contre, les auteurs rapportent un petit effet (16 % de réduction) sur le risque de récidive d'AVC, au prix d'une augmentation du risque d'AVC hémorragique. Ces données sont à peu près comparables à celles rapportées dans l'essai *HPS* mais en contradiction avec les résultats de *PROSPER* (chapitre 16). L'efficacité de la statine dans *HPS* est nettement moindre que dans *SPARCL* puisque pour empêcher 3 AVC, il faut traiter plus de 1 100 patients contre environ 800 dans *SPARCL*. Ceci dit, dans *SPARCL* il s'agissait de récidives tandis que dans les autres essais dont *HPS*, ce n'est pas précisé.

Bien qu'un peu contradictoires et loin de représenter le miracle préventif célébré par certains medias, ces résultats sont encourageants. En fait, on aimerait une confirmation de ces résultats avec une autre étude tant ceux de *SPARCL* sont limites du point de vue de la signification statistique, donc susceptibles d'être dus à l'effet du hasard. De plus, pourquoi prescrirais-je 800 fois un médicament dispendieux, et non dénué d'effets secondaires (chapitres 13 et 14), si je pense que je protègerais au mieux 3 de mes patients ? **Mais sans sauver une seule vie !**

Finalement, j'ai l'impression que si les statines ont un effet bénéfique sur le risque d'AVC, il est au mieux modeste. J'engage les lecteurs qui restent dubitatifs à se reporter au chapitre 17 où cette question des effets des statines sur le risque d'AVC est également discutée et analysée mais dans le contexte des patients diabétiques. La conclusion que j'en ai tirée est également que s'il y a un effet protecteur chez les diabétiques il est au mieux modeste.

Question suivante : si ce modeste effet protecteur est réel, l'effet de type nitroglycérine est-il le médiateur de cette protection ? Si la réponse est positive, alors je pense que l'on peut faire au moins aussi bien avec d'autres médicaments également donneurs de (ou protecteurs du) NO mais beaucoup moins onéreux que les statines.

Malheureusement, aucun essai clinique ne viendra jamais corroborer cette hypothèse parce qu'aucun industriel ne verra jamais l'intérêt de dégager le budget nécessaire pour la tester, simplement parce que les médicaments donneurs de NO n'ont pas un marché potentiel et une protection par brevet qui vaillent la peine de lancer un programme de recherche et de développement digne de ce nom. Les scientifiques et les médecins sont désormais les otages de la marchandisation de la médecine !

Une question subsidiaire qu'il serait malhonnête scientifiquement de ne pas poser est de savoir s'il y aurait d'autres circonstances cliniques où les statines, via leur effet biologique indépendant du cholestérol, pourraient théoriquement protéger certains patients. Ma réponse est positive (en insistant sur l'aspect très théorique de cette question) et je donne quelques commentaires au 5ᵉ paragraphe de la section *Pour les professionnels*.

LES STATINES CONCURRENCÉES PAR LE CHOCOLAT ET LE VIN ROUGE

Je conclus ces commentaires en affirmant à nouveau que si les statines sont utiles en favorisant la production de (ou la protection du) NO, il y a certainement d'autres donneurs (ou protecteurs) de NO beaucoup moins onéreux qu'elles.

Pour revenir à ma question préliminaire sur le rôle des effets pléiotropes des statines comme facteur de confusion dans l'appréciation des effets cliniques de la réduction du cholestérol sanguin, je peux dire que les statines pourraient avoir, via une augmentation du NO au niveau de l'endothélium, un petit effet vasculo-protecteur qui pourrait se traduire éventuellement par quelque effet sur les symptômes de certains patients coronariens. De plus, s'il y a un effet de ce type, il est probablement modeste, et certainement pas supérieur à ce que l'on peut obtenir avec des modifications adéquates de ses habitudes alimentaires. Concernant les effets pléiotropes des statines, en relation avec la pression artérielle (voir le

6e paragraphe de la section *Pour les professionnels*), mon impression est que l'effet anti-hypertenseur des statines est sans intérêt réel, ce qui n'est pas étonnant puisque les vrais donneurs de NO ne sont généralement pas considérés comme des bons médicaments de l'hypertension.

Revenons à la théorie selon laquelle la production de NO peut être très dépendante de certains aliments et certains nutriments. Il s'avère qu'elle est déjà fort bien défendue à partir de documents de très bonne qualité, aussi bien des expériences sur ces cellules isolées qu'en recherche clinique. Certains nutriments – notamment les polyphénols – ont en effet la capacité de réguler la synthèse des enzymes endothéliales qui produisent le NO. La régulation s'effectue à la fois au niveau du gène et au niveau de l'enzyme, mais aussi au niveau de la durée de vie du NO.

Au total, il ne fait aucun doute que des apports significatifs en polyphénols (notamment les flavonoïdes) ont pour effet d'augmenter la production de NO et les capacités de régulation artérielle de façon très significative. Ces effets sont au moins égaux à ceux observés avec les statines (quand ces flavonoïdes sont évalués individuellement). Les sources alimentaires les plus étudiées de ces polyphénols sont : certains vins rouges, les chocolats noirs, les thés et les artichauts.

On peut imaginer que des habitudes alimentaires cumulant les effets de plusieurs catégories de flavonoïdes pourraient avoir des effets bénéfiques dans de nombreux cas cliniques. C'est effectivement le cas avec la diète méditerranéenne (chapitre 25).

Et sans même considérer un régime global, il est clair que la simple consommation de vin est associée à une remarquable protection contre les maladies cardiovasculaires, surtout en termes de mortalité, et donc d'espérance de vie, donc un effet supérieur à celui des statines. Dans plusieurs études conduites dans différents pays, on a vu que la consommation modérée d'alcool (et pas seulement de vin) est associée à une remarquable diminution du risque d'AVC spécifiquement.

En conséquence, et en raisonnant seulement en termes d'effets pléiotropiques dont le NO serait le principal médiateur, il est clair qu'il est préférable de choisir le vin (ou, à défaut, le thé ou le chocolat noir) plutôt que la statine !

En conclusion, quels que soient les résultats des essais cliniques, il nous faut admettre que nous assistons à une augmentation très inquiétante de la fréquence des AVC au moment même où les médicaments anticholestérol sont massivement utilisés dans nos sociétés et je pourrais dire, **malgré** une utilisation massive des médicaments anticholestérol ! On pourrait certes avancer que ce serait pire si les 6 millions de Français qui se traitent avec une statine ne le faisaient pas. Mais, sur la base du contenu de ce chapitre, il n'y a pas beaucoup d'arguments en faveur de cette vision des choses.

Ce qu'il faut retenir

1- Les statines pourraient-elles, *via* un effet biologique autre que celui de diminuer le cholestérol, influencer le risque de complications cardiaques non mortelles sans avoir d'effet sur la mortalité et l'espérance de vie ? C'est possible.

2- Il est possible que les statines puissent avoir un effet assimilable à celui d'autres médicaments (ou aliments) *donneurs de NO* et qu'elles puissent modifier le tableau clinique de certains patients qui ne reçoivent pas de médicaments *donneurs de NO* par ailleurs, sans toutefois réellement changer le pronostic vital de la maladie.

3- Des analyses de sous-groupes contradictoires dans des essais cliniques et un seul essai clinique spécifiquement dédié à tester cette hypothèse suggèrent que les statines pourraient, modestement, réduire le risque d'accident vasculaire cérébral.

3- Si l'effet *donneur de NO* des statines est responsable de cette modeste protection, il semblerait préférable d'utiliser de vrais médicaments *donneurs de NO* qui n'ont pas les effets secondaires des statines et sont beaucoup moins onéreux.

4- Un effet *donneur de NO* peut aussi être obtenu par une modification des habitudes alimentaires (notamment la consommation d'aliments riches en polyphénols comme le vin rouge, le chocolat noir, le thé ou l'artichaut) qui, contrairement aux statines, entraînent une forte amélioration de l'espérance de vie.

POUR LES PROFESSIONNELS ET LES CURIEUX

1- STATINES ET INFLAMMATION

J'ai discuté longuement aux chapitres 3 et 4 des différentes théories de l'athérosclérose, notamment des théories oxydative et inflammatoire. Comme je le raconte, des essais cliniques randomisés ont permis de montrer que ces théories n'expliquaient pas de façon satisfaisante les maladies cardiovasculaires.

Il sera dur pour beaucoup d'entre nous de l'admettre, mais nous nous sommes trompés et il faut chercher ailleurs comment améliorer le pronostic de nos patients. Cela ne veut pas dire que les statines n'ont pas des effets très intéressants sur le système immunitaire de la souris mais franchement cela est de peu d'intérêt pour les patients, chacun en conviendra.

Concernant les effets anti-inflammatoires des statines, et notamment leurs effets quasi miraculeux sur la très fameuse *Protéine C Réactive* (PCR) qui est un marqueur de l'inflammation, je ferais une seule observation : on a montré que la PCR est prédictive de la resténose après angioplastie, qui est une complication fréquente d'une procédure d'ablation mécanique des sténoses des artères (1er point), que les statines diminuent la PCR (2e point) mais qu'elles n'ont aucun effet sur la resténose (3e point). Tous les lecteurs attentifs en auront déduit que le trio inflammation/ PCR /statines a donc peu d'intérêt dans la médecine de l'angioplastie et de la prévention de ses complications. Un des effets supposés magiques des statines sur l'inflammation (via un effet sur la PCR) n'a donc pas de traduction clinique. Cette anecdote permet de comprendre mon état d'esprit quand je discute les effets supposés utiles des statines autres que l'effet anticholestérol. Méfiance ! Marketing !

Comme discuté à propos de *PROSPER*, on a aussi proposé que ces médicaments puissent ralentir la perte des capacités cognitives et empêcher la perte osseuse à l'origine des fréquentes fractures des seniors. La théorie selon laquelle les statines auraient des effets positifs sur les capacités cognitives est déjà définitivement enterrée par des spécialistes des statines eux-mêmes. Bien au contraire, nous voyons émerger des données solides suggérant que les statines accélèrent le déclin des capacités cognitives des seniors (chapitre 14).

2- SPÉCULATIONS SUR LA CONSTITUTION DE BIAIS DANS LES ESSAIS AVEC LES STATINES

La diminution de la fréquence des attaques cardiaques non mortelles pourrait être la conséquence d'une réduction réelle de l'intensité des symptômes de certains patients traités par une statine, sans empêcher pour autant la survenue des infarctus les plus sévères.

Les investigateurs auraient pu avoir tendance à amplifier la sévérité de certaines crises cardiaques chez les patients traités avec un placebo de façon à augmenter le nombre de complications enregistrées. La bonne foi des investigateurs, notamment sur le terrain, n'est pas forcément en cause mais on peut imaginer qu'une fois arrivés dans les bureaux du sponsor les dossiers cliniques (l'asymétrie entre les groupes ayant été reconnue) aient pu être utilisés de façon tendancieuse en faveur du médicament testé aux différentes étapes de l'analyse. On pourrait me faire remarquer que dans le contexte d'un essai en double aveugle, les techniciens du sponsor devraient être dotés de dons surnaturels pour deviner quels sont les patients traités et non traités. Cet argument n'a pas de valeur quand on teste des médicaments ayant des effets biologiques aussi importants que les statines. L'effet sur le cholestérol est tel que les patients, comme leurs médecins traitants, peuvent aisément savoir (par exemple en allant au laboratoire du coin de la rue) s'ils ont le traitement ou le placebo. Et les investigateurs mesurent le cholestérol de façon répétée, leur donnant un moyen aisé de savoir subrepticement qui reçoit le traitement ou le placebo.

De la même façon, un patient qui participe à un essai en double aveugle avec un bêta-bloquant (un médicament qui fait passer la fréquence cardiaque de 70 à 50 par minute) sait immédiatement s'il reçoit le médicament ou le placebo en prenant son pouls. S'il ne sait pas prendre son pouls, son médecin traitant ou l'infirmière sauront le faire pour lui. Les protocoles de double aveugle sont surtout là pour amuser la galerie et ne constituent pas une garantie que les deux groupes sont traités de façon parallèle et égale à tous points de vue contrairement au tirage au sort qui garantit la similitude des groupes.

3- EFFETS ENDOTHÉLIAUX ET PLAQUETTAIRES DES STATINES

L'endothélium est la couche cellulaire qui tapisse l'intérieur des artères et qui est en contact avec le sang, notamment avec les plaquettes, ces toutes petites cellules qui veillent à ce que toute brèche vasculaire soit immédiatement bouchée. Pour éviter que les plaquettes adhèrent à la paroi artérielle et pour que la circulation sanguine reste fluide, l'endothélium produit des substances anti-plaquettaires. Les deux principales sont le NO (oxyde nitrique, en français) dérivé d'un acide aminé appelé arginine (apporté par l'alimentation) et la PGI2 (prostacycline) dérivée des acides gras essentiels, également apportés par l'alimentation. De leur côté, les plaquettes produisent également des substances qui peuvent favoriser leur adhésion à l'endothélium (les thromboxanes qui sont des dérivés des acides gras essentiels, à nouveau) et aussi diminuer le calibre de l'artère (vasoconstriction). Si les statines ont un effet plutôt négatif sur les acides gras essentiels précurseurs de la prostacycline et des thromboxanes (donc un effet potentiellement délétère en termes de risque de thrombose), certains investigateurs pensent qu'elles favoriseraient la biologie du NO et notamment sa biodisponibilité. Ce faisant, elles pourraient diminuer l'adhésion des plaquettes à l'endothélium, par une sorte d'effet anti-thrombotique mineur.

Il faut également noter que ces substances qui contrôlent l'adhésion des plaquettes sur l'endothélium sont des médiatrices des mécanismes de variation de calibre des artères. Quand les plaquettes, pour une raison ou une autre, adhèrent à une portion d'endothélium, elles suscitent une réduction de calibre de l'artère à ce niveau (cela peut parfois prendre l'allure d'un spasme vasculaire potentiellement dangereux), ce qui peut amplifier le processus obstructif et donc également provoquer des symptômes cliniques qui sont généralement transitoires.

Chez les patients présentant des maladies cardiovasculaires ou chez ceux qui sont à risque de faire un infarctus (notamment en relation avec un mode de vie inadéquat), toutes ces régulations intimes impliquant l'endothélium et les plaquettes sont altérées. De graves altérations de ces systèmes biologiques sont indiscutablement en cause dans l'infarctus et des facteurs de risque comme le tabac, le diabète ou des habitudes alimentaires toxiques les favorisent terriblement. Inversement, avoir un cholestérol élevé n'a aucun effet direct démontré sur ces régulations endothéliales et plaquettaires. Certains travaux expérimentaux et cliniques suggèrent que les statines augmentent le NO de façon significative au niveau de l'endothélium.

Y a-t-il pour autant une implication clinique décelable ?

Certains investigateurs le prétendent, notamment ceux qui travaillent sur la prévention des accidents vasculaires cérébraux (AVC). Pour ce qui concerne les pathologies cardiaques, mon opinion est qu'il y a assez peu d'arguments cliniques convaincants. Une exception est peut-être le *syndrome de rebond après arrêt brutal d'un traitement par statine*. C'est difficile à étudier, il faut en convenir, et la fragilité du dossier dans sa forme présente – uniquement des données observationnelles et rétrospectives – ne doit pas nous conduire à le rejeter sans autre forme de procès. Mais si vraiment les statines augmentent la quantité de NO de façon chronique au niveau de l'endothélium, l'arrêt brutal du traitement pourrait théoriquement au moins entraîner chez certains patients un *syndrome de rebond*. Ce type de syndrome a été aussi décrit après l'arrêt d'autres traitements qui augmentent le NO, par exemple les *dérivés nitrés*.

Cette observation me conduit à poser une nouvelle question très simple : est-ce que les statines ne seraient pas finalement des médicaments *donneurs de NO* comme un certain nombre d'autres médicaments autrefois utilisés de façon plus régulière par les cardiologues ?

Si c'est le cas alors elles pourraient effectivement diminuer les symptômes coronariens sans avoir d'impact sur la survie ou sur les attaques cardiaques vraiment dangereuses mettant en jeu le pronostic vital.

4- L'ESSAI *SPARCL* : DES QUESTIONS ET PEU DE RÉPONSES

SPARCL est l'acronyme d'un essai randomisé testant si l'atorvastatine, une statine de nouvelle génération, à la dose de 80 mg, pouvait diminuer le risque de récidive d'attaque cérébrale (AVC) après un premier AVC plus ou moins bénin. Il faut savoir que le risque de récidive après un premier AVC reste élevé malgré la prescription de médicaments anti-plaquettaires.

On distingue très schématiquement deux types d'AVC, ceux qui sont dus à une hémorragie dans le cerveau (en principe par rupture d'un vaisseau cérébral et souvent associée à une hypertension ancienne) et ceux qui sont dus à un manque d'oxygène dans le cerveau et qui sont la conséquence d'une thrombose d'une artère qui irrigue le cerveau ou d'une embolie (expédition vers le cerveau d'un thrombus, qui s'est constitué dans le cœur en général). En cas d'hémorragie, il ne faut pas donner d'anti-plaquettaire comme l'aspirine mais il faut en donner s'il y a une thrombose.

Le sponsor de *SPARCL* est le même que dans la plupart des essais discutés dans le chapitre 18 et j'en déduis que les relations entre lui et les investigateurs sont du même type que celles dévoilées dans certains de ces essais. Donc, sans provocation aucune, on peut parler d'omniprésence et contrôle absolu de toutes les procédures par le sponsor dans *SPARCL*. En conséquence, on doit analyser les résultats de *SPARCL* avec lucidité. Que nous dit cet essai ?

Les investigateurs ont tiré au sort près de 5 000 patients et les ont suivis pendant 5 ans. C'est donc un magnifique essai en théorie, avec un objectif scientifique clairement défini, et il est vraiment dommage que cet essai n'ait pas été conduit indépendamment du sponsor.

Toutefois, je vais me baser pour mon analyse uniquement sur les données brutes publiées dans le numéro du 20 août 2006 du *New England Journal of Medicine*. Les auteurs, très fiers, décrivent une diminution de 42 % du *vilain* cholestérol (ce qui est effectivement remarquable) et une diminution de 16 % du risque de récidive d'AVC pendant un suivi d'environ 5 ans.

High-Dose Atorvastatin after Stroke or Transient Ischemic Attack

The Stroke Prevention by Aggressive Reduction in Cholesterol Levels (SPARCL) Investigators*

CONCLUSIONS

In patients with recent stroke or TIA and without known coronary heart disease, 80 mg of atorvastatin per day reduced the overall incidence of strokes and of cardiovascular events, despite a small increase in the incidence of hemorrhagic stroke. (ClinicalTrials.gov number, NCT00147602.)

N Engl J Med 2006;355:549-59.
Copyright © 2006 Massachusetts Medical Society.

En données brutes, je constate (Tableau 2 de l'article original reproduit ci-dessous) qu'il y a eu 216 et 211 décès dans chaque groupe, donc aucune différence en termes d'espérance de vie, comme d'habitude avec les statines.

Mais les AVC, en plus d'être parfois létaux (le risque de décès est bien moindre que lors d'une attaque cardiaque), laissent des séquelles extrêmement invalidantes. Il me paraît donc important d'aller un peu plus loin dans l'analyse pour une fois et de regarder la fréquence des AVC dans les deux groupes. Il y a eu 41 AVC létaux dans le groupe placebo contre 24 dans le groupe statine (une différence de 17) et 280 AVC non mortels dans le groupe placebo contre 247 dans le groupe statine donc une différence de 33. Quand on considère ces chiffres bruts, l'anecdote du verre à moitié vide ou à moitié plein vient immédiatement à l'esprit. Certains verraient un effet bien modeste, d'autres une réduction de risque relatif atteignant 43 % pour les AVC mortels (17 divisé par 41 et multiplié par 100) et 13 % pour les AVC non mortels (33 divisé par 280 et multiplié par 100).

Table 2. Estimates of the Hazard Ratio for the Primary and Secondary Outcome Measures.

Outcome	Atorvastatin (N=2365)	Placebo (N=2366)	Unadjusted P Value	Prespecified Adjusted Model	
	no. (%)			HR (95% CI)	P Value
Primary outcome					
Nonfatal or fatal stroke	265 (11.2)	311 (13.1)	0.05	0.84 (0.71-0.99)	0.03
Nonfatal stroke	247 (10.4)	280 (11.8)	0.14	0.87 (0.73-1.03)	0.11
Fatal stroke	24 (1.0)	41 (1.7)	0.04	0.57 (0.35-0.95)	0.03
Secondary outcomes					
Stroke or TIA	375 (15.9)	476 (20.1)	<0.001	0.77 (0.67-0.88)	<0.001
TIA	153 (6.5)	208 (8.8)	0.004	0.74 (0.60-0.91)	0.004
Major coronary event	81 (3.4)	120 (5.1)	0.006	0.65 (0.49-0.87)	0.003
Death from cardiac causes	40 (1.7)	39 (1.6)	0.90	1.00 (0.64-1.56)	1.00
Nonfatal myocardial infarction	43 (1.8)	82 (3.5)	0.001	0.51 (0.35-0.74)	<0.001
Resuscitation after cardiac arrest	1 (<0.1)	1 (<0.1)	-	-	-
Major cardiovascular event	334 (14.1)	407 (17.2)	0.005	0.80 (0.69-0.92)	0.002
Acute coronary event	101 (4.3)	151 (6.4)	0.001	0.65 (0.50-0.84)	<0.001
Any coronary event	123 (5.2)	204 (8.6)	<0.001	0.58 (0.46-0.73)	<0.001
Revascularization	94 (4.0)	163 (6.9)	<0.001	0.55 (0.43-0.72)	<0.001
Any cardiovascular event	530 (22.4)	687 (29.0)	<0.001	0.74 (0.66-0.83)	<0.001
Death	216 (9.1)	211 (8.9)	0.77	1.00 (0.82-1.21)	0.98

Mais ce que font souvent les auteurs de ce genre d'essai, c'est exprimer l'effet du traitement en termes de **risque absolu**, car c'est plus parlant. Je propose aux lecteurs de faire ce petit calcul ensemble, c'est très facile.

On procède de la façon suivante : comme près de 2 400 patients ont reçu le traitement pendant 5 ans, on peut dire que le traitement a empêché environ 3 AVC mortels (17 divisé par 5) chaque année ainsi qu'environ 6 AVC non mortels (33 divisé par 5). Ce qui signifie qu'il faut traiter près de 800 patients (2 400 divisé par 3) pour empêcher 1 AVC mortel et 2 AVC non mortels chaque année.

Chacun conclura à sa manière et je ne vois pas pourquoi j'influencerais l'opinion de mes lecteurs. Je ferais simplement deux remarques strictement scientifiques : c'est que nous sommes aux limites de la signification statistique, c'est-à-dire que la probabilité d'un simple effet du hasard est très élevée, surtout pour les AVC non mortels ; la deuxième, c'est qu'il y a d'autres façons probablement beaucoup plus efficaces et moins dispendieuses de protéger ses artères et son cerveau (chapitre 25). Pour prouver ce que j'avance, il faudrait faire une étude comparative, mais elle ne sera jamais faite.

Si des lecteurs particulièrement intéressés ont le courage de se procurer l'article sur *SPARCL* pour le lire par eux-mêmes, ils verront que les auteurs de l'article, ou le sponsor, se sont livrés au même type de calculs de risque absolu que je viens de faire en compagnie de mes lecteurs, mais leurs résultats sont apparemment différents puisqu'ils prétendent qu'en traitant seulement 46 patients ils permettent sur 5 ans d'empêcher un AVC. Cela signifie qu'avec les mêmes chiffres de base, on peut présenter les résultats d'un essai de façon très différente.

On pourrait aussi calculer le nombre de patients qui ont été traités pour rien, par simple soustraction. C'est une autre façon de voir les choses et immédiatement, dans le cas de *SPARCL*, on peut penser que ça ne vaut pas la peine de traiter tant de gens aussi longtemps pour un bénéfice social aussi faible.

Un fait indiscutable, par contre, et que les auteurs rapportent avec un peu d'hésitation, c'est-à-dire dans le texte mais pas dans le tableau de résultats, c'est qu'il y a eu plus d'AVC hémorragiques (55 contre 33) dans le groupe traité par la statine. C'est une différence peu impressionnante, certes. Mais d'une part c'est un effet secondaire négatif majeur sans véritable traitement possible et d'autre part cela suggère que la statine pourrait effectivement avoir une sorte d'effet anti-thrombotique ou anti-plaquettaire et en conséquence induire un petit risque hémorragique.

Finalement, que l'on voit le verre à moitié vide ou à moitié plein, ce qui est certain c'est que, au total, on n'a rien gagné en termes d'espérance de vie, les effets délétères ayant annulé les possibles effets bénéfiques.

5- STATINES, INSUFFISANCE CARDIAQUE, ET ARYTHMIES

Comme j'en ai parlé au chapitre 6, il est très improbable que les statines aient un effet significatif sur le risque de *mort subite*. Le seul essai récent où cette complication est rapportée (l'essai *4D* chez des diabétiques recevant 20 mg d'atorvastatine, chapitre 17), il n'y a pas eu d'effet significatif de la statine. Pourtant, plusieurs publications récentes (des rapports de conférences et pas des vrais articles) basées sur des protocoles un peu bizarres essaient de faire croire que les statines pourraient avoir des propriétés anti-arythmiques. Cela me rappelle une triste période de la recherche médicale où l'on essayait de faire croire soit que les statines empêchaient la resténose après angioplastie (une hypothèse qui a été définitivement enterrée) soit que les statines étaient supérieures à l'angioplastie, la très fameuse étude *AVERT*, également enterrée.

J'espère que personne ne viendra à nouveau prétendre que les statines sont des anti-arythmiques, mais enfin, on a vu tant de choses étranges récemment que tout est désormais possible.

Plus intéressante est l'hypothèse que les statines, à doses raisonnables, pourraient avoir des effets bénéfiques dans l'insuffisance cardiaque ou après une intervention chirurgicale. Dans ce cas, la préservation de la fonction endothéliale (ou de la production de NO) pourrait effectivement soulager le myocarde et empêcher quelques complications relativement bénignes – comme la survenue d'une fibrillation auriculaire (très fréquente après chirurgie cardiaque). Malheureusement, pour le moment, les données cliniques à notre disposition sont fragiles (essentiellement des analyses rétrospectives ou des analyses de sous-groupes extraites d'essais cliniques) et je me garderais de toute conclusion hâtive car, en recherche médicale, il n'est pas recommandé de « *vendre la peau de l'ours avant de l'avoir occis* » comme le démontre bien l'aventure des statines dans le diabète (chapitre 17).

Ceci dit, si de tels effets des statines s'avéraient réels, en relation avec la facilitation de la production de NO, je doute qu'ils soient d'une importance clinique majeure. Et encore une fois, je pense qu'il y a des donneurs de NO beaucoup moins onéreux que les statines.

Pour le moment, nous ne pouvons pas nous appuyer sur les données existantes pour faire une quelconque recommandation thérapeutique, d'autant plus que certaines équipes défendent l'hypothèse qu'un cholestérol bas serait un facteur de mauvais pronostic dans l'insuffisance cardiaque.

6- STATINES ET PRESSION ARTÉRIELLE

Si les statines ont réellement un effet sur l'endothélium et les fonctions de régulation vasculaire (degré de souplesse de l'artère et niveau moyen des résistances à l'écoulement du sang), alors elles devraient avoir un effet sur la pression artérielle mesurée avec le classique brassard passé autour du bras des patients. Bien entendu, plusieurs équipes se sont penchées sur cette question, en général indépendamment des industriels qui commercialisent les statines pour la bonne raison que ces industriels commercialisent aussi des médicaments contre l'hypertension artérielle.

L'intérêt de cette question est de toute façon plus académique que réellement thérapeutique car s'il y a un effet des statines sur la pression artérielle *via* la formation de NO, cet effet ne peut qu'être modeste.

Pour toutes ces raisons, l'émergence d'une information solide sur l'effet des statines sur la pression artérielle (qui pourtant devrait être rapidement obtenue du fait de la multitude d'essais randomisés conduits à ce jour) est plus que laborieuse. A l'heure actuelle (hiver 2007), je ne me risquerais à aucun pronostic car certains jurent qu'il n'y a pas d'effet, d'autres qu'il y a un effet et enfin une troisième catégorie explique qu'il n'y a d'effet que pour des fortes doses de statines associées à une diminution drastique du *vilain* cholestérol, d'au moins 50 %. Enfin, il est murmuré (mais c'est quelque chose qu'il ne faut pas répéter) que seuls des patients jeunes avec un endothélium encore améliorable sont susceptibles de répondre à l'effet anti-hypertenseur des statines !

CHAPITRE 13

LES STATINES SONT TOXIQUES POUR LES MUSCLES

Ce que vous allez apprendre

• Que sait-on de l'importance de l'activité physique en général, des muscles en particulier, sur le risque d'infarctus et de *mort subite* ?

• Comment définit-on la sédentarité ?

• Qu'est-ce que la myopathie induite par les statines ?

• Que penser de l'hypothèse que les statines pourraient augmenter la fréquence et/ou la sévérité des syndromes de résistance à l'insuline ?

• Les 10 règles d'or à respecter pour la reprise d'une activité physique

ERBERT ELLIOTT EST LE NOM D'UN DES PLUS GRANDS COUREURS à pied de l'histoire de l'athlétisme. Il y en a eu (avant ou depuis) de meilleurs probablement mais c'est celui que je préfère. Pourquoi ? Parce qu'il a gagné le 1 500 mètres des Jeux olympiques à Rome en 1960 et qu'après avoir vu sa course à la télévision, j'ai compris pourquoi j'aimais tant courir.

J'avais 10 ans et, curieusement, je ne savais pas me déplacer autrement qu'en courant. Je faisais rire les voisins, mes instituteurs, et les amis de mes parents, car ils me voyaient toujours courir : pour aller à l'école, aller chercher le pain ou faire une course quelconque pour ma mère et même pour aller chercher le journal pour mon père, je courais. En voyant courir Elliott à la télévision, je me suis dit que courir n'était pas simplement un jeu pour un gamin de 10 ans, c'était aussi tellement beau ! De ce jour, je me suis regardé courir, dans ma tête bien sûr, et j'ai vu mes jambes et mes muscles, mes tendons et mes articulations. J'ai progressivement compris qu'au-delà de la beauté du geste (je n'ai jamais, croyez-moi, eu l'illusion d'égaler l'esthétique d'Elliott), il y avait une physiologie du muscle et des mouvements. Les mots me sont venus plus tard bien sûr, mais je ne doute pas que cette vision à la fois artistique et sensuelle des corps et muscles en mouvement ait été une des raisons profondes de ma vocation médicale. Encore aujourd'hui, l'exercice ou le sport sont associés dans mon esprit aux foulées d'Elliott sur la piste cendrée des Jeux olympiques de Rome.

Ce n'est que tardivement au cours du XXᵉ siècle que les médecins ont compris l'importance de l'exercice physique, ou plus spécifiquement de l'activité musculaire, dans le maintien d'une bonne santé et dans la prévention de nombreuses pathologies du vieillissement. Cela ne concerne pas seulement le cœur qui, finalement, est aussi un muscle qu'il faut exercer, mais presque tous nos organes. Cela concerne même notre cerveau, comme le montre bien David Servan-Schreiber dans son livre *Guérir*, particulièrement dans son chapitre *Prozac* ou *Adidas*, dans lequel il explique combien l'exercice physique est utile pour empêcher ou aider à guérir certaines dépressions et autres troubles de l'humeur.

D'autres psychologues et intellectuels disent qu'il est fondamental de stimuler son cerveau en faisant de l'exercice : « *Jog your mind !* », dit leur slogan qui se passe de traduction.

Le plaisir ou le besoin de courir, ou de marcher vite pour certains, a été découvert dans les années 1960 et 1970. A cette époque, dans les villes américaines et ailleurs, courir n'avait rien à voir avec une quelconque esthétique, cela répondait à un profond besoin de bouger. Les conditions de logement, de travail et de transport étaient devenues si inhumaines, tellement contraires aux aspirations des corps, y compris du système nerveux, que des gens se sont mis à courir dans les parcs et le long des boulevards. Malgré la pollution urbaine (usines, chauffage urbain et gaz de voiture) et des climats parfois très durs, ils couraient. Tout le monde ne court pas dans notre société, certes, mais je pense qu'il s'agit d'une forme de mouvement social, de révolte sociale même, contre des conditions d'existence trop difficiles, c'est-à-dire sédentarisantes.

SÉDENTARITÉ ET EXERCICE PHYSIQUE : RISQUES CONTRE BÉNÉFICES

Comme je le souligne dans la section *Pour les professionnels* (1ᵉʳ paragraphe), il y a un consensus – parmi les médecins les moins soumis au marketing de l'industrie pharmaceutique – pour dire que le manque d'activité physique constitue, avec le tabac et des habitudes alimentaires inadéquates, l'un des 3 « méga » facteurs de risque d'infarctus du myocarde. Par comparaison, les relations statistiques entre le cholestérol et la mortalité cardiovasculaire sont peu significatives ou dérisoires.

Sans aucun doute, la sédentarité parfois extrême que l'on rencontre dans certaines populations est un facteur de risque (d'infarctus, de cancer, de dépression et bien d'autres pathologies) bien plus important que le cholestérol. Une activité physique régulière, selon le principe « *A chacun selon ses besoins, à chacun selon ses moyens* » est une stratégie beaucoup plus efficace que les médicaments anticholestérol pour se protéger des maladies cardiovasculaires.

Concernant le risque de *mort subite* (chapitres 6 et 23), nous avons la certitude que l'exercice physique est un bon moyen de le réduire. Et ce, avec un coût négligeable pour les assurances maladies et des bénéfices collatéraux considérables pour chaque individu, sans effet secondaire délétère à redouter.

Des travaux expérimentaux chez l'animal et des études épidémiologiques et cliniques convergent vers cette conclusion inéluctable : pour protéger son cœur, il faut faire un minimum d'exercice physique !

Pour donner une idée de l'importance de l'exercice physique, je veux rappeler qu'un facteur de risque comme l'obésité ou le surpoids a relativement peu d'importance par rapport à l'activité·physique : il est certainement préférable d'être gros et actif plutôt que d'être mince et sédentaire. C'est une forme de slogan à prendre avec le sourire mais qui traduit une réalité médicale démontrée.

Qu'est-ce que la sédentarité exactement ? On peut en donner différentes définitions. J'en donne une au 2ᵉ paragraphe de la section *Pour les professionnels.*

POURQUOI OPPOSER L'EXERCICE PHYSIQUE AUX TRAITEMENTS ANTICHOLESTÉROL ?

Le problème est que certains médicaments anticholestérol, notamment les statines, sont toxiques pour les muscles à des degrés divers. Ils peuvent induire une simple fatigabilité ou des douleurs musculaires, parfois des crampes et enfin de véritables syndromes de destruction musculaire décrits sous le nom barbare de rhabdomyolyse. Ce type de complications n'est pas rare puisqu'une des statines de seconde génération, la cérivastatine, a été brutalement retirée du marché à cause de cette complication.

Ce qu'il est important de comprendre, c'est que les symptômes musculaires des statines sont en fait *révélés* par l'activité musculaire. En d'autres termes, si vous ne bougez pas, pas de symptômes ! Inversement, si vous vous mettez à bouger, vous aurez des symptômes, et bien sûr vous arrêterez de bouger !

Par exemple, il est presque impossible pour un sportif qui s'entraîne régulièrement de prendre des statines. Dans ces cas-là, les douleurs et la fatigabilité sont presque systématiques. Il y a incompatibilité entre statines et une activité musculaire importante !

Chez des patients âgés et sédentaires, parfois handicapés, la reprise d'une activité physique significative après une attaque cardiaque est illusoire et, en conséquence, les effets musculaires des statines sont peu symptomatiques chez la majorité d'entre eux, ce qui ne signifie pas qu'ils soient négligeables physiologiquement. Mais ces patients constituent une minorité des 6 millions personnes qui sont aujourd'hui traitées par des statines en France. Beaucoup de patients traités avec une statine pourraient très bien recouvrer une activité physique significative à condition qu'ils soient réellement informés des bienfaits extraordinaires qu'ils peuvent en attendre et que leur environnement fournisse des conditions qui facilitent l'exercice physique.

Malheureusement, ces deux conditions ne sont que rarement remplies : de nombreux médecins sont très ignorants vis-à-vis des bienfaits de l'exercice physique (donc incapables d'informer et motiver leurs patients) et il n'existe pas de volonté sociale et d'organisation publique adéquate qui favorisent l'exercice physique. Il est plus simple de consommer des comprimés que de chausser des baskets même si, instinctivement, chacun sait combien l'exercice physique lui est bénéfique.

On devrait combattre sans relâche tout ce qui peut empêcher une personne de bouger et d'activer ses muscles. Les statines font partie de ces obstacles à l'exercice physique.

En effet, les patients sédentaires ont souvent une certaine répugnance pour l'activité physique. Si lors des premiers exercices de rééducation, ils ressentent une grande fatigue, des douleurs musculaires ou ont des crampes, il est clair qu'ils utiliseront cet argument pour ne pas y revenir.

Craintifs et volontaires mais pas masochistes ! Et si, en plus, on leur fait croire qu'il est fondamental de ne pas stopper le médicament anticholestérol (à l'origine de ces désagréments musculaires), il ne faut pas s'étonner qu'ils cessent immédiatement leur rééducation physique au profit du comprimé de statine présenté comme salvateur.

Et c'est pourtant le contraire : l'exercice physique diminue le risque de mourir d'une crise cardiaque, pas la statine. A choisir entre les deux, il faut opter pour l'exercice physique sans aucun doute !

Je le répète : il est hautement préférable de faire de l'exercice physique (à sa mesure) plutôt que de consommer une statine.

Ceci étant dit, je ne pense pas que ce soit une bonne idée de se précipiter du jour au lendemain sur les terrains de sport, surtout si on a déjà atteint un certain âge. Il est préférable de faire les choses progressivement. Une bonne façon de procéder serait par exemple d'aller consulter le site Internet *Club des Cardiologues du Sport*. Sur ce site, on trouve quelques conseils utiles, par exemple *10 règles d'or* à consulter sans modération par tous – y compris les plus jeunes et les femmes.

LES EFFETS DES STATINES SUR LES MUSCLES

Avant de faire quelques commentaires à propos des statines et des muscles, je recommande à mes lecteurs d'aller à la section *Pour les professionnels* (3e paragraphe) afin de s'instruire de quelques données de physiologie du muscle qui expliquent leur importance pour notre état de santé général.

Si les statines sont toxiques pour les muscles, pourquoi et comment ? La question pourrait paraître un peu stupide pour de nombreux médecins qui ont souvent vu des patients se plaindre de douleurs et de faiblesse musculaires après la prise de statines.

Il n'est pas si absurde pourtant de se la poser puisque des récentes publications, signées de gens très sérieux, et faisant la somme de nombreux essais cliniques en double aveugle, ont conclu que les statines n'avaient pas d'effet significatif sur le risque de développer des symptômes musculaires, regroupés sous le terme de *myopathies*.

Pourquoi cette discordance entre les essais et la pratique clinique ? Essayons de comprendre.

Je suis prêt à croire les conclusions de ces méta-analyses niant l'existence de myopathies induites par les statines car en scrutant les effets secondaires décrits dans chaque essai clinique, je suis frappé par le manque d'homogénéité des rapports. Parfois, on décrit des myopathies compatibles avec l'observation clinique quotidienne, mais parfois, il y a plus de symptômes musculaires dans le groupe placebo que dans le groupe statine, ce qui est très paradoxal.

Ces observations contradictoires suscitent quelques questions :
1) Est-ce que ces essais cliniques ont été conduits dans des conditions suffisamment contrôlées, qualitativement, pour que les données rapportées soient crédibles ? Si ce n'est pas le cas pour les effets secondaires, notamment musculaires, que valent les autres données concernant les cancers ou même les complications cardiaques par exemple ? Si des biais sont détectables dans l'enregistrement des effets secondaires, sont-ils volontaires ?
2) Si on admet que ces essais sont crédibles pour ce qui concerne les effets secondaires, de même que pour les complications cardiovasculaires, comment expliquer de telles discordances avec l'expérience clinique ?
3) Est-ce qu'une explication simple ne serait pas que les patients inclus dans les essais cliniques résulteraient d'une « hyper » sélection (des patients) organisée spécifiquement pour réduire au maximum les effets secondaires ? Autrement dit, les patients inclus dans les essais seraient notablement différents de la population susceptible de recevoir ces traitements (ce qui est une chose connue) et en conséquence, les résultats rapportés avec ces patients très sélectionnés pourraient être de peu d'intérêt pour les praticiens confrontés à des populations plus mélangées.

Bien que, comme d'habitude, il y ait plusieurs explications à chacune de ces questions, je pense que cette 3e explication est très importante : non seulement pour la question des myopathies dues aux statines, mais aussi pour les autres effets secondaires des statines – en particulier le déclin cognitif (chapitre 14) et possiblement les cancers. Cette « hyper » sélection des patients est très bien décrite dans *HPS*, l'un des essais ayant montré les résultats les plus favorables des essais avec les statines. Les investigateurs racontent que lors d'une pré-étude où tous les patients susceptibles d'être tirés au sort pour le véritable essai avaient reçu la statine, un bon tiers d'entre eux avaient été finalement éliminés pour diverses raisons *d'incompatibilité avec les objectifs de l'essai*. Ceci est très important, nous le savons, le succès d'un essai ne dépend pas que de l'efficacité du traitement mais aussi de la stratégie pour empêcher les complications éventuelles qui pourraient survenir chez des patients fragiles.

Ces différentes questions sont évidemment de la plus haute importance pour les médecins et leurs patients (surtout pour les aider à comprendre ce qu'ils peuvent attendre de ces traitements chez chaque patient) et il est malheureusement impossible d'y répondre.

Pour conclure, quelques mots de la toxicité musculaire des statines. Les lecteurs curieux peuvent lire d'abord le 4ᵉ paragraphe de la section *Pour les professionnels*.

A ma connaissance, peu d'articles ont été publiés suggérant que les statines induisent (ou pas) une résistance à l'insuline des muscles, un état dit de pré-diabète.

Ce qui se comprend bien : aucun chercheur indépendant ne va entreprendre un travail sur les statines sans l'obtention d'un financement de la part d'un industriel et aucun industriel ne va financer un travail qui pourrait porter préjudice à son produit.

Il nous faut donc des arguments indirects. Par exemple, un article récent qui a montré une réelle résistance à l'insuline induite par une statine sur un modèle *in vitro* mais cela concernait des cellules du tissu adipeux et pas des cellules musculaires, donc pas tout à fait ce qui nous intéresse (mais c'est déjà très instructif !).

En septembre 2006, une équipe italienne a publié dans la revue *Clinical Therapeutics*, les résultats d'une étude évaluant les relations entre le degré de surpoids et la prise de divers médicaments, dont les statines. Pour nous, ce genre d'études totalement indépendantes des industriels, est très instructif car les syndromes de résistance à l'insuline sont souvent associés à un surpoids.

Que trouvent nos collègues de Ravenne ? Qu'il y a trois fois plus d'obèses et deux fois plus de personnes en surpoids parmi les consommateurs chroniques de statines que parmi ceux qui n'en prennent pas.

Par ailleurs, dans la revue *Vasa* de mai 2006, des chercheurs autrichiens rapportent qu'en 6 mois, des patients traités par la simvastatine ont vu leur poids augmenter de plus de 4 % tandis que ceux du groupe témoin restaient stables.

Enfin, des chercheurs japonais ont publié dans la revue *Diabetologia* d'août 2006 que les patients recevant de l'atorvastatine présentaient une augmentation des concentrations de l'hémoglobine glyquée, un excellent marqueur du syndrome de résistance à l'insuline, après seulement 15 semaines de traitement.

Malgré ces premiers résultats très inquiétants, il reste difficile d'apporter des arguments définitifs concernant l'effet des statines sur la diminution de l'activité physique, la prise de poids et donc sur l'augmentation du risque de résistance à l'insuline, puis du risque de diabète et enfin du risque cardiaque.

S'il s'avérait exact que les statines augmentent la fréquence ou la sévérité des syndromes métaboliques, c'est-à-dire les syndromes de résistance musculaire à l'insuline ou pré-diabète, cela pourrait expliquer pourquoi on désespère de voir un effet significatif du gigantesque usage de ces médicaments sur les statistiques nationales de santé (chapitre 11).

Il serait possible sans doute de répondre à ces questions en interrogeant les données enregistrées dans les essais cliniques mais je doute que des industriels dévoilent volontairement leurs informations.

La science et la médecine sont, on le voit, prises en otage par le monde économique. On peut le constater ou s'en désoler, on doit subir cet état des faits. Inversement, il serait absurde, voire stupide, de faire confiance à la moindre information qui serait d'une façon ou d'une autre diffusée sous le contrôle des industriels des médicaments.

On le voit, il serait urgent de rétablir la confiance entre deux mondes, celui de la médecine et celui de l'industrie du médicament, qui ont besoin l'un de l'autre pour progresser. Si, j'en suis certain, les chercheurs et médecins de l'Industrie pharmaceutique ne demandent que ça, je m'interroge sur les capacités d'ouverture et de compréhension des financiers qui désormais gouvernent ces firmes.

En conclusion, il existe concernant le rôle des statines dans cette chaîne d'événements réellement pathogènes, une sorte d'embargo de l'information détenue précisément par les industriels. Car les données existent très certainement. Nous ne sommes pas prêts d'y avoir accès, un peu comme pour les archives secrètes du KGB ou de la CIA. En attendant, je recommande de chausser des baskets ou des chaussures de marche et d'oublier le cholestérol !

CE QU'IL FAUT RETENIR

1- Les statines induisent une altération des muscles aisément décelable par la biopsie musculaire (critère biologique) et fréquemment rapportée en pratique clinique quotidienne (critère physiologique).

2- Cette myopathie n'est pas retrouvée dans les essais cliniques testant les statines en double aveugle, ce qui est très étonnant.

3- Cette constatation indique qu'il y a un grave problème de validité et de crédibilité des essais cliniques.

4- Des données éparses mais solides suggèrent que les statines pourraient avoir un effet dissuasif sur l'activité physique des patients et avoir des conséquences délétères en termes de syndromes de résistance à l'insuline.

5- Des questions très importantes sont soulevées à cet égard. Malheureusement, les données concernant les effets secondaires chroniques des statines sont détenues par les industriels et il est illusoire d'espérer que des données défavorables puissent être un jour divulguées. Il n'est pas exagéré de dire que patients, médecins et scientifiques sont aujourd'hui pris en otages.

POUR LES PROFESSIONNELS ET LES CURIEUX

1- MUSCLES, SÉDENTARITÉ ET SANTÉ

Le phénomène sédentaire, au sens médical du terme, est une sorte de catastrophe humanitaire. Il s'est développé progressivement avec la société industrielle et la mécanisation des activités économiques mais il s'est considérablement accéléré au cours du XXe siècle. Il touche désormais les trois-quarts des populations occidentales et s'étend dans les autres régions du globe de façon parallèle à la mondialisation de l'économie et à l'urbanisation. C'est aux Etats-Unis que le phénomène prend des proportions alarmantes puisque, selon des études récentes, près de 60 % des jeunes filles noires et 30 % des blanches déclarent n'avoir strictement aucune activité physique. C'est un exemple révélateur ; et les mêmes études témoignent aussi d'une tendance extrêmement négative puisqu'en dix ans, l'activité physique moyenne des adolescentes noires aux Etats-Unis a diminué de 100 % et celle des adolescentes blanches de 64 %.

Pourquoi est-il aussi anti-naturel d'être sédentaire ? Parce que chacun de nous est physiologiquement le produit d'une interaction entre nos caractéristiques génétiques et nos habitudes de vie. L'histoire de l'humanité est celle d'une adaptation de l'homme à son milieu et nul doute que seuls les mieux armés génétiquement ont pu créer les lignées qui aujourd'hui peuplent la planète. Or, l'essentiel de cette sélection s'est réalisée dans des temps où les capacités physiques (endurance, force et vitesse) conféraient des avantages fondamentaux pour trouver de quoi se nourrir (chasser et cueillir) et pour échapper aux prédateurs. Nous sommes génétiquement des chasseurs-cueilleurs et le confinement urbain contemporain (qui se surajoute au confinement dans le bureau, l'atelier et l'appartement) auquel nous sommes soumis constitue une sorte d'emprisonnement (ou de douce torture) vis-à-vis de nos prédispositions naturelles. Personne ne nous a consignés dans les sortes de *camps de réfugiés* ou parfois presque de *camps de concentration* que peuvent être certaines zones urbaines, la majorité d'entre nous y est venue très volontairement. Elle y trouve même travail, loisirs et joie de vivre parce que nous nous y sommes culturellement adaptés. Pourtant ce mode de vie va à l'encontre de notre physiologie intrinsèque, de ce qu'il y a de plus sauvage en nous. Et c'est ce côté sauvage-là de notre humanité qui s'atrophie sous l'effet de la sédentarité et nous rend malade.

Une activité physique régulière est une condition importante de notre santé pour deux raisons principales : la première tient à la stimulation de notre système cardiovasculaire qu'elle nécessite, avec en particulier des augmentations très importantes du débit cardiaque (multiplié par 3 à 6 en fonction de l'intensité et du type d'exercice) et des régulations adaptées du diamètre des artères et des résistances à l'écoulement du sang.

La deuxième raison qui fait de la sédentarité un « méga » facteur de risque est qu'elle entraîne une sorte de glaciation de nos graisses de réserve (réserves énergétiques auxquelles on fait appel lors d'un exercice d'endurance). En effet, nos muscles ne sont presque pas capables de stocker des provisions d'énergie. Si on fait régulièrement de l'exercice physique pour mobiliser les graisses de réserves de notre tissu adipeux, on induit ce que je peux appeler une *gestion dynamique* de nos stocks qui, si elle est associée à des habitudes alimentaires adéquates (notamment un choix judicieux des graisses alimentaires), ne peut qu'être favorable aux cellules endothéliales et à toutes les cellules irriguées lors de l'augmentation importante du débit cardiaque provoquée par l'exercice.

Au-delà de cet aspect physiologique de l'exercice physique et de l'activité musculaire, avons-nous des arguments cliniques et épidémiologiques suggérant que la sédentarité augmente le risque de maladies cardiovasculaires ? Ou d'autres pathologies ?

La réponse est positive. De nombreuses études ont montré que la sédentarité induisait un risque d'infarctus (ou de décéder d'une attaque cardiaque) très important. Le risque d'accident vasculaire cérébral est également très augmenté par la sédentarité de même que nombre de cancers notamment du côlon, du sein et de la prostate. Inversement, le rétablissement d'une activité physique minimale diminue ces risques, de manière proportionnelle à l'intensité de l'activité physique. Les chiffres publiés sont incontestables et non contestés : une activité physique régulière diminue la mortalité cardiaque de façon extraordinaire, d'environ 50 %. Des programmes de réadaptation cardiaque en clinique humaine et des études expérimentales ont montré, en particulier, que l'exercice physique diminue le risque de mort subite – syndrome qui, à lui seul, explique environ 65 à 70 % de la mortalité cardiaque dans nos pays (chapitre 6). Ces chiffres sont à comparer avec l'absence totale d'effet sur la mortalité des médicaments contre le cholestérol, notamment les statines !

Pour toutes ces raisons, il serait impératif d'informer et de rééduquer les populations pour les aider à lutter contre ce fléau qu'est la sédentarité.

Comme on ne va pas renvoyer tous les citadins travailler à la campagne, la seule solution est de développer les activités physiques de loisir. Mais ceci sort du cadre de ce livre qui est consacré au cholestérol.

2- DÉFINITION DE LA SÉDENTARITÉ

Pour ne pas être sédentaire (et risquer toutes les complications qui sont associées à la sédentarité), je dois avoir **tous les jours** au moins **30 minutes** d'activité physique d'une intensité suffisante pour provoquer un léger essoufflement et un début de sudation (une marche rapide) et, au moins **3 fois par semaine, 30 minutes minimum d'un exercice vigoureux** (un jogging, une promenade à bicyclette, une séance de natation ou de gymnastique, etc.).

Alors, qui n'est pas sédentaire ?

Il s'agit d'une définition un peu trop stricte de la sédentarité. Mais enfin, c'en est une. Elle peut servir de base à beaucoup d'entre nous pour au moins évaluer les progrès à accomplir dans notre vie de tous les jours. Peu d'entre nous parviendront à dire « *Je ne suis pas sédentaire* », mais qu'importe du moment que nous nous éloignons de l'immobilité qui caractérise de plus en plus notre mode de vie.

3- IMPORTANCE DES MUSCLES COMME MÉDIATEURS DE SANTÉ ET DE MALADIES

Les muscles jouent un rôle central, inconnu de la majorité des médecins et des pharmacologues des statines, dans le métabolisme des acides aminés. En effet, les principaux éléments structuraux des muscles sont les protéines qui constituent l'appareil contractile de leurs cellules. C'est une énorme masse de protéines qui se renouvellent sans cesse à partir des nouvelles protéines et acides aminés apportés par l'alimentation et à partir de ceux que nous recyclons lors du renouvellement de nos vieux muscles.

Les protéines ne sont rien d'autre, pour simplifier, que des chaînes d'acides aminés. Il y a environ une vingtaine d'acides aminés impliqués dans la fabrication des protéines et, parmi cette vingtaine, une dizaine sont dits *indispensables* car nous ne savons pas les synthétiser et ils doivent être apportés par nos aliments, un peu comme des vitamines. Les muscles sont donc un réservoir d'acides aminés comme le tissu adipeux est le réservoir des acides gras. Ce réservoir est indispensable pour qu'il n'y ait jamais de rupture dans la synthèse de toutes les protéines nécessaires à notre survie et à notre santé. Il est donc crucial pour notre santé que ce réservoir en acides aminés soit de taille correcte et soit régulièrement renouvelé. L'exercice physique est l'un des éléments de régulation de la masse musculaire et donc de notre réservoir en acides aminés. Il faut aussi que la gestion de ce réservoir (ce que les physiologistes vont appeler le métabolisme des muscles) soit bien régulée. Il n'est pas exagéré de dire que la santé de nos muscles est généralement à l'image de notre santé en général. Beaux muscles, belle gueule, belle santé !

Cette bonne (ou mauvaise) santé de nos muscles est mise en évidence dans certaines circonstances dramatiques de notre existence, au moment de pathologies aiguës : accidents, brûlures et infections graves par exemple. Dans ces cas, la demande en nouvelles protéines est énorme (protéines de stress, protéines du système immunitaire, protéines de l'inflammation chronique et protéines servant à la réparation des tissus abîmés par la maladie ou l'accident). On a montré que dans de telles circonstances, la meilleure survie était observée chez ceux qui avaient les meilleurs muscles (en simplifiant beaucoup évidemment).

Dans certaines maladies chroniques aussi, quoique nous disposions de trop peu d'études dans ce contexte, la masse musculaire est un élément important du pronostic. Les cardiologues savent, par exemple, que chez les patients insuffisants cardiaques la préservation d'une masse musculaire adéquate les protège ; et des programmes de réadaptation à l'exercice physique ont été mis en place dans les plus dynamiques des services hospitaliers spécialement dédiés aux insuffisants cardiaques. Inversement, le passage d'un patient dans un état de perte musculaire aggravée (les médecins parlent alors de cachexie cardiaque) constitue un signe de très mauvais pronostic.

D'autres pathologies sont influencées par le métabolisme musculaire mais, pour ne pas faire trop long, je vais seulement dire quelques mots à propos des muscles quant au diabète et aux syndromes métaboliques. Ces derniers sont des états qui précèdent le diabète vrai – lui-même caractérisé par une augmentation du glucose dans le sang malgré des concentrations élevées d'insuline ou bien à cause d'un déficit en insuline. Les syndromes métaboliques (chapitre 21) sont définis comme un état de résistance à l'effet de l'insuline.

De qui ou de quoi parle-t-on quand on dit cela ?

Des muscles !

Les muscles sont, dans ces syndromes, devenus incapables de prélever le glucose dans le sang à moins d'être stimulés par des concentrations anormalement hautes d'insuline. L'insuline est en effet l'hormone qui régule la sortie du glucose du sang vers la cellule et les plus gros consommateurs de glucose dans notre corps sont les muscles. Pour tout lecteur un peu anglophone et curieux de ce type d'approche, je recommande la lecture de l'article de Robert Wolfe de l'Université du Texas à Gavelston dans le numéro 84 de l'*American Journal of Clinical Nutrition* (pages 475 et suivantes) sous le titre *The underappreciated role of muscle in health and disease (La sous-évaluation du rôle des muscles pour la santé et les maladies).*

On peut donc dire que les syndromes qui précèdent la survenue du diabète sont des maladies des muscles ! Je n'en dirai pas plus sur ce sujet qui sort un peu de la problématique spécifique du cholestérol, mais pour certains médecins et chercheurs, la focalisation de la prévention sur le cholestérol (au détriment des autres approches) et la prescription systématique des statines (qui sont délétères pour le muscle, de façon proportionnelle aux doses utilisées) ne peuvent que contribuer à l'amplification de ces *syndromes métaboliques musculaires* et à l'augmentation de la fréquence du diabète, une cause **vraie** de maladies cardiovasculaires, et beaucoup plus dangereuse à mon avis que le cholestérol. Il est malheureusement à craindre qu'avec le délire actuel concernant des théories aussi absurdes que « Plus c'est bas, mieux c'est » (chapitre 18), on ne prenne conscience de ces phénomènes que tardivement.

4- STATINES ET TOXICITÉ MUSCULAIRE

Pour les experts travaillant pour l'industrie des statines, ce problème est de peu d'intérêt car les effets musculaires des statines (myopathies) sont d'une intensité et d'une fréquence très faibles à l'aune des centaines de millions de patients qui bénéficieraient de leur *miraculeuse* protection.

Dans ces milieux, et contrairement à ce que laissent supposer certaines méta-analyses niant simplement l'existence d'une myopathie induite par les statines, on reconnaît en général son existence et on met en place des commissions (des panels) chargées d'évaluer cette question et de faire des recommandations aux autorités de Santé. On aura une idée de ce genre de travail en lisant le rapport publié dans un supplément de l'*American Journal of Cardiology* (2006 ; 97[suppl]:69-76) et signé par un sympathique Paul Thompson. On y décrit précisément ce qu'est la myopathie des statines et ce qu'on sait des mécanismes sous-jacents et des complications éventuelles, c'est-à-dire pas grand chose. Ce qui n'est pas étonnant puisque aucun laboratoire n'entreprendra un travail de recherche sur les statines sans être financé pour cela et comme les seuls financeurs possibles dans ce secteur sont les industriels qui produisent les statines, il est extrêmement difficile de trouver un chef de produit de cette industrie qui soit assez masochiste (ou même *harakirophile*) pour dégager le moindre centime pour une telle entreprise.

On fait malgré tout semblant, comme le montre les gentilles personnes réunies dans le panel dirigé par Paul Thompson mais cela revient un peu à discuter dans le vide, vu le manque de données concrètes. Au travers de ce que je peux imaginer à partir des quelques données existantes, je peux résumer la situation de la façon suivante :

1- la fréquence de la myopathie des statines est considérablement sous-évaluée ;

2- sa prévalence réelle, c'est-à-dire en incluant les personnes qui ont commencé puis interrompu le traitement sans en donner la raison, est inconnue dans la population générale ;

3- les manifestations cliniques sont très dépendantes de l'activité musculaire. Donc, la sédentarité prévalente dans nos sociétés tend à masquer la myopathie des statines ;

4- la myopathie des statines contribue sans aucun doute à *sédentariser* les consommateurs de statines et à décourager ceux qui entreprendraient de se réadapter à l'exercice physique ;

5- ses manifestations cliniques (fatigue, douleur, crampes) semblent mal mises en corrélation avec les signes biologiques (enzymes musculaires mesurées dans le sang) et avec les altérations structurales des tissus constatées sur des biopsies de muscles ;

6- la cible cellulaire de la toxicité des statines semble être la mitochondrie, l'organite qui sert de poumon à la cellule ;

7- les conséquences de cette myopathie, notamment sur la résistance des muscles à l'insuline (un syndrome qui précède le diabète) sont mal connues ;

8- quel est le rôle de cette myopathie sur les syndromes de résistance à l'insuline, quand elle n'est pas associée à des symptômes ?

Pour un peu de discussion sur ces différents points, il faut revenir au texte principal.

CHAPITRE 14

TOUT EST BON CHEZ ELLES ?

Ce que vous allez apprendre

• Tout est-il bon chez les statines ?

• Sommes-nous dans une situation optimale pour vraiment évaluer les effets secondaires des statines ?

• Parmi les effets défavorables, quelle importance doit-on donner à ceux sur le métabolisme des acides gras essentiels et sur le déclin cognitif accéléré des seniors ?

• A propos de la question très anxiogène des cancers, faut-il être rassurants ou pessimistes ?

C E CHAPITRE TRAITE DES EFFETS SECONDAIRES DES STATINES. De quoi s'agit-il ? Les effets secondaires d'un médicament sont les effets cliniques ou biologiques du médicament indépendants de l'effet principal et qui sont délétères le plus souvent.

Les statines ne sont pas le sujet de ce livre. Toutefois, mes éventuels opposants concernant la *théorie du cholestérol* – et c'est celle-ci que je veux contester – ne cesseront pas d'argumenter sur ces médicaments, en les présentant comme des preuves irréfutables de la validité de la *théorie du cholestérol*. Je me vois donc obligé de ne pas faire l'impasse sur la question des statines.

Pour les lecteurs moins engagés dans le débat théorique, je leur dois aussi de discuter un peu de l'utilité de ces médicaments. Comme pour tout médicament, un médecin doit peser les avantages et les inconvénients du médicament ou, pour parler comme un pharmacologue, évaluer le rapport bénéfice/risque.

En un mot, le jeu en vaut-il la chandelle ?

SOYONS PRUDENTS

Le marché américain du médicament est régulièrement secoué de scandales retentissants concernant divers aspects de cette activité économique et sociale. Un grand avantage des Etats-Unis (de mon point de vue) par rapport à d'autres pays, c'est que l'apparente grande fluidité de l'information et les antagonismes multiples qui caractérisent cette société permettent de régulières clarifications, frontales ou tangentielles, des conflits d'intérêts qui l'animent. On reste rarement longtemps dans un nuage d'illusions, contrairement à notre douce France.

Il est également vrai que les médias (généralistes ou spécialisés, sur écran ou sur papier) ont besoin d'être régulièrement alimentés en scandales de toutes sortes pour vendre leur propre *marchandise informative*. La concurrence de l'Internet, où l'information a toutes les apparences de la gratuité, n'a pas arrangé les choses. Chacun d'entre nous doit donc godiller entre véritable information, scandale fabriqué, fausses nouvelles et autres leurres.

Inversement, les protagonistes de ces conflits d'intérêt n'ont généralement pas froid aux yeux et, si on me permet l'expression, tous les coups sont permis dans le business, et plus particulièrement semble-t-il dans le business pharmaceutique (chapitre 10). C'est donc avec la plus grande prudence qu'il faut recevoir toute information sur les statines, parce que les principales statines sont commercialisées par des compagnies américaines et parce qu'elles représentent des chiffres d'affaire faramineux.

Je parle beaucoup dans ce livre des effets bénéfiques « supposés » des statines et je commente à ma façon (chapitres 11 et 26) les relations entre l'industrie d'une part et la médecine et la science de l'autre. Dans ce chapitre, je ne vais discuter que des effets secondaires des statines et je vais essayer de mesurer si le jeu en vaut la chandelle, c'est-à-dire si les bénéfices attendus des traitements par les statines (au très long cours et à fortes doses, comme c'est désormais préconisé par les hautes autorités de Santé) sont réellement supérieurs aux effets secondaires délétères.

COMMENT FAIT-ON POUR CONNAÎTRE LES EFFETS NON DÉSIRÉS D'UN TRAITEMENT ?

Je réponds à cette question un peu technique au 1er paragraphe de la section *Pour les professionnels*.

Si des effets secondaires avec une réelle signification clinique ont été identifiés, il revient à l'autorité sanitaire de régler la question vis-à-vis des consommateurs et de l'industriel. L'existence d'effets indésirables n'entraîne pas automatiquement le retrait du produit puisqu'il peut avoir des effets thérapeutiques très importants chez certains patients. L'important est que chaque médecin soit correctement informé et qu'il puisse donc utiliser ce médicament de façon adéquate chez ses patients en pesant pour chacun d'eux les avantages et les inconvénients.

Tout est donc dans l'information. Or, l'époque veut qu'il y ait systématiquement confusion entre information et marketing. Dans des sociétés rongées par le mercantilisme et la vénalité, il est devenu difficile de faire la part entre une information juste et raisonnable et une propagande éhontée. Dans un article récent publié dans le journal américain *Archives of Internal Medicine* du 9 octobre 2006, des responsables renommés de Santé publique aux Etats-Unis proposent tout simplement que le système américain (*the Food and Drug Administration system* ou *FDA*) soit profondément remanié. Ils font une critique très dure du système actuel ; je ne vais pas discuter leurs propositions mais je crois comme eux que les systèmes actuels sont totalement inefficaces (chapitre 10), aussi bien en France qu'aux Etats-Unis. Un autre bon exemple est celui des effets secondaires des statines dont je vais discuter maintenant.

Pourquoi y a-t-il défaillance de ces systèmes, en particulier à propos des statines ?

Il y a de nombreuses raisons à cela mais je crois que l'une des plus importantes concerne les relations douteuses qui existent entre les médecins et l'Industrie pharmaceutique.

Suis-je un dangereux provocateur en disant cela ?

Non, je ne fais que répéter les conclusions d'un rapport de l'IGAS (Inspection Générale des Affaires Sociales) publié en février 2006. Cette honorable institution n'est pas, je crois, peuplée de dangereux farfelus ou révolutionnaires. Elle écrit pourtant que « *l'industrie concourt plus que l'Etat au financement de la Formation Médicale Continue (FMC) avec une frontière parfois floue entre promotion et formation* ». L'IGAS souligne « *la faiblesse préoccupante de la FMC et de la motivation des médecins pour y participer* ». L'évaluation du financement réel de l'industrie dans l'information des médecins serait malaisée car il serait impossible de faire la part entre formation, promotion et gratification sous des formes diverses notamment les défraiements pour colloques et congrès. Le rapport de l'IGAS souligne « *l'omniprésence des conflits d'intérêts (…) regrette l'absence d'un cadre clair de pilotage et préconise la mise en œuvre progressive et maîtrisée d'un dispositif possédant des moyens de contrôle et d'évaluation ».*

Que de mots doux et pondérés de la part de ces respectables fonctionnaires pour dire que le système est à l'abandon et totalement sous l'emprise du marchandising et du spectaculaire. Spectaculaire dans le sens sociologique du terme (voir Guy Debord, *La Société du Spectacle*) c'est-à-dire que c'est **le règne absolu du faux-semblant où l'on prétend dévoiler ce que l'on ne cesse de vouloir en réalité cacher !**

Ces questions que l'on va qualifier d'éthique ne concernent pas que la médecine praticienne. A la suite de plusieurs scandales scientifiques, dont le plus retentissant fut l'affaire Hwang Woo-Suk, ce chercheur coréen pionnier du clonage qui avait inventé ses résultats (il n'était pas le premier), le biologiste français Jacques Testart (pas non plus le genre révolutionnaire) a écrit le 4 janvier 2006 dans le journal *Le Monde* un point de vue éclairant sur l'état des lieux en biologie de la reproduction. Je laisse à mes lecteurs le soin d'apprécier l'entièreté de ses commentaires d'expert sur le sujet mais je relève dans les dernières lignes qu'il pense que « *cette lamentable histoire pourrait n'être que la partie spectaculairement émergée de l'iceberg d'une misère scientifique croissante* ».

CHANGEMENT D'AMBIANCE

Je constate donc que le ton monte et que je ne suis pas le seul à trouver que la barque commence à être bien pleine. Récemment (printemps 2006) invité pour donner une conférence à un meeting de Médecine Naturelle organisé par une grande université californienne, j'ai en effet constaté que mes idées générales sur l'évolution de la recherche médicale et sur quelques points particuliers concernant l'industrie des médicaments anticholestérol (et que j'essaie de partager avec mes lecteurs dans ce livre) étaient d'une remarquable modération par rapport à nombre de mes collègues américains et par rapport au public américain en général. Et les uns et les autres n'hésitent pas à le dire et à mettre leur pratique en accord avec leurs convictions. A titre d'exemple, j'invite mes lecteurs à aller parcourir l'article publié le 25 janvier 2006 dans le *Journal of the American Medical Association* par une bande d'*olibrius*, tous travaillant à Harvard, et dénonçant de façon extrêmement violente les conflits d'intérêt existant dans les *Academic Medical Centers* – autrement dit dans les endroits où sont fabriquées les données médicales et scientifiques, et qui servent à officialiser des recommandations pour les pratiques médicales.

Dans le numéro du 28 juin 2006 du même journal, les éditeurs donnent la parole aux lecteurs qui réagissent aux écrits des experts de Harvard. Je suppose que les réactions les plus assassines des lecteurs les plus mécontents n'ont pas été publiées, mais les extraits publiés suffisent à me faire dire, une fois encore, que ma perception pessimiste de l'état de la médecine et de la science dans nos sociétés est probablement très en dessous de la vérité.

Les consommateurs ne sont pas en reste, au moins aux Etats-Unis, dans la méfiance que leur inspirent les médecins et leurs organisations officielles. Des chercheurs d'Atlanta aux Etats-Unis ont essayé de savoir si l'attitude du public avait changé récemment en relation avec la multiplicité des scandales et avec les nouvelles possibilités de s'informer directement via Internet. Ils ont publié des résultats qu'ils ont qualifiés de *tectonic shift* (tremblement de terre, si on veut) dans le numéro du 12 décembre 2005 (pages 2618 et suivantes) des *Archives of Internal Medicine*, un respectable journal de médecine américain. Leur enquête montre que quand un citoyen américain veut avoir une information d'ordre médical, près de 50 % d'entre eux filent directement sur Internet et seulement 11 % d'abord chez leur médecin traitant. Les auteurs de l'article sont très courtois et délicats avec leurs collègues médecins mais entre les lignes on comprend qu'en 10 ans, la confiance des consommateurs américains vis-à-vis des professions médicales et paramédicales s'est effondrée.

SOYONS PRATIQUES

Je tiens à rappeler aussi (2ᵉ paragraphe de la section *Pour les professionnels*) que nos moyens d'investigation pour identifier les effets secondaires des médicaments sont très limités, surtout pour des effets d'intensité modérée. Certains effets secondaires peuvent être bruyants cliniquement mais bénins, d'autres peuvent être silencieux mais dangereux. Pour cette raison, les investigateurs utilisent des techniques statistiques compliquées, c'est-à-dire qu'ils font la somme des effets enregistrés dans plusieurs essais différents (on parle de méta-analyses), parfois avec des molécules différentes et sur des populations très différentes. Ce type d'analyses est donc très critiquable et il faut les prendre avec beaucoup de précaution.

Parmi les effets potentiellement défavorables des statines, et en dehors des myopathies (effets sur les muscles) décrites au chapitre 13, certains sont mal décrits ou peu documentés. C'est la même chose pour la majorité des effets supposés favorables cités au 2ᵉ paragraphe de la section *Pour les professionnels*.

Toutefois, l'interruption du traitement entraîne en général à court ou moyen terme la disparition des effets dits défavorables. Je veux parler surtout de la toxicité rénale et musculaire des statines. Parmi les autres effets délétères, on a cité une augmentation des risques de pancréatite, d'ostéoarthrite de la hanche, de troubles oculaires type dégénérescence maculaire, de trouble de la fécondité et de la synthèse de certaines protéines sélénium dépendantes.

Deux problèmes mieux documentés méritent à mon avis plus d'attention. C'est celui de **l'interférence avec le métabolisme des acides gras** essentiels et celui du **déclin cognitif accéléré chez les seniors** consommant des statines. Je commente brièvement ces deux points au 3ᵉ paragraphe de la section *Pour les professionnels*.

Mon impression aujourd'hui, c'est que malgré d'évidentes tentatives de minimiser l'effet des statines sur le déclin cognitif des seniors, nous sommes face à un grave problème d'effets secondaires que seuls les industriels (et donc les derniers à souhaiter le faire) pourraient aider à résoudre.

STATINES ET CANCERS

Le problème de l'effet des statines sur le risque de cancer est particulièrement anxiogène. Il y a en fait une double problématique :

1- Est-ce que la diminution du cholestérol augmente le risque de cancer, de la même façon que des taux bas de cholestérol en l'absence de médicament anticholestérol sont associés apparemment à une augmentation du risque de cancer ?

2- Est-ce que les statines, indépendamment de leur effet sur le cholestérol, augmentent le risque de cancer ?

Dans l'état actuel de nos connaissances, je ne peux pas répondre clairement, et sans équivoque, à ces deux questions. Je voudrais bien être clair, rassurant ou catastrophiste, mais je ne peux pas et il y a à cela plusieurs raisons.

Les difficultés méthodologiques d'abord. Contrairement aux maladies cardiovasculaires – lesquelles sont des maladies aiguës, pouvant tuer d'un instant à l'autre en l'absence de tout symptôme préalable –, les cancers sont typiquement des maladies très longtemps silencieuses et surtout qui nécessitent pour se développer une longue exposition aux facteurs cancérigènes. Certes, dans leur phase finale, au moment où ils se manifestent cliniquement (un peu comme un sous-marin fait surface), les cancers peuvent prendre une allure accélérée. Mais, en général, les facteurs qui favorisent les cancers – y compris le pire d'entre eux le tabac – doivent exercer leurs effets très longtemps avant que leurs conséquence cliniques soient visibles.

On comprend dès lors que tout investigateur ayant l'objectif de démontrer l'effet cancérigène d'un facteur quelconque se heurte à des difficultés presque insurmontables. Il a fallu plus de 60 ans pour convaincre les médecins et les autorités sanitaires (partout dans le monde) que le tabac était cancérigène, alors que l'hypothèse avait été clairement exprimée (et fort bien documentée) dès 1930. A la décharge de ces derniers, un lobbying épouvantable et une désinformation systématique ont été exercés par les industriels du tabac pour rassurer le public et sauver leurs profits. Les intérêts en jeu étaient en effet considérables. Peut-on penser que la situation en termes d'intérêt financiers et de capacité de désinformation est différente aujourd'hui avec les statines ?

Nous avons deux moyens principaux d'analyser cette question, si j'exclus d'emblée les données expérimentales (effet des statines sur la cancérogenèse animale) pour simplifier la question et éviter de se perdre dans des polémiques interminables :

- les données des essais cliniques conduits très généralement sous la houlette de l'industriel qui finance l'essai (le sponsor) ;
- les données épidémiologiques.

Concernant les **essais cliniques**, nous avons des données inquiétantes dans certains essais (chapitre 16) et rassurantes dans d'autres que je ne citerai pas.

Les données inquiétantes sont systématiquement (et très subjectivement) minimisées par les investigateurs qui travaillent en collaboration avec des sponsors. Mais les faits existent et ne peuvent être passés par pertes et profits.

Des données apparemment rassurantes existent aussi, mais dans ce domaine, on sait qu'on ne trouve que ce que l'on cherche et que les essais ne rapportent rien n'étaient pas précisément faits (durée des essais et donc durée d'exposition) pour montrer que ces médicaments augmentaient les cancers.

Bref, je ne peux m'appuyer aujourd'hui sur aucune donnée définitive provenant des essais cliniques randomisés.

Une autre façon d'analyser cette question, c'est de demander à des individus participant à des **études épidémiologiques** de répondre à des questionnaires concernant à la fois la prise de médicaments et la survenue de cancers. Encore une fois, mes lecteurs doivent mesurer la difficulté de l'entreprise puisque les investigateurs ne voient en principe jamais les personnes incluses dans ces études mais correspondent avec eux par courrier, ou par téléphone. S'il y a des erreurs ou des incompréhensions, il est impossible de vérifier. A nouveau, il faut des études suffisamment longues pour pouvoir réellement évaluer l'effet d'un facteur et il faut une multitude d'autres informations pour essayer d'éliminer ou neutraliser des facteurs potentiels de confusion.

Ceci étant posé, nous avons quelques informations extraites de grandes cohortes suivies par des investigateurs qui, *a priori*, sont indépendants des industriels des statines. Je ne peux pourtant pas avoir une confiance absolue dans les conclusions tirées de ces études puisque à plusieurs reprises – notamment, à propos des traitements hormonaux de la ménopause ou des suppléments vitaminiques –, ces mêmes investigateurs (ceux de Boston pour être précis) utilisant les mêmes bases de données se sont lourdement trompés. Que nous disent-ils aujourd'hui à propos des statines et de la diminution du cholestérol ?

Ils sont plutôt rassurants.

Au total, je dispose d'informations de piètre qualité venant des essais cliniques, tantôt inquiétantes tantôt rassurantes, et d'études épidémiologiques plutôt rassurantes.

Mon impression est qu'un traitement court (de quelques mois à 2/3 ans) semble associé à un faible risque s'il y en a un. Inversement, chez des personnes de plus de 60/65 ans, ou ayant un risque familial (cancer du sein familial, polypes dans les intestins) ou environnemental quelconque (antécédent d'exposition à l'amiante ou au tabac), je ne prendrais pas le risque d'un traitement anticholestérol (quel qu'il soit) du fait du faible bénéfice attendu sur le plan cardiovasculaire et du risque de cancers (certes non démontrés). Je prendrais ma vie en main pour diminuer mes risques cardiovasculaires par des moyens autrement plus efficaces que les statines et sans aucun danger (chapitre 25).

CE QU'IL FAUT RETENIR

1- L'identification des effets secondaires des statines se heurte à de grandes difficultés techniques.

2- Parmi ces effets négatifs, on peut distinguer l'altération du métabolisme des acides gras essentiels et l'accélération du déclin cognitif des seniors.

3- Ces effets secondaires sont très discrets cliniquement mais sont peut-être des bombes à retardement dont nous ne mesurerons les effets réels que trop tard.

4- Il est probable qu'une partie des effets très décevants des statines dans la prévention des complications fatales de l'infarctus peuvent s'expliquer par leurs effets négatifs sur le métabolisme des acides gras essentiels.

5- Mon impression est que, malgré d'évidentes tentatives de minimiser l'effet des statines sur le déclin cognitif des seniors, nous sommes là-aussi face à un grave problème sanitaire que seuls les industriels (qui sont les derniers à souhaiter le faire) pourraient aider à résoudre.

POUR LES PROFESSIONNELS ET LES CURIEUX

1- IDENTIFICATION DES EFFETS SECONDAIRES D'UN MÉDICAMENT

Il existe deux moyens principaux : les essais cliniques et la pharmacovigilance. Je me place évidemment dans la situation où tous les tests précliniques (notamment sur l'animal) et les premières études conduites chez des individus sains n'ont rien révélé d'anormal ou d'inquiétant.

En principe, des situations telles que celle décrite par John Le Carré dans son roman *La constance du jardinier* sont improbables parce que les compagnies pharmaceutiques n'ont pas intérêt à laisser croire qu'elles ne font pas correctement leur travail de détection des effets indésirables. Elles ont même tendance à faire savoir bruyamment qu'elles sont très attentives à ces questions comme l'ont montré les retraits (ou l'arrêt brutal en cours d'essai clinique) de la cérivastatine ou du torcétrapib, deux médicaments anticholestérol sur lesquels leurs propriétaires fondaient beaucoup d'espoir. Ceci dit, je ne connais pas personnellement d'investigateurs travaillant en Afrique (comme les protagonistes du roman de Le Carré) et je sais malheureusement que *la réalité peut parfois dépasser la fiction*.

Les essais cliniques sont une source d'information exceptionnelle puisque en principe les patients traités sont sous haute surveillance et qu'ils sont comparés à un groupe placebo. Il existe en effet ce que l'on appelle un effet *nocebo* (la présomption par le patient que le médicament lui fait du mal alors qu'il est dans le groupe témoin ne recevant pas la molécule testée) en clinique humaine et il est donc important de travailler en aveugle et de faire des comparaisons avec un groupe témoin pour identifier les effets indésirables, comme pour identifier les effets thérapeutiques d'une nouvelle molécule. Inversement, les essais cliniques sont conduits sur des populations très sélectionnées, pour de nombreuses raisons que je ne détaille pas ici, mais en partie pour éviter de *casser une molécule* à un stade précoce de sa mise sur le marché en la testant sur des patients fragiles ou particuliers qui développent des effets secondaires avec à peu près n'importe quel traitement nouveau.

Je rappelle l'anecdote que si l'aspirine était aujourd'hui testée dans un essai clinique, elle ne serait jamais commercialisée, précisément à cause des multiples effets indésirables qu'elle provoque fréquemment.

Les essais cliniques sont donc un moyen utile, mais très limité, de détecter des effets secondaires indésirables. Ils sont encore plus limités et peu crédibles quand nous vivons une période de brutale concurrence économique où les résultats des essais cliniques sont grossièrement manipulés et biaisés (chapitre 10).

La deuxième façon de détecter des effets indésirables d'un médicament c'est, une fois qu'il est mis sur le marché, **la pharmacovigilance**, c'est-à-dire le recueil et la documentation de toutes les plaintes sérieuses déclarées aux médecins par les patients qui sont traités avec ce médicament. En principe, une administration indépendante des industriels est censée centraliser cette information et prendre les décisions qui s'imposent (répercussion des nouvelles données vers les médecins, affichage adéquat sur les emballages ou même retrait du produit si cela s'impose). On a bien vu avec les *COXIBs* (chapitre 10) que ce type de contre-pouvoir est d'un faible rendement.

Des voix se font entendre aux Etats-Unis pour demander une réforme radicale du système de surveillance des médicaments commercialisés.

D'autre part, la qualité de la formation des médecins à cet égard (leur degré de vigilance), la relation qu'ils entretiennent avec les autorités sanitaires et avec les industriels concernés et enfin la largeur du marché où ce médicament est prescrit conditionnent l'efficacité d'un tel système. A titre d'exemple, un médicament comme l'amiodarone, commercialisé pendant des décennies en France – et que j'ai moi-même utilisé fréquemment sans identifier de problème particulier quand j'étais jeune cardiologue pratiquant –, s'est vu attribuer de nombreux et sévères effets secondaires indésirables moins de deux ans après son introduction sur le marché américain. Dès que ces effets indésirables ont été décrits aux Etats-Unis, les médecins français les ont eux aussi identifiés chez leurs patients. *No comment !*

Deux leçons à retenir de l'*amiodarone story* : 1) on ne voit que ce que l'on cherche à voir ; 2) le système américain est incommensurablement plus efficace que le système français pour détecter les effets indésirables des médicaments. Je pense toutefois, et je ne dis pas ça pour consoler mes collègues médecins, que cette efficacité est surtout due à l'ampleur du marché américain et aux nombre de patients traités, à une certaine forme d'imprudence des prescripteurs américains (qui d'emblée usèrent de fortes doses) et au goût pour la chicanerie juridictionnelle (en l'occurrence justifiée) des consommateurs américains.

2- EFFETS FAVORABLES DES STATINES AUTRES QU'HYPOCHOLESTÉROLÉMIANTS

Une multitude d'effets secondaires avec les statines ont été décrits, certains délétères mais certains aussi très favorables. Je ne vais pas décrire en détails tous ces effets supposés favorables, généralement mal documentés et souvent rapidement contredits par les faits. Toutefois quelques-uns méritent peut-être notre attention et je vais les citer.

Parmi les effets pléiotropes (chapitre 12), l'un d'eux – l'aptitude à augmenter l'oxyde nitrique (NO) – peut avoir des effets autres que vasculaires et des effets vasculaires. Parmi ces derniers, des investigateurs ont parlé d'effets anti-thrombose ou anti-plaquettaires (un peu comparables à ceux de l'aspirine) qui pourraient expliquer la petite protection observée contre certains types d'accidents vasculaires cérébraux ; et aussi des effets vasodilatateurs (un peu comparables à ceux des médicaments donneurs de NO comme la nitroglycérine) qui pourraient expliquer la relative (et hypothétique) protection contre certaines formes d'insuffisance cardiaque.

Le même mécanisme (augmentation du NO) pourrait également expliquer que les statines puissent diminuer le risque d'ostéoporose. Ce serait assez logique dans le cadre de la théorie statine et NO et des modèles expérimentaux sont en faveur de cette possibilité. Sur le plan pratique, toutefois, cela n'a pas d'intérêt car il y a d'autres moyens moins dispendieux de lutter contre l'ostéoporose et, quitte à prescrire un donneur de NO, autant utiliser des molécules spécifiquement dédiées à cette indication qui seront plus efficaces et beaucoup moins coûteuses ; raisonnement également valable pour l'insuffisance cardiaque et les accidents vasculaires cérébraux mais uniquement recevable si l'on tient pour peu important voire négligeable de diminuer le cholestérol dans ces deux pathologies.

Parmi les autres effets favorables, et inexpliqués, je citerais la prévention des récurrences dans la sclérose multiple, des complications infectieuses chez les patients cardiaques, la protection des fonctions pulmonaires chez les fumeurs et la prévention des complications de type hémorragie gastro-intestinale. Les travaux décrivant ce type de promesses ont peu de valeur scientifique.

3- STATINES, ACIDES GRAS ET INFARCTUS FATAL

Chaque molécule de cholestérol est associée à un acide gras. Il y a très peu de cholestérol libre dans nos organes et dans le sang. En plus, pour chaque quintet (5) de molécules de cholestérol, nous avons deux molécules de triglycérides qui chacune porte, comme le nom l'indique, 3 acides gras. Finalement, liée à l'albumine, nous avons une molécule d'acide gras libre.

Donc, pour chaque quintet de molécules de cholestérol dans le sang à jeun, nous avons environ 12 molécules d'acides gras. Les acides gras sont en masse beaucoup plus importants que le cholestérol et leurs fonctions physiologiques sont tellement nombreuses que je renonce à en parler ici, il y faudrait plusieurs volumes.

En cardiologie, et pour bien d'autres pathologies, les acides gras sont incommensurablement plus importants que le cholestérol. Pour les lecteurs intéressés, je recommande la lecture de nos ouvrages *Le régime Oméga-3* et *Le pouvoir des oméga-3*.

Parmi les acides gras, certains sont plus importants que les autres (les acides gras oméga-3 et oméga-6) parce que nos cellules en ont besoin (ils sont *indispensables* à la physiologie de la cellule) et parce que nous ne savons pas les synthétiser. Ils doivent être apportés par l'alimentation (ils sont dits *essentiels* comme des vitamines) et cet aspect des choses a pris une importance considérable dans la deuxième partie du XXe siècle parce notre alimentation a été déséquilibrée par la dernière révolution agricole qui a entraîné une diminution de nos apports globaux en oméga-3 et une énorme augmentation des apports en oméga-6. C'est probablement une catastrophe dont nous n'avons pas encore pris l'exacte mesure mais qui, selon de nombreux chercheurs, explique en partie les grands problèmes de santé publique qui émergent en ce début de XXIe siècle.

Evidemment, les équilibres en acides gras de notre alimentation se retrouvent dans le sang et dans nos cellules. Ce sont les acides gras présents dans le sang qui, par exemple, conditionnent notre capacité à résister à certaines pathologies. Plus nous avons des acides gras oméga-3 en circulation et moins est élevé le risque de *mort subite* (chapitre 23) ! Tout déséquilibre dans le métabolisme des acides gras oméga-3 est susceptible d'augmenter le risque de mort subite. Ainsi, des traitements anticholestérol à fortes doses peuvent diminuer la quantité d'acides gras disponibles pour certaines cellules puisque le cholestérol est un transporteur d'acide gras.

Pour les cardiopathies ischémiques, qui tuent le patient une fois sur deux quand elles s'expriment sous forme d'infarctus, il s'agit donc d'une question de vie ou de mort !

Les bons essais cliniques qui ont testé des interventions nutritionnelles basées sur certains acides gras (supplémentation en oméga-3 ou rééquilibrage des apports en acides gras oméga-3 et oméga-6) ont montré des effets spectaculaires sur la mortalité. Nul ne le conteste et il faut être de bien mauvaise foi pour ne pas constater que ces effets sur la mortalité sont totalement différents de ceux rapportés avec les statines.

Mais il y a ici un conflit scientifique majeur car les statines interfèrent avec le métabolisme des acides gras essentiels de façon tout à fait négative, en amplifiant les déséquilibres induits par notre alimentation moderne, c'est-à-dire en augmentant les oméga-6 et en diminuant les oméga-3. On ne dispose malheureusement que de peu d'études sur ce problème et notamment, nous ne savons pas si l'augmentation des doses de statines telle qu'elle est préconisée actuellement pourrait entraîner une amplification de ces déséquilibres.

Il est probable qu'une partie des effets très décevants des statines dans la prévention des accidents cardiaques et de leurs complications notamment fatales peuvent s'expliquer par leurs effets sur le métabolisme des acides gras essentiels.
Si vraiment le rééquilibrage des acides gras oméga-3 et oméga-6 est protecteur, et salvateur dans certains cas, il est évident que les statines sont délétères vis-à-vis de ces mécanismes-là puisqu'elles font le contraire. Je renvoie les lecteurs intéressés par cette problématique cruciale aux chapitres 6, 23 et 25.

4- STATINES ET DÉCLIN COGNITIF

En dehors de l'infarctus et de ses complications, il y a un autre cas où les acides gras essentiels semblent très importants. Il s'agit du déclin cognitif qui accompagne le vieillissement, et ses formes extrêmes que sont les démences et la maladie d'Alzheimer.

Nous nous trouvons maintenant face à de fortes évidences. Comme pour prévenir l'infarctus, la meilleure stratégie pour ralentir le déclin cognitif et retarder ou empêcher les démences est d'augmenter les apports en oméga-3 et diminuer les apports en oméga-6. Ces rééquilibrages se reflètent dans les concentrations sanguines et tissulaires de ces acides gras. Le statines, comme décrit ci-dessus, vont à l'opposé de ces tendances et constituent presque une contre-expertise de l'importance des acides gras essentiels dans ce contexte.

Paradoxalement, les industriels des statines ont parié sur l'hypothèse que les statines protégeaient du déclin cognitif et ils ont financé des études pour valider cette théorie.

Comme on pouvait s'y attendre, il s'est avéré impossible de conforter cette théorie malgré quelques tentatives ridicules de biaiser les résultats des premières études. Finalement, bien qu'il soit difficile sur des études brèves de démontrer un effet délétère significatif d'un traitement, et d'autant plus si les investigateurs ne souhaitent pas déplaire à leurs sponsors, les récentes données publiées suggèrent qu'effectivement les statines ont un effet négatif sur les capacités cognitives des patients traités.

Si on l'admet à demi-mots, on peut penser que cet effet pourrait être réel sur le plan clinique.
Il est toutefois difficile, et à mon avis impossible pour le moment, de dire s'il s'agit uniquement d'une conséquence directe des statines sur le métabolisme des acides gras essentiels ou s'il s'agit d'un effet indirect, conséquence d'une diminution des concentrations de cholestérol dans le sang. En effet, il a été montré dans des études indépendantes de tout traitement par les statines que des taux de cholestérol bas étaient associés à un déclin cognitif accéléré chez les seniors. Cause ou association fortuite ?

On notera toutefois que des chercheurs qui se sont intéressés à la possibilité que des fortes doses de statine puissent perturber le métabolisme du cholestérol cérébral chez des humains n'ont pas pu confirmer cette hypothèse. Mais c'est une idée très différente de celle qui consiste à raisonner sur les acides gras essentiels et notamment les équilibres entre les oméga-3 et les oméga-6.

CHAPITRE 15

FAUT-IL DONNER DES STATINES AUX HYPERTENDUS ?

Ce que vous allez apprendre

• Doit-on prescrire un médicament anticholestérol chez une personne hypertendue de longue date mais avec un cholestérol considéré *normal* afin de diminuer son risque cardiovasculaire ?

• Que valent les argumentaires présentés comme scientifiques (*score de risque global*, essais cliniques tels que *ALLHAT* et *ASCOT*) pour justifier cette stratégie ?

• Les guides de prescription diffusés à propos des statines dans ce contexte particulier ne relèvent-ils pas plus du marketing que de la logique médicale ?

L'HYPERTENSION ARTÉRIELLE EST UNE MALADIE EN ELLE-MÊME avec ses causes, son évolution, ses complications et ses traitements. L'infarctus du myocarde fait partie des complications de l'hypertension. Ce n'est pas la seule.

Le cholestérol, sanguin ou alimentaire, n'a rien à voir avec l'hypertension artérielle. Toutefois des modes de vie délétères peuvent entraîner une augmentation du cholestérol (le LDL ou le *méchant*) et de la pression artérielle. L'association de ces deux facteurs de risque chez le même individu suggère des dérégulations physiologiques importantes et doit fortement inciter le médecin à aider son patient ou sa patiente à vraiment considérer comme une priorité l'amélioration de son mode de vie.

Inversement, la présence d'une des deux augmentations isolément (soit une hypertension, soit un cholestérol augmenté) ne peut pas justifier de faire comme s'il y avait les deux réunis et motiver un double traitement.

Serait-il logique de donner un traitement qui fait baisser la tension à un patient dont la pression est normale sous prétexte que son cholestérol est élevé ? Jusqu'à présent, personne n'a évidemment osé défendre une telle option.

Curieusement, avec la bénédiction de multiples autorités, de nombreux médecins prescrivent maintenant des médicaments anticholestérol à des patients hypertendus même si leur cholestérol est normal.

Comment a-t-on pu arriver à de telles aberrations ?

C'est ce dont je traite dans ce chapitre en m'aidant d'un exemple clinique un peu particulier mais très réaliste aujourd'hui. Je dois toutefois prévenir mes lecteurs : le prestige de la profession médicale risque d'en être quelque peu affecté.

L'HISTOIRE DE MARIE-THÉRÈSE

Marie-Thérèse a 82 ans. Elle est la quatrième d'une famille de 7 enfants dont 6 sont encore en relative bonne santé, c'est-à-dire bon pied, bon œil et toute leur tête. Le manquant est mort accidentellement voilà plus de 40 ans. Marie-Thérèse a donné naissance à 6 enfants, elle est arrière-grand-mère et fait la joie de tous par son dynamisme et sa présence.

Marie-Thérèse est traitée depuis l'âge de 45 ans environ (au moment de sa ménopause) pour une hypertension artérielle modérée. Elle a essayé à peu près tous les médicaments anti-hypertension que l'industrie pharmaceutique a inventé au cours du XXᵉ siècle. Fut-ce utile ? Fut-ce bien fait ? Nul ne pourrait le dire, mais portons au crédit de la médecine moderne le fait que Marie-Thérèse n'ait jusqu'à récemment présenté aucune complication vasculaire ou organique (notamment cérébrale ou rénale) de son hypertension.

Depuis quelques mois toutefois elle s'essouffle de plus en plus facilement lorsqu'elle se déplace, par exemple pour aller faire ses courses ou pour monter à son premier étage sans ascenseur. Son médecin traitant a demandé un bilan cardiologique. Malheureusement, le cardiologue a trouvé que, avec le temps et malgré les médicaments anti-hypertenseurs, le cœur de Marie-Thérèse avait souffert de son hypertension. Pour le spécialiste qui lirait ses lignes, disons qu'elle présente une hypertrophie ventriculaire gauche modérée, une dilatation cavitaire également modérée et surtout une bradycardie (une fréquence cardiaque trop lente) intermittente. Pour le non spécialiste, cela signifie qu'à force de travailler avec une pression artérielle trop élevée et malgré le traitement médicamenteux, le cœur de Marie-Thérèse s'est abîmé et l'essoufflement qu'elle présente pour de petits efforts constitue une première manifestation clinique d'une insuffisance de la capacité musculaire de son cœur. Ce ne sont pas les artères du cœur (artères coronaires) qui sont atteintes, c'est le muscle cardiaque lui-même. Tout ça pour dire qu'il s'agit d'une situation cardiologique très différente de la maladie des artères coronaires qu'une hypercholestérolémie aurait pu favoriser, si toutefois on adhère à la *théorie du cholestérol*. Dans la pathologie du muscle cardiaque de Marie-Thérèse, le cholestérol n'a joué aucun rôle.

Les médecins de Marie-Thérèse ont tout d'abord augmenté le traitement médicamenteux pour diminuer à la fois encore plus sa tension et aussi son essoufflement. Ne pouvant voir Marie-Thérèse que de façon épisodique, je laisse faire les médecins qu'elle connaît de longue date et en lesquels elle a confiance. Ce n'est donc que lors d'une visite de famille que je constate sa dégradation clinique avec un essoufflement au moindre effort et surtout l'extrême lenteur de son pouls qui témoigne d'une activité cardiaque beaucoup trop lente pour assurer un débit sanguin suffisant et irriguer tous les organes.

Elle est hospitalisée et rapidement appareillée d'un pacemaker. Ce petit appareil (implanté sous la peau du thorax) permet de rétablir une fréquence cardiaque suffisante et nécessaire pour augmenter le débit cardiaque. Dans les jours suivant l'implantation, son état s'améliore.

Pourquoi raconter ce cas clinique qui est après tout assez banal en cardiologie clinique ou en médecine des personnes âgées ? Quel rapport avec le cholestérol ?

Pour la raison suivante. Quelques mois plus tard, de nouveau en visite de famille, je constate qu'un nouveau médicament a été ajouté sur l'ordonnance de Marie-Thérèse. Un des médecins a prescrit un anticholestérol de la classe des statines. Je téléphone à ce dernier pour avoir une explication et celui-ci justifie sa prescription de façon très argumentée. Selon lui, *des études* ont montré que les médicaments anticholestérol améliorent le pronostic des patients hypertendus, ce qui est le cas de Marie-Thérèse. L'argumentaire de ce sympathique médecin est très simple et basé sur des essais cliniques montrant que les patients présentant une hypertension artérielle bénéficient d'un médicament anticholestérol, c'est-à-dire qu'ils ont un risque d'infarctus diminué, même si leur cholestérol n'est pas ou peu augmenté.

L'exemple de ce médecin pensant prescrire une statine, c'est-à-dire un médicament anticholestérol (voir le 1er paragraphe de la section *Pour les professionnels*), sur une base scientifique avérée illustre de façon caricaturale la dérive des prescriptions des médicaments anticholestérol.

Mais de quelles **études** (supposées scientifiques) ce médecin parle-t-il ?

Il s'agit d'*ASCOT*, acronyme d'un essai clinique qui a réellement conclu que la diminution du cholestérol avait entraîné une diminution du risque d'infarctus chez des personnes qui n'avaient pas d'hypercholestérolémie mais qui présentaient une hypertension artérielle en général déjà traitée avec un médicament. Selon cette vision des choses, même les patients dont la tension artérielle a été corrigée par un traitement médicamenteux profiteraient de la protection due aux statines. On se retrouve donc dans un cas de figure que je discute également au chapitre 19 à propos de Jean-François et son habitude de fumer. Dans les deux cas, ce n'est pas le taux de cholestérol qui motive la prescription de la statine, c'est l'existence d'un autre facteur de risque, indépendant du cholestérol.

Mais, il y a une différence entre Jean-François et Marie-Thérèse : c'est que le taux de cholestérol du premier est élevé (même si cette hypercholestérolémie a toutes les apparences de la bénignité) tandis que le cholestérol de la seconde est normal. Il y a donc eu un glissement sémantique de Jean-François à Marie-Thérèse. Avec cette dernière, tous les cholestérols (même à basses concentrations) sont devenus méchants ! Et en conséquence, moins il y en a et mieux c'est.

Nous discutons cette théorie [*plus c'est bas et mieux c'est*] dans plusieurs chapitres, mais en particulier aux chapitres 11 et 18.

TOUT REPOSE SUR LE CONCEPT DE « SCORE DE RISQUE »

D'où vient un raisonnement en apparence aussi absurde qui consiste à dire que, malgré l'absence d'indication pour un médicament anticholestérol on doit quand même en donner sous prétexte que le patient est fumeur ou hypertendu ?

Cela vient du concept délicieux de *score de risque*. Expliquons-nous rapidement en essayant de faire simple. Tout le monde est d'accord pour dire que les maladies cardiovasculaires sont des maladies complexes et multifactorielles. Ceci signifie qu'un seul facteur de risque à lui tout seul, y compris le cholestérol, ne peut pas être tenu responsable du développement de la maladie, sauf cas particuliers et très rares (hypercholestérolémies familiales malignes, hypercystéinémie homozygote, par exemple) dont je ne discute pas ici.

Il faut donc une agrégation de facteurs. Pour essayer de quantifier l'effet de ces associations variables de facteurs de risque, on a développé des *scores de risque* **basés sur des études épidémiologiques d'observation.** J'ai déjà parlé du score de Framingham, par exemple, qui sert de référence aujourd'hui à de nombreux chercheurs et institutions (chapitre 5).

En simplifiant, si on a un cholestérol un peu élevé mais isolé, le *score de risque* reste bas, en théorie, surtout si on est jeune et du sexe féminin. Dès qu'on est un homme, de plus de 60 ans (facteur aggravant votre cas), le score augmente, mais pas assez toutefois pour justifier un traitement, quel que soit le cholestérol. Mais si un autre facteur de risque important est présent, par exemple si on fume ou si on a une hypertension artérielle (même si elle est contrôlée par le traitement anti-hypertension), alors le score augmente et on considère que le *risque global théorique* est tel, pour les 10 ans à venir, qu'il est licite d'intervenir, à n'importe quel prix, pour le diminuer.

Et le médecin tient alors le discours implicite suivant à son patient : soit vous cessez de fumer (c'est le cas de Jean-François au chapitre 19), soit je traite votre cholestérol avec un médicament pour diminuer votre *risque global*. Étant donné la difficulté d'arrêter de fumer pour une personne quelconque, de bonne ou mauvaise volonté, la plus élémentaire des prudences pour un médecin qui a adhéré à la théorie sus-décrite est d'essayer de diminuer le cholestérol de son patient.

Ainsi donc, un nombre non négligeable de personnes dont le cholestérol est plus ou moins normal consomment aujourd'hui des médicaments anticholestérol parce qu'ils sont fumeurs ou hypertendus. Tout le raisonnement repose donc sur le concept de *score de risque*.

Est-ce que ce concept de *score de risque* a été validé scientifiquement et médicalement ? En d'autres termes, est-ce que des essais cliniques visant à tester cette stratégie ont été conduits ? La réponse est négative. Je m'en explique au 2e paragraphe de la section *Pour les professionnels*.

Je dois donc conclure que l'ensemble du raisonnement basé sur les scores de risque ne tient pas debout. Il ne faut donc pas prescrire une statine à Marie-Thérèse.

Cette conception d'une médecine probabilisable (informatisable) entraînant des prescriptions systématiques (et non individualisées) constitue la négation pure et simple de la relation médecin - malade sans laquelle aucune médecine préventive efficace n'est concevable.

Une autre question évidente est posée face à cette tendance à déresponsabiliser les médecins traitants et leurs patients : est-ce que de telles prescriptions automatisées ne sont pas dangereuses ?

C'est le problème plus général des effets secondaires toxiques des médicaments anticholestérol dont je discute aux chapitres 13 et 14.

La mise en évidence de ces effets secondaires dépend en grande partie, à long terme, de ce qu'on appelle la pharmacovigilance (et une étroite collaboration entre médecins, pouvoirs publics et industrie pharmaceutique) et, à court terme, de la bonne volonté des industriels qui rapportent ou non ce qu'ils observent dans les essais cliniques. On sait ce qu'il faut penser de la capacité des pouvoirs publics à prévenir quoi que ce soit avant que cela ne crève les yeux : l'histoire récente de la médecine est jalonnée de tragédies (amiante, sang contaminé, hormone de croissance) et d'inconséquences médicales. Enfin, l'actualité récente (les antidépresseurs chez les enfants, les COXIBs) a souligné une fois de plus que s'il y avait une corporation en laquelle il ne fallait absolument pas faire confiance les yeux fermés c'était bien l'industrie pharmaceutique. J'en ai assez parlé au chapitre 10 pour ne pas y revenir maintenant.

Au-delà des généralités que je viens de formuler, on pourrait très bien m'opposer que, contrairement au cas Jean-François et à son problème de tabac, la question de traiter des hypertendus avec une statine a été effectivement examinée dans plusieurs essais cliniques (donc en principe de façon *scientifique*), notamment *ASCOT*. J'en conviens tout à fait (quoique ce ne soit pas la validité proprement dite des scores de risque qui ait été testée dans ces essais) et je me propose de discuter ce point maintenant.

STATINE ET TRAITEMENT ANTI-HYPERTENSEUR : DEUX ESSAIS D'ENVERGURE

L'idée de traiter des hypertendus avec un médicament anticholestérol n'est pas nouvelle et a donné déjà lieu à deux énormes (avec des dizaines de milliers de patients inclus) essais cliniques randomisés (avec tirage au sort) dont les résultats ont été publiés au début des années 2000 : *ALLHAT* et *ASCOT*.

Beaucoup plus que le concept fumeux de *score de risque*, les résultats favorables d'un essai clinique doivent retenir l'attention et donner lieu à une analyse soigneuse. Il est difficile dans un texte comme celui-ci d'entrer dans le détail d'une analyse qui est du ressort de bons experts. Je vais donc simplifier outrageusement et décrire brièvement ces deux essais. Pour avoir plus d'information sur ces essais, lire les 3ᵉ et 4ᵉ paragraphes de la section *Pour les professionnels*.

L'essai *ALLHAT* testait la pravastatine et s'est avéré totalement négatif. Il ne dit rien d'autre que la théorie testée (y a-t-il un intérêt médical à donner une statine à un sujet hypertendu ?) est réfutée. *ALLHAT* est un essai très important, car conduit indépendamment de l'industrie, sans sélection arbitraire des patients inclus et la probabilité d'un biais lié à un conflit d'intérêt est très faible. Comme il est négatif, les experts du cholestérol font souvent comme si *ALLHAT* n'existait pas.

Le deuxième essai (ASCOT) testait *grosso modo* la même hypothèse que ALLHAT mais avec une autre statine (de la nouvelle génération) et chez approximativement le même type de patients. Il est évidemment porté au pinacle par les experts puisqu'il est présenté comme positif, ce qui reste à discuter sereinement. Les investigateurs se disaient totalement indépendants de l'industriel qui commercialise cette statine mais reconnaissent des subventions diverses et variées de la part de cet industriel. Le fait d'admettre des subventions et de crier bien fort sa totale indépendance ne peut abuser personne.

Que puis-je trouver de si étrange dans les chiffres publiés par les investigateurs d'*ASCOT* ? Examinons le tableau de chiffres reproduits au 4ᵉ paragraphe de la section *Pour les professionnels*.

Je passe rapidement sur le fait qu'il n'y ait aucun effet sur l'espérance de vie des patients traités par la statine et dans le même temps un effet quasi miraculeux sur le risque de crise cardiaque non mortelle (voir le chapitre 6). S'agissant d'une maladie très sévère et souvent fatale, ceci est très étonnant. Rappelons que la mortalité cardiovasculaire s'exprime de façon brutale dans 65 à 75 % des cas (c'est le syndrome de mort subite) et que tout essai clinique testant un médicament prétendant diminuer le risque de maladies cardiovasculaires devrait renseigner précisément sur ce mode de décès.

Ce n'est pas le cas d'*ASCOT*, pas plus d'ailleurs que de la majorité des essais avec les statines. Ceci signifie très probablement que cette complication n'est pas influencée par les statines, ce que personne ne conteste. De plus, il est important de rappeler que dans la plupart des populations, les nombres de crises cardiaques mortelles et de crises cardiaques non mortelles sont à peu près équivalents, ce qui signifie que pour chaque patient qui survit à une crise cardiaque il y a un patient qui en est décédé. On dit que le *case-fatality rate* est de 50 % environ.

Quels sont les chiffres publiés dans *ASCOT* ? Les auteurs rapportent tout d'abord les nombres totaux d'infarctus non mortels et de décès cardiovasculaires dans les deux groupes : 154 dans le groupe recevant le placebo et 100 dans le groupe statine (1ère ligne du tableau reproduit au 4e paragraphe de la section *Pour les professionnels*). La différence entre les deux groupes est donc plutôt impressionnante. Par contre, il n'y a pas de différence significative entre les groupes en termes de décès cardiovasculaires (82 contre 74, 3e ligne avant la fin du tableau). Une simple soustraction nous indique donc qu'il y a eu 72 et 26 infarctus non mortels dans les groupes placebo et statine respectivement. On peut en conclure que la statine a diminué de 64 % le risque d'infarctus non mortel [72 moins 26 divisé par 72], du jamais vu, un vrai miracle !

Mais attention de ne pas faire la mariée trop belle, car cela veut aussi dire en toute logique que parmi les patients traités avec la statine, sur les 100 crises cardiaques 74 ont été fatales. Ces chiffres indiquent une très forte mortalité (un *case-fatality rate* de près de 75 %) par comparaison, par exemple, avec le groupe placebo dans le même essai *ASCOT* où l'on a noté 82 décès sur les 154 crises cardiaques, un case-fatality rate d'environ 47 % et correspondant aux chiffres généralement enregistrés dans la majorité des pays occidentaux. Ces chiffres placent les patients traités par la statine dans une situation de très forte mortalité cardiaque, jamais vue en fait. Dans l'étude MONICA par exemple (chapitre 16), le pire taux enregistré était de 62 % en Russie où l'on sait que les maladies cardiovasculaires sont une tragédie. On pourrait certes épiloguer sur les vraies causes de décès dans la *catégorie mortalité cardiovasculaire* dans *ASCOT* (puisque les auteurs de l'article restent évasifs sur ce point) mais cela n'entraînerait que des variations très marginales des chiffres car nous savons que la très grande majorité des décès d'origine cardiovasculaire sont en fait des décès cardiaques.

Si ces chiffres étaient acceptés tels quels (ce que je me garderais de faire), ils indiqueraient que la statine a peut-être diminué le risque de crise cardiaque mortelle et non mortelle (d'environ 35 %, comme indiqué à la 1ère ligne du tableau) mais a considérablement augmenté la mortalité cardiaque (d'environ 50 %) par rapport au placebo. Sur le plan physiopathologique cela signifie que la statine aurait ralenti la maladie vasculaire mais aurait considérablement fragilisé le myocarde en le rendant extrêmement vulnérable aux arythmies malignes (qui représentent le mécanisme de la mort cardiaque dans environ 65-75 % des cas) et, finalement, en annulant totalement son effet supposé bénéfique sur la maladie artérielle.

Est-ce possible ?

Cet effet délétère du médicament a-t-il été décrit par ailleurs ?

Autre question simple : ces chiffres sont-ils crédibles ?

À ces trois questions je réponds par la négative. Si nous ne pouvons totalement exclure une certaine toxicité cardiaque de la statine testée dans *ASCOT*, elle ne semble pas pouvoir expliquer la mortalité cardiaque excessive enregistrée dans le groupe traité. Si j'exclus, par courtoisie, l'hypothèse que les investigateurs d'*ASCOT* se moquent de moi, une explication alternative serait qu'il y a eu quelques erreurs dans les chiffres publiés dans le Lancet !

Par exemple, une petite tendance à chaque étape de la validation et de la classification des évènements cliniques à *rendre la mariée un peu plus belle qu'elle ne l'était vraiment*.

En principe, un audit bien conduit aurait dû déceler l'incohérence interne des résultats de l'essai. Y a-t-il eu le moindre audit ?

Nous avons vu, à propos des *COXIBs* (chapitre 10) et d'autres petites affaires vite étouffées, que les modalités de surveillance des essais cliniques indépendantes de l'industrie sont impuissantes ; et de nombreuses voix se font entendre, notamment aux États-Unis (et pas seulement pour les pathologies cardiovasculaires), exigeant une réforme radicale des procédures. S'il y avait eu un audit de cet essai, ce que tout ministère de la santé ou Agence Sanitaire habilitée aurait dû demander, on aurait décelé ces anomalies. Si cet audit a eu lieu il est à craindre que les auditeurs ne possédaient pas de calculette ou l'avaient oubliée à la maison.

Il faut donc nous rendre à l'évidence : la discordance totale avec les résultats de l'essai *ALLHAT*, le fait que *ASCOT* ait été stoppé prématurément, l'incohérence interne des chiffres et le manque de clarté concernant les relations entre le sponsor et les investigateurs compromettent terriblement l'essai *ASCOT*.

Pourtant, si on lit le résumé de l'article, les investigateurs se sont crus autorisés à esquisser des recommandations générales sur la base de leurs propres résultats. En général, la décence (au sens scientifique du terme) voudrait qu'on laisse à des observateurs non impliqués (donc plus objectifs) le soin de tirer les leçons des expériences. Cette attitude arrogante suggère qu'il y avait dans *ASCOT* des objectifs qui n'avaient rien de scientifiques.

Bref, sur la base de nos connaissances biologiques et épidémiologiques, sur la base du bon sens et des résultats de deux essais cliniques contradictoires (*ALLHAT* et *ASCOT*), j'affirme que l'idée que l'on devrait traiter avec des médicaments anticholestérol des patients avec un cholestérol normal et déjà traités pour hypertension est une idée saugrenue.

Pour des commentaires un peu plus spécialisés je propose aux lecteurs d'aller au 5ᵉ paragraphe de la section *Pour les professionnels*.

Il n'y avait donc aucune raison (scientifique ou médicale) de traiter Marie-Thérèse avec une statine, contrairement aux certitudes des médecins traitants qui, croyant bien faire, s'étaient laissés impressionner par l'argumentaire pseudo-scientifique de l'industriel, repris également par de nombreux épidémiologistes et experts de santé publique.

Combien de Marie-Thérèse (souvent beaucoup plus jeunes) consomment aujourd'hui une statine avec pour seul avantage de grossir les profits d'industriels peu regardants ? Et sans savoir ce qu'à long terme ce type de traitement peut avoir comme conséquences délétères pour chaque individu ? (Voir les chapitres 13 et 14).

Finalement, il y avait beaucoup de bonnes raisons de ne pas traiter Marie-Thérèse en particulier.

En premier lieu, parce qu'elle est une femme et qu'elle a plus de 70 ans. En effet, les statines n'ont aucun effet sur l'espérance de vie des femmes et sur celle des personnes (hommes et femmes) de plus de 70 ans (chapitre 16). La deuxième raison est que, du fait de son âge et de la maladie du muscle cardiaque (et non pas des artères coronaires) qui l'atteint, le risque majeur de Marie-Thérèse n'est pas de faire un infarctus mais de mourir subitement. Or les statines n'ont aucun effet sur le risque de mort subite (chapitres 6 et 23).

Ce qu'il faut retenir

1- La question posée est celle de la validité scientifique d'une approche préventive consistant à traiter des patients hypertendus avec une statine (quels que soient leur taux de cholestérol et leur âge) sous prétexte qu'ils auraient un *score de risque* élevé.

2- Le concept de *score de risque* n'est pas lui-même validé scientifiquement et ne peut en aucune manière servir de guide de prescription à des médecins.

3- Aucun essai de qualité scientifique acceptable ne permet de valider cette approche thérapeutique.

4- Les procédures de validation (puis de publication) de grands essais cliniques, considérés ensuite comme des références par la communauté médicale et scientifique, sont souvent sévèrement biaisées.

5- Nous sommes souvent dans l'impossibilité de vérifier la validité d'un essai clinique, à moins de déceler des incohérences (comme dans *ASCOT*) qui auraient échappé aux auteurs des articles. Sachant d'autre part que les modalités de surveillance de ces essais (par des autorités sanitaires) sont notoirement insuffisantes, tout observateur pragmatique doit se contenter de données limitées mais difficilement manipulables pour se faire une idée de la crédibilité d'un rapport. Je propose pour les maladies cardiovasculaires, souvent mortelles, de retenir comme critère de positivité les données de mortalité totale, exclusivement.

POUR LES PROFESSIONNELS ET LES CURIEUX

1- QUE SONT LES STATINES ?

J'ai déjà présenté ces médicaments (notamment au chapitre 11) et la question de leur utilité ou de leur efficacité est discutée dans plusieurs chapitres. La place particulière qu'ils occupent désormais en médecine est aussi discutée au chapitre 11.

C'est une classe particulière de médicaments anticholestérol. Ils interfèrent avec la synthèse du cholestérol dans les cellules au niveau d'une enzyme appelée HMGCoA reductase. Inutile de rentrer dans les détails, il suffit de savoir que cette enzyme a une position-clé dans la chaîne de synthèse du cholestérol à un étage relativement élevé et, qu'en conséquence, plusieurs autres voies métaboliques sont modifiées et pas seulement celle conduisant au cholestérol. Par exemple, la synthèse d'une molécule cruciale pour la respiration cellulaire, le coenzyme Q10, est altérée par les statines. Ceci explique peut-être certains des effets nocifs des statines, notamment leur toxicité musculaire (chapitre 13).

La diminution du cholestérol sanguin par les statines résulte d'un effet indirect en ce sens que le blocage de la synthèse endogène du cholestérol rend les cellules, notamment hépatiques, demandeuses de cholestérol. Ceci les conduit à augmenter leur captation du cholestérol circulant dans le sang en multipliant leurs récepteurs membranaires (les fameux LDL récepteurs). C'est pourquoi la concentration de cholestérol dans le sang diminue.

Il y a eu plusieurs générations de statines et chaque molécule a des effets propres lui conférant des propriétés variables (sur le cholestérol ou sur d'autres lipides comme les triglycérides) et une toxicité variable. Il faut rappeler que certaines molécules ont été retirées précipitamment du marché en raison de leur toxicité. Ce ne sont donc pas des médicaments anodins. Ceci dit, par rapport aux autres médicaments anticholestérol, les statines ont un rapport efficacité – toxicité apparemment acceptable. Voir aussi le chapitre 13.

Du point de vue des défenseurs de la *théorie du cholestérol*, l'arrivée des statines a été un grand progrès thérapeutique avec la possibilité de diminuer de façon radicale les concentrations sanguines de cholestérol au prix d'effets secondaires que l'on peut qualifier, à première vue, de mineurs. Nous discutons cet aspect des choses de façon plus critique aux chapitres 13 et 14.

2- VALIDITÉ CLINIQUE DES SCORES DE RISQUE

Ce concept de *score de risque* a été mis au point (et imposé aux médecins par une sorte de diktat intellectuel) par des non médecins ou des médecins bureaucrates qui n'ont jamais vu un patient de leur vie. Ces épidémiologistes, statisticiens et spécialistes de santé publique s'appuient sur des raisonnements qu'ils prétendent scientifiques mais qui n'ont en fait jamais été validés (voir les chapitres 5 et 6). Les scores de risque qu'ils présentent comme des raffinements de calculs de probabilité sont basés sur des études observationnelles conduites sur des populations très particulières (ville de Framingham en Nouvelle Angleterre par exemple) dont les résultats ne sont sûrement pas extrapolables à d'autres populations, notamment européennes ou asiatiques.

La Société Européenne de Cardiologie, consciente de cette difficulté, a essayé de tenir compte des variations géographiques de l'incidence des maladies cardiovasculaires dans la conception des nouveaux scores (destinés à des populations à faible risque comme celles du sud de l'Europe). Mais ces scores adaptés n'intègrent pas certains des MÉGA facteurs de risque, notamment les paramètres nutritionnels, et n'ont pas été plus validés scientifiquement que les autres.

D'autre part, on sait que les études épidémiologiques observationnelles peuvent conduire à des conclusions totalement erronées. L'exemple récent le plus frappant est celui des traitements hormonaux substitutifs considérés comme remarquablement protecteurs dans les études épidémiologiques mais démontrés délétères dans les essais cliniques randomisés qui restent, malgré leurs défauts, le meilleur critère d'évaluation. Autrement dit, les *scores de risque* cardiovasculaire élaborés à partir de ces études épidémiologiques d'observation doivent être pris avec la plus extrême prudence et ne devraient jamais servir de base à des prescriptions médicamenteuses. Il est extraordinaire de constater qu'aucune étude épidémiologique n'a jamais été acceptée comme suffisamment fiable pour autoriser une prescription médicamenteuse mais que l'on accepte les yeux fermés un score calculé à partir de ces mêmes études pour justifier un traitement médicamenteux. Délirant !

3- L'ESSAI *ALLHAT* AVEC LA PRAVASTATINE

L'essai *ALLHAT* a été conduit par des investigateurs du ministère de la santé des États-Unis, donc en principe de façon totalement indépendante de l'industrie pharmaceutique. Il a consisté à tester une statine (la pravastatine) chez des patients américains hypertendus (et traités) avec un taux de cholestérol dans le sang qui ne nécessitait pas, en principe, de traitement anticholestérol médicamenteux. Cet essai a été publié en 2002 et n'a montré aucune différence entre le groupe traité avec la statine et le groupe témoin (voir graphique ci-dessous). Il est donc inutile de le discuter plus longuement. Disons simplement que cet essai indique qu'apparemment il ne sert à rien de traiter avec un anticholestérol des patients hypertendus sous le prétexte que l'hypertension, même traitée de façon adéquate, augmente le score de risque d'infarctus du myocarde.

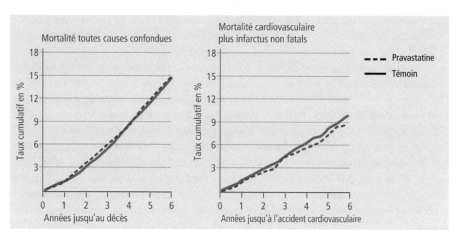

Cette figure extraite de l'article publié dans le *Journal of the American Medical*

Association (2002 ; 23:2998-3007) en dit assez, je pense, par la seule superposition des courbes de survie (on dit comme cela) des deux groupes.

Cet essai est très important pour deux raisons :

1) il a été conduit indépendamment de l'industrie et la probabilité d'un conflit d'intérêt est faible,

2) le processus de sélection des patients a été large (peu restrictif vis-à-vis des effets secondaires potentiels) ce qui fait qu'*ALLHAT* reflète assez bien ce qui se passe dans la vraie vie lorsque l'on utilise des médicaments en dehors des populations très sélectionnées des essais cliniques.

Évidemment de nombreux experts alliés de l'industrie font comme si *ALLHAT* n'existait pas. Les investigateurs d'*ALLHAT* ne disposant pas de moyens de communication (de département marketing pour appeler les choses par leur nom) comparables à ceux de l'industrie, on constate évidemment que cet essai est rarement cité par les experts ou, lorsqu'il l'est, pour dire qu'il ne présente pas d'intérêt. C'est pourtant un essai qui nous informe parfaitement de la probabilité de l'efficacité d'une statine dans une population non sélectionnée.

4- L'ESSAI ASCOT AVEC L'ATORVASTATINE

Les investigateurs d'*ASCOT* publient en 2003 dans le *Lancet* (volume 361 numéro du 5 avril) des résultats spectaculaires et tellement bénéfiques en faveur de la statine testée qu'ils se sont crus autorisés à interrompre l'essai prématurément ; un peu comme si dans une course de chevaux prévue sur 10 tours de piste on décidait d'arrêter la course après 5 tours sous prétexte que l'un des concurrents a une avance telle qu'il ne peut plus être rattrapé dans les 5 tours restants et qu'il est inutile de perdre son temps en finissant les 10 tours prévus.

Cette façon de procéder peut être acceptable sous certaines conditions, par exemple si on observe lors d'une analyse intermédiaire une grande différence entre les groupes pour des évènements comme les décès ou des effets secondaires toxiques. Ce n'était pas du tout le cas dans *ASCOT* où on n'observe aucune différence pour la mortalité cardiaque ou totale (voir le tableau de résultats page 238) et aucun effet secondaire angoissant. Cela signifie que les calculs exécutés par un comité prétendument indépendant pour décider de l'arrêt prématuré de l'essai n'ont pas été réalisés de façon correcte. Nous ne connaîtrons évidemment jamais les chiffres réels ni les relations réelles entre le comité et l'industriel sponsor de l'essai.

De plus, l'arrêt prématuré de l'essai, qui comportait plusieurs bras avec des médicaments anti-hypertenseurs, interdit toute analyse sensée des résultats concernant ces médicaments de l'hypertension. Il n'y avait donc aucune justification scientifique ou médicale (ou éthique) à l'arrêt prématuré de cet essai. Bien au contraire, il eût fallu impérativement terminer cet essai pour en retirer toute l'information scientifique qu'il recelait, au moins potentiellement.

Cela jette un doute sur la rigueur intellectuelle (voire l'honnêteté, intellectuelle bien sûr) des investigateurs, des arbitres ayant accepté la publication et même des éditeurs du Lancet, et ce n'est pas la première fois (voir le chapitre16). La publication de cet essai a donné lieu de la part des experts lipidologues et opinion leaders de la planète cholestérol à un concert de louanges totalement inattendues (vue la médiocrité de l'essai) mais qui traduisaient probablement un énorme soulagement après la terrible angoisse suscitée par les résultats négatifs de l'essai *ALLHAT*.

Les investigateurs d'ASCOT, avec la complicité d'un comité scientifique probablement très favorable à leur hypothèse, présentent leurs résultats de façon très habile et cette présentation n'a donné lieu apparemment à aucune contestation de la part de lecteurs curieux ou sceptiques.

J'écris bien *apparemment*, car nous sommes nombreux à avoir cessé d'écrire aux revues (en l'occurrence la revue britannique *The Lancet*) qui publient ces essais dithyrambiques (en faveur de produits dont les chiffres d'affaires sont faramineux) pour avoir des précisions concernant des points obscurs ou douteux des articles, car on ne nous répond jamais !

Cette revue n'est pas la seule à traiter les curieux, scientifiques ou médecins, de cette façon bien désinvolte. Les éditeurs procèdent à des tris très sélectifs des courriers qui leur sont adressés (la dangereuse rubrique *Courrier des lecteurs*) probablement afin de ne pas suggérer aux lecteurs plus naïfs (et surtout aux annonceurs publicitaires qui pourraient prendre peur) que leur façon de sélectionner (réviser) les articles et de les publier n'est pas exempte de toute critique. Une sorte de *mur du silence* a ainsi été érigé (qui n'existait pas il y a encore une dizaine d'années) et je renvoie les lecteurs au chapitre 16 qui traite de cette question. Ainsi, je ne proteste même plus quand je lis ces choses bien étranges.

On aurait bien tort de croire pourtant qu'il y a un acquiescement général !

Au premier coup d'œil, les résultats d'*ASCOT* sont impressionnants. Les 4 premières lignes du tableau des résultats ci-dessous indiquent des différences statistiquement significatives. Le nombre de complications dans les deux groupes est important et, si l'on veut prouver que ce médicament est protecteur contre le *serial killer* qu'est l'infarctus, on dispose, si je puis dire, du matériel nécessaire.

Par contre, il n'y a pas d'effet significatif concernant la mortalité, qu'il s'agisse de la mortalité totale ou cardiovasculaire (3e et 4e lignes avant la fin du tableau). C'est bizarre !

En conséquence, on aurait aimé savoir, pour les deux groupes, comment les patients morts sont décédés ou quelle était la proportion de morts subites, par exemple.

Il est en outre surprenant de constater une telle discordance entre les chiffres de morbidité et de mortalité dans cet essai. Je propose aux lecteurs de retourner au corps du texte principal pour examiner avec moi si tous ces chiffres sont frappés du sceau de la cohérence interne. La réponse est négative.

Ne pouvant avoir accès aux données brutes de l'essai, les résultats d'ASCOT étant très discordants par rapport à l'essai ALLHAT (voir page suivante), l'indépendance des investigateurs vis-à-vis du sponsor étant très aléatoire et enfin la capacité des autorités sanitaires à identifier des biais ou des problèmes dans un essai où sévit un évident conflit d'intérêt étant proche de la nullité (voir le chapitre 10), il nous faut faire preuve d'un minimum de pragmatisme pour comprendre cet essai (voir le paragraphe suivant et nos conclusions générales).

	Atorvastatine		Placebo		Unadjusted hazard	p
	n (%)	Rate	n (%)	Rate	ratio (95% CI)	
Primary endpoint						
Non fatal MI plus fatal CHD	100 (1.9)	6.0	154 (3.0)	9.4	0.64 (0.50-0.83)	0.0005
Secondary endpoints						
Total cardiovascular events and procedures	389 (7.5)	24.1	486 (9.5)	30.6	0.79 (0.69-0.90)	0.0005
Total coronary events	178 (3.4)	10.8	247(4.8)	15.2	0.71 (0.59-0.86)	0.0005
Non fatal MI plus fatal CHD	86 (1.7)	5.2	137 (2.7)	8.3	0.62 (0.47-0.81)	0.0005
All-cause mortality	185 (3-6)	11.1	212 (4.1)	12.8	0.87 (0.71-1.06)	0.1649
Cardiovascular mortality	74 (1.4)	4.4	82 (1.6)	4.9	0.90 (0.66-1.23)	0.5066
Fatal and non-fatal stroke	89 (1.7)	5.4	121 (2.4)	7.4	0.73 (0.56-0.96)	0.0236
Fatal and non-fatal heart failure	41 (0.8)	2.5	36 (0.7)	2.2	1.13 (0.73-1.78)	0.5794

5- QUESTIONS SUBSIDIAIRES À PROPOS D'ASCOT

Des médecins attentifs n'auraient pas dû se laisser tromper puisque les chiffres de mortalité dans ASCOT sont sans ambiguïté (pas d'effet significatif du traitement) et que la mortalité doit être le critère principal pour juger de l'utilité d'un traitement visant à lutter contre une maladie qui est un *serial killer* dans notre société. Ce critère doit être le critère de référence parce qu'il est pratiquement impossible de *manipuler* les chiffres de mortalité (surtout ceux concernant la mortalité totale où l'on n'a pas cherché à classer les décès en fonction de leurs causes). Il n'est en effet pas très difficile de contrôler ces chiffres dans les registres nationaux de mortalité (qui n'existent pas en France en mars 2007).

Une autre caractéristique des résultats d'ASCOT aurait dû alerter les médecins et autres experts indépendants : ce sont les données concernant les interactions entre l'atorvastatine et les médicaments anti-hypertenseurs publiées également dans le *Lancet*, mais en 2005 (volume 366, pages 895 et suivantes). Dans cet article, les auteurs d'ASCOT admettent que la statine n'avait pas le même effet protecteur en fonction du type de médicament anti-hypertenseur reçu par les patients. Si les patients recevaient le bloqueur calcique (commercialisé par le même laboratoire que l'atorvastatine, comme par hasard), l'atorvastatine était protectrice tandis que s'ils recevaient le bêtabloquant, il n'y avait pas d'efficacité !

Cette observation est de la plus haute importance parce que s'il y avait réellement une neutralisation de l'effet de l'atorvastatine par le bêtabloquant, sachant que les bêtabloquants sont systématiquement prescrits aux patients à risque réel d'infarctus, alors il ne faudrait jamais prescrire l'atorvastatine à un patient coronarien ou susceptible de l'être. Voilà quelque chose qu'il serait urgent de vérifier et, en attendant, si toutefois on croit aux résultats d'ASCOT, les cardiologues devraient totalement cesser de prescrire cette statine. Enfin, le fait que l'essai ALLHAT du ministère de la santé des États-Unis ait produit des résultats négatifs, en totale contradiction avec ASCOT, ne doit pas être oublié. Un essai négatif plus un essai positif donnent zéro.

CHAPITRE 16

FAUT-IL DONNER DES STATINES AUX SENIORS ?

Ce que vous allez apprendre

• Pourquoi *PROSPER* est-il un essai clinique unique en son genre ?

• L'analyse de *PROSPER* suggère-t-elle que le traitement par une statine peut être utile chez les seniors ?

• Est-ce que la façon dont *PROSPER* a été présenté suggère que les médecins et le public sont soumis à une désinformation organisée ?

P ROSPER ÉVOQUE UN PRÉNOM DE VIEILLE PERSONNE, celui d'un ancien combattant de la Grande Guerre... Pourtant ce que je vais conter maintenant n'est pas d'un autre temps. Se trouvent même réunies beaucoup des caractéristiques de cette étrange époque où science et recherche médicale vont se perdre dans le glauque marais de la désinformation et de la confusion.

PROSPER est l'acronyme d'un essai clinique qui a testé un médicament anticholestérol (la pravastatine). Cet essai clinique en double aveugle est unique en son genre puisqu'il s'adressait spécifiquement à des personnes de plus de 70 ans. Curieusement, bien que la majorité des attaques et décès cardiaques surviennent chez des personnes de plus de 65 ans, et qu'il s'agisse d'une population peu réticente en général à prendre des médicaments, un seul essai à ce jour a été conduit dans ce contexte particulier. C'est curieux mais c'est ainsi.

Quelle question *PROSPER* posait-il ? Puisque tous les essais antérieurs testant les effets de traitements anticholestérol avaient été généralement conduits sur des groupes non spécifiques en termes d'âge et de sexe, on pouvait se demander si les seniors (70 ans et plus), et notamment les femmes, répondaient de la même façon que les plus jeunes au traitement anticholestérol.

De mon point de vue, la question méritait d'être posée pour plusieurs raisons importantes.

D'une part, l'âge venant, le risque de faire un infarctus et d'en mourir augmente considérablement : le risque de faire un infarctus à 70 ans est au moins trois fois supérieur à celui des personnes de 40 ans. Il est donc essentiel d'organiser une prévention très active (car il n'est jamais trop tard) chez les seniors et il est évidemment important de savoir si ce qui est supposé actif chez les plus jeunes l'est aussi chez les seniors.

D'autre part, la relation entre cholestérol et risque cardiaque est très variable en fonction de l'âge (chapitre 5) et les extrapolations à partir de populations plus jeunes sont déconseillées. Ceci a été très bien documenté aux Etats-Unis, en Autriche et au Japon (voir le 1er paragraphe de la section *Pour les professionnels*).

Une dernière question non moins importante concernait la tolérance (ou le risque d'effets secondaires inattendus) chez les seniors car, une fois encore, une prudence minimale devrait conduire toute autorité sanitaire à ne pas se contenter de données obtenues chez des personnes de 55 ans (l'âge moyen des personnes recrutées dans les grands essais) pour s'assurer de l'innocuité d'un traitement qui serait prescrit à des personnes dont l'âge peut aller jusqu'à 95 ans. La suite de ce chapitre va montrer que cette prudence doit être la règle absolue pour les médicaments anticholestérol.

PROSPER EN QUELQUES LIGNES

Que nous raconte l'essai *PROSPER* ? Et aussi, comment l'essai est-il commenté par les experts et autres éditorialistes habilités à juger et mettre objectivement en perspective les travaux des autres ?

Je ne vais pas décrire *PROSPER* en détails, évidemment. Chacun peut aller consulter la publication sur Internet ou dans une bibliothèque. Je vais quand même reproduire quelques tableaux et graphes tirés directement de leur publication dans *The Lancet* (2e paragraphe de la section *Pour les professionnels*).

Pour tout lecteur pressé (la majorité des professionnels de santé), la lecture du résumé de l'article les conduit à penser que *PROSPER* est un essai dont les résultats sont très favorables au traitement. Ce qui est faux et confirme l'idée qu'il ne faut jamais appréhender un essai clinique ou une recherche par la seule lecture de son résumé !

Les auteurs de PROSPER notent au passage que le traitement par statine n'a eu aucun effet sur les fonctions cognitives, contrairement à ce qui avait été annoncé à grand bruit (mais aujourd'hui totalement oublié) dans un article antérieur, et très médiatisé, du *Lancet*. Ce qui montre que la *grande nouvelle d'un jour* peut n'être plus rien du tout quelques temps plus tard ! Soyons donc aussi très prudent avec PROSPER.

D'autant plus que la publication de PROSPER, le 23 novembre 2002, est accompagnée d'un éditorial signé par le principal investigateur d'un autre essai (*HPS* pour *Heart Protection Study*) publié quelques temps auparavant dans le même *Lancet*, et qui décrivait aussi de façon extrêmement positive les bénéfices résultant de la prise de médicaments anticholestérol. Les auteurs de PROSPER et l'éditorialiste tombaient d'accord sur le fait que les seniors devaient être traités exactement comme les plus jeunes. Tout senior considéré à risque par son médecin (voir mon opinion sur les *scores de risque* au chapitre 15), et quel que soit son taux de cholestérol (selon l'éditorialiste), devait être traité par une statine. De nombreux medias érigèrent PROSPER en *preuve scientifique* (*sic*) que les seniors méritaient d'être traités au même titre que les plus jeunes par ces médicaments présentés comme quasi miraculeux !

Je ne suis pas d'accord avec cette vision des choses et je vais montrer pourquoi.

IL FAUT SAUVER LE SOLDAT PROSPER

Pour le moment, je vais me concentrer sur PROSPER (et laisser HPS de côté) mais il faut bien comprendre que cet éditorialiste (et principal investigateur de HPS) a été déterminant dans les négociations ayant conduit à la publication de PROSPER dans la forme tout à fait inhabituelle sous laquelle l'essai a été présenté.

HPS a été publié en juillet 2002 et, à cette date, on peut penser que le manuscrit de PROSPER était déjà entre les mains de cet éditorialiste. Les éditeurs du *Lancet* et l'éditorialiste et auteur de HPS ont donc pu s'interroger (et nous aussi) sur l'opportunité alors de publier des résultats sinon négatifs du moins très mitigés avec PROSPER, qui auraient pu jeter le doute sur les résultats extraordinaires de HPS. Pour assurer la crédibilité de *HPS*, il fallait impérativement sauver le soldat *PROSPER* !

Et pourquoi faudrait-il sauver le soldat *PROSPER* ?

Parce que l'observation attentive des résultats de cet essai conduit à penser qu'ils sont beaucoup moins enthousiasmants que les commentaires dithyrambiques auxquels il a donné lieu. J'explique mon point de vue au 2ᵉ paragraphe de la section *Pour les professionnels* afin de ne pas ennuyer les lecteurs pressés et les non-professionnels.

La conclusion de mon analyse est qu'**il n'y a aucune raison de traiter des seniors avec une statine** et, par extension, aucune raison de vouloir diminuer leur cholestérol. Un problème majeur de cet essai est, parmi d'autres, la mise en évidence d'une augmentation des cancers sous traitement. Cet effet cancérigène annule totalement, en termes de mortalité, le très modeste effet protecteur sur la mortalité cardiaque (avec finalement aucun effet du traitement sur l'espérance de vie). Un autre problème est la façon très désinvolte qu'ont les investigateurs et les éditeurs de négliger ces questions cruciales.

Comment les auteurs et leur conseiller et éditorialiste ont-ils géré cette évidente difficulté ? En noyant le poisson ! C'est-à-dire en intégrant les données de *PROSPER* à celles d'autres essais (testant d'autres statines et dans d'autres populations), en en faisant la somme (c'est ce qu'on appelle une *méta-analyse* en statistiques) et en répétant les calculs de risque pour conclure que, cette fois-ci, il n'y avait pas d'effet cancérigène des statines, et que celui observé dans *PROSPER* était probablement dû au hasard. Cette procédure est inacceptable pour ne pas dire malhonnête (lire aussi la section *Pour les professionnels*) en particulier parce que les données d'un bon essai homogène (ce que prétend être *PROSPER*) ne peuvent pas être annulées par des calculs de probabilité exécutés à partir de fichiers hétérogènes.

Dans ma vie de chercheur, j'ai rarement vu des investigateurs accepter ainsi de saborder leurs propres données scientifiques. S'ils le font, c'est en fait pour sauver le soldat *PROSPER*. Ou bien ces investigateurs ont une piètre évaluation de la qualité de leurs propres données ou bien ils ont été soumis à des pressions externes téléguidées par des intérêts exogènes. Je n'ai pas de réponse.

Ce procédé, qui a été obligatoirement approuvé par les éditeurs, est évidemment ridicule. Aucun des essais utilisés dans cette méta-analyse n'avait été conduit chez des seniors. Et, comme l'âge et la durée d'exposition à un agent carcinogène sont les principaux facteurs déterminants de la survenue d'un cancer, aucune de ces populations ne peut être comparée à celle de *PROSPER*. Si les auteurs de cette méta-analyse sur statines et cancers avaient seulement inclus les seniors des différents essais, cela aurait eu plus de crédibilité, mais ils ne l'ont pas fait.

En effet, si on compare les données générales sur les cancers d'un autre essai avec une statine (appelé *LIPID*), avec celles concernant uniquement les seniors dans le même essai *LIPID*, telles qu'elles sont publiées dans un article paru dans les *Annals of Internal Medicine* (voir le 1er paragraphe de la section *Pour les professionnels*), on constate qu'il y a, là aussi, plus de cancers chez les seniors traités avec la statine que chez les seniors recevant le placebo. Attribuer au hasard cet effet cancérigène des statines dans les deux essais *PROSPER* et *LIPID Senior* relève de la mauvaise foi pure et simple. Si tel était le cas, pourquoi ne pas attribuer aussi au hasard l'effet (possiblement) bénéfique observé sur les complications cardiaques ?

La façon très ambiguë dont les investigateurs de *PROSPER* conduisent leur barque à propos des cancers nous incite à examiner de plus près la validité de leurs données concernant les complications cardiaques.

Sur la base du cumul des deux types de complications mortelles et non mortelles, ils arrivent à la conclusion que le médicament est hautement protecteur. Brutes, ces données ont toute l'apparence de la crédibilité, mais comme nous sommes aux limites de la signification statistique (un effet du hasard n'est pas exclu totalement) et que ces auteurs usent de méthodes de persuasion un peu scabreuses à propos des cancers, je vais aller un peu plus loin dans ma vérification de la cohérence interne de ces données (voir le 4e paragraphe de la section *Pour les professionnels*).

Ma conclusion est que **les données fournies par *PROSPER* sont incohérentes**, les analyses faites par les auteurs sont incongrues et l'interprétation de l'ensemble des analyses par les auteurs et les éditorialistes est biaisée.

Comme nous n'avons pas d'autres essais cliniques (avec des médicaments anticholestérol) spécifiquement dédiés aux seniors, il ne faut pas faire trop le difficile et je veux essayer d'en tirer quand même le maximum de renseignements utilisables en faisant abstraction des commentaires et interprétations des auteurs et de l'éditorialiste. Je vais par exemple examiner les données concernant le diabète.

Est-ce que l'absence de protection observée chez les seniors diabétiques dans *PROSPER* se retrouve dans d'autres essais par des analyses de sous-groupes ?

Je peux répondre positivement puisque, dans l'essai *CARDS* avec l'atorvastatine, il n'y a pas de différence en termes de mortalité chez les seniors diabétiques. Malheureusement, cet essai a été stoppé prématurément ce qui rend les résultats suspects. De plus, les auteurs de *CARDS* multiplient les analyses secondaires et en sous-groupes et finissent par conclure à un très fort bénéfice clinique du traitement anticholestérol chez les seniors diabétiques. Je ne suis pas d'accord avec cette façon de faire qui masque la réalité des faits concernant les statines chez les diabétiques (chapitre 17).

D'autres publications, utilisant des analyses diverses de sous-groupes, concluent également que les seniors doivent être traités par des fortes doses de médicaments anticholestérol. Aucune attention n'est donnée au sexe féminin chez lequel l'effet thérapeutique n'est jamais testé, sauf dans *PROSPER* où les résultats sont totalement négatifs, comme le montre le tableau reproduit dans la section *Pour les professionnels*. En lisant ces articles, j'ai souvent la terrible impression que *PROSPER* est cité de façon automatique, sans avoir jamais été lu et analysé au-delà des commentaires faits par l'éditorialiste du *Lancet* (et principal investigateur de *HPS*).

On lira avec ravissement, je suppose, la conclusion écrite par cet éditorialiste à propos du diabète et des cancers chez les seniors : « *Les statines réduisent le risque cardiovasculaire chez les seniors comme chez les plus jeunes, y compris les diabétiques. Et ceci est obtenu sans aucun désagrément notamment au long cours (absence de risque de cancer), et que désormais il faut traiter tout le monde quels que soient son âge et son niveau de cholestérol.* »

Voilà donc le principal investigateur de *HPS*, promu éditorialiste pour commenter *PROSPER*, dire à propos de cet essai exactement le contraire de ce que disent les résultats !

Fascinant ou délirant, c'est selon !

Je ne suis évidemment pas de cet avis et je crois voir dans cette sorte de profession de foi une forme de collusion non seulement avec les investigateurs d'autres groupes de recherche mais surtout avec l'Industrie pharmaceutique.

UN SOLDAT ABANDONNÉ

Nous vivons une étrange époque où plus les choses sont dites fortement (« rideau de fumée ») et moins elles sont crédibles. Devrais-je rappeler les assauts de sincérité et de bonne foi dont ont fait preuve, avant d'être condamnés, ces messieurs d'Enron, du Crédit Lyonnais, d'Arthur Andersen ou d'ELF, et bien d'autres ?

Il y a là une forme de naïve stratégie militaire faisant appel à la diversion puis à la contre-attaque, pour essayer d'emporter ou conserver une place. Guy Debord avait donc en grande partie raison lorsqu'il voyait dans l'époque une multitude de petits complots visant à imposer le règne de la marchandise. Voilà, ici on a quasiment en image ce qu'il décrit de façon théorique dans *La Société du Spectacle*.

A l'inverse, rien de ce que j'ai écrit ci-dessus n'est du domaine de l'interprétation ou de l'extrapolation. Les faits sont têtus et ce n'est pas moi qui les ai produits. Mon seul mérite si l'on veut bien m'en accorder un, c'est de prendre la peine et le temps de lire ce qui est écrit, de tout lire, et de recouper les informations produites avec d'autres sources pour vérifier leurs cohérences interne et externe.

Pour terminer, je voudrais insister un peu sur le rôle des médias dans ces stratégies de diversion. Je parle ici des médias spécialisés et en particulier du Lancet pour les essais *HPS* et *PROSPER* (5e paragraphe de la section *Pour les professionnels*). Ce que montre la *PROSPER Story*, c'est que les médias sont partie prenante dans l'ensemble du processus de partage et de divulgation des informations. Ni innocentes ni plus coupables que les autres acteurs du système, juste partenaires, mais aussi probablement pour beaucoup, otages !

Je voudrais aussi dire que j'ai conscience d'avoir introduit le trouble dans les esprits en affirmant que *PROSPER* n'a pas été sauvé comme d'autres l'auraient souhaité.

Et la question que les lecteurs sont en droit de me poser, au-delà de mes critiques, c'est : que doit-on faire quand on est un ou une senior à propos du cholestérol et des statines ?

Concrètement, quelles recommandations puis-je faire ?

- Il n'y a pas de données scientifiques solides justifiant de traiter les seniors de façon systématique avec une statine, et encore moins de diminuer leur cholestérol ;

- il y a peut-être des seniors (quelques cas particuliers) qui pourraient profiter d'un traitement, mais l'effet attendu ne peut être que modeste (probablement sans bénéfice en termes de survie) et il est impossible aujourd'hui de dire (d'identifier) quelles sont ces personnes-là précisément ;

- des effets négatifs importants (et masqués) des statines sont à redouter concernant l'activité musculaire (qu'il est fondamental de préserver chez les seniors) et les capacités cognitives (qu'il est également fondamental de protéger) (chapitres 13 et 14) ;

- je serais donc de la plus extrême prudence avec les statines chez les seniors et m'abstiendrais le plus possible au profit d'interventions protectrices beaucoup plus efficaces, moins onéreuses et totalement dépourvues de danger (chapitre 25).

Ce qu'il faut retenir

1- Les clameurs récentes concernant la nécessité de traiter les seniors avec des statines ne sont pas justifiées par les faits.

2- Il n'y a pas d'évidence médicale ou scientifique suggérant qu'il est utile de baisser le cholestérol des seniors.

3- Une règle d'or en recherche médicale contemporaine : ne jamais se contenter d'un éditorial dans un journal ou d'un abrégé d'article pour juger de la validité d'une recherche !

4- Une leçon de l'essai *PROSPER* est qu'une prudence minimale devrait conduire toute autorité sanitaire à ne pas se contenter de données obtenues chez des personnes de moins de 70 ans pour s'assurer de l'innocuité d'un traitement qui serait prescrit à des personnes dont l'âge peut aller de 70 à 95 ans.

5- Une dernière leçon de *PROSPER*, non négligeable, est que des analyses de sous-groupes en fonction de l'âge dans des essais qui ne sont pas organisés spécifiquement pour les seniors peuvent gravement induire en erreur.

POUR LES PROFESSIONNELS ET LES CURIEUX

1- CHOLESTÉROL ET INFARCTUS : IMPORTANCE DE L'ÂGE

Pour les Etats-Unis, je renvoie les lecteurs intéressés à la grande étude *The Cardiovascular Health Study* avec un bon résumé récent publié dans le *Journal of the American Geriatric Society* [2004;52:1639-47], pour l'Autriche au *Vorarlberg Health Monitoring and Promotion Programme* et, pour le Japon, au magnifique volume 96 de la revue *World Review in Nutrition and Dietetics* publié en 2007. Ce dernier est une mine de renseignements concernant des questions variées à propos du cholestérol, et qui sortent des conformisme et ethnocentrisme anglo-saxons habituels.

Concernant les essais antérieurs supposés apporter les informations manquantes sur les seniors, ce sont les essais *4S*, *LIPID*, et *CARE*, pour tout lecteur avide de données brutes.

Je ne m'arrêterai que sur un seul de ces essais, *LIPID*, car la question des seniors a donné lieu à une étude et une publication particulière (dans un prestigieux journal américain, *Annals of Internal Medicine 2001;13 :931-40*) en utilisant les données obtenues avec l'essai dans sa totalité. Cet article publié **avant PROSPER** est très intéressant pour trois raisons : il montre que les seniors ont un risque cardiaque beaucoup plus élevé que les plus jeunes [on le savait mais on aime les confirmations] et, en conséquence, selon les auteurs de cette analyse, qu'ils bénéficieraient d'une protection par le médicament encore plus remarquable que les plus jeunes ; cet article montre aussi que les seniors traités avec la statine ont plus de cancers que ceux qui reçoivent le placebo (mais les auteurs attribuent cette observation à un effet du hasard, comme si, dans le cadre d'un tirage au sort, on pouvait avec décence attribuer les effets bénéfiques au traitement et les effets nocifs au hasard !) ; enfin, les auteurs prennent la peine de nous dire que l'étude a été analysée de façon totalement indépendante du sponsor (qui visiblement a versé son tribut à la cause) alors qu'ils avaient dans leur publication originale, et ensuite dans tous les congrès, clamé qu'ils n'avaient pas été aidés par le fabriquant du médicament. Aveu tardif qui compromet terriblement leur crédibilité générale !

2- ANALYSE DE L'ESSAI *PROSPER*

J'invite mes lecteurs à lire l'abrégé de l'essai *PROSPER*. C'est l'illustration qu'un abrégé peut apporter une information biaisée. Il ne faut jamais s'en contenter et, au contraire, aller lire chaque tableau de résultats avec le plus grand esprit critique. On fait souvent des découvertes savoureuses ! Pourquoi ? Parce que la qualité du travail des *reviewers* et des éditeurs (et c'est vrai désormais pour toutes les revues médicales) est très superficielle et médiocre. Il semble, par exemple, que la valeur des analyses statistiques se soit effondrée au cours des 10 dernières années dans ces revues pourtant prestigieuses.

ⓦ Pravastatin in elderly individuals at risk of vascular disease (PROSPER): a randomised controlled trial

Summary

Background Although statins reduce coronary and cerebrovascular morbidity and mortality in middle-aged individuals, their efficacy and safety in elderly people is not fully established. Our aim was to test the benefits of pravastatin treatment in an elderly cohort of men and women with, or at high risk of developing, cardiovascular disease and stroke.

Methods We did a randomised controlled trial in which we assigned 5804 men (n=2804) and women (n=3000) aged 70–82 years with a history of, or risk factors for, vascular disease to pravastatin (40 mg per day; n=2891) or placebo (n=2913). Baseline cholesterol concentrations ranged from 4·0 mmol/L to 9·0 mmol/L. Follow-up was 3·2 years on average and our primary endpoint was a composite of coronary death, non-fatal myocardial infarction, and fatal or non-fatal stroke. Analysis was by intention-to-treat.

Findings Pravastatin lowered LDL cholesterol concentrations by 34% and reduced the incidence of the primary endpoint to 408 events compared with 473 on placebo (hazard ratio 0·85, 95% CI 0·74–0·97, p=0·014). Coronary heart disease death and non-fatal myocardial infarction risk was also reduced (0·81, 0·69–0·94, p=0·006). Stroke risk was unaffected (1·03, 0·81–1·31, p=0·8), but the hazard ratio for transient ischaemic attack was 0·75 (0·55–1·00, p=0·051). New cancer diagnoses were more frequent on pravastatin than on placebo (1·25, 1·04–1·51, p=0·020).

However, incorporation of this finding in a meta-analysis of all pravastatin and all statin trials showed no overall increase in risk. Mortality from coronary disease fell by 24% (p=0·043) in the pravastatin group. Pravastatin had no significant effect on cognitive function or disability.

Interpretation Pravastatin given for 3 years reduced the risk of coronary disease in elderly individuals. PROSPER therefore extends to elderly individuals the treatment strategy currently used in middle aged people.

Lancet 2002; **360:** 1623–30. Published online Nov 19, 2002
http://image.thelancet.com/extras/02art8325web.pdf
See Commentary page 1618

Introduction

Findings of clinical trials[1–6] of 3-hydroxy-3-methylglutaryl-CoA reductase inhibitors (statins) have shown significant benefits in both primary and secondary prevention of coronary and cerebrovascular disease events. Most of this evidence comes from studies done on middle-aged men. The rationale for such treatment in people older than age 70 years, most of whom die of vascular disease, is less clear because the association between plasma cholesterol and risk of coronary artery disease diminishes with increasing age.[7–9] The frequency of stroke, an important manifestation of vascular disease in elderly individuals, is associated with hypertension and seems independent of plasma cholesterol.[10] However, investigators of previous statin trials[11] have reported benefits on stroke, and results

Je ne vais pas traduire ce résumé en français puisque cette section s'adresse à des professionnels. En bref, 5 804 personnes de 70 à 82 ans (dont 3 000 femmes) ayant ou pas déjà fait un infarctus ont été tirés au sort pour recevoir un médicament anticholestérol ou un placebo. Le médicament a diminué de 34 % le mauvais cholestérol (le fameux *vilain* LDL) et cette diminution a entraîné, selon les auteurs, de remarquables effets. En fait, le principal paramètre clinique de l'essai a été réduit de 15 %, ce qui n'est pas terrible mais statistiquement significatif.

Les auteurs notent une augmentation du nombre de cancers dans le groupe qui reçoit le médicament. Pour effacer cette très mauvaise impression, une méta-analyse a aussitôt été réalisée par les mêmes auteurs, ce qui est une pratique peu banale (en général, les méta-analyses sont réalisées par des statisticiens indépendamment des auteurs de chaque article pour d'évidentes raisons de crédibilité). Et cette méta-analyse se veut évidemment rassurante sinon ils n'en auraient probablement pas fait cas. Les auteurs en déduisent bravement que cet effet cancérigène était probablement dû au hasard, conclusion pour le moins douteuse.

Les commentaires et la conclusion des auteurs et de l'éditorialiste à propos des cancers sont en fait inacceptables car la méta-analyse qu'ils utilisent pour laver la statine de tout soupçon est réalisée avec des populations beaucoup plus jeunes que *PROSPER* puisque ce dernier est le seul essai conduit chez des seniors. Or, le facteur âge est primordial en cancérologie, car c'est le principal facteur de risque de cancer. En effet, l'âge reflète en général la durée d'exposition au facteur cancérigène qui est un facteur chronique par définition. Ne pas en tenir compte dans une analyse, et les auteurs de la méta-analyse auraient pu le faire en ne retenant que les seniors des autres essais, témoigne soit d'une grande naïveté, soit d'une incompétence professionnelle inquiétante, soit d'une certaine mauvaise foi.

Pourquoi ne l'ont-ils pas fait ? Pourquoi l'éditorialiste ne l'a-t-il pas exigé ? Pourquoi les éditeurs du *Lancet* ont-ils laissé faire ?

3- POURQUOI FAUT-IL SAUVER LE SOLDAT PROSPER ?

Je ne vais pas reprendre en détails les méthodes utilisées par les investigateurs et les résultats cliniques, ce serait fastidieux. Je propose que nous regardions tout d'abord dans *Table 2* (reproduite partiellement ci-dessous) les données de mortalité. Comme je l'ai expliqué au chapitre 6, les données de mortalité sont difficilement biaisées (ou facilement vérifiables, ce qui revient au même) et elles sont fondamentales pour évaluer l'utilité d'un traitement luttant contre une maladie qui est mortelle dans 50 % des cas lorsqu'elle se manifeste. De façon générale, je ne remets jamais en cause des données de mortalité d'un essai car les auteurs seraient totalement irresponsables, dans leur propre désintérêt, de les falsifier d'une façon ou d'une autre. Un audit très simple et peu coûteux permet de vérifier des données de mortalité (c'est-à-dire savoir si un individu est vivant ou mort à une date déterminée) dans la majorité des pays. Il n'en est pas de même avec les données autres que la mortalité (infarctus par exemple) car, dans ce cas, il faut réunir des données souvent dispersées (dans des langues variées, extraites de dossiers hospitaliers ou de fiches de médecins privés, parfois de qualité douteuse, bref un travail de bénédictin) qui concernent à la fois la clinique (description détaillée), la biologie (plusieurs types de dosages qui doivent être répétés pour être validés), l'électrocardiogramme (qui doit être répété pour être validé) et parfois l'échocardiogramme, la coronarographie ou le scanner voire l'IRM. Un audit dans ces conditions peut prendre plusieurs années et encore faut-il qu'il soit demandé par quelqu'un qui ait une motivation, et que le travail d'audit soit rémunéré.

Revenons à *PROSPER*.

Comme tout lecteur objectif peut le constater en comparant les colonnes *contrôle* et *Pravast de Table 2*, ci-dessous (dernière ligne), il y a très peu de différences entre les deux groupes : 306 décès d'un côté, 298 de l'autre. Pas de miracle donc, mais un nombre important de décès dans les deux groupes permettant de dire que l'absence de différence n'est certainement pas due (ce qui peut arriver parfois) à un nombre trop faible d'évènement. Sans aucun doute, avec plus de patients et un essai plus long, on n'aurait pas eu plus de différence entre les deux groupes.

Conclusion évidente : le traitement anticholestérol administré à des seniors n'a aucun effet sur le risque de décès (quelle qu'en soit la cause) et sur l'espérance de vie, contrairement à ce qu'affirmaient, avec beaucoup d'assurance, des investigateurs utilisant des analyses de sous-groupes, en particulier dans HPS. Ce qui indique une fois de plus qu'un essai ne peut tester qu'une hypothèse à la fois et que les analyses secondaires sont trompeuses.

Si on regarde plus en détail, on constate que l'absence d'effet sur la mortalité est due au fait qu'une différence dans les décès d'origine coronarienne en faveur du traitement (94 contre 122 dans les contrôles recevant le placebo) est totalement annulée par une différence dans les décès dus aux cancers cette fois ci en défaveur du traitement (115 contre 91). On notera que cette différence dans la mortalité par cancer n'est pas isolée mais est accompagnée d'une différence dans le nombre total de cancers diagnostiqués pendant l'essai (245 contre 199 dans le groupe placebo).

	Placebo (n, %) (n=2913)	Pravastatin (n, %) (n=2891)	Hazard ratio (95% CI)	p*
Deaths				
Coronary heart disease	122 (4·2)	94 (3·3)	0·76 (0·58–0·99)	0·043
Stroke	14 (0·5)	22 (0·8)	1·57 (0·80–3·08)	0·19
Vascular	157 (5·4)	135 (4·7)	0·85 (0·67–1·07)	0·16
Non-vascular	149 (5·1)	163 (5·6)	1·11 (0·89–1·38)	0·38
Cancer	91 (3·1)	115 (4·0)	1·28 (0·97–1·68)	0·082
Trauma or suicide	7 (0·2)	2 (0·1)	N/A	N/A
All causes	306 (10·5)	298 (10·3)	0·97 (0·83–1·14)	0·74

N/A=not analysed. *Significance of treatment effect in a Cox proportional hazard model adjusted for covariates presented in table 1. No formal analysis was done for events with a low incidence. †All cardiovascular events are primary endpoint or coronary artery bypass graft or percutaneous transluminal coronary angioplasty or peripheral arterial surgery or angioplasty.

Table 2: **Endpoints of PROSPER**

Quel est l'intérêt d'un tel traitement dont les effets délétères annulent les modestes effets protecteurs ? Pourquoi attribuer au hasard les effets sur le cancer et pas les effets sur la mortalité coronarienne ?

L'intérêt du traitement chez les seniors pourrait être de diminuer la morbidité cardiaque (le nombre d'infarctus non mortels) en stipulant que, après tout, chez les seniors la qualité de vie est plus importante que la survie. Malheureusement, cet argument n'est pas recevable parce qu'il n'y a pas de différence statistiquement significative entre les groupes pour les infarctus non mortels (222 contre 254).

L'inéluctable conclusion à laquelle nous arrivons est qu'il n'y a aucun intérêt à traiter les seniors avec une statine et à diminuer leur cholestérol. Je suis donc en totale opposition avec les conclusions des auteurs de PROSPER et l'éditorialiste du Lancet. L'ensemble de leur démarche apparaît comme un « *sauvetage du soldat PROSPER* » et il n'est pas exagéré de dire qu'il y a là une tentative, volontaire ou non, de tromper les médecins.

4- ANALYSE DE LA COHÉRENCE INTERNE DES DONNÉES DE CARDIOLOGIE DANS *PROSPER*

Pour analyser la cohérence interne (ou avec d'autres mots, le sérieux, ou encore l'absence de biais) d'un essai, une méthode simple consiste à se référer à une base de données solides en matière d'infarctus et de mortalité par infarctus dans la population testée dans l'essai concerné (ici *PROSPER*) et à regarder si les données publiées sont cohérentes, au moins dans le groupe placebo, avec notre base de données de référence, ou si elles ne s'en éloignent pas trop.

Nous avons de la chance car *PROSPER* a été conduit en grande partie en Ecosse et en Irlande (populations très comparables) et il y avait un Centre MONICA en Ecosse. MONICA est une grande étude financée et organisée par l'OMS pour vérifier dans différentes parties du monde la crédibilité des données fournies par les pays, en termes de prévalence d'infarctus et de mortalité par infarctus (chapitre 15).

Je ne peux évidemment pas détailler les comparaisons que j'ai effectuées pour vérifier la validité des données de *PROSPER* concernant les infarctus mortels et non mortels. Un seul commentaire avant de livrer les chiffres : plus une population est victime des maladies cardiovasculaires et plus la mortalité par infarctus est élevée (c'est une évidence) et surtout par rapport au nombre total d'infarctus enregistrés. Ce paramètre, appelé *case fatality rate*

(CFR) par les épidémiologistes, donne une idée de la proportion de patients qui vont décéder de leur infarctus dans les jours et les semaines (3 ou 4) qui suivent le début de la maladie et constitue un bon index de sévérité d'une maladie dans une population. En moyenne et en Europe, le CFR est de 50 % environ et, en Ecosse, il était de 48 % dans MONICA. Les patients de *PROSPER* étant âgés, ils avaient en principe un plus haut risque de décéder de leur infarctus que la population écossaise de MONICA et le CFR aurait dû être supérieur à 48 %. Un calcul rapide à partir des chiffres fournis par les investigateurs de PROSPER nous donne un CFR de 32 %, dans le groupe recevant le placebo, et de 29,7 %, dans le groupe traité. Ces chiffres sont difficiles à croire et sortent des intervalles décrits dans MONICA. En d'autres termes, les nombres de décès par infarctus rapportés dans *PROSPER* ne sont pas réalistes, ou si l'on veut, ne sont pas cohérents : soit il y a trop d'infarctus par rapport aux nombres de décès, soit il n'y a pas assez de décès par rapport aux nombres d'infarctus. Ou bien, dernière hypothèse, les patients inclus dans PROSPER ne ressemblent à aucune des populations étudiées habituellement, notamment les Ecossais de MONICA : les seniors inclus dans *PROSPER* seraient-ils des Martiens ?

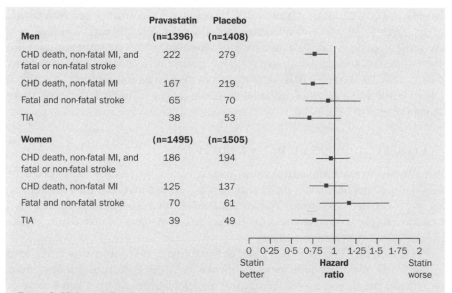

Figure 3: **Major cardiovascular outcomes, according to sex**
CHD=coronary heart disease. MI=myocardial infarction. TIA=transient ischaemic attack. The primary endpoint of the study is reproduced for comparative purposes.

Comme les investigateurs de *PROSPER* s'abstiennent de fournir les conditions de décès (les causes de ces décès cardiaques, par exemple le nombre de mort subite) de leurs patients, notamment la proportion de morts subites cardiaques (voir le chapitre 6 pour l'importance de ce paramètre en épidémiologie cardiovasculaire), il est impossible d'analyser les causes de cette incohérence.

Ce ne sont pas les seules incongruités de *PROSPER*. Ainsi, les analyses par sous-groupes que proposent les auteurs sont également un peu bizarres et divergent par rapport à ce qui est décrit dans d'autres essais avec les statines. Ainsi, en se bornant à utiliser comme

paramètre de comparaison uniquement un index combinant plusieurs complications différentes (une autre façon de noyer le poisson), ils disent que la statine fut protectrice chez les
seniors qui avaient déjà fait un infarctus mais pas chez les autres (contrairement à ce qui est
rapporté par exemple dans HPS), chez les non-fumeurs mais pas chez les fumeurs, chez les
non-diabétiques mais pas chez les diabétiques (ce qui est extrêmement surprenant si l'on
s'en tient aux déclarations de maints experts en cholestérol et diabète (chapitre 17)), et enfin
chez les hommes mais pas chez les femmes (voir graphique de la figure 3 de l'article PROS-
PER reproduit page précédente). On voit bien sur ce graphe l'absence totale d'effet du traitement chez les femmes. On voit aussi que la pravastatine n'eut aucun effet protecteur dans
cet essai contre l'accident vasculaire cérébral (voir aussi le chapitre 12) aussi bien chez les
hommes que chez les femmes et cela malgré une diminution très significative du cholestérol. Ces données d'analyse de sous-groupes doivent-elles être rejetées ?

Comment interpréter ces données contradictoires ? Surtout comment les combiner
avec celles produites dans d'autres essais ? Par exemple, à côté des résultats négatifs de
PROSPER concernant les accidents vasculaires cérébraux, HPS rapporte des effets très protecteurs, mais à l'aide d'analyses secondaires et de sous-groupes moins crédibles que les
données de PROSPER. On peut donc avoir de sérieux doutes concernant les données des uns
et des autres sur les accidents cérébraux. Face à de telles contradictions, la logique de la
démarche scientifique consiste à conclure que l'hypothèse testée n'est pas résistante et doit
être rejetée. Décidément, il était vraiment très important pour les investigateurs d'HPS (et
pour la crédibilité du protocole de vérification et de décision de publication des éditeurs du
Lancet) que le soldat PROSPER soit sauvé et célébré comme un héros de la guerre menée
contre l'infarctus !

5- CONFLIT D'INTÉRÊT DANS L'ÉDITION

Aucun lecteur m'ayant suivi attentivement jusqu'ici n'aura, j'en suis sûr, négligé une autre
évidence que nous ne saurions passer sous silence : rien de tout cela, c'est-à-dire la publication d'essais (et d'éditoriaux) biaisés tels PROSPER et HPS, ne serait possible sans
l'indulgence, voire la compromission, des éditeurs du Lancet – gens que, par ailleurs (et pour
d'autres causes), j'ai beaucoup estimés.

Les temps sont vraiment durs pour l'édition médicale et scientifique, je le sais. Mais
ce que je sais aussi, c'est qu'ils seront encore plus durs si les éditeurs de grands journaux
respectables deviennent suspects de collusion avec des intérêts qui n'ont rien à voir avec
ceux des patients et de leurs médecins traitants. Mais, me diront mes lecteurs les plus affû-
tés, ceci est bien connu et déjà maintes fois dénoncé dans de grandes revues scientifiques
(article de Nature en octobre 2005).

On pourrait toutefois se demander quel(s) intérêt(s) les éditeurs du Lancet peuvent
trouver à descendre ainsi dans l'arène, au lieu de conserver une position distante, la seule
que leur autorisent leur compétence intrinsèque et le degré d'information à laquelle ils ont
accès via les auteurs qui soumettent des manuscrits. Mais les choses ne sont probablement
pas aussi simples et, comme on peut s'y attendre, ils sont eux-mêmes pièces portantes dans
de complexes et secrets réseaux d'influence, comme l'a d'ailleurs montré leur implication
dans le mémorable conflit entre vendeurs de statines. Le Lancet s'est en effet violemment
impliqué dans ce que ses éditeurs ont appelé « The statin wars », titre très évocateur, lors
de la mise sur le marché d'une des dernières statines, la rosuvastatine, par AstraZeneca – un

puissant groupe pharmaceutique. Mes lecteurs curieux pourront se reporter aux numéros 362 du *Lancet* (année 2003, page 1341) pour le début de la polémique, puis aux pages 1854 et suivantes (rubrique Correspondence) pour les réactions des lecteurs et la réponse de l'éditeur en chef du *Lancet*. Plus que les arguments développés par les uns et les autres, c'est entre les lignes que chacun peut trouver substance pour ses propres réflexions.

Mais la compétition entre industriels a aussi l'intérêt, malgré la très grande prudence dont ils font preuve généralement (ils connaissent bien l'histoire de *l'arroseur arrosé*), de susciter des attitudes révélatrices. Par exemple, en raison de la possibilité qu'une statine puisse porter préjudice à une autre, et déclencher une réaction hostile, les investigateurs publient des essais cliniques dont les résultats sont de moins en moins enthousiasmants. Aucun des essais récents n'a rapporté des effets significatifs sur la mortalité – contrairement aux premiers essais publiés dans les années 1990, où aucune compétition aiguë n'existait encore entre les industriels des statines dont le but primordial, et commun à tous, était d'imposer un nouveau type de molécule sur le marché. Mais les données de mortalité sont aisément vérifiables et je crois qu'aucun industriel ne prendra le risque de les falsifier. La question est toute différente pour les données de morbidité. Pour cette raison, ma recommandation est de toujours exiger une bonne concordance entre les données de mortalité et celles de morbidité pour croire en la réalité de résultats d'essai.

CHAPITRE 17

FAUT-IL DONNER DES STATINES AUX DIABÉTIQUES ?

Ce que vous allez apprendre

• Est-il licite de traiter systématiquement tous les diabétiques, quel que soit leur niveau de cholestérol, avec un médicament anticholestérol ?

• Quels sont les résultats des essais cliniques testant des statines chez les diabétiques ?

• Que nous apprennent ces essais à propos de la théorie du cholestérol ?

U N *TOUT PETIT MONDE* (UN ROMAN DE DAVID LODGE) est, selon Umberto Eco, un livre culte parce qu'il décrit « *le petit milieu international des savants, chercheurs et professeurs de toutes les universités du monde* » et aussi parce que c'est un livre vrai. Eco écrit : « *Comme tous les grands livres, celui-ci ne présuppose pas la connaissance d'une société : il la procure* ».

Mais que dit ce livre ? Je recopie ci-dessous un commentaire trouvé sur Internet (probablement écrit par l'éditeur) et qui me convient bien comme résumé.

Ce livre offre une vision très caustique du monde universitaire et des congrès en particulier. Il éclaire sur les réelles motivations des congressistes qui semblent davantage préoccupés par la qualité de la nourriture et du logement que par le contenu des conférences ou par l'avenir de leur discipline. En quête d'un poste important ou d'une augmentation de salaire, les scientifiques sont affublés des mêmes défauts et gouvernés par la même mesquinerie que la plupart de nos contemporains... Les nombreuses coïncidences sont là pour forcer le trait et accentuer la charge ou la caricature d'un monde terriblement soucieux de ses privilèges. A la fois ironique et satirique, ce roman (...) est émaillé de réflexions plus sérieuses sur l'existence ou sur l'utilité de la littérature.

J'ai deux observations à faire. D'une part, on peut difficilement mieux décrire le tout petit monde des experts en cholestérol (tel que je l'ai perçu moi-même au cours des 20-30 dernières années) en supposant que celui-ci n'est pas bien différent des autres petits mondes que chacun de mes lecteurs se doit de fréquenter pour des raisons professionnelles, et je n'exclus évidemment pas les autres petits mondes de la médecine et de la recherche. Mais, d'autre part, je trouve qu'il manque à ces personnages une dimension qui n'est certes pas nouvelle mais qui est apparue de façon encore plus brutale depuis que Lodge en 1984 a écrit son livre : c'est celle de leur domination par la marchandisation du monde, une sorte de prise en otage des personnes qui est peut-être moins évidente dans *le petit monde* que décrit Lodge que dans celui de l'Industrie pharmaceutique et de l'agrobusiness, surtout depuis une dizaine d'années.

Vu de quelque altitude et en m'abstenant de toute généralisation hâtive, *le tout petit monde* qui s'agite autour de la question du diabète et du cholestérol (ce qui exclut ceux qui ne s'occupent que de diabète) ne me semble pas seulement drôle, il est aussi un petit peu intéressé au sens économique du terme.

DIABÈTE ET SOCIÉTÉ

Le diabète sera la maladie du XXIe siècle parce que sa fréquence augmente sans cesse et dans tous les pays du monde sans exception, parce que ses complications sont sévères et dangereuses (infarctus, accident vasculaire cérébral, gangrène des membres inférieurs, pathologies rénales et oculaires) et enfin parce que ses causes sont, outre des facteurs génétiques, essentiellement liées à notre mode de vie.

En tout premier lieu, le couple infernal qui associe la sédentarité à des habitudes alimentaires diabétogènes ne semble pas perdre du terrain ; et l'évolution des modes de vie des jeunes générations est particulièrement inquiétante à cet égard.

Des solutions existent, elles concernent spécifiquement le mode de vie, donc les conditions d'existence. Mais ces solutions sont aujourd'hui négligées par le corps social, c'est-à-dire nous tous. On est au stade des beaux discours, des longs rapports creux et velléitaires, traduction d'une très grande impuissance. En fait, les questions que posent ces solutions potentielles sont toutes simples : sont-elles applicables ? Peut-on changer le mode de vie d'une personne ? Peut-on le faire sans changer ses conditions d'existence ? Doit-on attendre que la main invisible des marchés, comme disent les économistes libéraux, fasse son travail de régulation au niveau des populations et que les nouvelles générations inventent des modes de vie nouveaux pour se protéger ?

Les autres solutions proposées pour lutter contre le diabète et ses complications sont essentiellement pharmacologiques, selon la perspective habituelle d'une médecine conçue pour traiter des maladies aiguës, c'est-à-dire *un médicament pour chaque maladie* à l'image du modèle classique *d'un antibiotique particulier pour chaque bactérie particulière*. Il est évident, à voir l'extension vertigineuse de l'épidémie de diabète dans toutes les régions du monde, qu'il y a là de quoi faire fortune avec quelque médicament providentiel !

Ce livre n'a pas vocation à traiter du diabète lui-même dont je ne suis pas un spécialiste. Mais je me vois contraint d'aborder ce sujet car des investigateurs et médecins travaillant avec ou pour l'industrie pharmaceutique ont proposé de nouvelles approches de la prévention des complications cardiovasculaires du diabétique, basées sur la *théorie du cholestérol*. Ce n'est pas très étonnant car les plus vigoureux militants de la *théorie du cholestérol* (en tant que principal accusé du crime de maladies cardiovasculaires) se rencontrent parmi les médecins soignant les diabétiques et les rares patients atteints de sévères troubles du métabolisme des lipides (chapitre 20).

Même si, comme c'est souvent le cas, le patient diabétique n'a pas un vilain cholestérol LDL élevé, on utilisera un autre prétexte pour lui prescrire sa statine : on définira un but à atteindre, c'est-à-dire un prétendu niveau de *vilain* cholestérol *idéal* pour diminuer le risque d'infarctus.

Les lecteurs auront compris que je ne partage pas ce point de vue et d'autant plus en ce qui concerne les diabétiques. En effet, le paradoxe est que les diabétiques ont rarement un cholestérol élevé et qu'il est difficile, au moins scientifiquement, d'attribuer leur risque cardiovasculaire – qui est réellement élevé – à leur cholestérol. Je discute ailleurs de la notion de cholestérol élevé qui n'a plus beaucoup de sens aujourd'hui alors même que d'autres facteurs sont beaucoup plus importants que le cholestérol (quel que soit son niveau) chez les diabétiques. Ce sont ceux-là qu'il faut corriger et le plus tôt sera le mieux.

Mais, qu'à cela ne tienne. En conformité avec le principe du « *Plus c'est bas et mieux c'est* », un consensus s'est dégagé parmi les experts du cholestérol pour prétendre que tout diabétique devait atteindre un cholestérol optimal !

Ce n'est pas la seule approche lipidique de la prévention des complications cardiovasculaires du diabète (comme je le discute au 1er paragraphe de la section *Pour les professionnels*) mais c'est la seule qui prétend diminuer ce risque exclusivement en diminuant le *vilain* cholestérol.

Cette approche préventive basée sur le cholestérol fait l'objet de ce chapitre.

RÉDUIRE LE CHOLESTÉROL DES DIABÉTIQUES : 3 ESSAIS PASSÉS AU CRIBLE

Je dois donc en premier lieu discuter de l'intérêt de diminuer le cholestérol (le vilain LDL) chez des patients diabétiques afin de réduire le risque de décéder d'une attaque cardiaque ou de souffrir d'un infarctus. Comme discuté au chapitre 12, il est difficile dans des essais testant les statines de faire la part des effets dus à la diminution du cholestérol des autres effets. Ceci dit, que nous racontent ces études cliniques ?

Trois essais ont été publiés à ce jour : *CARDS, ASPEN* et *4D*. Tous les trois testaient l'atorvastatine à 10 ou 20 mg chez des patients diabétiques présentant ou non des antécédents de maladies cardiovasculaires mais tous considérés à haut risque d'infarctus ou de décès cardiaques. Je ne vais pas discuter chacun de ces essais en détails pour ne pas lasser mes lecteurs non professionnels. J'en fais un bref résumé et donne mes commentaires dans la section *Pour les professionnels*. Un essai (CARDS) a donné des résultats en faveur du traitement anticholestérol tandis que les deux autres ont été négatifs. La démarche scientifique devrait amener à conclure que l'hypothèse testée (bienfait supposé du traitement anticholestérol chez les diabétiques) doit être rejetée.

L'essai *CARDS* a été arrêté prématurément et ses résultats, mitigés, sont difficiles à interpréter. Cet arrêt prématuré n'était pas justifié, contrairement à ce que disent les investigateurs. En effet, les nombres d'événements cardiaques majeurs et répertoriés étaient petits et les différences entre les deux groupes étaient faibles. On peut penser qu'avec deux années supplémentaires de suivi, les groupes auraient très bien pu s'égaliser, ou alternativement les différences s'accentuer. De plus, il n'y avait pas de différence significative en termes de mortalité à l'issue de cette période de suivi tronquée, suggérant à nouveau qu'un effet du hasard ne peut pas être exclu. Donc, aucune conclusion solide ne peut être légitimement tirée de CARDS.

Les deux autres essais publiés (ASPEN et 4D) vont confirmer que les investigateurs de CARDS ont eu tort d'arrêter leur essai prématurément. Je discute les essais ASPEN et 4D au 3ᵉ paragraphe de la section *Pour les professionnels*.

Ces essais sont négatifs et ne confirment pas du tout l'enthousiasme exacerbé qu'avait suscité l'essai CARDS. Des discussions passionnées ont eu lieu pour savoir ce qu'il fallait retenir de tel ou tel essai mais je pense qu'elles étaient davantage de l'ordre de l'idéologie que de la bonne foi ou de la rigueur scientifique. On peut donc aujourd'hui conclure que les statines n'ont pas d'effet protecteur chez les patients diabétiques ou, si elles ont un effet, qu'il est très modeste et probablement indépendant de l'effet sur le cholestérol.

Finalement, si on regarde les autres médicaments agissant sur les lipides du sang testés chez des diabétiques et discutés au 1ᵉʳ paragraphe de la section *Pour les professionnels*, on peut avancer la conclusion que les traitements lipidiques basés sur les théories du bon et du mauvais cholestérol sont également une très mauvaise approche pour protéger nos patients diabétiques.

On pourrait presque dire que ces essais sur les diabétiques confirment, indirectement, l'extrême fragilité de la *théorie du cholestérol* de façon générale. Je pense qu'avec les diabétiques, nous sommes un peu dans le cas de figure déjà décrit à propos des accidents vasculaires cérébraux (chapitre 12). Les statines peuvent peut-être influencer le pronostic de certains patients de façon positive mais aussi de façon négative, ce qui annule l'effet précédent. Il est probable que bien d'autres molécules auraient des effets comparables (et probablement pas plus impressionnants que ceux des statines) si on les avait étudiées avec les énormes moyens mis en œuvre pour tester les statines.

Une dernière question mérite d'être posée. Pourquoi une telle différence (une fois exclu un biais dû à l'arrêt prématuré de CARDS) entre les résultats de CARDS d'un côté et ceux d'ASPEN et 4D de l'autre ?

Je suis désolé de dire que la seule explication à cette discordance dans les résultats de ces essais cliniques se trouve, selon moi, au niveau de la gestion technique proprement dite de ces essais. Celle-ci ne relève pas systématiquement du *flair play minimal* que nous sommes en droit d'attendre d'une recherche médicale s'adressant à des patients qui se prêtent volontairement à des investigations. J'ai dit ce que je pensais de l'interruption prématurée, et malheureuse, de l'essai *CARDS*. Je ne suis pas certain qu'il y ait eu une quelconque malveillance de la part des investigateurs, peut-être un peu d'amateurisme. Le problème pourrait-il venir de la relation, partiellement décrite dans l'article du *Lancet* (numéro du 21 août 2004, page 688, paragraphe *Role of the funding source*), entre les investigateurs et le sponsor ?

Entre les lignes, je lis que toutes les données ont été collectées et gérées par le sponsor (c'est bien son droit) et que les analyses ont été faites de façon indépendante par les statisticiens des investigateurs, **mais à partir des données fournies par le sponsor.** On peut donc s'interroger sur la crédibilité des résultats de l'essai et subodorer que toutes les décisions suspectes prises dans la conduite de cet essai ont été influencées par le sponsor. C'est tout à fait le droit du sponsor de contrôler la conduite de cet essai mais il ne faut pas alors exiger une confiance totale de la part des observateurs, surtout si des décisions difficilement justifiables sont prises au cours de l'essai, comme ce fut le cas avec *CARDS*.

Je pense que la présentation avantageuse des résultats de *CARDS* et la discordance avec les résultats des essais suivants viennent surtout de cette relation particulière entre les investigateurs et le sponsor. Cette relation est moins bien décrite dans les deux autres essais. Il est toutefois très curieux de lire les commentaires et conclusions des investigateurs d'*ASPEN* qui ont eu peut-être un peu de difficulté à obtenir de leur sponsor la permission de publier leurs résultats, ce que l'on peut comprendre de la part de ce dernier. Que nous disent les investigateurs d'*ASPEN* de si curieux ?

Ils nous donnent simplement l'impression de s'excuser d'avoir obtenu de tels résultats (c'est-à-dire négatifs pour la statine testée) et, sans nous dire vraiment qu'ils sont de mauvais chercheurs et qu'il ne faut pas les croire, ils nous disent qu'il ne faut pas en tenir compte et faire comme s'ils n'avaient rien dit (voir la conclusion du résumé de leur article au dernier paragraphe de la section *Pour les professionnels*).

QUE FAIRE VIS-À-VIS DU CHOLESTÉROL LORSQU'ON EST DIABÉTIQUE ?

Mes lecteurs diabétiques voudraient certainement savoir ce qu'ils doivent faire avec leur *vilain* cholestérol LDL. Et de mon côté, je voudrais bien, maintenant que j'ai instillé le doute dans les esprits, leur dire quelque chose de positif qui soit basé sur des données scientifiques solides. Dans des communiqués de presse, en juin 2004, l'*American Diabetes Association* faisaient savoir qu'elle recommandait la prise d'une statine par tous les patients diabétiques quel que soit leur niveau de cholestérol. Cela ferait désormais partie des *Guidelines* officielles.

En me promenant sur le site web de l'ADA (en février 2007), je n'ai pas retrouvé cette stupide recommandation énoncée clairement, mais j'y ai trouvé que l'on recommandait aux diabétiques d'avoir un *vilain* cholestérol inférieur à 1 g/L pour protéger leur cœur. Ce qui revient effectivement à encourager la très grande majorité des diabétiques à consommer des statines car seuls ces médicaments permettent d'approcher ce but.

N'étant pas un spécialiste du diabète, je ne me permettrais pas de faire des recommandations ou de donner des conseils à des patients diabétiques.

Ce que je peux dire toutefois c'est que les données scientifiques et médicales crédibles ne sont pas en faveur d'un rôle important du cholestérol dans les complications cardiovasculaires du diabète et que les médicaments anticholestérol actuellement sur le marché ont un effet très modeste voire nul, sur ce risque. En revanche, de tels traitements peuvent avoir des effets délétères, comme je l'explique aux chapitres 13 et 14 et je n'ai aucune raison de penser que les diabétiques en seraient protégés.

Finalement, si un patient diabétique, à lire ces lignes, s'était convaincu de cesser de prendre sa statine, je lui recommande trois choses :
- premièrement d'aller discuter avec le médecin qui la lui a prescrite afin de se faire expliquer la raison de cette prescription. En effet, il y avait peutêtre dans son cas particulier une raison bien précise (au besoin, le patient peut suggérer à ce médecin de lire ce livre s'il ne l'a pas déjà fait) ;
- deuxièmement, s'il décide d'arrêter sa statine avec l'accord de son médecin traitant, il ne doit pas le faire d'un seul coup (moitié dose pendant deux semaines puis un jour sur deux pendant deux autres semaines avant l'arrêt complet). En effet, outre ses propriétés anticholestérol, la statine peut avoir chez certains patients un effet semblable à la nitroglycérine et un syndrome de sevrage n'est pas impossible (chapitre 27) ;

- troisièmement, il est urgent de prendre sa santé en main en luttant avant tout contre les « méga » facteurs de risque et en adoptant en particulier les habitudes alimentaires méditerranéennes, joie de vivre et gastronomie garanties !

CE QU'IL FAUT RETENIR

1- La question de la prévention des maladies cardiovasculaires chez les diabétiques doit être examinée méthodiquement et sereinement.

2- Réduire le vilain cholestérol LDL de façon drastique avec de fortes doses de statines est-elle une bonne stratégie ?

Un premier essai stoppé prématurément, *CARDS*, le laissait penser.

Deux autres essais n'ont pas confirmé les résultats de *CARDS* et montrent que, en recherche médicale aussi, *il ne faut pas vendre la peau de l'ours avant de l'avoir tué.*

3- L'ensemble du dossier concernant l'importance du cholestérol dans les complications cardiovasculaires du diabète évoque plus le marketing que la bonne science et une médecine raisonnable.

POUR LES PROFESSIONNELS ET LES CURIEUX

1- DIABÈTE, FIBRATES ET PPAR ACTIVATEURS

Le diabète ou les syndromes métaboliques de façon générale (chapitre 21), ne sont pas des maladies inductrices d'une élévation importante du *vilain* LDL cholestérol et les médicaments anticholestérol ne sont pas a priori les premiers médicaments à utiliser dans ces syndromes cliniques. Ces syndromes sont plutôt associés à une augmentation des triglycérides et à une diminution du *gentil* HDL cholestérol. Je ne reviendrais pas sur ces notions naïves que je discute plus longuement au chapitre 21.

Il est clair que certains médicaments (autres que les statines) sont capables d'améliorer le bilan lipidique du diabétique, donc de diminuer les triglycérides et d'augmenter les HDL. Ce sont les fibrates (aussi appelés *PPAR activateur alpha*) et d'autres médicaments très modernes appelés glitazones (ou *PPAR activateur gamma*) et enfin des médicaments qui sont PPAR activateur à la fois alpha et gamma comme par exemple le muraglitazar.

Ces médicaments ne sont pas comparables aux statines (quoique le fénofibrate ne soit pas si mauvais à cet égard) pour diminuer le *vilain* cholestérol LDL, mais ils peuvent effectivement, au moins en théorie, être utiles chez les diabétiques.

Un certain nombre d'essais cliniques randomisés dont le but était de tester ces médicaments pour réduire le risque cardiovasculaire ont été publiés. Certains furent conduits dans des populations comportant des diabétiques (HELSINKI, VA-HIT, BIP, LEADER) et des analyses de sous-groupes ont permis d'évaluer leur efficacité chez les diabétiques spécifiquement. D'autres ont été conduits chez des diabétiques exclusivement, tels PROactive et FIELD. Enfin, dans une élégante étude publiée dans le *Journal of the American Medical Association* le 20 octobre 2005, des investigateurs ont cumulé les données confidentielles de plusieurs études avec le muraglitazar pour donner un aperçu, forcément limité mais très utile, de l'efficacité de cette molécule et de ses éventuels effets secondaires.

Je ne vais pas rentrer dans le détail de chacune de ces études, mais après 25 ans d'investigation, et malgré toutes sortes de feintes et d'hyperboles pour essayer de faire croire que ces produits peuvent être utiles chez certains patients, le bilan est plutôt désolant.

Globalement, on peut dire que ces médicaments n'améliorent pas la survie, c'est-à-dire ne sauvent pas de vies dans les délais des essais cliniques programmés. Je ne veux faire la leçon à personne mais il est clair pour moi qu'il y a eu dans ce champ de recherche et d'investigation, un terrible déficit en investigation physiologique et pharmacologique. En fait, si on excepte les naïves théorie du « *Plus c'est bas et mieux c'est* » (qui concerne plutôt le *vilain* LDL) ou celle du *bon* cholestérol (qui concerne le *gentil* HDL qui n'est pas toujours gentil), on ne sait toujours pas comment ces produits pourraient avoir un effet protecteur, sauf à faire appel à des scénarios qui me semblent bien fragiles. En un mot, on a mis la charrue avant les bœufs et les essais cliniques étaient basés sur des hypothèses peu crédibles. Leurs échecs ne sont donc pas surprenants et, à lire quelques éditoriaux ou points de vue récemment publiés, je ne suis pas le seul à penser ainsi.

Il nous faut attendre la suite au prochain épisode avec une nouvelle molécule miracle, par exemple avec des molécules qui augmentent le *gentil* cholestérol HDL comme le torcetrapib.

Erreur ! C'est déjà trop tard, le torcetrapib vient d'être retiré du marché (décembre

2006) avant même d'y avoir été introduit ! Les essais cliniques conduits sur des milliers de patients ont révélé une surmortalité inacceptable dans les groupes traités.

Ceci rappelle l'insoutenable légèreté que je décris ailleurs (chapitre 5) à propos d'autres scientifiques.

2- L'ESSAI *CARDS*, LE MIRACLE ATTENDU !

L'essai *CARDS* a fait beaucoup parler de lui au moment de sa publication en août 2004 dans la revue britannique *The Lancet* parce que les investigateurs l'ont présenté comme la démonstration définitive que tous les diabétiques devaient être traités par une statine quel que soit leur niveau de cholestérol. Une de leurs justifications était que l'efficacité du traitement était tellement importante qu'ils avaient dû interrompre l'essai 2 ans avant sa fin programmée. C'est décidément une habitude quand on teste ce médicament (l'atorvastatine) de ne pas attendre la fin programmée de l'essai (voir les chapitres 15 et 18).

Ces médicaments étant promis à être utilisés, conformément à la théorie en vigueur, pendant des décennies par les patients, il n'y a aucune raison d'interrompre ces essais prématurément et de se priver de quelques années de surveillance supplémentaire dans des conditions protégées (celui de l'essai clinique) avant de recommander l'usage de ces médicaments dans la population générale avec toutes les dérives et surprises habituelles.

Dans le cas de *CARDS*, cet arrêt n'était pas justifié, contrairement à ce que disent les investigateurs qui prétendent avoir défini et calculé les conditions d'un arrêt prématuré avant le début de l'essai. En effet, les nombres d'événements cardiaques majeurs et répertoriés sont petits et les différences faibles : 24 décès cardiaques contre 18 par exemple, ou encore 35 et 21 accidents vasculaires cérébraux. On peut penser qu'avec deux années supplémentaires de suivi, les groupes auraient très bien pu s'égaliser, ou alternativement les différences s'accentuer. De plus, il n'y a pas de différence significative en termes de mortalité à l'issue de cette période de suivi tronquée. Il est évident que la tendance est favorable au traitement (sinon les investigateurs n'auraient évidemment pas interrompu l'essai à ce moment-là), mais en toute bonne foi, j'aurais préféré, et il aurait été préférable scientifiquement et éthiquement, que l'essai aille à son terme. L'examen minutieux des deux autres essais *ASPEN* et *4D* (tous les deux totalement négatifs) confirme que, lorsqu'on prétend faire de la médecine scientifique, *il ne faut pas vendre la peau de l'ours avant de l'avoir occis* c'est-à-dire arrêter un essai avant de l'avoir réellement fini, y compris quand les patients sont des diabétiques.

Il est d'autant plus dommage d'avoir arrêté prématurément cet essai que l'effet sur le vilain cholestérol LDL était spectaculaire (une réduction de 40 %) et qu'avec un nombre de complications plus important dans les deux groupes, du simple fait de terminer l'essai dans les délais prévus, on aurait pu vérifier si ce vilain cholestérol est vraiment délétère pour le cœur des diabétiques.

Pour expliquer ma déception vis-à-vis de *CARDS*, je vais rapidement présenter deux autres essais conduits chez des diabétiques.

3- *ASPEN* ET *4D*, DEUX ESSAIS QUI INFIRMENT LES RÉSULTATS DE CARDS ET DES ANALYSES DE SOUS-GROUPES ANTÉRIEURES

Le premier essai, *ASPEN*, testait 10 mg d'atorvastatine. L'effet sur le *vilain* cholestérol est encore ici spectaculaire (réduction de 30 %) et les investigateurs n'ont pas arrêté prématurément l'essai. Bonne nouvelle !

Nous disposons donc de données propres. Que disent elles ?

Elles disent qu'il n'y a aucune différence entre les deux groupes pour toutes les complications enregistrées : 38 et 37 décès cardiaques dans les deux groupes et aucune différence pour la mortalité totale. D'autre part, il n'y avait aucune différence dans le nombre d'accidents vasculaires cérébraux (34 et 38 dans les deux groupes). Autrement dit, avec plus d'événements comptabilisés, cet essai est en totale contradiction avec les résultats de *CARDS*.

Je reproduis ci-dessous pour les lecteurs intéressés la conclusion des auteurs d'*ASPEN* qui visiblement n'arrivent pas à admettre la négativité de leur expérience et, malgré leurs résultats, écrivent qu'il ne faut rien changer aux stratégies actuelles qui consistent, contre toute évidence, à traiter pratiquement tous les diabétiques avec une statine.

Efficacy and Safety of Atorvastatin in the Prevention of Cardiovascular End Points in Subjects With Type 2 Diabetes

The Atorvastatin Study for Prevention of Coronary Heart Disease
Endpoints in Non-Insulin-Dependent Diabetes Mellitus (ASPEN)

ROBERT H. KNOPP, MD[1]
MICHAEL D'EMDEN, MD[2]
JOHAN G. SMILDE, MD, PHD[3]

STUART J. POCOCK, PHD[4]
ON BEHALF OF THE ASPEN STUDY GROUP*

CONCLUSIONS — Composite end point reductions were not statistically significant. This result may relate to the overall study design, the types of subjects recruited, the nature of the primary end point, and the protocol changes required because of changing treatment guidelines. For these reasons, the results of the Atorvastatin Study for Prevention of Coronary Heart Disease Endpoints in Non-Insulin-Dependent Diabetes Mellitus (ASPEN) did not confirm the benefit of therapy but do not detract from the imperative that the majority of diabetic patients are at risk of coronary heart disease and deserve LDL cholesterol lowering to the currently recommended targets.

Diabetes Care 29:1478–1485, 2006

Le deuxième essai est *4D*. Ici, les diabétiques recrutés pour l'essai sont à très haut risque parce qu'ils ont malheureusement une maladie rénale (complication de leur diabète) nécessitant une hémodialyse. Dans cet essai, du fait de l'ampleur du risque, les investigateurs ont doublé la dose d'atorvastatine et je pense qu'ils ont eu raison (si je m'inscris dans leur raisonnement vis-à-vis de la *théorie du cholestérol*) car ils ont obtenu en moyenne une diminution de plus de 40 % du *vilain* cholestérol LDL. On ne peut pas dire que les patients étaient sous-traités.

Que nous dit *4D* ? Cet essai est remarquablement conduit, avec des précisions concernant les décès cardiaques (le nombre de morts subites est rapporté, c'est un fait exceptionnel !) sans interruption prématuré et avec un nombre considérable de complications. Va-t-il dans le sens de *CARDS* ou dans celui d'*ASPEN* ?

Il confirme les données d'*ASPEN* et il confirme aussi que les investigateurs de *CARDS* n'auraient pas dû interrompre leur essai. En effet, dans 4D, le nombre de décès est semblable dans les deux groupes (320 et 297), le nombre de morts subites n'est pas différent (83 et 77) et il y a plus d'accidents vasculaires cérébraux mortels dans le groupe statine (27 contre 13 dans le groupe placebo). En outre, le nombre d'accidents vasculaires cérébraux non mortels est exactement similaire (32 et 33) dans les deux groupes (voir le tableau ci-dessous). Je reproduis la conclusion des auteurs ci-dessous.

CONCLUSIONS

Atorvastatin had no statistically significant effect on the composite primary end point of cardiovascular death, nonfatal myocardial infarction, and stroke in patients with diabetes receiving hemodialysis.

N ENGL J MED 353;3 WWW.NEJM.ORG JULY 21, 2005

Table 2. Rates of Primary and Secondary End Points.*

End Point	Placebo Group (N=636)	Atorvastatin Group (N=619)	RR (95% CI)	P Value
	no. (%)			
Primary	243 (38)	226 (37)	0.92 (0.77–1.10)	0.37
Death from cardiac causes	149 (23)	121 (20)	0.81 (0.64–1.03)	0.08
Sudden death	83 (13)	77 (12)		
Fatal myocardial infarction	33 (5)	23 (4)		
Death due to congestive heart failure	24 (4)	17 (3)		
Death after interventions to treat coronary heart disease	4 (0.6)	3 (0.5)		
Other death due to coronary heart disease	5 (0.8)	1 (0.2)		
Nonfatal myocardial infarction	79 (12)	70 (11)	0.88 (0.64–1.21)	0.42
Silent	50 (8)	41 (7)		
Nonsilent	35 (6)	33 (5)		
Fatal stroke	13 (2)	27 (4)	2.03 (1.05–3.93)	0.04
All cerebrovascular events combined	70 (11)	79 (13)	1.12 (0.81–1.55)	0.49
Stroke	44 (7)	59 (10)	1.33 (0.90–1.97)	0.15
Ischemic	33 (5)	47 (8)		
Hemorrhagic	8 (1)	5 (1)		
Other (not classified)	6 (1)	10 (2)		
TIA or PRIND	31 (5)	26 (4)		
Death from all causes	320 (50)	297 (48)	0.93 (0.79–1.08)	0.33

Les essais *ASPEN* et *4D* ayant été conduits spécifiquement chez des patients diabétiques, ils sont évidemment beaucoup plus fiables que des essais antérieurs (par exemple ASCOT, *HPS* ou *TNT*) conduits sur des populations mélangées comportant certains pourcentages de diabétiques et avec lesquels on avait pu faire quelques statistiques sur des sous-groupes. Ce sont des analyses a posteriori qu'il faut prendre avec beaucoup de prudence, et qui d'ailleurs avaient donné lieu à beaucoup de discussion avant la publication d'*ASPEN* et de *4D* parce que les résultats étaient un peu contradictoires entre les différents essais, ce qui est fréquent dans ce type d'analyses de sous-groupes.

Par exemple, dans les analyses par sous-groupes de HPS, les investigateurs rapportaient une diminution très importante des accidents vasculaires cérébraux avec la statine, ce qui est totalement infirmé par *ASPEN* et *4D*.

Ci-dessous les courbes de survie de l'essai *4D*.

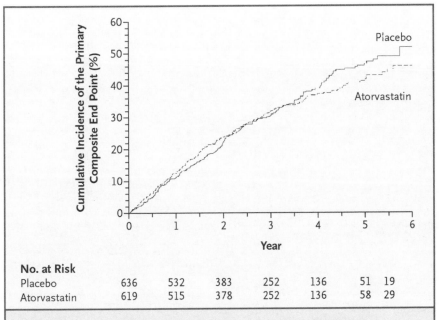

Figure 3. Estimated Cumulative Incidence of the Composite Primary End Point.

« Je te salue, vieil Océan... »

CHAPITRE 18

FAUT-IL DONNER DES STATINES POUR EMPÊCHER LES RÉCIDIVES DE CRISES CARDIAQUES ?

Ce que vous allez apprendre

• Qu'est-ce que le principe du « Plus c'est bas, mieux c'est » [*The lower, the better*] ?

• Ce principe obéit-il à une rationalité ?

• Que disent, ou prétendent dire, les essais testant cette stratégie dans la prévention des récidives de crises cardiaques ?

• Quelle leçon doit-on en tirer, dans le contexte spécifique de la prévention secondaire ?

D ES LECTEURS S'ÉTONNERONT SANS DOUTE QUE JE COMMENCE un nouveau chapitre par un extrait d'un texte de Lautréamont. Avant de leur laisser le grand plaisir de le lire, ou peut-être de le découvrir, je leur dois quelques mots d'explication.

En avril 2004, un éditorialiste du *New England Journal of Medecine*, une revue médicale américaine qui à l'époque avait encore quelque réputation, titrait son article comme suit : « *Traitement intensif par les statines : un océan de nouveauté en prévention cardiovasculaire !* » Ce titre et la lecture de cet éditorial m'ont fort étonné pour ne pas dire stupéfait ! Que d'emphase et de ridicule hyperbolisme pour de si petites choses !

Comment des messieurs si respectables, au moins en tant qu'experts de leur spécialité pouvaient s'exprimer ainsi et perdre tout sens de la mesure ? N'aurions-nous affaire qu'à de « *piètres marins d'eau douce* », comme dirait le Capitaine Haddock ? Je me suis ainsi retrouvé, pour continuer sur la lancée de ma métaphore maritime, face à un « océan » d'incertitudes. Qu'est-ce qui pouvait conduire des gens apparemment sensés à s'embarquer sur de tels « radeau[x] de la méduse » ? Et le plus étonnant, c'est qu'ils soient aussi nombreux sur le radeau, car personne ne s'étonna, ou officiellement n'a dit son étonnement !

Dans les jours difficiles, quand l'étreinte du désespoir me serre la gorge, comme l'aurait écrit peut-être Lautréamont, le maître incontesté de la littérature sarcastique, je prends une petite pilule d'ironie et je m'en vais en sa compagnie saluer le Vieil Océan :

« *Je te salue, vieil Océan*

Vieil Océan, ô grand célibataire, quand tu parcours la solitude solennelle de tes royaumes flegmatiques, tu t'enorgueillis à juste titre de ta magnificence native, et des éloges vrais que je m'empresse de te donner. Balancé voluptueusement par les mols effluves de ta lenteur majestueuse, qui est le plus grandiose parmi les attributs dont le pouvoir t'a gratifié, tu déroules, au milieu d'un sombre mystère, sur toute ta surface sublime, tes vagues incomparables, avec le sentiment calme de ta puissance éternelle. Elles se suivent parallèlement, séparées par de courts intervalles. A peine l'une diminue, qu'une autre va à sa rencontre en grandissant, accompagnées du bruit mélancolique de l'écume qui se fond, pour nous avertir que tout est écume. Ainsi, les êtres humains, ces vagues vivantes, meurent l'un après l'autre, d'une manière monotone ; mais sans laisser de bruit écumeux. »

« *Les Chants de Maldoror* », Lautréamont

Maldoror n'est pas le nom d'un patient ni l'acronyme d'un essai clinique, c'est celui d'une sorte de chanteur de charme du XXe siècle et les lecteurs pourront apprécier, à la lecture de ses plus célèbres chants, qu'avec lui l'art de l'ironie a atteint ses plus hauts sommets.

Loin de moi l'intention de prétendre m'en approcher, mais l'analyse des quelques essais cliniques qui va faire le contenu de ce chapitre ne peut que susciter, chez tout scientifique quelque peu sensé ou médecin ayant le temps de le parcourir, un sentiment d'ironique désespérance. Pourquoi ?

Pourquoi un telle alliance ironie et désespérance ?

Ironie parce qu'il ne semble y avoir là que marketing déguisé en « pseudo-science ».

Désespoir, parce que les patients et les médecins qui participent, certainement avec beaucoup de bonne volonté, à ces essais sont les jouets d'une sorte de falsification médicale et scientifique. Voilà de graves accusations qui méritent d'être explicitées.

UNE MÉTHODE *IDEALE* POUR UN RÉSULTAT QUI TIENT DU *MIRACLE*

Dans des chapitres précédents, j'ai essayé de montrer qu'il fallait faire preuve de beaucoup de prudence et d'acuité visuelle quand on lisait les rapports des essais cliniques sur les médicaments anticholestérol. Le *regard latéral* du chercheur est aussi très utile pour déceler les anomalies et incongruités qui souvent permettent de révéler (au sens photographique du terme) quelques dissimulations.

Si, à ce point de la lecture, certains lecteurs estimaient que je sombre dans l'exagération et le pessimisme, et je peux le concevoir, je leur propose d'interrompre celle-ci et, s'il leur reste un peu d'énergie, d'aller parcourir le chapitre 10. Je pense qu'ils y trouveront de quoi alimenter leur propre scepticisme. Je renvoie également mes lecteurs aux chapitres 15 et 16 qui analysent des essais comme *PROSPER* et *ASCOT*, bien connus en principe des professionnels, et qui sont également des illustrations inquiétantes de la dérive qualitative des essais cliniques.

Dans le chapitre 11, je fais un rapide historique des essais menés avec les statines et les lecteurs apprendront ce qui s'est passé avant 2001 (date de la première publication d'une nouvelle vague d'essais avec de *nouvelles* statines). Depuis cette date, du fait de la concurrence entre industriels, des essais d'un genre nouveau ont dû être imaginés pour parvenir à tester et valoriser de nouvelles molécules (prétendument supérieures aux précédentes) tout en respectant, au moins en apparence, les intérêts des patients qui y sont inclus.

Ici, et sans équivoque, le souci marketing devient prédominant par rapport à la médecine et à la science. On ne teste plus des hypothèses scientifiques ayant un intérêt médical quelconque, on utilise le principe de l'essai clinique (et les patients recrutés) pour essayer de montrer que la toute dernière molécule sortie des laboratoires de synthèse de l'Industrie pharmaceutique est supérieure à celles qui occupent déjà le marché. On va bien sûr habiller cela d'un déguisement compatible avec le respect des règles élémentaires de l'éthique médicale. On comprend que des intérêts commerciaux et financiers énormes sont en jeu à travers la réussite ou l'échec d'un essai clinique visant à valoriser un nouveau, et miraculeux médicament.

Comment procède-t-on pour démontrer que ces nouvelles molécules sont supérieures aux anciennes ?

On recrute tout d'abord des médecins et scientifiques supérieurement intelligents, puis on s'entoure d'experts ou de faiseurs d'opinion disposant d'un carnet d'adresses adéquat et, enfin, on imagine des *nouveaux protocoles* d'étude permettant de tester la nouvelle molécule. Entre 2001 et 2005, environ 8 essais testant le principe « *The lower, the better* » [Plus c'est bas, mieux c'est] avec ces *nouveaux protocoles* ont été publiés sous une forme ou une autre. Il y en a peut-être d'autres (non publiés, car non publiables du point de vue du sponsor) que je ne connais évidemment pas. Cette non-publication de données défavorables au marketing d'un nouveau médicament est un fait connu et régulièrement dénoncé par diverses instances. Ceci dit, je ne vois pas l'intérêt maintenant d'être exhaustif, car ces essais avec les nouveaux protocoles se ressemblent tous et ceux qui sont publiés (le sommet de l'iceberg sans doute) sont suffisamment instructifs à mon avis, à condition de faire preuve d'un minimum d'esprit critique.

Quelle fut l'astuce expérimentale qui permit de faire croire que ces essais avaient un objectif scientifique et non une visée purement marketing ?

Comme les nouvelles molécules étaient possiblement plus actives que les anciennes, une forte dose d'une d'entre elles devait permettre de diminuer beaucoup plus le cholestérol (et le risque qui lui est associé) qu'une faible dose d'une ancienne. Nous sommes, je le répète, dans le contexte du « *Plus c'est bas, mieux c'est* » !

Une connaissance minimale de l'épidémiologie cardiovasculaire (chapitres 5 et 6) et de la biologie du cholestérol (chapitres 3,4 et 7) aurait dû ramener nos experts à une vision un peu plus réaliste de cette question. S'ils avaient dû générer sans l'aide du sponsor concerné les budgets de ces essais, ils n'auraient probablement jamais trouvé les sommes nécessaires, parce que cette question est d'un intérêt médical et scientifique douteux ou très secondaire. Mais ce n'était évidemment pas la vraie question, tous les lecteurs l'auront compris avant même que je n'écrive ces lignes.

Je ne vais pas rentrer dans le détail de chacun de ces essais quoique j'entende déjà l'expert présumé de l'un de ceux que je n'aurais pas cité m'accuser d'avoir justement oublié celui qui était plus fiable que les autres !

D'un point de vue scientifique, aucun de ces essais ne présente un intérêt réel : tous sont construits sur le même schéma. Il y a des variations concernant les patients inclus, certains étant cliniquement stables, d'autres inclus immédiatement après un infarctus du myocarde, donc plutôt instables. La plupart portent des noms délicieux du genre *MIRACL* ou *IDEAL*.

Un point important à rappeler c'est que pour qu'une théorie scientifique soit crédible, elle doit être résistante (chapitre 27). Autrement dit, une théorie scientifique doit répondre à une loi générale et toute exception à celle-ci (par exemple un essai clinique négatif) fragilise la théorie. Une publication rapportant un essai négatif décrédibilise terriblement la loi générale (ou la théorie) même si, en parallèle, plusieurs essais positifs ont été publiés.

Pour illustrer mon point de vue, je vais discuter, un peu, deux essais (*IDEAL* et *MIRACL*) testant la théorie « *Plus c'est bas, mieux c'est* » : l'un conduit chez des patients immédiatement après un infarctus et comparant deux statines (une ancienne et une nouvelle) et l'autre chez des patients présentant une maladie coronaire connue mais stable cliniquement (pas d'infarctus) et comparant deux doses de la même nouvelle statine. Dans les deux cas, les investigateurs ont rapporté des différences de cholestérol considérables entre les deux groupes de l'essai, montrant ainsi qu'ils étaient bien en train de tester la théorie « *Plus c'est bas, mieux c'est* ».

Ces discussions techniques risquant d'être un peu pénibles pour des lecteurs non professionnels, je les traite aux 1er (*IDEAL*) et 3e (*MIRACL*) paragraphes dans la section *Pour les professionnels*. J'en ferai toutefois quelques commentaires ici.

Tout d'abord, l'essai IDEAL.

Je dirais que c'est le prototype de l'énorme essai clinique avec un échantillon considérable et un nombre de complications enregistrées non moins considérable. Sans donner de chiffres ici, il est clair que la seule conclusion possible est que l'hypothèse doit être rejetée : **une diminution drastique du cholestérol n'a pas amélioré le pronostic des patients traités à fortes doses.** Pourtant, contrairement à l'évidence scientifique, les investigateurs de l'essai et toute une flopée de commentateurs l'ont présenté et célébré comme une confirmation non équivoque de l'hypothèse testée. Désespérant ! ou délirant !

Les défenseurs de la *théorie du cholestérol* ou du concept « *Plus c'est bas, mieux c'est* » pourraient alléguer (et ils le font car les médias spécialisés leur sont tout acquis) que d'autres essais testant le même type d'hypothèse chez des patients comparables ont donné des résultats plus favorables aux nouvelles molécules. Autrement dit, ne nous focalisons pas trop sur cet essai négatif puisque d'autres essais ont donné des résultats moins décevants. Comme discuté un peu plus haut, ce type d'argument n'est pas scientifique.

Bien que l'existence d'un seul essai négatif comme *IDEAL* (sans biais ou erreur méthodologique majeure et apparente, incluant un nombre considérable de patients) constitue à lui seul une fragilisation de la théorie, je veux bien avoir la courtoisie de jeter un œil sur d'autres essais semblables.

Trois autres essais récents peuvent être rapprochés, d'un point de vue méthodologique, de l'essai *IDEAL*.

Ce sont les essais *MIRACL* (où 80 mg d'atorvastatine étaient comparés à un placebo chez des patients présentant un accident cardiaque aigu mais sans patient présentant un infarctus typique), l'essai *PROVE IT-TIMI 22* (où 80 mg d'atorvastatine étaient comparés à 40 mg de pravastatine) et l'essai *A to Z Trial* (où 80 mg de simvastatine donnés immédiatement après une attaque cardiaque étaient comparés à 40 mg donnés avec un délai de 4 mois après l'attaque cardiaque). Je ne vais pas décrire chacun de ces essais, ça ne présente pas un intérêt crucial pour ma démonstration.

Que nous disent ces trois essais ? Comme certains lecteurs pressés, ou un peu fatigués, préfèreraient sans doute éviter des discussions trop techniques, je les présente rapidement au 2e paragraphe de la section *Pour les professionnels.*

En fait, ces trois essais ne permettent pas de vérifier les hypothèses testées et, contrairement à l'apparent consensus général, nous renforcent dans l'idée, déjà suggérée par *IDEAL*, que le principe « *Plus c'est bas, mieux c'est* » est réfuté.

La conclusion qui devrait s'imposer, après l'analyse rapide de ces 4 essais conduits avec de fortes doses de statines chez des patients ayant survécu à une attaque cardiaque récente, c'est que, malgré une diminution très importante du vilain cholestérol, aucun miracle n'est survenu.

Je ne vois pas (désolé !) un *Océan* de progrès thérapeutique.

Pire, j'y vois une remise en question des anciens essais conduits en prévention secondaire (*4S*, *LIPID* et *CARE*, pour les connaisseurs) où des progrès thérapeutiques semblaient avoir été accomplis pour le traitement des patients qui avaient survécu à un infarctus ; donc pour la prévention des récidives, sans qu'on puisse toutefois affirmer qu'ils étaient applicables à d'autres populations, notamment aux Français, et à d'autres époques que celles où les essais avaient été conduits (chapitre 6).

A la lumière de ces essais récents, certaines règles thérapeutiques établies du post-infarctus devraient être revues en urgence, dans l'intérêt des patients.

LA DIFFÉRENCE ENTRE LES NOUVEAUX ESSAIS ET LES ANCIENS

Les quatre essais dont je viens de parler ont été conduits au début du XXe siècle et suggèrent que ceux qui ont été menés dans des contextes comparables mais dans les années 1990 n'ont certainement plus aujourd'hui la même signification.

J'ai un peu contesté la validité clinique de ces vieux essais (*4S* et *LIPID*), notamment parce qu'ils avaient été réalisés avec des populations très particulières (non représentatives des populations réelles de ces pays), et donc peu représentatives des patients que nous voyons nous-mêmes dans nos consultations (chapitre 5). Avec ces résultats récents obtenus chez des patients traités de façon différente de ceux inclus dans les anciens essais de prévention secondaire, on peut penser que, de nombreux facteurs ayant changé (tabac, sédentarité, réadaptation post-infarctus, diététique différente), la réponse à ces médicaments anticholestérol serait aujourd'hui différente.

C'est une hypothèse absolument fondamentale pour les médecins praticiens d'aujourd'hui, pour leur permettre de donner des soins optimaux à leurs patients. Comment y répondre ?

On peut essayer de vérifier cette hypothèse en examinant les effets de nouvelles molécules données à fortes doses chez des patients qui ressemblent à ceux inclus dans les premiers essais de prévention secondaire des années 1990 (*4S* et *LIPID*), c'est-à-dire recrutés à distance d'un accident cardiaque et donc en principe stables cliniquement.

Deux essais permettent d'examiner ce point : *TNT* (*Treating New Targets*) et *The ALLIANCE study*. Dans les deux cas, il s'agit de traiter plus agressivement qu'autrefois des patients connus pour avoir une maladie des artères coronaires (mais celle-ci est calme) : dans un cas, les patients ont des taux de cholestérol élevés (*ALLIANCE*) et dans l'autre cas (*TNT*), plutôt bas (le *vilain* LDL inférieur à 3,4 mmol/L). Pour plus de précisions sur ces essais, lire le 3ᵉ paragraphe de la section *Pour les professionnels*. On y verra notamment que ces essais ont été malheureusement conduits sous un strict contrôle du sponsor et non de façon indépendante.

Ces deux essais sont globalement négatifs, dans la mesure où l'on ne considère que les données directement vérifiables, c'est-à-dire celles de la mortalité. Ils sont en totale contradiction avec les vieux essais *4S* et *LIPID* qui rapportaient des effets significatifs sur la mortalité. Malgré la clarté de l'ensemble de ces données publiées officiellement (c'est-à-dire l'association de données négatives et de données invérifiables), je ne compte pas les éditoriaux, commentaires et analyses certifiant que désormais, c'est prouvé, il faut traiter tous les patients, ceux qui sont stables cliniquement comme ceux qui viennent de faire une attaque cardiaque, avec des fortes doses de statines. Un « *Océan de nouveautés thérapeutiques miraculeuses* » !

Après un examen minutieux de ces données brutes, et en prenant la précaution minimale de ne pas avaler n'importe quelle couleuvre, je ne peux pas arriver à la même conclusion.

Un peu de sens critique devrait pourtant conduire à plus de prudence. Je donne un seul et dernier exemple pour illustrer mon propos. L'initiation précoce de traitement par les statines au moment d'une attaque cardiaque a donné lieu à deux récentes méta-analyses, l'une publiée en mai 2006 (et faisant la synthèse de 12 essais), l'autre en septembre 2006 (et faisant la synthèse de 13 essais, incluant les 12 ayant servi précédemment). La première conclut à l'absence totale d'effet bénéfique dans les 4 mois qui suivent l'initiation du traitement, tandis que la deuxième conclut à des effets protecteurs très significatifs après seulement 4 mois de traitement. Donc deux méta-analyses à des moments très proches et sur la base des mêmes essais cliniques donnent des résultats absolument opposés ! Faut-il remettre en question ces techniques d'analyse ?

Ces discordances montrent à tout le moins que les doutes que j'exprime vis-à-vis des miracles océaniques célébrés par l'industrie et ses alliés sont partagés par quelques autres experts notamment américains.

QUE PENSER QUAND ON EST SIMPLE MÉDECIN OU PATIENT ?

Maintenant, si je prends un peu de recul et me mets à la place d'un médecin ou d'un de ses patients, dans quel état d'esprit vais-je me trouver ?

Cette question peut être très anxiogène chez un patient qui a déjà fait un infarctus et qui pensait être protégé en prenant une statine. Le patient et le médecin sont soumis à un bombardement médiatique intensif, *via* l'Industrie pharmaceutique ou agroalimentaire, ou même toutes sortes de corporations médicales ou d'associations de consommateurs (qui croient bien faire le plus souvent) qui n'ont pas la compétence pour analyser froidement, comme je viens de le faire, les essais cliniques prétendument définitifs pour soutenir la théorie du cholestérol ou son succédané, la *théorie* du « *Plus c'est bas, mieux c'est* ».

Comment pourraient-ils faire la part des choses ? Pourquoi me croiraient-ils moi et pas la publicité pour la margarine machin qui baisse le cholestérol, pour l'un, ou le visiteur médical de telle compagnie pharmaceutique lui apportant force arguments et documents sur les miracles des statines, pour l'autre ?

Et qu'en est-il de certains spécialistes, ou experts d'un domaine particulier de cette tentaculaire problématique du cholestérol, et qui pourraient me dire que je suis fort sévère avec les essais cliniques, que certes il y a quelques contradictions mais que dans l'ensemble, finalement, la balance penche plus en faveur de ces théories que contre ?

Des lecteurs de bonne foi peuvent penser que la position que je prends est une forme d'intolérance. Et ils se disent : « *Pourquoi voir le mal partout ? Il y a forcément quelque chose de vrai derrière toute cette agitation ! Tous les experts et opinion leaders ne sont quand même pas des imbéciles ? Des corporations professionnelles entières ne sont quand même pas assez naïves pour gober de telles fadaises ?* »

Je les comprends et je me suis souvent posé ce genre de questions. Mais l'évolution des choses, historiquement, me conforte systématiquement dans mon analyse. Strates après strates, je vois paradoxalement se consolider des théories qui pourtant ne reposent sur aucune base solide. Des règles basiques de raisonnement scientifique, des précautions considérées encore récemment comme minimales en recherche clinique, ou simplement les règles de bonne pratique sont systématiquement violées, sans réaction audible.

Si nous vivions dans un monde parfaitement policé, un monde où survivrait intact le « *charme discret de la Bourgeoisie* » (chapitre 26), où les scandales financiers et économiques seraient rarissimes, je pourrais comprendre qu'on ait un peu de mal à me suivre sur ces chemins scabreux ou qu'on me soupçonne d'un scepticisme exagéré. Mais quelle est la réalité de notre époque ?

Ce qu'il faut retenir

1- L'analyse de récents essais testant le principe du « Plus c'est bas, mieux c'est » avec des cohortes de patients suggère que cette stratégie n'est pas clairement efficace pour la prévention des récidives d'infarctus.

2- Paradoxalement, la majorité des commentateurs et des médias ont conclu que cette stratégie était efficace.

3- Ce paradoxe tend à conforter l'idée qu'il y a actuellement, à propos des théories du cholestérol, beaucoup de confusion et de la désinformation.

POUR LES PROFESSIONNELS ET LES CURIEUX

1- L'ESSAI IDEAL PUBLIÉ EN 2005

Cet essai a été conduit dans le nord de l'Europe sur l'initiative de l'industriel qui commercialise la molécule testée à forte dose (80 mg d'atorvastatine) contre une ancienne molécule testée à relativement faible dose (20 mg de simvastatine). Un nombre considérable de patients a été recruté (près de 4 500 patients par groupe pour les analyses statistiques). Vu le contexte (immédiat post-infarctus) et le nombre de patients, on pouvait s'attendre à ce que des effets même mineurs de la nouvelle molécule puissent être mis en évidence, en respectant les règles habituelles des calculs de probabilité.

Effectivement, des centaines d'événements ont été enregistrés dans chaque groupe au cours des 5 années de suivi. On peut s'étonner qu'avec une puissance d'investigation aussi extraordinaire, la mortalité ne fasse pas partie des objectifs prioritaires à tester dans cet essai. Les patients et leurs médecins traitants peuvent en effet imaginer que, face à une maladie qui tue, le médicament miraculeux qui leur est proposé ait un effet significatif sur leur risque de décéder. Que penserait-on d'un traitement anti-cancéreux qui ne retarderait pas l'heure du trépas ?

Pour les maladies cardiovasculaires, comme je l'ai répété maintes fois dans différents chapitres de ce livre, la question de la survie est au centre de toute approche thérapeutique. C'est pour moi également le critère de base concernant la qualité et la crédibilité d'un essai. J'aurais souhaité également savoir quelle est l'incidence du syndrome de mort subite dans les deux groupes puisque ce syndrome représente environ 70 % de la mortalité cardiaque dans une population de cet âge.

High-Dose Atorvastatin vs Usual-Dose Simvastatin for Secondary Prevention After Myocardial Infarction
The IDEAL Study: A Randomized Controlled Trial

Terje R. Pedersen, MD, PhD
Ole Faergeman, MD, DMSc
John J. P. Kastelein, MD, PhD

Context Evidence suggests that more intensive lowering of low-density lipoprotein cholesterol (LDL-C) than is commonly applied clinically will provide further benefit in stable coronary artery disease.

95% CI, 0.73-1.15; $P=.47$). Death from any cause occurred in 374 (8.4%) in the simvastatin group and 366 (8.2%) in the atorvastatin group (HR, 0.98; 95% CI, 0.85-1.13; $P=.81$). Patients in the atorvastatin group had higher rates of drug discontinuation due to nonserious adverse events; transaminase elevation resulted in 43 (1.0%) vs 5 (0.1%) withdrawals ($P<.001$). Serious myopathy and rhabdomyolysis were rare in both groups.

Conclusions In this study of patients with previous MI, intensive lowering of LDL-C did not result in a significant reduction in the primary outcome of major coronary events, but did reduce the risk of other composite secondary end points and nonfatal acute MI. There were no differences in cardiovascular or all-cause mortality. Patients with MI may benefit from intensive lowering of LDL-C without an increase in noncardiovascular mortality or other serious adverse reactions.

Trial Registration ClinicalTrials.gov Identifier: NCT00159835.

JAMA. 2005;294:2437-2445   www.jama.com

C'est un essai présenté par les auteurs (et nombre de commentateurs) comme favorable à la nouvelle molécule mais qui, d'un point de vue exclusivement scientifique, a échoué à montrer une différence significative entre les deux groupes dans le cadre de l'hypothèse testée (une réduction du *primary outcome* comme écrit dans le texte ci-dessus).

Je suis désolé pour les éditorialistes qui ont célébré les résultats de cet essai comme une confirmation de la théorie « Plus c'est bas, mieux c'est ». J'y vois exactement le contraire, comme d'ailleurs les investigateurs le marmonnent à la fin de l'abrégé de l'article ci-dessous lorsqu'ils disent que le traitement intensif n'a pas permis une diminution significative du primary outcome. La seule conclusion à tirer d'un essai aussi important en termes de nombre d'événements enregistrés est que l'hypothèse testée n'a pas été vérifiée et qu'en conséquence, sur le plan du principe (tout bon statisticien le confirmera), l'analyse et l'interprétation peuvent s'arrêter là. Point final !

On pourrait certes chercher à expliquer les raisons de l'échec en procédant à des analyses secondaires, mais ici les analyses secondaires sont scandaleusement utilisées pour sauver cet essai négatif ! Où sont les statisticiens et épidémiologistes d'antan qui, au moindre dérapage de ce genre dans la littérature médicale et scientifique, surgissaient de toutes parts pour dénoncer cette falsification de la science ?

Regardons les chiffres tels qu'ils sont donnés dans le tableau 3 de l'article reproduit ci-dessous.

Table 3. Incidence of and Hazard Ratios for Primary and Secondary Efficacy Outcomes

Outcome Measures	Simvastatin, No. (%) (n = 4449)	Atorvastatin, No. (%) (n = 4439)	Hazard Ratio (95% CI)	P Value
Major coronary event (primary outcome)	463 (10.4)	411 (9.3)	0.89 (0.78-1.01)	.07
CHD death	178 (4.0)	175 (3.9)	0.99 (0.80-1.22)	.90
Nonfatal myocardial infarction	321 (7.2)	267 (6.0)	0.83 (0.71-0.98)	.02
Cardiac arrest with resuscitation	7 (0.2)	10 (0.2)		
Any CHD event	1059 (23.8)	898 (20.2)	0.84 (0.76-0.91)	<.001
Coronary revascularization	743 (16.7)	579 (13.0)	0.77 (0.69-0.86)	<.001
Hospitalization for unstable angina	235 (5.3)	196 (4.4)	0.83 (0.69-1.01)	.06
Fatal or nonfatal stroke	174 (3.9)	151 (3.4)	0.87 (0.70-1.08)	.20
Major cardiovascular event*	608 (13.7)	533 (12.0)	0.87 (0.78-0.98)	.02
Hospitalization for nonfatal CHF	123 (2.8)	99 (2.2)	0.81 (0.62-1.05)	.11
Peripheral arterial disease†	167 (3.8)	127 (2.9)	0.76 (0.61-0.96)	.02
Any cardiovascular event	1370 (30.8)	1176 (26.5)	0.84 (0.78-0.91)	<.001
All-cause mortality	374 (8.4)	366 (8.2)	0.98 (0.85-1.13)	.81

Il y a eu 374 et 366 décès (dernière ligne du tableau) dans les deux groupes (pas de différence donc) et quand on compare les décès d'origine cardiaque spécifiquement (deuxième ligne de chiffres dans le tableau intitulée *CHD death*), il y en a eu 178 et 175. Je pense qu'il faut être courageux et strict et donc considérer que tous les autres chiffres donnés sont sans intérêt car ils traduisent la survenue de complications cliniques qu'il est difficile de vérifier à partir de données brutes. Je crois que l'absence totale de différence entre les deux groupes en termes de mortalité constitue une sorte de fin de chapitre. Les auteurs de l'article et la majorité des commentateurs discutent et écrivent beaucoup quand même.

Pour reprendre mes commentaires à propos de l'essai *PROSPER*, je dirais à nouveau que s'ils le font c'est qu'il faut sauver le soldat *IDEAL*.

Ceci dit, les investigateurs ne donnent aucun renseignement sur le syndrome de mort subite. En l'absence d'effet sur la mortalité cardiaque, on comprend de façon indirecte que cette façon de décéder n'a probablement pas été influencée par le traitement ce qui ne nous étonnera pas (chapitre 6).

Finalement, on notera que la nouvelle molécule a permis d'obtenir une diminution d'environ 30 % du cholestérol, ce qui est considérable, par rapport à l'autre molécule. Comment peut-on conclure autrement qu'en disant que la diminution du cholestérol est sans effet sur l'espérance de vie et sur la mortalité cardiaque précisément dans le contexte de la prévention secondaire immédiatement après un infarctus, ce qui va totalement à l'encontre des résultats d'essais antérieurs comme *4S* et *LIPID* ?

Pour essayer de sauver leur expérience (et probablement satisfaire le sponsor), les investigateurs vont nous entraîner dans des raisonnements sur les infarctus non mortels (l'événement signalé à la 3ᵉ ligne du tableau : *nonfatal myocardial infarction*), qui n'ont pas lieu d'être sur le plan scientifique puisqu'il ne s'agissait pas de l'hypothèse testée. Ici commence le processus de désinformation médicale.

Un lecteur un peu naïf pourrait alléguer qu'il y a eu moins d'infarctus non mortels dans le groupe traité par l'atorvastatine à fortes doses, et que ce n'est pas si mal d'un point de vue clinique. Je rétorquerais que la différence est faible (17 %), à la limite de la signification statistique (donc possiblement due au hasard), et que le diagnostic clinique d'infarctus est, contrairement à celui de décès évidemment, difficile à poser et à vérifier par un audit à partir des données brutes et donc aisément manipulables. Un expert indépendant dirait à ce lecteur naïf que la probabilité d'une erreur dans cette classification (comme dans celle des *Coronary revascularization* à la 6ᵉ ligne du tableau) est très élevée.

2- EN PLUS D'IDEAL, TROIS ESSAIS ET PUIS S'EN VONT !

Dans *MIRACL* (plus de 3 000 patients inclus), les investigateurs obtiennent une diminution assez fantastique de 40 % du LDL cholestérol (le *méchant*) avec la nouvelle molécule mais aucune différence clinique durant le suivi qui, il est vrai, était de seulement 16 semaines. Par exemple, il y avait respectivement 68 et 64 décès de cause cardiaque et 113 et 101 nouveaux infarctus du myocarde non mortels dans les deux groupes respectivement.

On peut dire, malgré les conclusions positives des auteurs et de nombreux commentateurs, que cet essai est de nouveau totalement négatif. Avec un suivi plus long (mais pourquoi ne l'ont-ils pas fait ?), on aurait peut-être vu quelque chose d'intéressant, mais ce n'est pas le cas. Cet essai confirme donc les résultats d'*IDEAL* décrits ci-dessus. C'est donc avec la plus grande réserve que je vais lire les essais suivants.

Dans *PROVE IT-TIMI 22*, avec plus de 2 000 patients par groupe suivis pendant 2 ans en moyenne, les investigateurs obtiennent une diminution très significative de 32 % du *vilain* cholestérol LDL dans le groupe fortement traité par rapport à celui faiblement traité. Concernant les effets cliniques, ils réalisent l'exploit de nous livrer leurs résultats uniquement sous forme de pourcentages et de réduction de risque, sans jamais nous dire exactement combien de patients sont morts dans chaque groupe ou combien d'infarctus non mortels sont survenus. Ces auteurs, qui publient certes leur essai dans un journal (*The New England Journal of Medicine*) dont la crédibilité a été fortement compromise depuis que deux de leurs anciens éditeurs en chefs (licenciés sans autre forme de procès) ont dénoncé les pressions de l'industrie à l'égard du journal, ont l'extraordinaire arrogance de se permettre de nous dire de les *croire sur parole*. Je ne vais pas en dire plus à propos de cet essai mais je retiens que les auteurs de cet article se moquent de moi (et de tous les lecteurs du journal), et que les éditeurs sont complices de cela.

Enfin, dans *A to Z Trial*, avec plus de 2 200 patients (survivants d'une attaque cardiaque récente) dans chaque groupe suivis pendant environ 6 mois à deux ans (les auteurs ne sont pas très précis, mais comme je l'ai dit en introduction à ce chapitre, on n'est pas là pour faire de la science !), les investigateurs observent une diminution de plus de 40 % du vilain cholestérol dans le groupe lourdement traité. Malgré cet effet majeur sur le cholestérol, les auteurs n'admettent qu'une diminution non significative (statistiquement) du nombre de complications cardiaques. En particulier le nombre de décès est un peu plus faible chez les patients lourdement traités (104 contre 130 dans l'autre groupe) mais il y a exactement les mêmes nombres d'infarctus (155 et 151) dans les deux groupes. Un suivi plus long aurait permis de faire la part des choses entre un effet dû au hasard concernant le nombre de décès et une protection réelle. Si on se réfère aux autres essais commentés ci-dessus (en particulier *IDEAL* et *MIRACL*) où il n'y a eu aucun effet des traitements lourds sur la mortalité, on penchera vers un effet du hasard, faute de validité statistique des données fournies par les investigateurs du *A to Z Trial*.

En conclusion de cette rapide présentation, et en opposition avec la majorité des commentateurs, je déclare solennellement que les hypothèses testées dans ces essais ont été réfutées et doivent être rejetées.

Comment a t-on pu y voir un « *Océan de progrès thérapeutique* » ? Seul Maldoror, fort de son incommensurable expérience du sarcasme, pourrait donner une réponse convaincante.

3- L'ESSAI TNT PUBLIÉ EN 2005 ET L'ESSAI ALLIANCE STUDY

3. 1 - J'aime bien l'essai *TNT* (5000 patients par groupe) parce que les auteurs, une fois n'est pas coutume, expliquent clairement leurs relations avec le sponsor (à la fin du paragraphe *Statistical Analysis*) en écrivant par exemple que les données ont été analysées par le sponsor (c'est écrit en toutes lettres) et qu'elles ont été récoltées et enregistrées par une société privée désignée par le sponsor. Nous sommes donc *entre amis* ! Pas de faux semblants ! L'idée d'un possible conflit d'intérêt n'est même pas envisagée.

Il n'y a donc plus de science ici ? Je m'interroge : ces essais ne seraient-ils que du marketing pur et simple ?

S'il en est ainsi, je ne veux avoir aucune illusion : seules les données aisément vérifiables indépendamment des sponsors et investigateurs (via des registres nationaux de mortalité, par exemple) sont crédibles. Je donnerais toutefois quelque crédit aux données concernant les lipides sanguins et saluerais, sans surprise exagérée, que le groupe expérimental ait vu son mauvais cholestérol LDL diminuer de 35 %. Le tableau ci-dessous, reproduit à partir de l'article du *New England Journal of Medicine*, nous donne une idée des effets cliniques provoqués par cette remarquable diminution du vilain cholestérol.

Les auteurs annoncent des effets bénéfiques, de l'ordre de 25 % de réduction des risques de complications cardiaques. Mais notre regard restera distrait sur ce genre de données non vérifiables et il se portera sur la dernière ligne reproduite dans le tableau (*Death from any cause* [la mortalité toute cause]) où l'on constate que les nombres de décès sont de 282 et 284 donc absolument identiques dans les deux groupes. J'espère que, étant donné la taille de l'essai (5 000 patients par groupe, suivis pendant 5-6 ans, près de 300 décès par groupe), personne ne viendra dire que cette totale absence d'effet est due à un manque de puissance statistique.

Le reste des chiffres fournis est de peu d'intérêt car ils sont invérifiables sans passer par une société privée (probablement) rémunérée par le sponsor. On notera l'absence de différence significative pour les décès cardiaques et les arrêts cardiaques ressuscités (25 contre 26).

Table 2. Estimated Hazard Ratio for Individual Components of the Primary and Secondary Efficacy Outcomes.*

Outcome	10 mg of Atorvastatin (N=5006)	80 mg of Atorvastatin (N=4995)	Hazard Ratio (95% CI)	P Value
	no. with first event (%)			
Primary outcome				
Total major cardiovascular events	548 (10.9)	434 (8.7)	0.78 (0.69–0.89)	<0.001
Death from CHD	127 (2.5)	101 (2.0)	0.80 (0.61–1.03)	0.09
Nonfatal, non–procedure-related myocardial infarction	308 (6.2)	243 (4.9)	0.78 (0.66–0.93)	0.004
Resuscitation after cardiac arrest	26 (0.5)	25 (0.5)	0.96 (0.56–1.67)	0.89
Secondary outcomes				
Major coronary event†	418 (8.3)	334 (6.7)	0.80 (0.69–0.92)	0.002
Cerebrovascular event‡	250 (5.0)	196 (3.9)	0.77 (0.64–0.93)	0.007
Hospitalization for congestive heart failure	164 (3.3)	122 (2.4)	0.74 (0.59–0.94)	0.01
Peripheral-artery disease§	282 (5.6)	275 (5.5)	0.97 (0.83–1.15)	0.76
Death from any cause	282 (5.6)	284 (5.7)	1.01 (0.85–1.19)	0.92

3. 2 - Le deuxième essai que je vais brièvement commenter, *The ALLIANCE Study*, est plus petit (seulement 2 442 patients coronariens avérés avec un cholestérol élevé, selon les auteurs), et les relations avec le sponsor sont moins limpides, mais comme c'est le même sponsor que pour l'essai *TNT*, on peut supposer que les différents partenaires ont fonctionné de façon comparable. Donc, nous procéderons également de la même façon, seul l'effet sur la mortalité pourra être considéré *au-dessus de tout soupçon*. La diminution du vilain cholestérol LDL atteint à nouveau 34 % et les nombres de décès sont de 121 et 127 dans les deux groupes traduisant une absence totale d'effet et confirmant les résultats de *TNT*.

CHAPITRE 19

OUI, L'HYPERCHOLESTÉROLÉMIE BÉNIGNE ÇA EXISTE

Ce que vous allez apprendre

- Qu'est-ce qu'une hypercholestérolémie bénigne ?
- Quelle est l'importance réelle des facteurs de risque d'infarctus autres que le cholestérol ?
- La signification de « méga » facteur de risque ?
- Doit-on prescrire des médicaments anticholestérol pour des raisons autres qu'un niveau de cholestérol élevé, par exemple chez un fumeur ?

L'HISTOIRE DE JEAN-FRANÇOIS

Voilà une dizaine d'années, Jean-François, une bonne cinquantaine pimpante, m'aborde de façon impromptue au moment du *coffee break* d'une réunion d'information médicale organisée par son laboratoire pharmaceutique et pour laquelle j'avais été invité à faire une conférence. D'apparence décontractée, Jean-François est jovial (de manière un peu forcée) mais je constate sur une de ses mains deux doigts jaunis de nicotine suggérant un tabagisme ancien et forcené.

Après de brèves formalités de politesse il me pose brusquement la question qui visiblement le préoccupe et qui motive sa démarche vers moi :
- *Comment traitez-vous un cholestérol à 10 mmol/L ?*
- *En arrêtant de fumer !* Telle fut ma première réponse, accompagnée d'un grand sourire complice car je sais que les fumeurs sont souvent très mal à

l'aise avec leur mauvaise habitude et, en tant que médecin, mon devoir est de les aider pas de moraliser.

Mais Jean-François ne s'arrête pas à cette petite provocation. Il travaille pour l'industrie pharmaceutique depuis 25 ans et, dit-il, il sait qu'il y a un fossé entre l'information marketing diffusée par les laboratoires pharmaceutiques pour inciter les médecins à prescrire et les réalités de la pratique médicale et des données scientifiques.

Ses collègues professionnels travaillant pour des laboratoires commercialisant des médicaments anticholestérol lui ont assuré qu'il devait se traiter en urgence et à fortes doses avec une statine pour protéger ses artères. Comme la confiance que lui inspirent ses collègues a ses limites, Jean-François a besoin d'un avis non contaminé par le marketing forcené de l'industrie. Visiblement, il n'a pas grande confiance non plus dans les opinions (et prescriptions) des experts travaillant pour et avec l'industrie du médicament et qui publient des *Guides officiels de prescription* parrainés par le ministère ou des agences dites *de sécurité*.

- Que feriez-vous, vous personnellement ? insiste-t-il

Quoique j'aie une répulsion instinctive pour une médecine pratiquée en marchant dans un couloir ou une tasse de café à la main, je le sens très anxieux et, comme il me fait confiance, je me décide à devenir un peu inquisitorial.

Et l'interrogatoire médical commence :

- *Quel âge avez-vous ?*

- *56 ans.*

- *Êtes-vous en bonne santé ? Diabète ? Hypertension artérielle ?*

- *Rien de ça et à part mes genoux et mon dos je n'ai pas à me plaindre. Sinon, je tousse beaucoup le matin et m'essouffle facilement. Mais je sais que je devrais cesser de fumer !*

- *Êtes-vous actif physiquement ou plutôt sédentaire ?*

- *Je ne peux pas faire de sport car j'ai de l'arthrose au niveau des genoux et l'on attend, pour m'opérer, que je sois un plus âgé.*

- *Quel âge ont vos parents ?*

- *86 et 82 ans respectivement.*

- *Comment vont-ils ?*

- *Mon père ne bouge plus beaucoup de la maison mais il va bien ; ma mère est percluse de rhumatisme et d'ostéoporose.*

- *Aucun des deux n'a de pathologie cardiovasculaire ?*

- *Pas à ma connaissance.*

- *Fument-ils ?*
- *Mon père a longtemps fumé, ma mère très peu mais elle « bénéficie » de la fumée produite par les cigarettes de mon père.*
- *Avez-vous des frères et sœurs ?*
- *Une sœur de 48 ans.*
- *Comment va t-elle ?*
- *Apparemment pas mal, sinon qu'elle a des problèmes avec sa vésicule.*
- *Pas de pathologie cardiovasculaire dans la famille, oncle, tante, grands-parents ?*
- *Je ne crois pas, sans en être absolument sûr !*
- *Comment avez-vous découvert votre hypercholestérolémie ?*
- *Vous me croirez si vous voulez mais c'est presque par hasard. Mon généraliste m'a prescrit un bilan systématique (pour la prostate) et il m'a dit qu'au passage on allait vérifier mon cholestérol et mon sucre dans le sang. Jusqu'alors, c'était le dernier de mes soucis !*
- *Savez-vous si d'autres membres de la famille ont aussi un cholestérol élevé ?*
- *À la suite de la découverte de mon cholestérol ce fut la mobilisation générale dans ma famille et tout le monde est allé faire mesurer son cholestérol. Et ce fut aussitôt la panique chez ma sœur car elle a la même chose que moi, à peu de choses près.*
- *Et vos parents ?*
- *Ils ont la même chose mais ils le savaient depuis longtemps et leur médecin traitant (aujourd'hui retraité) leur avait dit de ne pas y faire attention. Selon eux, c'est beaucoup plus élevé chez ma mère que chez mon père.*
- *Que propose votre médecin ?*
- *Il me dit qu'il faut me traiter. Ma sœur est d'ailleurs déjà sous médicament. Ne me parlez pas de régime, ma sœur a essayé pendant deux mois, elle ne mangeait plus de gras du tout, son cholestérol n'a pas baissé et on a cru qu'elle allait nous faire une dépression. Docteur, dites-moi quel est votre médicament préféré pour diminuer le cholestérol ? Je peux vous dire, avant que vous me posiez la question, que c'est le mauvais cholestérol qui est augmenté chez moi, le bon est normal et les triglycérides sont également normaux.*

POUR JEAN-FRANÇOIS, CELA VAUT-IL LA PEINE DE SUIVRE UN TRAITEMENT ?

Jean-François est un cas banal et les questions qu'il pose sont légitimes de même que son inquiétude et sa réticence à faire un régime anticholestérol (chapitre 9) ou à commencer un traitement anticholestérol avec un médicament. Un médicament anticholestérol est une substance exogène avec un certain degré de toxicité qui dépend évidemment de la dose utilisée et de la durée du traitement.

Si Jean-François démarre à 56 ans un traitement anticholestérol pour protéger ses artères, quand et pourra-t-il jamais l'arrêter ? Et s'il ingurgite pendant des années ou des dizaines d'années ce médicament, qui peut lui garantir qu'il ne s'empoisonne pas, ne serait-ce qu'à petit feu (chapitres 13 et 14) ?

Mais la principale question de Jean-François est de savoir si ça vaut vraiment la peine ? Autrement dit, il veut savoir si la diminution du risque cardiaque est supérieure à l'augmentation de risque potentiel résultant de la prise chronique de ce médicament.

Plutôt que de spéculer sur le versant toxicité et effets secondaires du médicament j'explique à Jean-François que je préfère raisonner exclusivement sur les bienfaits supposés du traitement médicamenteux car ici les données à sa disposition sont réelles et analysables.

Le cas de Jean-François est loin d'être rare et constitue, osons le dire, un faux problème dont la résolution ne demande qu'un minimum de réflexion et de logique. Jean-François a hérité d'une **hypercholestérolémie familiale bénigne** (cholestérol élevé de façon isolée et les parents ont la même chose) et la bonne santé de ses deux parents à un âge avancé (et également de sa soeur) est la démonstration indirecte de cette bénignité.

Jean-François n'est pas malade, contrairement à ce qu'il pense, car une évaluation biologique hors des *normales* d'une population (un cholestérol trop élevé n'est rien d'autre qu'une valeur *hors normes*) et en l'absence de tout symptôme clinique ne constitue pas une maladie.

Bref, à l'encontre du matraquage que Jean-François subit par son métier, je dois lui répéter que la majorité des hypercholestérolémies diagnostiquées (généralement de façon abusive car les valeurs *dites normales* ont été modifiées) en France sont bénignes et ne nécessitent aucun traitement !

Cela ne veut pas dire que Jean-François n'a pas de risque de faire un infarctus du myocarde ou une autre complication vasculaire. Cela signifie que son risque ne dépend pas de son hérédité et de son cholestérol mais seulement de son propre mode de vie. S'il diminue son cholestérol avec un médicament sans modifier son mode de vie, il ne changera rien à son pronostic cardiovasculaire. Il est certainement plus important pour son avenir d'arrêter de fumer et de reprendre une activité physique que de traiter son cholestérol avec un médicament.

En effet, fumeur et sédentaire (par force, selon lui, du fait de ses problème de genoux), il présente deux des trois « **méga** » **facteurs de risque** de maladie cardiovasculaire : le tabac et le manque d'activité physique. Son pronostic dépend donc surtout de l'existence ou non du troisième « **méga** » **facteur de risque** : de mauvaises habitudes alimentaires. C'est lorsque ces trois « méga » facteurs sont réunis que le risque devient très important.

J'explique donc à Jean-François que son espérance de vie et son risque cardiaque dépendent essentiellement de son mode de vie, donc de lui-même et de son aptitude à corriger ses mauvaises habitudes. Je suis toujours mal à l'aise (mais généralement je ne le montre pas !) quand j'entame ce discours très moralisateur avec mes patients.

Mon problème est d'effacer de mon esprit l'idée que mon interlocuteur pourrait avoir une personnalité type Baudelaire ou Gainsbourg, c'est-à-dire totalement imperméable à des conseils sur le mode de vie ! Dans ce cas, évidemment, mes conseils et remontrances sont totalement inadaptés. Mais j'essaie de dépasser mes réticences car je sais que la majorité de mes patients ont réellement besoin (et sont demandeurs) de ce type de conseils et m'en seront finalement reconnaissants, à juste raison.

Et me voilà expliquant à Jean-François qu'un individu qui ne fume pas, qui a un minimum d'activité physique, c'est-à-dire d'activité musculaire (chapitre 13) quotidiennement, et qui a des habitudes alimentaires protectrices (méditerranéennes) pendant la plus grande partie de sa vie a un risque quasiment nul de faire une maladie cardiovasculaire. Le problème de Jean-François est donc loin d'être résolu puisqu'il présente deux des « **méga** » **facteurs de risque**. J'ai répondu à la question de l'utilité de prendre un médicament anticholestérol mais qu'en est-il de ses habitudes alimentaires ?

Cette fois-ci, c'est lui qui va me rassurer. Il m'explique qu'il connaît très bien nos travaux sur la prévention nutritionnelle de l'infarctus (c'est bien pour ça qu'il est venu me demander conseil !) et qu'il est un fervent partisan de la diète méditerranéenne qu'il prétend suivre scrupuleusement.

Quelques questions tests plus tard et je suis assez convaincu : il semble être un fin gastronome et savoir marier les mets délicats avec les meilleurs breuvages, ce qui caractérise la diète méditerranéenne (chapitre 25). Il me dit qu'il n'a rien inventé car sa famille est d'origine méditerranéenne et que l'on a toujours mangé comme cela chez lui !

Il me jure qu'il va à nouveau essayer d'arrêter de fumer et je lui conseille de ne pas attendre pour faire réparer ses genoux afin de reprendre au plus vite une activité physique suffisante, quitte à faire de la natation si ses articulations sont vraiment trop fragiles.

LE CAS DE JEAN-FRANÇOIS EN QUESTIONS

L'histoire de Jean-François soulève un certain nombre de questions, la principale étant de savoir pourquoi son hypercholestérolémie est bénigne alors que chez d'autres personnes elle ne l'est pas (chapitre 20). Pour répondre à cette question de façon scientifique, il me faut passer du raisonnement médical (analyse des cas individuels) au raisonnement épidémiologique, c'est-à-dire l'analyse des associations statistiques entre des facteurs biologiques et des maladies dans des populations bien définies. Dans les chapitres 5 et 20 j'explique en détails cette relation complexe entre cholestérol et mortalité cardiaque ; il en est de même au 2e paragraphe de la section *Pour les professionnels* en fin de chapitre.

Le cas de Jean-François suscite une autre question et un dernier commentaire. Si Jean-François continue de fumer et de s'abstenir de toute activité physique, son risque cardiovasculaire reste, au moins en théorie, relativement élevé, surtout par comparaison avec quelqu'un qui ne serait ni fumeur ni sédentaire et qui serait plus jeune. Un traitement anticholestérol est-il susceptible de diminuer la part de risque liée au tabac et à la sédentarité ?

En d'autres termes, puisque Jean-François est incapable d'arrêter de fumer, doit-on lui prescrire un traitement anticholestérol, pour le protéger malgré lui en quelque sorte ? Ce type de raisonnement est devenu très répandu, y compris parmi les médecins, et pas seulement pour la question du tabac. Des essais cliniques ont été conduits par l'industrie pharmaceutique avec des médicaments anticholestérol chez des patients qui ne présentaient pas d'hypercholestérolémie mais qui étaient diabétiques ou présentaient une hypertension artérielle (chapitres 15 et 17). L'idée, apparemment non contestée par les comités d'éthique, était que l'association de plusieurs facteurs de risque augmente de façon exponentielle le risque cardiovasculaire (quels que soient par ailleurs les traitements antidiabétique et anti-hypertension) et qu'en conséquence un traitement anticholestérol pourrait diminuer ce risque même chez des patients dont le cholestérol est normal ou bas. L'intérêt de l'industriel est évidemment d'étendre la prescription de médicaments anticholestérol bien au-delà de la population ayant un cholestérol élevé.

L'ensemble de cet argumentaire est irrecevable et je le discute également au chapitre 15 à propos de l'hypertension artérielle (au lieu du tabac). Concernant les fumeurs, c'est-à-dire l'utilisation de médicaments anticholestérol comme substituts à l'arrêt du tabac ou comme traitement compensateur à la persistance du tabagisme, il s'agit d'une dangereuse illusion. Non seulement aucune donnée scientifique ne permet de dire que la prescription d'un médicament anticholestérol diminue le risque attaché au tabagisme mais il est probable que le patient va, au long cours, cumuler les complications dues à ces deux toxiques, notamment (mais pas seulement) en termes de cancers (chapitre 16). Malheureusement il faudra de nombreuses années avant que l'on dispose de données épidémiologiques suffisantes pour être totalement affirmatif sur ce point particulier.

En attendant (et en faisant abstraction d'un élémentaire principe de précaution), il faut se contenter de théories biologiques pour essayer de dissuader les médecins et leurs patients d'adopter de telles pratiques. À titre d'exemple, on sait que le tabac est un puissant pro-oxydant, c'est-à-dire que la fumée inhalée entraîne des altérations oxydatives des lipides (qui ensuite contaminent certains gènes dont la transformation est à l'origine des cancers). Les médicaments anticholestérol augmentent les concentrations de certains acides gras oméga-6 particulièrement sensibles à l'oxydation, tel l'acide arachidonique. Autrement dit, la combinaison du tabac avec un médicament anticholestérol agit sans doute de façon synergique pour favoriser les mécanismes de cancérogenèse. Je n'ai pas à ma disposition d'études spécifiques pour démontrer ce que j'avance, certes, mais c'est biologiquement rationnel.

C'est donc une absurdité de penser qu'en prescrivant une statine ou un autre médicament anticholestérol à un fumeur on puisse lui rendre un quelconque service. Se donner ainsi une fausse bonne conscience, soit de la part du médecin qui se décourage de faire cesser le tabagisme de son patient (et par son attitude finit même par l'y encourager), soit de la part du patient qui trouve là une sorte d'alibi à la persistance de sa mauvaise habitude, est catastrophique à la fois pour le patient à titre individuel et collectivement pour les comptes de l'Assurance maladie.

QUE SE SERAIT-IL PASSÉ SI... ?

Maintenant je vais faire un peu de science médicale fictionnelle avec le cas de Jean-François : beaucoup de médecins d'aujourd'hui auraient certainement traité Jean-François il y a trente ans, quand on lui aurait découvert son hypercholestérolémie, sans savoir qu'elle était bénigne *a priori*. Il aurait donc été traité avec une statine pendant 30 ans avec aucun bénéfice cardiovasculaire, nous le savons aujourd'hui puisque pendant ces trente années il ne lui est rien arrivé. Je ne suis pas certain du tout, par contre, qu'après 30 ans de statine Jean-François serait en meilleure santé qu'il ne l'est aujourd'hui. Je suis même presque sûr du contraire. Il serait plus gros, totalement sédentaire (chapitres 13 et 14), possiblement diabétique et je me demande vraiment comment il serait sur le plan cognitif (chapitre 14), s'il ne serait pas un peu dépressif. Quant au risque de cancer favorisé par les statines, c'est un risque réel après 30 ans de traitement selon le raisonnement biologique et les quelques données épidémiologiques éparses discutées également au chapitre 16. Je ne peux en dire plus en l'absence de données solides mais, en référence au principe de précaution j'aurais tendance à dissuader des patients de faire de tels paris sur leur vie future.

CE QU'IL FAUT RETENIR

1- Une hypercholestérolémie peut être bénigne et l'observation d'un cholestérol élevé chez un individu, quels que soient son âge et son sexe, ne doit pas entraîner automatiquement un traitement par une statine.

2- D'autres facteurs, notamment le mode de vie, interfèrent avec le niveau de cholestérol pour déterminer le risque réel de crise cardiaque d'un individu.

3- Ces facteurs de mode de vie (tabac, sédentarité et habitudes alimentaires toxiques) sont les vraies causes de l'infarctus et de la *mort subite* dans la très grande majorité des cas. Ce sont des « méga » facteurs de risque.

4- Toute stratégie de prévention doit s'attaquer aux « méga » facteurs de risque en priorité et ne pas se laisser distraire par des facteurs très secondaires comme le cholestérol.

POUR LES PROFESSIONNELS ET LES CURIEUX

1- RAPIDE INTRODUCTION À LA MÉDECINE SCIENTIFIQUE

Je concède aisément à Jean-François cette évidence que le marketing est une forme comme une autre de falsification de l'information (chapitre 26) mais, si je suis un peu provocateur, je dois aussi rappeler que la médecine n'est pas une science mais plutôt un art, selon une formule bien classique. On peut me rétorquer que l'on ne parle plus de nos jours que de *médecine fondée sur les preuves* ! Certes, mais je ferais remarquer qu'il n'y a pas de preuve ou de vérité en science, seulement des concepts et des théories et que ce qui peut sembler vrai un jour (une théorie quelconque) peut très bien ne plus l'être le lendemain. La science (c'est-à-dire les ensembles théoriques qui nous permettent d'essayer d'expliquer la Nature), par définition, évolue et ne saurait se définir comme une vérité intangible. Quand aux preuves dont ont besoin les médecins pour fonder rationnellement leur pratique ne serait-ce qu'en apparence, elles tiennent plus de l'enquête policière que de la démarche scientifique. En effet, les policiers et les médecins ont en commun qu'ils doivent produire des preuves. Mais pas les scientifiques ! Le policier pour faire avouer un coupable, le médecin pour être sûr qu'il faut opérer cette tumeur maligne ou amputer ce membre gangrené. Les scientifiques doivent seulement produire des théories et ils savent qu'elles sont réfutables et qu'elles seront réfutées.

Je terminerai ma petite oraison sur cette ironie très contemporaine où l'on parle de *police scientifique* comme si les policiers avaient quelque chose à voir avec les scientifiques. La confusion vient évidemment du fait que l'on fait rarement la différence désormais entre science et technique ou technologie. Dès que l'on mesure quelque chose avec un outil quelconque, on pense qu'il s'agit de démarche scientifique. Il faudra du temps pour faire comprendre (y compris dans les milieux scientifiques) que mesurer n'est pas penser !

De la même façon, pour revenir à la pressante préoccupation de Jean-François, on peut dire que l'essai clinique randomisé (référence adulée des tenants de la médecine fondée sur des preuves) est une technique très utile et même indispensable pour guider notre pratique, mais c'est seulement une technique. Ce n'est pas une science. Pour les lectrices et lecteurs non avertis, rappelons que l'essai clinique randomisé consiste à tirer au sort les patients d'une étude pour les répartir dans un groupe témoin recevant un placebo ou le groupe traité recevant le médicament que l'on teste. Cette répartition aléatoire garantit, en principe, que les deux groupes sont identiques avant le traitement ce qui est la condition sine qua non d'un essai de qualité.

Pour produire des connaissances (des théories) scientifiques résistantes à la critique, selon le vocabulaire des épistémologistes (les philosophes qui analysent le fonctionnement de la science), il faut beaucoup plus, évidemment ! Mais ce serait un peu long à expliquer maintenant. Les lecteurs qui me suivront tout au long des différents chapitres comprendront ce que je veux dire sans qu'il y ait besoin d'un exposé didactique.

2- BREF RAPPEL ÉPIDÉMIOLOGIQUE ENTRE CHOLESTÉROL ET MALADIES CARDIOVASCULAIRES

On a montré que pour un même niveau de cholestérol, le risque de mourir du cœur varie de façon considérable d'une population à l'autre : risque très élevé chez un Scandinave ou un Américain mais 10 fois moindre chez un Japonais ou un Méditerranéen (chapitre 5). Cette variation du risque pour un même cholestérol d'une zone géographique à l'autre est si importante que pendant des décennies le cholestérol n'était même pas considéré comme un facteur de risque (utilisable en médecine pour établir un pronostic) dans un pays comme le Japon. En effet, les épidémiologistes japonais n'observaient pas d'augmentation du risque en parallèle à l'augmentation du cholestérol. Les chercheurs, y compris dans l'industrie pharmaceutique, et les médecins japonais faisaient tellement peu cas du cholestérol comme paramètre biologique que lorsqu'une de leurs équipes découvrit la première molécule anticholestérol de la famille des statines (et à partir de laquelle on allait fabriquer toutes les autres statines et déclencher l'une des plus fructueuses opérations commerciales de l'histoire de la pharmacie), ils s'empressèrent de la vendre à un laboratoire américain !

Lorsque l'on découvrit l'ampleur de ces différences de risque entre Japonais et Méditerranéens d'un côté et Européens du nord et Américains de l'autre, certains proposèrent une explication génétique. Les premiers seraient protégés en raison de caractéristiques génétiques leur conférant une sorte d'immunité. Cette théorie est aujourd'hui abandonnée car des études de populations migrantes (Japonais vers les États-Unis, Grecs vers l'Australie, Italiens vers l'Amérique du Nord) ont montré que lorsque les populations venant de pays à bas risque adoptaient le mode de vie des populations des pays à haut risque elles perdaient leur immunité. Aucune caractéristique génétique ne permet de protéger des populations qui abandonnent leur mode de vie (et surtout leurs habitudes alimentaires) protecteur.

Ce que Jean-François et sa famille nous montrent, c'est que ce qui s'observe au niveau des populations est transposable au niveau individuel. Jean-François a une hypercholestérolémie bénigne comme de nombreux Japonais et Méditerranéens peuvent l'avoir, **mais elle ne restera bénigne que si, et seulement si, il persiste dans ses habitudes alimentaires méditerranéennes.** Il faut noter que Jean-François est fumeur et qu'il semble protégé (au moins jusqu'à 56 ans) malgré ce tabagisme. Cette observation est compatible avec nos observations épidémiologiques car les Japonais et les Méditerranéens (ayant conservé un mode de vie traditionnel) sont à la fois protégés des maladies cardiovasculaires et parmi les plus gros fumeurs de la planète. Certes ! Mais le cancer du poumon est devenu la première cause de mortalité dans ces pays et souvent à un âge précoce, probablement en relation avec des modifications récentes du mode de vie et des habitudes alimentaires ! Jean-François doit donc cesser de fumer mais ce n'est pas le sujet de ce livre dédié au cholestérol.

3- UNE ILLUSTRATION AVEC *THE MEGA STUDY*, UN ESSAI DE PRÉVENTION PRIMAIRE AU JAPON

Il s'agit d'un essai randomisé avec de faibles doses de pravastatine chez des individus en bonne santé mais présentant une hypercholestérolémie modérée (inférieure à 7 mmol/L). Le recrutement a été très long malgré l'investissement, dans l'essai, de plusieurs hôpitaux et centres de recherche ; il a fallu près de cinq années. Au bout de 5 ans d'étude et sur l'observation d'un très faible nombre d'événements, les investigateurs décidèrent de prolonger l'essai de 5 années supplémentaires. L'essai n'est pas conduit en aveugle ce qui est très curieux dans un domaine où les intérêts financiers et les conflits d'intérêt sont omniprésents. Le rapport est publié pourtant dans le *Lancet*, un journal qui avait bonne réputation encore récemment.

Ceci illustre une espèce de candeur des investigateurs et de leurs conseillers qui indique que les experts ne prennent plus beaucoup de précautions dans l'organisation des essais et la soumission des résultats de ces essais dans des grandes revues internationales.

Tout est devenu permis, plus rien ne peut arrêter le *tsunami cholestérol*. On notera aussi que le degré de protection rapporté par les auteurs est supérieur à ce qu'on pouvait attendre de mieux de la (faible) diminution du cholestérol obtenue dans cet essai, si toutefois on raisonne en considérant que la *théorie du cholestérol* est validée. Les données produites dans *MEGA Study* vont justement à l'encontre de cette théorie. Ces discordances s'expliquent peut-être par le fait que la population testée (70 % de femmes) est très différente des populations testées habituellement dans ce genre d'essai. On notera également que contrairement à la majorité des essais publiés ailleurs qu'au Japon, *MEGA Study* décrit une tendance suggérant que les femmes seraient protégées. Au total, il est clair que cet essai n'a pas été conduit selon les contraintes minimales d'un essai clinique et n'aurait pas dû être publié dans une grande revue de référence.

Les résultats publiés à propos de *MEGA Study* ne sont crédibles que pour des lecteurs soit très naïfs soit extrêmement bienveillants vis-à-vis des investigateurs et de l'hypothèse testée.

Contre toute évidence épidémiologique les traitements anticholestérol sont utilisés au Japon. Certes, cela n'a pas pris les proportions délirantes que l'on voit en France mais cela ne repose sur aucune rationalité médicale. Un bon exemple de la confusion régnante est que le seul essai testant un médicament de type statine (*MEGA Study*) conduit au Japon (ce qui constitue le seul argument scientifique recevable pour justifier la prescription de statine au Japon) n'a été publié qu'en septembre 2006, donc bien des années **après** que les départements marketing des sociétés impliquées aient su imposer leurs produits sur le marché japonais.

La puissance du marketing avait donc précédé la publication du moindre argument scientifique, ce qui démontre que même sur un marché aussi difficile que le marché japonais, l'argumentaire scientifique n'a plus aucun poids.

La même tendance à l'adoption des traitements anticholestérol, sans le moindre début d'argument scientifique montrant que des populations spécifiques en bénéficient d'une façon ou l'autre, s'observe dans les pays méditerranéens qui, pourtant, (comme d'ailleurs en France) n'ont pas vu une augmentation nette de la prévalence des maladies cardiovasculaires au cours des dernières décennies. Cette invasion des traitements anticholestérol arrive en l'absence de tout essai clinique conduit spécifiquement dans ces populations à bas risque (chapitre 11).

L'explication à ce dernier point est évidente : aucun industriel ne va financer une étude dans une population à faible risque.

Pourquoi ?

Pour deux raisons : la première est qu'il faudrait recruter un nombre beaucoup plus important de sujets ou de patients et/ou les suivre plus longtemps (du fait de la faible fréquence des complications) ce qui augmenterait considérablement les coûts de cette recherche pour un avantage réellement mineur puisque les médecins **prescrivent déjà** dans ces populations. La deuxième raison est qu'on risquerait de montrer que ce type de traitement est de bien peu d'intérêt dans ces populations à faible risque, ce qui serait évidemment très contre-productif pour un industriel qui souhaite étendre au maximum les indications de son médicament.

CHAPITRE 20

HYPERCHOLESTÉROLÉMIE MALIGNE : UN TROUBLE RARE

Ce que vous allez apprendre

- Qu'est-ce qu'une hypercholestérolémie maligne ?
- Peut-on rapprocher ces maladies du métabolisme des lipides avec les maladies coronariennes ordinaires ?
- Comment doit-on traiter ces maladies du métabolisme lipidique ?
- Est-il rationnel de s'inspirer de ces formes extrêmes et rarissimes d'altération du métabolisme du cholestérol pour organiser la prévention de l'infarctus dans la population générale ?

« J'AI 12 ANS ET UN CHOLESTÉROL À 12 »

C'est une histoire vraie mais qui remonte à quelques temps déjà (les choses se passeraient différemment aujourd'hui sans doute), quand je pratiquais la médecine interne dans un grand Hôpital universitaire européen.

Virginie a 12 ans, elle habite en zone suburbaine dans un quartier sympathique. Elle est au collège et poursuit une scolarité normale. C'est la seule enfant d'un couple sans histoire. Bref, elle mène une vie de province banale et a une petite passion, le handball qu'elle pratique dans un club.

Elle se présente avec ses parents à la consultation de cardiologie pédiatrique sur la demande de leur médecin généraliste parce que, lors d'un récent entraînement au gymnase du club, elle a présenté un malaise quasi syncopal à la suite d'une course pour rattraper une adversaire qui s'échappait afin de marquer un but. Elle a fait très peur à ses copines du club et à son entraîneur ! Il s'en est suivi une consultation médicale puis une prise de sang qui a révélé un cholestérol très élevé, plus de 12 mmol/L, ce qui est effectivement très élevé.

La découverte de cette hypercholestérolémie a déclenché une grande émotion familiale car on a immédiatement pensé que Virginie pouvait avoir une maladie du cœur. Certains membres de cette famille sont en quelque sorte préparés à cette éventualité car les maladies du cœur ne sont pas inconnues de la famille. En effet, l'interrogatoire des parents de Virginie révèle que du côté du papa il y a une grande fréquence d'attaques cardiaques, supposées ou prouvées.

Nous apprenons également que Virginie et ses parents sont originaires d'une zone rurale où les mariages entre familles proches, sans parler de consanguinité, ne sont pas rares. Les parents de Virginie se considèrent comme de vagues cousins éloignés. Ces éléments suggèrent, avec le bilan lipidique, que Virginie aurait effectivement hérité de ses parents une maladie du métabolisme du cholestérol. Une prise de sang réalisée chez les parents de Virginie révèle qu'effectivement ses deux parents ont des cholestérols sanguins plutôt élevés, quoique moins élevés que celui de Virginie : 8 mmol/L pour le papa et 6 pour la maman. Ces taux ne sont pas très élevés mais, pour de jeunes adultes, cela suggère une hypercholestérolémie de type familiale (HF). Le fait que le cholestérol de Virginie soit, à 12 ans, encore plus élevé que celui de ses parents indique qu'elle a probablement hérité de deux gènes favorisant l'hypercholestérolémie. Isolés chez chacun des parents, ces deux gènes n'avaient pas d'impact franchement catastrophique. Mais réunis chez Virginie, par une terrible malchance, ils sont devenus potentiellement dangereux.

L'étape suivante a été de vérifier si les artères de Virginie étaient normales ou non par des examens plus invasifs (coronarographie). Elles n'étaient pas normales malheureusement et notre équipe de cardiologie a décidé d'attribuer la syncope de Virginie à ces anomalies coronariennes. Mais la situation n'était pas non plus catastrophique et Virginie a pu s'estimer heureuse qu'on ait découvert sa maladie à la suite d'un malaise relativement bénin. En effet, non seulement elle a survécu à ce malaise, mais en plus elle n'a pas fait d'infarctus du myocarde et son muscle cardiaque est tout à fait indemne. Après avoir bénéficié de traitements adaptés à ses altérations artérielles, elle pourra reprendre une vie normale et s'adonner à son sport préféré.

Vu le jeune âge de Virginie, son niveau de cholestérol et les lésions artérielles observées, il ne fait aucun doute que Virginie présente une hypercholestérolémie familiale maligne. Dans le cadre d'une stratégie globale visant à protéger son cœur, il faut donc impérativement diminuer son cholestérol. Chez un jeune enfant, il est en effet difficile d'évoquer un rôle majeur des facteurs de mode de vie, sauf bien sûr si les habitudes alimentaires familiales sont très particulières.

Malheureusement, ce type de pathologie lipidique répond assez mal aux médicaments anticholestérol. Il faudra donc, dans un premier temps, essayer des médicaments, un ou plusieurs, pour obtenir des taux de cholestérol acceptables ; et la pauvre Virginie devra en supporter tous les inconvénients. Transposé à notre époque actuelle, et à titre d'illustration, Virginie serait aujourd'hui traitée par des fortes doses de statine et ses capacités sportives (musculaires) seraient très amoindries. Cependant il faudrait faire attention et éventuellement utiliser d'autres moyens si, en prenant de l'âge (notamment après la puberté), il s'avérait que la maladie de Virginie devenait encore plus dangereuse.

UN ENFANT HYPERCHOLESTÉROLÉMIQUE SERA-T-IL MALADE À L'ÂGE ADULTE ?

J'ai décrit au chapitre 19 une hypercholestérolémie bénigne, et ce cas de figure est loin d'être rare. Inversement, il existe aussi des hypercholestérolémies familiales encore plus malignes que celle présentée par Virginie et qui se manifestent encore plus tôt dans la vie des enfants. Ces cas sont rarissimes (environ une naissance pour un million) mais ils existent. Faut-il les détecter par des dépistages de masse ? Évidemment pas !

De façon plus générale, est-ce que ces pathologies de l'enfant sont représentatives des futures pathologies artérielles de l'adulte ?

Pour de nombreux experts, l'athérosclérose est un processus pathologique qui commence dans l'enfance. Il faudrait donc, selon eux, détecter et traiter préventivement tous les facteurs de risque, ou prétendus tels, d'athérosclérose. On imagine les dérives auxquelles on pourrait assister si ce type d'opinion était pris au sérieux ! On verrait rapidement des cohortes d'enfants traités avec des statines comme on voit aujourd'hui (ce n'est donc pas forcément de la fiction) des cohortes d'enfants américains (et aussi anglais semble-t-il) traités avec des médicaments neurotropes de toutes sortes (comme la Ritaline) pour leur permettre, dit-on, de faire la rentrée des classes.

Surtout, je peux dire qu'il n'existe aucun argument scientifique permettant de telles affirmations. On lira les chapitres 3 et 4 pour avoir plus de détails sur cette controverse. On ne dispose d'aucune étude prospective permettant de dire si les enfants qui ont les taux de cholestérol les plus élevés seront aussi les adultes avec les taux de cholestérol les plus élevés et avec des complications cardiovasculaires. Par ailleurs, il faut rappeler que la concentration du cholestérol dans le sang varie beaucoup avec l'âge, avec des pics de cholestérol avant la puberté et aussi après.

D'autre part, on sait que ce n'est pas le niveau de cholestérol lui-même qui détermine l'intensité du risque. Des études comparant des sujets de sexe différent ont montré que pour un niveau de cholestérol identique, les garçons présentaient des manifestations cardiovasculaires environ dix ans avant les filles.

LES MALADIES ARTÉRIELLES CHEZ L'ENFANT

Une autre question concerne l'existence de maladies des artères coronaires chez les enfants en l'absence de troubles extrêmes du métabolisme du cholestérol. Est-ce que cela existe ?

Il existe effectivement des maladies artérielles précoces chez les enfants, parfois les très jeunes enfants. Ce sont en général des circonstances très particulières : certaines formes évoluées d'insuffisance rénale, certaines formes de diabète, certains cas de transplantation cardiaque ou certains cas de patients ayant survécu à des chimiothérapies anticancéreuses. Il y a aussi les cas d'enfants atteints de maladie de Kawasaki (1er paragraphe de la section *Pour les professionnels* en fin de chapitre).

L'HYPERCHOLESTÉROLÉMIE FAMILIALE EST-ELLE DANGEREUSE ?

Je ne vais pas passer beaucoup de temps avec les hypercholestérolémies familiales – ou HF – (2e paragraphe de la section *Pour les professionnels*) bien qu'il existe beaucoup de confusion à leur propos et qu'elles soient, en conséquence, à l'origine de nombreux malentendus. C'est une maladie compliquée que je vais essayer d'expliquer simplement, au prix de quelques imprécisions et raccourcis que les spécialistes me pardonneront, je l'espère.

Les HF sont avant tout des maladies du métabolisme lipidique ou des maladies du stockage des lipides (*Lipid Storage Disease*, en anglais) avant d'être des maladies artérielles. Ce type de « *pathologie lipidique disséminée* » ne peut pas servir d'archétype de l'athérosclérose commune. Chez les patients coronariens ordinaires, nous ne voyons jamais de dépôts lipidiques au niveau des valves ou des cavités cardiaques (comme on en voit dans les HF) et, chez les patients présentant des maladies des valves, nous ne voyons pratiquement jamais de pathologies artérielles. Ce sont des maladies distinctes relevant de mécanismes très différents. Il est donc abusif de prétendre, comme certains experts le font, que l'athérosclérose commune (celle rencontrée chez 99,9 % des patients que nous voyons dans nos consultations ou aux urgences) relève de la même maladie que les lésions artérielles des HF. Que les lésions artérielles des HF soient la conséquence de leur hypercholestérolémie massive fait peu de doute, mais d'autres facteurs, autres que l'hypercholestérolémie elle-même, doivent être présents pour générer les lésions artérielles. Ceci a été clairement suggéré dans des travaux montrant qu'une anomalie génétique donnée déterminant un niveau de cholestérol donné pouvait, chez certaines personnes, se compliquer de pathologies artérielles dès l'âge de 3 ans et chez d'autres ne se manifester cliniquement qu'à l'âge de 30 ans. Ceci tend à démontrer que, même dans les cas d'HF malignes, les taux de cholestérol ne sont pas les seuls déterminants de la pathologie artérielle.

Il règne en fait une certaine confusion à propos de la dangerosité des HF. Je discute rapidement cette question dans la section *Pour les Professionnels* au paragraphe 3 et nous savons maintenant que des HF peuvent être bénignes (chapitre 19).

Il n'empêche que nous sommes parfois en présence de maladies qui se compliquent très tôt (30 ans reste un âge incroyablement prématuré) de pathologies cardiaques ! Le cas de Virginie est typique de ces HF malignes qu'il faut impérativement traiter et donc identifier très tôt dans l'existence. Ces cas sont rares mais ils existent.

Pour certains investigateurs, notamment japonais, les HF malignes sont en partie responsables de la confusion qui règne chez les épidémiologistes et les médecins à propos de la relation entre cholestérol et espérance de vie. Je recommande fortement aux lecteurs curieux (et qui ont du temps) de se reporter au magnifique volume 96 de la revue *World Review of Nutrition and Dietetics* publiée en janvier 2007 et dans lequel mon ami Haruma Okuyama et ses collègues exposent leurs vues sur cette question. Je m'en fais le modeste interprète au chapitre 5 de ce livre et j'expose brièvement leur théorie au 4ᵉ paragraphe de la section *Pour les professionnels*.

Selon ces investigateurs, la partie droite des courbes en J décrivant la relation entre cholestérol et mortalité cardiovasculaire (où l'on observe une courbe ascendante de la mortalité en parallèle à une augmentation du cholestérol) est extrêmement variable d'une population à l'autre, par exemple au Japon par comparaison avec les États-Unis et dans une population donnée, par exemple en fonction de l'âge (paragraphe 4 de la section *Pour les professionnels*).

CONCLUSION

De ce qui précède, je vais me permettre de conclure que ce type de maladies lipidiques (les HF, notamment celle présentée par Virginie) ne constitue pas des cas fréquents dans l'épidémiologie des maladies cardiovasculaires. Ce sont des cas particuliers (et rarissimes) qui doivent être traités de façon spécifique. Ils ne sont pas représentatifs des patients coronariens communs que nous avons à traiter dans les consultations de cardiologie.

En résumé, les maladies artérielles des enfants sont très rares et répondent en général à des circonstances ou des pathologies très particulières qui n'ont pas grand-chose à voir avec les maladies cardiovasculaires communes rencontrées dans nos consultations chez des adultes d'âge moyen, ou avancé, et généralement consécutives à des modes de vie pathogènes résultant de conditions d'existence difficiles.

L'hypothèse de nos collègues japonais selon laquelle les formes adultes de HF seraient responsables de l'augmentation de la mortalité chez les individus avec hypercholestérolémie (partie droite de la courbe en J) ne peut pas être réfutée sur la base des documents disponibles et constitue une explication crédible de certains aspects épidémiologiques.

Finalement, l'existence de formes extrêmes d'altération du métabolisme du cholestérol (compliquées parfois très tôt dans la vie de maladies artérielles) ne doit pas servir de prétexte à des stratégies de prévention basées sur une diminution systématique et maximale [**Plus c'est bas, mieux c'est !** « The lower, the better »] du cholestérol dans la population générale, à l'aide de traitements coûteux et générateurs d'effets secondaires non négligeables.

CE QU'IL FAUT RETENIR

1- À côté des hypercholestérolémies familiales (HF) *bénignes*, il existe des HF *malignes* qui se manifestent tôt dans l'existence.

2- Ce sont des maladies du métabolisme des lipides (avec des manifestations d'accumulation lipidique disséminée dans de nombreux organes) qui sont différentes des maladies coronariennes ordinaires.

3- Jusqu'à récemment, on n'avait aucune étude sur une population non sélectionnée de HF, seulement des cas isolés et compliqués de maladies cardiovasculaires, donc sélectionnés par leur pathologie cardiaque.

4- Des travaux récents permettent de dire qu'une anomalie génétique précise peut se manifester cliniquement de façon très variable, en fonction de facteurs non identifiés pour le moment. Ce sont ces facteurs qui différencient les HF *malignes* des HF *bénignes*.

5- En attendant d'avoir une meilleure compréhension de ces maladies lipidiques, l'anamnèse familiale (ce qui s'est passé pour les générations qui précèdent celle de la personne atteinte) et l'évaluation du mode de vie (recherche des « méga » facteurs de risque) de la personne atteinte doivent guider la conduite thérapeutique.

6- L'existence de ces formes extrêmes d'altération du métabolisme du cholestérol ne doit pas servir de prétexte à des stratégies de prévention basées sur une diminution systématique et maximale du cholestérol dans la population générale à l'aide de traitements coûteux et générateurs d'effets secondaires.

POUR LES PROFESSIONNELS
ET LES CURIEUX

1- LA MALADIE DE KAWASAKI

Rien à voir avec une passion morbide pour certaines motos japonaises. C'est une maladie qui peut être grave et mettre en jeu la vie de l'enfant parfois très jeune (avant 3 mois). Bien qu'elle ait été décrite initialement au Japon (en 1967), on sait maintenant que cette maladie vasculaire peut atteindre des enfants partout dans le monde et quelle que soit leur race.

Cette maladie a une phase aiguë avec de la fièvre, une éruption cutanée, une conjonctivite et des adénopathies. La cause est inconnue mais on pense qu'il s'agit d'une maladie infectieuse (dont l'agent est inconnu) survenant sur un terrain génétiquement prédisposé (façon de dire qu'on ne sait rien). Dans les semaines et les mois (parfois les années) qui suivent la phase aiguë, certains enfants développent des anomalies des artères coronaires (un mélange de sortes d'anévrisme puis de lésions sténosantes) qui peuvent se compliquer d'infarctus du myocarde et parfois de mort subite, surtout en l'absence de traitement. Ce traitement est généralement basé sur les médicaments anti-inflammatoires (en phase aiguë on utilise des immunoglobulines par voie intraveineuse) et les anticoagulants. Cette maladie n'est pas rare et c'est aujourd'hui la première cause de maladie cardiaque acquise (ce qui exclut toutes les cardiopathies congénitales) des enfants dans nos pays. Les lésions observées sont en général différentes de celles de l'athérosclérose classique avec, par exemple, très peu de lipides dans les lésions. Toutefois, selon certains travaux, chez les enfants présentant un profil de risque d'athérosclérose (diabète, obésité, sédentarité, hypertension artérielle) le risque de développer une athérosclérose typique à l'âge adulte est plus élevé, ce qui n'a rien d'étonnant.

Ce qui est plus surprenant, c'est que les médecins et chercheurs qui s'occupent des enfants atteints de Kawasaki se soient si peu préoccupés d'autres facteurs de risque plus traditionnels des maladies cardiovasculaires comme le mode de vie ou les habitudes alimentaires. Quand j'écris si peu, je suis loin d'exagérer. En effet, parmi les 4 000 publications environ répertoriées en 2007 dans la base de données américaine *PubMed*, aucune ne parlait des habitudes alimentaires des enfants atteints de Kawasaki ou des adultes atteints de maladies des artères coronaires après avoir eu une maladie de Kawasaki dans l'enfance. Cela indique-t-il que la très grande majorité des médecins qui ont à s'occuper de ces patients ignorent tout de la relation entre nutrition et maladies cardiovasculaires ?

2- GÉNÉRALITÉS SUR L'HYPERCHOLESTÉROLÉMIE FAMILIALE (OU HF)

Les HF sont des maladies génétiques. Traduction pour les non-initiés : ceux qui en sont atteints ont récupéré de leurs parents un ou deux gènes anormaux ce qui entraîne la production de molécules (protéines) anormales codées par ces gènes anormaux. Ceux qui ont deux gènes anormaux sont dits homozygotes et la presque totalité des protéines qui dépendent de ces gènes sont anormales et fonctionnent mal. Les individus qui ont récupéré un seul gène anormal sont dits hétérozygotes et 50 % des exemplaires de la protéine sont normaux, 50 % anormaux et les anomalies biologiques conséquentes de cette anomalie protéique sont moins tragiques. Dans les HF, deux protéines principales (et évidemment les gènes correspondants) anormales ont été identifiées : le récepteur des LDL et l'apoprotéine B. Dans les deux cas la conséquence visible est une hypercholestérolémie qui, chez les homozygotes, peut atteindre des chiffres extraordinaires, jusqu'à 25 mmol/L. Dans ces cas, les pathologies cardiaques peuvent être très précoces et les manifestations cliniques survenir dès les premières années de la vie. À l'autopsie, on observe des dépôts lipidiques disséminés sur de nombreux organes : l'arc cornéen au niveau de l'œil, les dépôts sous-cutanés et les xanthomes tendineux (par exemple au niveau du tendon d'Achille) sont assez caractéristiques. Les dépôts lipidiques au niveau des yeux, de la peau et des tendons sont aisément décelables chez les patients vivants, au moins par un médecin entraîné. Pour le cœur, on observe d'importants dépôts lipidiques au niveau des valves cardiaques, sur les parois des cavités cardiaques et à l'orifice d'entrée des artères coronaires, en plus de lésions d'athérosclérose des artères coronaires que l'on peut qualifier de banales mais qui, bien que presque anecdotiques dans ce tableau général, conditionnent le pronostic vital. Ce type de lésions cardiaques et coronaires (notamment les bourgeonnements ostiaux) n'existent que dans les HF ; ainsi cela fait de cette maladie un cas très particulier et en aucune façon représentative des maladies coronariennes classiques.

3- ÉPIDÉMIOLOGIE DE L'HF

Ce qui est admis en général c'est que les HF sont associées à un risque élevé de décès d'origine cardiaque. Des modèles animaux reproduisant l'HF chez le lapin et la souris (chapitres 3 et 4) ont confirmé, si l'on peut dire, que ce type de troubles du métabolisme du cholestérol entraînait des lésions artérielles pouvant ressembler à celles de l'HF. Mais, jusqu'à récemment, on n'avait aucune étude sur une population non sélectionnée de HF, seulement des cas de HF compliquées de maladies cardiovasculaires, donc sélectionnées par leur pathologie cardiaque. Quelques chercheurs avaient bien signalé, notamment aux États-Unis et en Finlande, que des sujets porteurs de HF (donc avec des taux de cholestérol très élevés) pouvaient échapper aux complications cardiaques mais, face au raz de marée du *cholestérol delirium*, personne ne les écoutait.

Récemment, des investigateurs néerlandais particulièrement astucieux et pugnaces sont remontés dans le temps (environ 200 ans) en procédant à des études de familles atteintes de HF. Qu'ont-ils trouvé ?

D'abord que l'espérance de vie des personnes avec HF n'était pas plus courte que celle des individus indemnes de HF au XIXᵉ et XXᵉ siècle et jusqu'à la Seconde Guerre mondiale environ. Deuxièmement, les sujets atteints de HF avaient, au XIXᵉ siècle, une meilleure espérance de vie que les sujets indemnes. L'explication proposée est que l'HF protège de certaines maladies infectieuses (chapitres 3 et 4). Au cours du XXᵉ siècle (après 1915) la mortalité cardiovasculaire des individus avec HF augmente et atteint un pic autour de 1955, puis diminue rapidement de telle sorte qu'environ 40 % des sujets avec HF, et non traités, ont, au tournant du XXᵉ siècle, une espérance de vie normale. C'est ce que nous avons décrit au chapitre 19.

Ce que ces données épidémiologiques indiquent c'est que, au moins chez les humains, d'autres facteurs que l'hypercholestérolémie jouent un rôle crucial dans les complications cardiaques des patients avec une HF. Avoir une HF n'est donc pas obligatoirement associé à une condamnation à faire un infarctus et il serait important d'identifier ces *autres facteurs* protecteurs ou délétères.

Cela indique que dans les pires conditions de cholestérolémie (notamment avec des anomalies congénitales du métabolisme du cholestérol induisant des hypercholestérolémies massives), le cholestérol reste un criminel bien peu dangereux (pour reprendre les dérives anthropomorphiques de certains experts).

4- CHOLESTÉROL, INFARCTUS ET ÂGE DES VICTIMES ET DES SURVIVANTS

Outre la variabilité de la relation entre cholestérol et maladies cardiovasculaires en fonction des cultures (chapitre 5), plusieurs études de référence ont aussi montré que cette relation variait considérablement en fonction de l'âge. Par exemple, dans les célèbres études MRFIT et Framingham, la mortalité par infarctus n'était proportionnelle aux taux de cholestérol que dans les classes d'âge inférieures à 50-55 ans environ et seulement à partir de taux de cholestérol supérieurs à 6,5 mmol/L environ. Des données comparables ont été publiées pour des populations plus proches de la population française, notamment en Autriche. Dans l'étude autrichienne à laquelle je fais référence, il y avait aussi une relation inverse entre cholestérol et cancer (comme si avoir un cholestérol bas augmentait le risque de cancer) au-delà de l'âge de 64 ans pour les hommes et de 50 ans pour les femmes.

Selon mes collègues japonais, cette grande variabilité à l'intérieur d'une population en fonction de l'âge serait essentiellement due à la présence d'une plus grande proportion de HF (avec un risque particulier de décéder d'un infarctus au moins en théorie) parmi les individus jeunes présentant un cholestérol très élevé, donc porteur d'une HF. En effet, dans la population plus âgée, les HF malignes ont en principe disparu du fait de la haute mortalité associée à ce défaut génétique. Cette hypothèse est recevable à condition que la fréquence des HF soit significative dans la population adulte. Qu'en est-il ?

Parmi les populations occidentales d'origine européenne, la fréquence des HF homozygotes est de 1 pour 1 000 000 (un million) de naissances. C'est donc une pathologie rarissime et je ne ferai aucun commentaire supplémentaire à son propos.

La forme hétérozygote est beaucoup plus fréquente et évaluée à 1 pour 500 naissances. L'hypothèse de mes collègues japonais est donc crédible sur cette base de fréquence. Ceci dit, comme je l'ai souligné au chapitre 19, une forte proportion de ces HF (hétérozygotes) est bénigne.

Pour avoir une idée de ce que les HF, les malignes et les bénignes, représentent en termes de causes ou facteurs favorisant l'infarctus dans la population générale, je peux regarder quelle est la fréquence des HF parmi les patients hospitalisés pour un infarctus du myocarde dans nos hôpitaux. C'est ce que nous avons pu faire dans l'Étude de Lyon où nous avons mesuré systématiquement le cholestérol de plus de 1 000 patients consécutifs hospitalisés pour (et donc ayant survécu à) un premier infarctus du myocarde. À l'époque (entre 1989 et 1992) nous avions considéré que les patients porteurs d'une HF sortaient du cadre d'une prévention nutritionnelle de la récidive d'infarctus (c'était l'hypothèse testée dans l'Étude de Lyon) et devaient donc être exclus de l'étude. C'était un point très important lors de l'inclusion des patients et nous y avons fait très attention. En fait, moins de 5 patients sur 1 000 étaient à l'évidence porteurs d'une HF. Certes, au moment où ces 1 000 patients survivants étaient considérés, 1 000 autres environ avaient décédé (et n'étaient jamais arrivés à l'hôpital) et de ceux-là nous ne savions rien. Y avait-il une plus forte proportion de HF parmi les décédés que parmi les survivants ? Nul ne peut répondre mais on peut supposer que les cas de HF restent relativement rares parmi les patients décédés d'infarctus. Ceci dit, la moyenne d'âge des patients inclus dans l'Étude de Lyon est élevée (60 ans environ) ce qui signifie que nous sommes déjà dans les catégories de patients où, selon l'hypothèse des collègues japonais, la proportion de HF maligne est faible. Il m'est donc impossible de valider ou d'invalider l'hypothèse japonaise qui est construite essentiellement sur la base des données épidémiologiques japonaises.

Pour le moment je peux retenir que, selon ces chercheurs, un cholestérol très élevé (correspondant dans les populations jeunes à une élévation significative du risque d'infarctus) se voit dans le cadre des HF et que ces pathologies lipidiques particulières ne sont pas représentatives de la population générale, mais peuvent probablement expliquer à elles seules l'augmentation du risque de décès cardiaque dans les hypercholestérolémies caricaturales telles que celle de Virginie.

CHAPITRE 21

IL N'Y A PAS DE *GENTIL*
NI DE *VILAIN* CHOLESTÉROL

Ce que vous allez apprendre

• Le bon cholestérol est-il vraiment bon ?

• Quels sont les risques d'infarctus chez la femme en relation avec le cholestérol ?

• Les femmes sont-elles protégées par leur bon cholestérol ou par leurs hormones ?

• Que signifie « syndrome métabolique » ?

• La théorie du bon cholestérol a-t-elle été validée par les essais cliniques ?

L'HISTOIRE DE LÉONIE

Léonie, 45 ans, mariée, deux enfants, n'a aucun problème de famille. C'est une femme forte, dans tous les sens du terme. Elle est forte de caractère et elle considère avoir réussi dans son métier. Elle fait un métier dit d'homme : elle est chauffeur routier. Elle a su s'immiscer dans un milieu d'homme et y rester en s'y trouvant bien.

Léonie est également forte physiquement puisqu'elle est en surpoids. De plus, elle est sédentaire : elle travaille assise et déteste les activités physiques et sportives. Elle fait attention, dit-elle, à ce qu'elle mange. Mais, étant souvent absente de chez elle aux heures des repas, elle est loin de faire passer les bonnes habitudes alimentaires en priorité, pour elle-même et pour sa famille.

Chez Léonie, chacun (le mari comme ses deux fils) fait un peu comme il veut à la cuisine et pour se nourrir car la notion de repas en famille a été oubliée.

Depuis de nombreuses années (au moins 10 ans nous dira-t-elle en consultation), Léonie présente une *petite* hypertension artérielle que son médecin généraliste traite avec des médicaments. Cette pression artérielle n'a donc jamais été très haute (pas plus de 16 croit-elle se souvenir), n'a jamais donné de symptômes (mal de tête, ou saignement de nez par exemple) et son docteur a toujours été satisfait en ne prescrivant qu'un seul médicament à la fois. Concernant les conseils généraux susceptibles d'aider à diminuer sa pression artérielle, ce même docteur ne lui a jamais dit autre chose que de faire attention au sel qu'elle utilise pendant ses repas.

De toute façon, il n'aurait pas eu le temps de donner des conseils plus compliqués et Léonie n'aurait pas été réceptive à autre chose. Je dirais que son médecin est classique, pas différent d'ailleurs de la majorité des experts français de l'hypertension artérielle qui ne connaissent du traitement de l'hypertension que l'approche médicamenteuse et qui ne sont pas sensibilisés aux approches nutritionnelles anti-hypertensives, type DASH (*Dietary Approaches to Stop Hypertension*, un régime spécialement conçu pour les hypertendus et reconnu par des institutions officielles internationales).

Léonie vient en consultation, sur les conseils de la médecine du travail, parce qu'elle présenterait des petits symptômes thoraciques et surtout parce qu'une prise de sang a montré un bilan anormal de ses lipides. L'interrogatoire dirigé et un électrocardiogramme d'effort permettront de banaliser, au moins temporairement les symptômes de Léonie que l'on mettra sur le compte d'une forme d'anxiété. D'autre part, son cholestérol n'est pas très élevé et d'ailleurs son médecin généraliste lui a toujours dit qu'il était normal. Par contre son *bon* cholestérol (le HDL cholestérol) serait plutôt bas. Les triglycérides, un autre paramètre lipidique, sont un peu élevés aussi. En fait, ce bilan lipidique sanguin anormal lui est connu depuis plusieurs mois et elle a commencé un régime plus strict. Contrairement à ses attentes, son bon cholestérol n'a pas augmenté et ses triglycérides n'ont pas diminué. Son médecin lui a alors prescrit un médicament mais elle ne le supporte pas. Tout ceci la rend très anxieuse et voilà pourquoi elle consulte. En fait, elle n'a plus vraiment confiance en personne et ses symptômes thoraciques semblent avoir augmenté.

Les problèmes soulevés par Léonie sont à notre époque d'une extraordinaire banalité. Ce pourrait être Léon à la place de Léonie et cela ne changerait presque rien à la façon dont il faut les régler ou essayer de les régler. Ce livre n'étant pas un traité de médecine, je ne vais pas expliquer ce qu'il faut faire pour aider Léonie mais je vais me saisir de ce cas clinique banal pour traiter deux ou trois questions fondamentales de la prévention des maladies cardiovasculaires et pour protéger sa santé de façon plus générale.

LA QUESTION DU BON ET DU MAUVAIS CHOLESTÉROL

On a construit autour de ces notions une espèce de théorie que je vais appeler **la théorie du *bon* cholestérol**, un peu comme je dirais la théorie oxydative. D'autres évoqueraient quelque chose comme **la théorie du Chaperon rouge** parce que ces notions sont un peu naïves pour ne pas dire infantiles.

Le mauvais cholestérol serait celui qui bouche les artères, selon les formulations qui ont cours actuellement. Il est aussi appelé LDL (pour *Low Density Lipoprotein* c'est-à-dire lipoprotéines de faible densité) ou bien *Grand méchant loup*, pour rester dans le champ lexical des contes de fées. S'il y a un *mauvais* cholestérol, c'est qu'en parallèle il y a un bon. Celui-ci ne s'appelle pas *Mère-grand* mais HDL (pour *High Density Lipoprotein* ou lipoprotéines de haute densité). Les lecteurs curieux peuvent lire quelques remarques sur ces notions au 1ᵉʳ paragraphe de la section *Pour les professionnels*.

Ils liront notamment que les meilleurs experts du *gentil* cholestérol reconnaissent eux-mêmes que leur théorie est boiteuse. Je ne vais donc pas trop m'y attarder.

La théorie dit qu'il faut avoir un *bon* cholestérol (HDL) très haut pour être protégé de l'infarctus. En principe, les femmes ont des HDL plus élevées que les hommes et ce serait une des explications de la plus faible incidence de l'infarctus chez la femme. Certains ont dit que les femmes avaient plus de HDL et étaient protégées de l'infarctus par leurs hormones. C'est une proposition que l'on doit aujourd'hui considérer avec prudence (2ᵉ paragraphe de la section *Pour les professionnels*). C'est bien plutôt le mode de vie (en interaction avec des facteurs génétiques mal connus) qui détermine les niveaux de HDL chez la femme comme chez l'homme. De même, c'est le mode de vie qui est évidemment délétère pour notre cœur, beaucoup plus que de faibles niveaux de HDL, et ceci est vrai pour les hommes comme pour les femmes.

Certains pourraient dire que les HDL (comme d'ailleurs le cholestérol) peuvent être un marqueur potentiellement intéressant d'un mode de vie dangereux. Par exemple, un individu sédentaire consommant beaucoup d'aliments industriels (riches en acides gras *trans*) et s'abstenant de boire de l'alcool a plus de chance d'avoir des HDL basses et de faire un infarctus qu'un individu actif physiquement et consommant de l'huile d'olive et du vin. Ce qui est dangereux c'est le mode de vie du premier et pas ses HDL basses. Si nous augmentons ses HDL avec un médicament sans changer son mode de vie, on ne change pas son risque d'infarctus.

Question suivante : est-ce que les HDL peuvent plus renseigner sur le risque d'infarctus que le dosage du cholestérol lui-même?

En fait, toute l'histoire récente de la cardiologie préventive nous a montré que l'un comme l'autre étaient, à l'échelon individuel, de bien mauvais prédicteurs du risque d'infarctus.

Avant de continuer de discuter du cas de Léonie, je dois faire quelques remarques sur le problème spécifique de la femme vis-à-vis du risque d'infarctus et encourager mes lectrices à lire le paragraphe qui les concerne à la section *Pour les professionnels*. En résumé, je pense qu'aujourd'hui il faut oublier l'idée que les femmes sont protégées par leurs hormones car c'est une théorie bancale. Et je dirais aux femmes qu'elles ont le même risque que les hommes dès lors qu'elles adoptent un mode de vie délétère semblable à celui des hommes avec le tabac, la sédentarité et des habitudes alimentaires toxiques.

LES VRAIS RISQUES DE LÉONIE

Revenons à Léonie et à son bon cholestérol qui serait trop bas. Les lecteurs attentifs auront enregistré que ce n'est pas le seul problème de Léonie. Elle est aussi en surpoids et hypertendue (quoique traitée) et le reste du bilan lipidique n'est pas tout à fait normal. Son *vilain* cholestérol LDL est normal mais les triglycérides sont un peu élevés.

Sans que je néglige ces aspects du profil de risque de Léonie, pour moi, cardiologue, les vrais risques de Léonie sont ailleurs et n'ont pas encore été évoqués.

Pour l'aider, je vais devoir m'enquérir de trois aspects fondamentaux du profil de risque de Léonie qu'elle-même et peut-être son médecin traitant aussi ont mis au second rang ou oublié :
1) Y a-t-il eu des infarctus dans la famille proche (père, mère, frère, sœur) ou plus éloignée ?
2) Fume-t-elle et/ou fume-t-on dans la famille ?

3) Enfin, je vais poser quelques questions cruciales sur ses habitudes alimentaires. C'est seulement à partir de ces informations que je vais commencer à avoir une idée du risque réel d'infarctus chez Léonie.

Léonie n'a pas entendu parler d'infarctus ou de maladies cardiovasculaires dans sa famille mais elle fume un peu : la cigarette l'aide souvent en fin de parcours routier à surmonter la fatigue et la tendance à l'endormissement. On imagine très bien Léonie ne fumant en effet qu'une seule cigarette dans la cabine (close) de son camion mais la fumant en réalité plusieurs fois... Sans l'ombre d'un doute Léonie fume et risque d'en payer le prix maximal !

Enfin (et malheureusement), Léonie ignore tout des principes élémentaires de la diète méditerranéenne, d'après mon évaluation en quelques questions rapides. Autrement dit, elle n'a pas, malgré la prudence qu'elle prétend avoir, des habitudes alimentaires qui la protègent de l'infarctus. Léonie est donc porteuse de 3 des 3 « méga » facteurs de risque (tabac, sédentarité, mauvaises habitudes alimentaires) d'infarctus auxquels viennent s'ajouter les autres facteurs (que je qualifierais de mineurs) pour lesquels elle est venue consulter.

Mais (et c'est la bonne nouvelle), ces « méga » facteurs sont modifiables et il n'y a aucune fatalité pour Léonie : elle peut corriger ses risques, prendre sa vie en main, à condition d'être aidée et de n'être pas détournée des objectifs prioritaires qu'il nous faut dégager avec elle pour organiser son retour à un profil de risque acceptable.

Ceci étant dit, il n'aura pas échappé aux lecteurs que Léonie, outre ces deux facteurs de mode de vie qu'elle doit modifier de façon prioritaire (l'arrêt absolu du tabac et l'adoption d'habitudes alimentaires protectrices du cœur, sans parler d'essayer d'être moins sédentaire), présente une agrégation de facteurs de risque (surpoids, hypertension, un bon cholestérol trop bas, des triglycérides élevés) qui ne sont pas réunis chez elle par l'effet du hasard.

Face à cet ensemble de facteurs réunis chez une même personne, on parle de *syndrome de résistance à l'insuline*, une sorte d'état précédant la survenue d'un vrai diabète, ou bien de syndrome métabolique (défini au 3ᵉ paragraphe de la section *Pour les professionnels*).

Que Léonie puisse être qualifiée de syndrome métabolique, comme on a l'habitude de faire dans notre jargon médical en assimilant une personne à son syndrome, ne fait pas de doute. S'il est utile de poser ce diagnostic est une autre question.

À mon avis, elle a d'autres problèmes plus urgents que son syndrome métabolique si elle veut réellement protéger son cœur.

DOIT-ON ESSAYER D'AUGMENTER LE « *BON* » CHOLESTÉROL ?

Pour terminer (voir aussi le 4ᵉ paragraphe de la section *Pour les professionnels*), je voudrais rappeler que des essais cliniques visant à augmenter le HDL ont échoué à modifier de façon significative le risque de maladies cardiovasculaires.

Cela suggère que cette théorie du bon cholestérol devrait être rejetée, certes, mais on peut auparavant se demander pourquoi ces essais ont été des échecs.

Est-ce que le bon HDL ne serait pas aussi bon que ce qu'on le prétend ?

Cette hypothèse doit être examinée avec beaucoup de sérieux.

En effet, la théorie du bon cholestérol dérive du postulat que face au *Grand méchant loup*, la *vilaine* lipoprotéine LDL, il y aurait *Mère-grand*, la gentille lipoprotéine HDL. Depuis quelques années cette vision anthropomorphique du métabolisme des lipides est remise en question. Ce qui est remis en question c'est que les bons ne sont pas toujours bons. Personne n'a encore osé avancer que les méchants ne sont pas toujours méchants, mais qui sait …

Pour ma part, je n'ai aucune illusion sur le caractère obligatoirement protecteur des HDL depuis qu'avec mon équipe à Lyon nous avons travaillé sur les formes accélérées d'athérosclérose que l'on observe chez les transplantés cardiaques. Ces patients, du fait de leur traitement immunosuppresseur (notamment la cortisone), ont des HDL plutôt élevées (parfois très élevées) et ces HDL ne les protègent pas (ne sont pas bonnes pour eux ou pas assez *bonnes*) puisque chez eux le risque d'infarctus est très élevé. Il y a donc des circonstances où les *bonnes* HDL ne sont pas bonnes !

Mais si l'on reste sur des formes plus communes d'athérosclérose, des travaux récents ont montré que, au-delà des concentrations en HDL dans le sang, ces lipoprotéines avaient des fonctions variables qui pouvaient les rendre soit pro oxydantes et pro inflammatoires soit antioxydantes et anti-inflammatoires. Ces travaux, et leurs auteurs, suggèrent que les HDL (y compris et même surtout quand elles sont hautes) pourraient favoriser l'athérosclérose. Ceci dit, je reste un peu sur le qui-vive parce que les chercheurs impliqués ont principalement utilisé des modèles animaux très artificiels (souris *knock-in* et *knock-out*) ou des cellules en culture, ce qui nous éloigne évidemment de la situation clinique.

De nombreux facteurs pourraient, selon ces auteurs, faire basculer les HDL d'un individu d'un côté ou l'autre de la barrière qui sépare les *bons* des *méchants*. Je noterais, en m'en amusant, qu'aucun des facteurs étudiés ne concerne le mode de vie et, bien entendu, rien à propos des habitudes alimentaires ou d'un facteur nutritionnel quelconque.

Cette impasse, comme dirait un bridgeur, sur le nœud de la problématique de l'infarctus (le mode de vie), est désolante ! Quelle naïveté !

Et pourtant ! Une des enzymes (à forte vocation antioxydante) présentes dans les HDL est la paraoxonase dont l'activité est, selon certains auteurs, très dépendante de la consommation d'alcool ! Or, la consommation modérée d'alcool est probablement l'un des facteurs protecteurs contre l'infarctus le mieux décrit. Je n'irai pas plus loin dans cette voie de raisonnement mais cela illustre à quel point les laboratoires de recherche sont cloisonnés et les biologistes engoncés dans des formes de raisonnement dogmatique et stérile pour la recherche médicale.

Il est enfin crucial de constater que le modèle clinique le plus étudié (et même pratiquement le seul) par ces chercheurs était celui du diabète et de la résistance à l'insuline. Ils montrent assez clairement que les HDL des diabétiques ou des patients avec syndrome métabolique sont des *mauvaises* HDL. La proportion de patients avec un infarctus et présentant une forme ou l'autre de diabètes ou de syndromes métaboliques (3e paragraphe de la section *Pour les professionnels*) étant loin d'être négligeable et en progression croissante, on voit que la théorie du bon cholestérol telle qu'elle a été formulée jusqu'à présent est pour ainsi dire moribonde. Oublions-la, nous avons plus important à considérer.

Ce qu'il faut retenir

1- Les concepts de *bon* et *mauvais* cholestérol relèvent plus de l'idéologie que du raisonnement scientifique. Ils n'ont pas été validés par les essais cliniques testant si l'augmentation du bon cholestérol HDL avait un impact sur le risque d'infarctus.

2- Comme le bon cholestérol pourrait être *mauvais* chez les patients avec syndrome métabolique, ce type de théorie n'a pas d'intérêt clinique.

3- Les femmes ont le même risque d'infarctus que les hommes dès lors qu'elles adoptent un mode de vie délétère semblable à celui de ces derniers (tabac, sédentarité et habitudes alimentaires toxiques).

POUR LES PROFESSIONNELS ET LES CURIEUX

1- LE BON CHOLESTÉROL EST-IL VRAIMENT BON ? AVIS DES MEILLEURS EXPERTS

Nous allons faire comme si les concepts de bon et méchant avaient un sens en biologie et en médecine et nous allons essayer de suivre le raisonnement qui est à la base de cette **théorie du *bon* cholestérol.** Les prémisses de la théorie sont d'ordre épidémiologique et d'ordre biologique. Je vais être rapide pour exposer ces idées, non pas par arrogance ou mépris vis-à-vis des scientifiques et médecins qui défendent cette théorie mais simplement parce que les essais cliniques visant à la vérifier ont été des échecs, ce qui réfute la théorie et m'évite de l'énoncer en détails. J'ajouterais que même les plus ardents défenseurs de la *théorie du cholestérol* n'inscrivent plus les HDL comme cible primordiale de la prévention de l'infarctus, précisément à cause de ces échecs.

Toujours est-il que si nous nous fixons comme ligne de conduite de n'accepter comme critère ultime de solidité d'une théorie (avec les conséquences que cela implique pour les patients) que celui de la validation clinique, nous devons regarder cette théorie du bon cholestérol comme réfutée, malgré la résistance de ceux qui l'ont défendue, et faire avec celle-ci comme nous faisons (ou devrions faire) avec la *théorie oxydative* ou la *théorie inflammatoire* : la rejeter sans autre forme de procès et concentrer notre attention et nos efforts sur d'autres stratégies de prévention beaucoup plus efficaces en clinique.

Des études épidémiologiques importantes (citons pour les spécialistes l'étude Framingham aux États-Unis et l'étude PROCAM en Allemagne) ont suggéré qu'une augmentation des HDL était associée (de façon statistiquement significative) à une diminution du risque de complications cardiaques. Comme je l'ai discuté à propos du cholestérol en général, la transposition de données épidémiologiques concernant les HDL à l'échelon clinique individuel ne nous apporte pas grand-chose de plus pour organiser la prévention chez nos patients.

Du point de vue biologique, la théorie du *bon* cholestérol repose exclusivement sur un schéma de transport du cholestérol que l'on peut qualifier de naïf et fortement teinté d'anthropomorphisme.

Avant de décrire ce conte de fées à mes lecteurs, juste un petit intermède pour dire que le ton que j'utilise ici ne se veut ni caricatural ni ironique. J'ai beaucoup d'admiration pour les biologistes et les physiologistes qui inventent ces subtils schémas de transports lipidiques mais, comme médecin et pour protéger mes patients, il me faut des données scientifiques solides et bien autre chose que des concepts puérils (décrivant des bonnes et des vilaines molécules) ou des statistiques épidémiologiques totalement désincarnées. Si je n'avais rien à proposer à mes patients, je pourrais peut-être me contenter de bonnes paroles, **mais nous savons aujourd'hui ce que nous devons faire pour sauver des vies** et tout ce qui détourne notre attention de ces objectifs doit être dénoncé sinon combattu. Voilà pourquoi je ris un peu de la théorie du bon cholestérol.

Retour à Walt Dysney et Mickey Mouse : le schéma de base du processus physiologique (appelé *Reverse Cholesterol Transport* en anglais) qui inclut le concept de bon cholestérol est que la plupart des cellules de notre organisme (à l'exception des cellules du foie et des organes qui synthétisent des hormones dérivées du cholestérol, les stéroïdes) ne sauraient pas se débarrasser du cholestérol. Or, en quantités trop importantes, le cholestérol est toxique pour les cellules. Il y aurait donc un système de transport aller à partir du foie (ou des intestins quand on n'est pas à jeun) vers ces cellules (qui pourtant sont toutes capables de fabriquer elles-mêmes le cholestérol dont elles ont besoin, notamment pour fabriquer leurs membranes) et un système de transport retour vers le foie pour le cholestérol inutilisé par les cellules. Il s'agirait d'un processus général pour tous les organes. Les HDL seraient le moyen de transport de retour vers le foie. Aller et retour gratis pour le cholestérol via des lipoprotéines autobus, LDL et HDL.

Comment passe-t-on au problème très spécifique du cholestérol dans l'artère et à l'athérosclérose ? Selon les experts, l'athérosclérose se développerait dans la paroi de l'artère quand le processus de retour et de nettoyage du cholestérol artériel vers les HDL qui sont dans le sang serait déficient. Et cela se traduirait par des HDL basses dans le sang sans qu'aucune explication de quelque valeur scientifique ne soit proposée à cette association.

Le problème, évident au premier coup d'œil, est que les HDL sont des molécules ubiquitaires dans notre organisme tandis que l'athérosclérose est un processus spécifiquement artériel impliquant exclusivement des cellules artérielles. Est-ce le système général de retour du cholestérol (utilisant les HDL) qui est malade ? Et, dans ce cas, la toxicité du cholestérol en excès devrait s'exprimer au niveau de nombreux organes, ce qui n'est pas le cas ! Ou bien est-ce seulement le système de retour du cholestérol artériel qui est malade et, dans ce cas, pourquoi penser que les HDL du sang, qui sont en théorie un instrument au service de toutes les cellules de l'organisme, reflèteraient uniquement ce processus très local ?

Mais il y a bien d'autres questions et incongruités dans cette théorie. Je ne vais pas les discuter maintenant. Ce serait trop long ! Dans un très récent article publié en 2006 (Cuchel M. et Rader D.J., 113:2548) dans la revue *Circulation* qui est la revue officielle de l'*American Heart Association*, deux grands experts américains des HDL écrivaient (traduction par l'auteur) : « *Malgré 3 décades de recherche, la relation entre l'athérosclérose et le système de retour du cholestérol est plus une hypothèse qu'un fait établi* ».

Sauf le respect que je dois à tous les chercheurs travaillant dans ce domaine et qui désespérément tentent de valoriser cette théorie, je m'alignerais simplement et sans aucune originalité sur l'opinion de ces experts. Pour prendre en considération cette théorie (et initier un quelconque traitement notamment médicamenteux chez mes patients), il m'en faudrait beaucoup plus. D'autres experts travaillant pour ou de concert avec l'industrie pharmaceutique sont moins scrupuleux, comme on l'a vu, avec les essais testant le Torcetrapib, un médicament très efficace pour augmenter les HDL mais très dangereux pour les patients !

2- LE RISQUE D'INFARCTUS CHEZ LA FEMME : NIVEAU MAXIMAL DE CONFUSION !

Que disait-on traditionnellement à propos du risque d'infarctus chez la femme ? Qu'il était plus faible que chez l'homme. Pourquoi ? Parce que ses hormones la protégeaient. Un argument de poids était que le risque d'infarctus chez la femme rejoignait celui des hommes après la ménopause, c'est-à-dire après que les femmes aient perdu leurs hormones protectrices. Plus les femmes avaient une ménopause précoce et plus leur risque d'infarctus s'exprimait vite dans leur existence.

Une autre théorie consistait à dire que les femmes étaient protégées avant la ménopause simplement parce que, du fait de leurs règles, elles étaient relativement déficitaires en fer (il y a beaucoup de fer dans le sang des règles) ce qui les protégeait du stress oxydatif considéré comme facteur majeur dans le risque d'infarctus. À nouveau, je ne discuterai pas ces théories qui sont totalement prises en défaut par des données récentes : celles concernant le fer par les essais avec les antioxydants et celles concernant les hormones et la ménopause par les essais cliniques ayant testé les traitements hormonaux substitutifs de la ménopause. En effet, ces traitements hormonaux donnés au moment de la ménopause n'empêchent pas les accidents cardiovasculaires. Ils n'ont pas l'impact attendu sur le risque d'infarctus. Dans certains essais on a même observé une augmentation du risque avec le traitement hormonal substitutif par rapport au placebo. Je ne suis pas un expert de l'hormonothérapie, je n'ai pas d'idée préconçue sur ces sujets et je ne ferai donc pas d'autre commentaire que de dire que les belles certitudes concernant la théorie hormonale de l'infarctus sont bancales.

Je ne suis d'ailleurs pas le seul à le penser. Ainsi, de nouvelles hypothèses émergent pour expliquer les données anciennes décrivant la survenue des infarctus comme une complication de la ménopause et les données actuelles qui montrent une augmentation de la fréquence des infarctus de la femme jeune, avant la ménopause. À nouveau, ce qui est proposé (mais reste à démontrer) a trait au mode de vie, particulièrement aux changements importants du mode de vie des femmes au cours des deux ou trois dernières décennies. Ce n'est pas très original de dire que les femmes vivent et se comportent de plus en plus comme des hommes en empruntant malheureusement ce qu'il y a de moins bon chez eux. Je veux parler des habitudes alimentaires et du tabac. Adoptant plus ou moins le mode de vie (dicté par des conditions d'existence plus ou moins comparables) des hommes, il n'est pas très étonnant que les femmes en subissent les conséquences. Si cette hypothèse est juste, ce serait une nouvelle confirmation de l'importance prépondérante du mode de vie dans le risque d'infarctus par rapport aux autres facteurs, notamment le cholestérol.

Sur la base de cette nouvelle façon de voir les choses, qui permet de réconcilier les observations apparemment contradictoires notées ci-dessus, des chercheurs proposent une inversion des relations de causalité entre la ménopause et le risque d'infarctus : c'est parce que les femmes adoptent un mode de vie délétère qu'elles vont augmenter à la fois leur risque de ménopause précoce et d'infarctus. L'infarctus ne serait plus la conséquence de la ménopause mais l'un et l'autre seraient tous les deux la conséquence de l'adoption d'un mode de vie masculin. Et Léonie pourrait être un bon exemple de femme adoptant un métier et un mode de vie masculins. Dés lors elle encourt les mêmes risques que les hommes, du moins si nous ne parvenons pas à corriger son profil de risque.

3- LES SYNDROMES MÉTABOLIQUES

On pourrait dire, et certains le disent, que les syndromes métaboliques sont de nouvelles maladies.

De quoi s'agit-il ? De syndromes définis par l'association de diverses caractéristiques biologiques ou physiologiques débordant de façon plus ou moins excessive les valeurs dites normales. Il y a plusieurs définitions des syndromes métaboliques (d'où le pluriel) qui ont été formulées par différentes institutions ou sociétés savantes. Les définitions du syndrome métabolique varient donc en fonction de la préoccupation principale des groupes qui ont formulé ces définitions. Tout ceci part probablement d'une bonne intention qui est de prévoir le diabète ou les maladies cardiovasculaires de façon plus efficace et, évidemment, de permettre leur prévention de façon également plus efficace. En réalité cette problématique a été récupérée par des groupes industriels (ce qui n'a rien de scandaleux) qui pensent avoir des molécules susceptibles de traiter les syndromes métaboliques de façon globale, avec toujours cette obsession naïve : un syndrome, une molécule ! Cette médecine inspirée de la médecine des maladies infectieuses (un agent pathogène, un antibiotique !) n'a aucune chance d'être efficace en médecine préventive, mais, on l'a compris, tel n'est pas le problème du marchand de médicaments !

D'où l'intérêt de réunir dans un syndrome (dans le même sac) plusieurs risques à traiter. Je ne ferai pas plus de commentaires à ce propos. Je veux simplement dire que, parallèlement aux syndromes métaboliques et à leurs différentes définitions, il y a la pure illusion d'un phénomène pathologique unique qu'une molécule (médicament) unique (plusieurs familles de molécules sont sur les rangs) pourrait corriger, comme d'un coup de baguette magique ! On est toujours dans le conte de fées !

De quel phénomène pathologique unique pourrait-il s'agir ? Il s'agit du syndrome de résistance à l'*insuline*. C'est un état qui précède le vrai diabète où le glucose du sang est encore à peu près normal mais au prix de concentrations d'insuline (l'hormone qui diminue le glucose) élevées, comme si pour avoir un glucose normal il fallait beaucoup plus d'insuline en action, d'où l'expression de *résistance à l'effet de l'insuline*.

C'est une problématique intéressante parce que d'une part le diabète est effectivement un facteur de risque d'infarctus et d'autre part ces états de pré-diabète sont associés assez souvent à d'autres anomalies biologiques ou physiologiques qui sont également des facteurs de risque (au moins potentiellement) d'infarctus. Ce sont :

1) le surpoids ou l'obésité (ou des paramètres évaluant la répartition des graisses) ;
2) une tendance à l'hypertension artérielle ;
3) des triglycérides tendant à être trop élevés ;
4) un bon cholestérol HDL tendant à être trop bas ;
5) un glucose sanguin tendant à être trop haut.

Le concept sous-jacent des syndromes métaboliques est que si plusieurs (au moins 3) de ces anomalies sont associées chez un même individu, son risque d'infarctus ou de diabète est théoriquement plus élevé que s'il n'a qu'une ou deux de ces anomalies réunies. La deuxième idée est que les valeurs dites *normales* doivent être revues dans le cadre des syndromes métaboliques, comme si le fait qu'il y ait agrégation de plusieurs facteurs devait inciter à être plus sévère, c'est-à-dire à considérer comme *anormales* des valeurs qui habituellement ne le sont pas. C'est en ce sens que j'ai écrit que les syndromes métaboliques sont comme de nouvelles maladies. Cette vision des choses est très critiquée et je ne veux pas participer ici à cette controverse. Il est évidemment clair que dans une perspective de traitement exclusivement médicamenteux, plus les normes sont étroites, plus il y aura de personnes à traiter et plus le business sera florissant. Et voilà comment, à partir de bons sentiments, dans une société et à une époque où tout est marchandise et profit potentiel, la dérive vers le business fait perdre une grande partie de sa crédibilité médicale et scientifique à des théories qui, en principe, pourraient rendre service aux médecins et à leurs patients. Je dis en principe parce qu'il reste à démontrer qu'effectivement des patients qui se seraient vus affublés du diagnostic de syndrome métabolique sont ou seront mieux traités (protégés) que des individus pour lesquels chacune des anomalies aurait été considérée individuellement. Mais tout ceci devient une affaire de spécialistes et je propose à mes lecteurs de se retirer sur la pointe des pieds !

4- VALIDATION CLINIQUE DE LA THÉORIE
DU *BON* CHOLESTÉROL : ÉCHEC

Cette question est traitée, de façon un peu différente à propos de l'évaluation de la sévérité de la maladie artérielle et de l'effet des médicaments appelés fibrates dont je traite au chapitre 8. Je la reprends ici avec une optique différente.

Il y a plusieurs façons d'augmenter son bon cholestérol HDL. Certaines concernent le mode de vie (arrêt du tabac, perte de poids, exercice physique intense, consommation d'alcool, augmentation des apports en graisses non polyinsaturées et diminution parallèle des apports en sucres), d'autres des médicaments. Le fait que des aspects positifs du mode de vie entraînent des augmentations parfois non négligeables des HDL est source de confusion : comment savoir si ce sont les HDL qui protègent ou les aspects positifs du mode de vie ?

Une bonne façon de répondre à cette question est d'essayer d'augmenter les HDL par une méthode autre que la modification du mode de vie, par exemple par des médicaments, et d'observer si, dans ce cas-là, des bénéfices sont observés.

Plusieurs classes de médicaments augmentent les HDL. Je ne vais pas rentrer dans le détail. Certains de ces médicaments (niacin) n'étaient pas commercialisés en France jusqu'à récemment et (faute d'expérience avec des patients français) ne feront l'objet d'aucun commentaire de ma part. Je vais donc dire quelques mots sur les fibrates ou dérivés de l'acide fibrique. Le plus ancien est le clofibrate qui est maintenant retiré du marché dans de nombreux pays du fait de sa propension à augmenter le risque de cancer. D'autres fibrates (le gemfibrozil, le bezafibrate et le fénofibrate) sont encore commercialisés. Ils sont en général utilisés pour aider à traiter certaines anomalies lipidiques, surtout quand les triglycérides sont élevés, de façon isolée ou en association avec une augmentation du cholestérol. Parfois sans doute aussi des médecins en France ou ailleurs utilisent ces médicaments pour augmenter le bon cholestérol HDL avec l'espoir de diminuer le risque cardiovasculaire.

Reconnaissons-le, il est plus facile de diminuer le *vilain* cholestérol LDL que d'augmenter le *bon* HDL, qu'il s'agisse de modifications de mode de vie ou de médicaments. Il ne faut donc pas trop faire les difficiles ! Les fibrates augmentent les HDL, c'est bien vrai, et ils ont été testés dans des essais de prévention avec l'espoir de diminuer le risque cardiovasculaire.

Au moins 4 essais cliniques ont été publiés avec des fibrates ; l'objectif était de tester leur efficacité préventive chez des patients présentant des risques variés d'infarctus. Des milliers de patients ont été inclus dans ces essais où on a effectivement observé une augmentation significative du bon HDL, en moyenne de 10 à 20 %, ce qui n'est pas si mal. Par contre, force est de constater que la protection cardiovasculaire obtenue dans ces essais est très relative, soit inexistante, soit peu significative cliniquement malgré les contorsions interprétatives des investigateurs et de quelques commentateurs acquis à la cause des théories lipidiques de l'athérosclérose et probablement liés d'une façon ou d'une autre aux industriels qui commercialisent ces médicaments.

Certains pourraient discuter le fait que ces médicaments avaient aussi des effets sur les triglycérides et le *vilain* cholestérol (les LDL) ce qui rend le paysage encore un peu plus confus. Cet argument est sans valeur car si l'addition de plusieurs facteurs s'avère inefficace, on ne voit pas comment on pourrait attribuer un avantage à l'un d'entre eux. Laissons la parole à l'un des défenseurs les plus acharnés de la théorie du bon cholestérol, Gerd Assman qui, dans un article récent publié dans *Circulation*, le journal de l'*American Heart Association*, écrivait (traduction de l'auteur) que « les essais cliniques ne nous donnent pas encore d'arguments suffisants concernant les bénéfices d'une augmentation des concentrations de HDL » (2004;109:Suppl III:8-14).

En d'autres termes, augmenter les HDL n'a servi à rien ou à pas grand-chose (de l'avis d'un des plus acharnés défenseurs de cette théorie) ce qui signifie que, et jusqu'à preuve du contraire, la théorie du *bon* cholestérol a été réfutée.

Tout en nous dirigeant vers des choses plus importantes, n'oublions pas toutefois que le dosage des HDL peut nous donner une vague indication du risque couru par un patient ou un groupe de patients. Effectivement, des HDL basses sont parfois associées à des caractéristiques délétères du mode de vie, comme indiqué ci-dessus à propos des facteurs non médicamenteux susceptibles d'augmenter les HDL.

CHAPITRE 22

FAUT-IL DONNER DES STATINES DANS LES FORMES ACCÉLÉRÉES D'ATHÉROSCLÉROSE ?

Ce que vous allez apprendre :

• Qu'entend-on par athérosclérose accélérée ou forme maligne de maladie des coronaires ?

• Dans les formes malignes de maladie des coronaires, quel est le rôle des plaquettes (et de la thrombose) ?

• Quel est le rôle du mode de vie (en particulier des habitudes alimentaire) et du système immunitaire ?

• Quel est le rôle du cholestérol ?

C ERTAINES MALADIES DES ARTÈRES CORONAIRES peuvent prendre une forme accélérée où le cholestérol ne semble pas jouer de rôle important.

Le cholestérol n'est pas non plus un marqueur spécifique et sensible de ces formes malignes vis-à-vis desquelles nous sommes encore très ignorants.

Plusieurs circonstances pathologiques constituent des terrains sur lesquels se développent des formes malignes de maladie du cœur. Par exemple, l'insuffisance rénale et le diabète (chapitre 17) qui sont de plus en plus fréquents dans nos sociétés. Dans ce chapitre, je vais décrire un autre cas particulier d'athérosclérose accélérée que je connais bien (pour avoir beaucoup travaillé afin d'en comprendre les mécanismes), celui qui survient chez les greffés du cœur.

Quand je suis arrivé en 1987 à Lyon, à l'invitation du directeur d'une unité INSERM de recherche (*Unité 63*) pour conduire un essai nutritionnel de prévention secondaire de l'infarctus du myocarde (qui allait devenir la **Lyon Diet Heart Study**), j'ai été contacté par une jeune cardiologue du CHU qui était en charge du suivi médical des transplantés cardiaques. Presque totalement démunie de moyen d'investigation et de recherche clinique, elle me demandait de l'aider à résoudre un problème urgent chez ces patients particulièrement fragiles et précieux. Cette population de patients était en effet à l'époque décimée par une véritable épidémie d'infarctus du cœur greffé. On imagine facilement le drame : la transplantation cardiaque permettait de sauver la vie de ces patients mais certains cœurs greffés étaient rapidement détruits par une maladie accélérée de leurs artères coronaires et ceci, indépendamment de tout problème apparent de rejet du greffon. En clair, une proportion inacceptable de ces patients détruisaient leur cœur greffé dans les premières années qui suivaient la transplantation. Dans certains cas rares, la destruction du greffon survenait dans les mois ou même les semaines qui suivaient la transplantation.

Pour des raisons humanitaires évidentes, j'ai décidé d'aider ma collègue, ainsi que ces malheureux patients et leurs familles. Dans ce but, nous avons organisé au profit des patients transplantés, un protocole de suivi et de recherche dans le cadre de notre unité de recherche qui n'était initialement pas dédiée à ce type de recherche. C'était un très bon exemple de collaboration entre l'hôpital et les laboratoires de recherche, hélas encore bien trop rare aujourd'hui.

A la fin des années 1980, la transplantation cardiaque était un traitement encore assez peu utilisé et le CHU de Lyon faisait partie (avec le CHU de la Pitié Salpetrière à Paris) des deux seuls centres français à avoir une bonne expérience à la fois des techniques chirurgicales de transplantation et du traitement immunosuppresseur moderne, avec notamment la cyclosporine.

Cependant, on comprenait mal (et on comprend toujours mal) cette pathologie du cœur greffé qui est le résultat à la fois d'une attaque de la paroi de l'artère par le système immunitaire (stimulée par la présence du corps étranger qu'est le cœur greffé) et aussi peut-être du traitement anti-rejet (immunosuppresseur) lui-même. En effet, certains patients immuno-déprimés (par exemple à cause du SIDA ou d'un traitement par des corticoïdes à fortes doses) peuvent également présenter des maladies artérielles accélérées. La situation d'un patient transplanté est d'ailleurs exceptionnelle puisque son système immunitaire est à la fois fortement stimulé par la présence du greffon (un corps étranger) et profondément inhibé par le traitement immunosuppresseur médicamenteux.

Au cours de ces années, j'ai donc vu et revu, souvent plusieurs fois par an à ma consultation, des centaines de transplantés cardiaques lyonnais. Le moins que je puisse dire c'est que nous les avons soigneusement étudiés, surtout sur les plans biologiques de risque et de la nutrition. Certains cas me reviennent à la mémoire, Alain en particulier.

L'HISTOIRE D'ALAIN

Alain a 30 ans environ quand je le vois pour la première fois en consultation. Son problème est simple : il a été greffé 6 mois auparavant et il revient pour un bilan avant une nouvelle transplantation cardiaque. En effet, une semaine auparavant, il a été hospitalisé en urgence pour une défaillance de son cœur greffé, un syndrome d'insuffisance cardiaque typique, que l'on prend d'abord pour un rejet aigu. Le bilan montre alors qu'il n'y a pas de rejet mais qu'Alain a fait un infarctus massif avec occlusion totale de la plus importante des artères coronaires de son cœur greffé. Un miracle qu'il soit encore vivant... Cette complication est d'autant plus étonnante que la cardiopathie qui avait nécessité la première transplantation n'était pas d'origine coronaire, mais le résultat d'une maladie (probablement virale) qui avait détruit les capacités musculaires du cœur d'Alain tout en épargnant ses artères coronaires. On appelle cette maladie une cardiomyopathie et, en général, les artères coronaires du cœur malade sont complètement normales.

Le bilan biologique que nous allons réaliser chez Alain va nous révéler deux phénomènes exceptionnels que nous ne voyons pas habituellement chez nos patients coronariens *classiques* (c'est-à-dire non greffés) recrutés dans le cadre de nos études nutritionnelles. D'une part, ses plaquettes sanguines sont incroyablement réactives (pour évaluer ce paramètre chez Alain, la technicienne est obligé de re-étalonner ses appareils de mesure). De plus, les plaquettes d'Alain sont résistantes à l'effet de l'aspirine qui est prescrite de façon systématique chez ces patients greffés avec l'espoir que cela puisse empêcher le développement de la maladie artérielle, – bien qu'aucune étude sérieuse n'ait jamais démontré que l'aspirine ou un autre médicament antiplaquettaire soit utile dans cette circonstance. Quelques mots d'explication s'imposent à propos des plaquettes (section *Pour les professionnels*).

DITES À VOTRE MÉDECIN QUE LE CHOLESTÉROL EST INNOCENT

Ce qui caractérise fortement le cas d'Alain, c'est donc une très forte réactivité plaquettaire malgré le traitement avec l'aspirine : on pourrait parler d'une sorte de syndrome de *résistance à l'aspirine.*

Nous notons également chez Alain des habitudes alimentaires ordinaires chez un patient lyonnais à l'époque, avec des apports excessifs en graisses saturées et en acides gras oméga-6 et des apports insuffisants en acides gras monoinsaturés et en oméga-3. En accord avec ses médecins du CHU, nous allons donc modifier son traitement anti-plaquettaire avec arrêt de l'aspirine et prescription de ticlopidine (un médicament qui inhibe les plaquettes par un mécanisme différent de celui de l'aspirine) et lui prodiguer des conseils diététiques pour modifier ses habitudes alimentaires et obtenir qu'il adopte, peu ou prou, des habitudes alimentaires méditerranéennes (chapitre 25).

Le but du conseil nutritionnel est, schématiquement, de rééquilibrer les apports en acides gras, c'est-à-dire de diminuer les saturés et les oméga-6 et d'augmenter les monoinsaturés et les oméga-3.

Alain va se conformer scrupuleusement à nos prescriptions et conseils diététiques si bien que, lors des contrôles successifs à la consultation, nous allons observer une diminution importante et même une quasi-normalisation des fonctions plaquettaires.

La suite de l'histoire est assez simple : Alain va bénéficier d'une seconde transplantation dans les semaines suivantes et, à notre connaissance, il ne présentera pas (au moins dans les premières années qui suivront la seconde greffe) de complication thrombotique comparable à celle qui détruisit son premier greffon.

UNE FORME DE MALADIE INDÉPENDANTE DU CHOLESTÉROL

Nous n'aurons pas l'outrecuidance de nous attribuer tous les mérites du dénouement heureux de ce cas clinique mais nous avons eu plusieurs cas comparables, et d'autres encore plus graves, et nous avons observé des corrections tout aussi impressionnantes des fonctions plaquettaires avec le changement de régime et la modification du traitement anti-plaquettaire. Depuis cette époque, les transplantés lyonnais bénéficient de conseils nutritionnels basés sur le concept de diète méditerranéenne et sont traités systématiquement par de la ticlopidine (ou un médicament dérivé appelé clopidogrel) plutôt que par de l'aspirine.

Pour revenir à la problématique du cholestérol, il faut dire qu'Alain n'avait pas un cholestérol élevé et aucune intervention thérapeutique visant à diminuer son cholestérol n'avait, à cette époque, été envisagée. **Le message à retenir est que cette forme maligne de maladie des coronaires est en grande partie indépendante du cholestérol.** Si j'ai pris cet exemple de forme maligne (très particulière chez le transplanté cardiaque), c'est parce que ce sont des interventions habituelles (intervention nutritionnelle et traitement anti-plaquettaire) chez les coronariens non transplantés qui ont corrigé le risque d'Alain (et chez d'autres patients lyonnais de l'époque).

Cela suggère que des formes moins extrêmes (moins malignes) de maladies vasculaires chez des patients non transplantés peuvent aussi être dépendantes beaucoup plus des habitudes alimentaires et des plaquettes que du niveau de cholestérol.

Le cas d'Alain n'était pas unique et, comme dit précédemment, les greffés lyonnais étaient à l'époque décimés par une épidémie d'infarctus et autres complications thrombo-emboliques. Certes, la résistance à l'aspirine et des habitudes alimentaires franchement nocives (dans le contexte de la transplantation) n'étaient pas la seule raison de cette épidémie. Par exemple, la lutte contre le tabagisme n'était peut-être pas conduite assez fermement au CHU de Lyon à l'époque et, chez certains patients euphorisés par leur ressuscitation et la prise de médicaments euphorisants (cortisone), l'absence de considération pour le risque nutritionnel pouvait prendre l'aspect d'une dérive festive quotidienne.

Il est probable qu'une configuration particulière de multiples facteurs de risque de thrombose s'était mise en place après la première greffe d'Alain qui avait conduit à la destruction du cœur greffé. Il est également probable que ses habitudes alimentaires ont contribué de façon importante à cette thrombose coronaire. Enfin, le syndrome de résistance à l'aspirine observé chez Alain et d'autres patients transplantés est maintenant un syndrome reconnu (y compris chez des patients non greffés) et donne lieu à de nombreuses discussions parmi les experts des plaquettes et des *anti-COX*.

Tout ceci m'amène à formuler les observations suivantes :

1- Si le cholestérol ne joue pas de rôle important dans **le système immunitaire**, les acides gras polyinsaturés (d'origine nutritionnelle) en sont en revanche des médiateurs fondamentaux. Il est donc crucial pour l'avenir de ces patients de modifier leurs apports en acides gras spécifiques en se rapprochant de la diète méditerranéenne. C'est beaucoup plus important que de baisser le cholestérol.

2- Une seconde leçon à tirer de ce cas clinique concerne **l'importance des plaquettes** dans la survenue des complications aiguës des maladies cardiovasculaires de façon plus générale. Ce livre dédié au cholestérol n'a pas l'ambition de traiter de la problématique plaquettaire (et de thrombose), qui était pourtant au cœur des hypothèses testées dans l'Etude de Lyon. Notre exemple des transplantés, mais aussi toute la cardiologie moderne, ont montré sans ambiguïté l'importance des plaquettes dans les maladies cardiovasculaires.

3- Si le cholestérol ne joue pas de rôle important dans la physiologie plaquettaire et dans le risque de thrombose, les acides gras polyinsaturés (d'origine nutritionnelle) en sont en revanche des médiateurs fondamentaux. Il est donc crucial pour l'avenir de ces patients de modifier leurs apports en acides gras spécifiques en se rapprochant de la diète méditerranéenne. C'est beaucoup plus important que de baisser le cholestérol. J'ai fait exprès de répéter la même phrase qu'au 1ᵉʳ paragraphe !

4- Première conclusion : les acides gras de notre alimentation sont beaucoup plus importants que le cholestérol dans les maladies cardiovasculaires, qu'il s'agisse d'infarctus ou de décès cardiaque.

5- Deuxième conclusion : chez certains patients, les phénomènes de thrombose (dépendant des plaquettes) et de fibrose (dépendant du système immunitaire) sont prédominants dans la constitution des lésions obstructives des artères dont le cholestérol peut être totalement absent.

IMPORTANCE DE L'ALIMENTATION

Le risque thrombotique plaquettaire dépend donc en grande partie des acides gras de notre alimentation et donc de nos habitudes alimentaires.

Curieusement, la première mesure anti-plaquettaire qu'un bon médecin doit prendre pour neutraliser ce risque (je suis sorti maintenant du cadre particulier des transplantés cardiaques) est de prescrire un médicament qui bloque le métabolisme des acides gras polyinsaturés oméga-6, par exemple l'aspirine. Si la logique voudrait que l'on intervienne d'abord sur les apports nutritionnels en oméga-6, l'intervention pharmacologique prioritaire est à mon avis justifiée par l'urgence à mettre en route ce genre de traitement et par la remarquable efficacité du blocage du métabolisme de l'acide arachidonique par l'aspirine, à condition que ce soit à faibles doses (voir la section *Pour les professionnels*).

Ce qui ne veut pas dire qu'il faille se contenter de cela, ce que pourtant la très grande majorité des thérapeutes font !

Dans le même temps, on prescrit maintenant de façon systématique des médicaments anticholestérol aux patients transplantés et cela, sur la base d'études particulièrement médiocres et qui, dans d'autres contextes, ne seraient pas prises en considération par les médecins.

Pour résumer, le risque d'infarctus du cœur greffé, une forme maligne de cardiopathie ischémique, est lié en partie à des dysfonctions du système immunitaire et des plaquettes sanguines. Ce risque est considérablement amplifié par des habitudes alimentaires nocives. Pourtant, aucun essai randomisé n'a jamais été initié pour vérifier si un traitement antiplaquettaire efficace et prolongé pouvait retarder ou empêcher les maladies des artères du greffon ou les complications aiguës telles que celle décrite chez Alain. Dans le même temps, alors que le cholestérol ne joue aucun rôle dans la dysfonction plaquettaire comme dans le système immunitaire, on essaie de faire croire que les médicaments anticholestérol (les statines) doivent être prescrits systématiquement chez ces patients. Nous sommes donc ici dans l'irrationalité la plus totale, une autre forme de délire scientifique et médical.

CE QU'IL FAUT RETENIR

1- Le cholestérol ne joue pas de rôle important dans la pathologie artérielle accélérée décrite dans ce chapitre.

2- Comme chez bien des patients non transplantés, la thrombose et la fibrose sont les éléments prédominants des lésions obstructives, et pas le cholestérol.

3- Le cholestérol n'est pas un acteur important de la thrombose et de la fibrose.

4- Même dans des circonstances aussi particulières (artificielles) que la transplantation cardiaque, le mode de vie (la nutrition en l'occurrence) a une influence considérable sur le pronostic cardiovasculaire. Cela montre que même dans une situation presque expérimentale (présence d'un greffon), les facteurs de mode de vie jouent un rôle crucial.

5- L'implication du système immunitaire dans les maladies cardiovasculaires peut être importante non seulement dans certaines formes cliniques caricaturales (transplantés, patients immunodéprimés ou inversement maladies auto-immunes comme le lupus et enfin maladies inflammatoires chroniques comme l'arthrite rhumatoïde) mais aussi très certainement dans certaines formes plus communes selon des mécanismes encore très peu explorés par les chercheurs cliniciens. Le cholestérol n'est pas un médiateur du système immunitaire.

6- Le cholestérol ne joue donc pas de rôle dans les pathologies cardiovasculaires dépendantes du système immunitaire ou des plaquettes. Inversement, les habitudes alimentaires, en particulier les acides gras de notre alimentation, sont des amplificateurs majeurs des risques liés à l'immunité et aux plaquettes.

POUR LES PROFESSIONNELS ET LES CURIEUX

PLAQUETTES ET ATHÉROSCLÉROSE

Les plaquettes sont des petites particules (des embryons de cellules) qui circulent dans le sang et qui interviennent en cas de rupture vasculaire pour empêcher l'hémorragie. Elles sont donc notre première ligne de défense pour faire un caillot et colmater une brèche vasculaire. Elles sont aussi malheureusement responsables des thromboses (sortes de bouchons de plaquettes) qui peuvent survenir à l'intérieur de nos artères (en l'absence de rupture de la paroi) et conduire, si cet obstacle se perpétue dans la lumière de l'artère coronaire, à l'infarctus du myocarde. Un stimulus classique des plaquettes (en l'absence de brèche vasculaire) est l'inflammation artérielle.

Par contre, la thrombose plaquettaire ne dépend en rien du niveau de cholestérol dans le sang.

Mais elle peut être très dépendante de certains lipides, notamment les acides gras polyinsaturés oméga-6 et oméga-3. Pour diminuer le risque de thrombose plaquettaire, on prescrit systématiquement de l'aspirine aux patients coronariens. En effet, l'aspirine bloque une enzyme, la cyclo-oxygénase (appelée COX), qui est la première étape importante de la synthèse de médiateur des fonctions plaquettaires (les thromboxanes) à partir des acides gras polyinsaturés, notamment l'acide arachidonique qui est le principal acide gras oméga-6 dans nos cellules.

Cet acide gras est aussi fondamental dans tous les processus inflammatoires (pas seulement vasculaires) et immunitaires. Tous les traitements anti-inflammatoires modernes, notamment pour traiter les maladies articulaires douloureuses (les polyarthrites), comprennent un blocage du métabolisme de l'acide arachidonique par des médicaments appelés *anti-COX*. On distingue des *anti-COX 1* et des *anti-COX 2*. L'aspirine est un *anti-COX 1*. Je discute les *anti-COX 2* (aussi appelés *COXIBs*) plus longuement dans d'autres chapitres.

CHAPITRE 23

COMMENT PREVENIR LA *MORT SUBITE* ?

Ce que vous allez apprendre

- Qu'est-ce que le syndrome de *mort subite* ?
- Quelle est la cause de ce syndrome ?
- Quels sont les facteurs favorisants ?
- Quel est le rôle du cholestérol ?
- Comment s'en protéger ?

L ES CONSULTATIONS CHEZ LE CARDIOLOGUE MOTIVÉES par une maladie survenant dans la famille ou chez un proche ne sont pas rares. La survenue d'un décès brutal, généralement attribué à une maladie du cœur, en est l'une des raisons les plus fréquentes.

Ce qui n'est pas étonnant puisque ce syndrome dit de *mort subite cardiaque* est en fait très fréquent (autour de 100 000 par an en France). Il n'a cependant rien à voir avec le syndrome dit de *mort subite du nourrisson*.

Aux chapitres 1 et 6, j'ai déjà évoqué ce syndrome, mais de façon théorique. Maintenant, je vais décrire un cas clinique. Si j'insiste sur ce syndrome, c'est parce qu'il explique à lui seul la grande majorité des décès cardiaques dans nos sociétés et qu'il atteint les victimes de façon brutale, sans signes précurseurs. Si on veut diminuer la mortalité cardiovasculaire dans nos sociétés, il faut s'attaquer en priorité au syndrome de mort subite. Encore faut-il savoir ce que c'est.

De quoi s'agit-il ? Rien à voir avec la fameuse bière belge...

Brièvement et de façon approximative, la mortalité par maladie cardiaque en France représente environ 30 à 35 % de la totalité des décès enregistrés tous âges et sexes confondus (environ 500 000 au total chaque année). Or, le syndrome de mort subite représente à lui seul environ 65 à 75 % de la mortalité cardiaque totale. On voit donc qu'environ 1 **décès sur 5 enregistrés en France est une mort subite cardiaque**. En d'autres termes, c'est une des façons de mourir prématurément les plus fréquentes en France (et dans les autres pays comparables). Il n'est donc pas étonnant qu'elle suscite une grande anxiété dans la population et également de fréquentes consultations que l'on peut qualifier de préventives puisque le consultant est indemne de la maladie pour laquelle il consulte. C'est le cas clinique que je vais décrire ci-dessous.

L'HISTOIRE DE ROBERT

Robert a 38 ans et il est en parfaite santé, du moins en apparence, quand il vient me consulter. Il est informaticien, marié et père de deux enfants. Je considère cette consultation comme amicale plutôt que professionnelle car il m'est envoyé par un ami commun à qui il s'est confié à la suite du décès récent et, dit-il, inexpliqué de son frère aîné à 44 ans. L'histoire qu'il me raconte, avec quelques difficultés du fait de son émotion, n'est pas rare comme je l'ai déjà dit et comme je vais essayer de l'expliquer à Robert.

Robert et son frère décédé sont issus d'une famille nombreuse (6 enfants) où tout le monde jusqu'à ce décès récent, semblait profiter d'une excellente santé : « *Chez nous, on ne sait pas ce qu'être malade veut dire !* »

Et pourtant selon Robert, un soir son frère s'est dit fatigué après une dure (mais habituelle) journée de travail et un peu « *ankylosé* » dans la cage thoracique. Il est allé rapidement se coucher après un repas léger. Quand son épouse l'a rejoint moins de deux heures plus tard dans leur chambre, elle a été frappée par son immobilité puis la froideur de son contact. Elle a rapidement compris qu'il y avait un problème et le médecin appelé en urgence n'a pu que constater le décès. Aucune autopsie n'a été pratiquée et la cause indiquée du décès a été arrêt cardiaque. Selon Robert, son frère, qui était agriculteur, menait une vie plutôt saine et au grand air. Il fumait peu, il n'était pas gros et ne se plaignait de rien. Il n'était pas un fanatique des pesticides mais il les utilisait quand même. Selon Robert, son frère mangeait « *comme tout le monde* », sans excès particulier. Il ne consultait jamais aucun médecin et son épouse n'est pas capable de dire si sa pression artérielle, son cholestérol ou son sucre dans le sang étaient normaux ou pas.

C'est donc un cas typique et tragique de *mort subite*. Certains appellent ça une belle mort parce que la victime n'a pas eu le temps de souffrir et est partie sans même s'en rendre compte. La réaction de Robert n'est pas du tout dans ce registre. La disparition de son frère est pour lui une injustice et il reste à la fois inconsolable et aussi très angoissé que cela puisse lui arriver. Il a consulté plusieurs médecins et surtout fait des recherches intensives sur Internet pour trouver les informations qui l'aideraient à comprendre et surtout à se prémunir d'une telle catastrophe.

Les médecins consultés l'ont écouté et ont essayé de le rassurer. L'un lui a dit que c'était une maladie rare et qu'il ne devait pas s'en faire et l'autre lui a fait faire un bilan complet (cholestérol, sucre et bien d'autres choses) et jusqu'à un examen aux ultrasons de son cœur couplé à une épreuve d'effort avec enregistrement continu de l'électrocardiogramme pour vérifier que son cœur se comportait normalement au cours d'un exercice musculaire intense. Tout était normal sauf son cholestérol que le cardiologue a trouvé un peu augmenté et pour lequel il lui a prescrit un traitement médicamenteux. Le cardiologue lui a expliqué que son cholestérol n'était pas franchement élevé (autour de 5,5 mmol/L) mais supérieur au niveau que de nombreux experts considèrent comme optimal aujourd'hui pour la prévention des crises cardiaques. Bref, le discours habituel de l'Industrie pharmaceutique et de ses alliés.

La discordance entre l'attitude très rassurante et abstentionniste (il n'y a rien à faire !) de l'un des médecins et celle très active (multiplication des examens complémentaires, prescription préventive d'un médicament anti-cholestérol) de l'autre médecin n'a pas rassuré Robert. Pas plus que les informations et multiples témoignages qu'il dit avoir collectés sur Internet.

Me voici donc face à un jeune adulte extrêmement anxieux et déjà très bien informé du problème qui le préoccupe, c'est-à-dire le syndrome de mort subite. Il me faut donc essayer de l'aider et d'abord le rassurer, c'est-à-dire à mon avis lui proposer une démarche active qui lui permette de se prendre en charge seul puisque, sans remettre franchement en cause les avis et conseils des médecins consultés, il n'a pas une confiance absolue en eux – d'autant qu'il a aussi tendance à porter crédit aux informations diffusées par les internautes.

Il faut donc commencer par informer Robert. Que sait-on ? Qu'ignore-t-on de ce syndrome ?

Outre sa très grande fréquence, j'explique à Robert que la définition de ce syndrome (et donc son existence en tant que maladie) est quelque chose d'un peu artificiel. En effet, ce syndrome est défini *stricto sensu* comme « *un décès survenant dans l'heure qui suit la survenue des premiers symptômes thoraciques* ».

Les épidémiologistes ont inventé ce syndrome pour différencier cette façon brutale de décéder d'autres façons de mourir du cœur *a priori* moins brutales et répondant en principe à d'autres mécanismes. De façon simpliste, je lui explique que le mécanisme de la *mort subite* répond à une perte d'homogénéité de l'activité électrique du cœur (appelée fibrillation ventriculaire) qui entraîne un arrêt de la fonction pompe du muscle cardiaque, donc l'arrêt de la circulation sanguine notamment vers le cerveau, et rapidement, la *mort cérébrale* du patient. Ce genre d'événement électrique cardiaque survient en fait au stade terminal de la très grande majorité des cardiopathies. Mais, dans le cas classique du syndrome de mort subite, il survient très vite au cours d'une attaque et très souvent sur des cœurs qui, à l'autopsie, paraissent sinon indemnes de toute pathologie du moins bien peu malades. Dans un très petit nombre de cas, cette tendance à faire des arythmies s'explique par des anomalies moléculaires (transmises génétiquement) et dont la traduction clinique peut être des palpitations, des malaises, des syncopes et parfois un décès brutal.

Ce que j'essaie de faire comprendre à Robert c'est que dans plus de 90 % des cas de mort subite, la maladie sous-jacente est une maladie des artères coronaires, généralement peu avancée et que le trouble électrique qui va tuer le patient est la conséquence à la fois d'une occlusion généralement transitoire (car on ne la retrouve presque jamais quand on fait une autopsie) d'une artère et d'une sorte d'*hypersensibilité du cœur* qui, en réponse à ce stress, se désorganise rapidement et cesse de pomper le sang.

Ce concept d'hypersensibilité cardiaque est fondamental pour comprendre le syndrome de mort subite.

Pourquoi certains cœurs sont hypersensibles (et perdent très vite leur activité électrique organisée) tandis que d'autres sont résistants ? C'est évidemment la question cruciale pour Robert car si on pouvait y répondre simplement, il saurait quoi faire exactement et immédiatement pour se protéger.

Il se trouve que nous commençons à avoir une idée assez précise des mécanismes biologiques qui sous-tendent cette hypersensibilité cardiaque (et le risque de mort subite) et, sans pouvoir lui garantir une protection à 100 %, nous pouvons quand même donner des conseils très utiles à Robert. Et c'est maintenant que l'auteur de ces lignes est confronté à la difficulté de faire simple (et accessible à tous les lecteurs) avec un sujet compliqué et dramatique.

LES 4 FACTEURS PRÉDICTIFS TRADITIONNELS DE LA *MORT SUBITE*

Eliminons la problématique du cholestérol et d'un traitement anticholestérol tel que proposé par un des médecins consultés par Robert.

Le traitement anticholestérol n'a ici **aucune justification**. La très grande majorité des crises cardiaques, surtout les plus sévères et souvent mortelles, n'ont rien à voir avec le cholestérol !

Pourquoi suis-je aussi affirmatif ?

Tout d'abord, parce que les études épidémiologiques à notre disposition ne montrent pas d'association statistiquement significative entre le cholestérol et le risque de mort subite (chapitre 6). Aucun facteur lipidique traditionnel (*bon* et *mauvais* cholestérol, triglycérides) ne semble avoir un impact sur ce risque particulier. A l'inverse, certains facteurs de risque traditionnels sont associés au risque de mort subite ; on dit qu'ils sont prédictifs.

Il faut donc les connaître. Cela ne veut pas dire qu'ils sont forcément la cause de la *mort subite*, ils ne sont peut-être que de simples marqueurs.

En excluant les cas très rares de *mort subite* due soit à des anomalies anatomiques des artères coronaires (atrophie ou malposition) soit à des anomalies des voies de conduction de l'électricité dans le cœur d'origine congénitale (on naît avec), on a identifié 4 facteurs de risque traditionnels prédictifs de la *mort subite* :
1) le tabac,
2) le diabète,
3) l'hypertension artérielle, surtout mal soignée et ancienne (et compliquée d'altérations structurales du cœur),
4) les grandes obésités malignes.

Pour aucun de ces facteurs, nous ne disposons d'essais cliniques ayant corroboré une relation de causalité entre eux et le syndrome de *mort subite*.

Ceci dit, j'explique aussitôt à Robert que n'étant ni diabétique, ni obèse ni hypertendu, et pouvant arrêter de fumer, tout ceci constitue une information importante pour lui. Mais il me rétorque que son frère n'avait presque rien de tout cela (sauf qu'il fumait un peu) et qu'il n'est plus là !

J'explique alors à Robert qu'il y a **d'autres facteurs** qui augmentent le risque de mort subite, mais ils sont moins classiques dans la médecine traditionnelle et les médecins les négligent un peu, à tort à mon avis.

Il y a au moins trois choses à savoir, sinon à faire, et ces trois choses sont directement liées aux « méga » facteurs de risque dont j'ai parlé au chapitre 19 !

Il est donc très important que Robert comprenne ce qui va suivre et je vais rentrer un peu dans les détails.

LES TROIS CLÉS DE LA PRÉVENTION DE LA MORT SUBITE

Ces trois choses à savoir concernent le mode de vie et n'ont rien à voir avec des médicaments : il s'agit de l'exercice physique d'une part et d'autre part de deux facteurs alimentaires – à savoir l'alcool et les acides gras polyinsaturés oméga-3.

Mais, avant de discuter de ces trois facteurs protecteurs, demandons-nous si Robert a raison de s'inquiéter pour lui-même après le décès de son frère.

Notre avis est qu'il a raison !

Bien sûr, le fait qu'un de nos proches ait présenté un arrêt cardiaque ne veut pas dire que nous soyons obligatoirement menacés, mais toute chose étant égale par ailleurs, le risque de faire soi-même un arrêt cardiaque est, selon certaines études, augmenté d'environ 50 % par rapport à quelqu'un dont aucun proche parent n'a présenté un arrêt cardiaque. Donc, Robert a raison de se poser la question et il aurait raison de prendre quelques résolutions concernant son mode de vie, comme discuté ci-dessous.

• L'exercice physique

Maintenant, examinons le rôle du premier facteur, l'exercice physique ou l'activité musculaire (voir chapitre 13), dans la prévention des crises cardiaques et du syndrome de mort subite, en particulier.

De la même façon que pour le cholestérol, commençons par le raisonnement épidémiologique. Avons-nous des études montrant une association (ici on la souhaite inversée) entre activité physique et risque de crise cardiaque fatale ?

La réponse est positive – et cela sans aucune ambiguïté. Un **exerci-**

ce physique régulier (c'est-à-dire quotidien) et modéré (pas la peine de faire du sport, le jardinage ou la marche rapide sont tout à fait adéquats) est extrêmement protecteur contre la mort subite. Ce type d'activité semble protéger aussi contre certains cancers – notamment ceux de la sphère digestive –, contre les accidents vasculaires cérébraux et même contre les déclins cognitifs du type maladie d'Alzheimer. On a donc tout à gagner, à court comme à long terme, à avoir une activité physique suffisante, c'est-à-dire une activité musculaire suffisante (chapitre 13).

La deuxième question est de savoir s'il existe des essais cliniques avec tirage au sort des patients pour nous permettre d'affirmer qu'il y a réellement une relation de cause à effet entre l'exercice physique et la prévention de la mort subite.

La réponse est à nouveau positive. La majorité des essais randomisés concernent des patients qui ont eu un infarctus du myocarde et qui ont été inclus dans des programmes de réadaptation post-infarctus comportant un réentraînement physique. Dernière question : pourquoi l'exercice physique protège-t-il de la mort subite ?

Plusieurs hypothèses ont été proposées à partir d'études conduites sur l'animal. Pour résumer, l'entraînement physique régulier a des effets sur le système nerveux autonome et sur le métabolisme (consommation de lipides ou de glucides) du cœur notamment en cas d'ischémie (privation d'oxygène). Ces effets vont tous dans le sens d'une résistance accrue du cœur en cas d'attaque. Pour reprendre le concept d'hypersensibilité cardiaque utilisé pour expliquer le syndrome de mort subite, l'exercice physique rend notre cœur moins enclin à perdre l'activité électrique homogène lui permettant d'assurer son travail de pompe.

Mais le frère de Robert était agriculteur et n'était donc pas quelqu'un de sédentaire, il passait ses journées au grand air et s'activait physiquement de façon quotidienne. Ce n'est certainement pas le manque d'exercice qui fut responsable de son arrêt cardiaque.

Nous devons donc examiner les deux autres facteurs protecteurs de mort subite, que sont la consommation d'alcool et d'acides gras oméga-3, tout en rappelant à Robert que lui, contrairement à son frère, a un métier particulièrement sédentaire (informaticien) et qu'il doit en conséquence être attentif à ces paramètres.

Pour la consommation d'alcool et d'oméga-3, je vais suivre exactement le même raisonnement que pour l'activité physique : examiner les données épidémiologiques, les données issues d'essais cliniques et éventuellement celles de l'expérimentation animale.

• Les acides gras oméga-3

Nous avons longuement discuté des oméga-3 dans des ouvrages précédents, « *Le régime oméga-3* » (chez EDP Sciences) et « *Le Pouvoir des oméga-3* » (aux Editions ALPEN), notamment pour la prévention de la mort subite et je conseille à tout lecteur intéressé de s'y référer pour une analyse détaillée du problème.

Je peux dire que nous disposons, pour les acides gras oméga-3, de solides données épidémiologiques et cliniques (essais randomisés) qui constituent un véritable certificat d'efficacité préventive. Les acides gras oméga-3, qu'ils soient d'origine végétale ou marine, sont protecteurs. Inversement, en cas de déficience en ces acides gras, le risque de mort subite est augmenté.

Une question importante, dès lors, est de savoir si Robert et son frère ne sont pas **déficients en oméga-3**. Si c'était le cas, cela pourrait expliquer, au moins en partie, le décès du frère de Robert.

Des études de biologie expérimentale ont en effet suggéré plusieurs mécanismes par lesquels ces acides gras protègent de la mort subite et de bien d'autres complications puisqu'ils sont des éléments essentiels et indispensables à la physiologie cellulaire. Si je restreins la discussion maintenant à la problématique *mort subite*, on a décrit au moins trois mécanismes défensifs des acides gras oméga-3 vis-à-vis du syndrome de mort subite :

1) Un effet stabilisateur de certains canaux ioniques dans les membranes des cellules cardiaques. Ces canaux ioniques sont impliqués dans l'activité électrique du cœur dont la perturbation crée les conditions de la mort subite ;

2) un effet équilibrant sur le système nerveux autonome. On sait qu'il y a une très grande densité neuronale entre le cerveau et le cœur, le cerveau végétatif (c'est-à-dire non contrôlé par la conscience) jouant un rôle important dans la régulation de certaines fonctions cardiaques dont l'altération peut favoriser la mort subite ;

3) un effet dit *préconditionnant* sur le cœur. Cela signifie que le cœur est capable, sous l'effet des oméga-3, de développer une extraordinaire résistance aux méfaits et dégâts de l'ischémie myocardique qui peuvent se traduire par la mort subite.

Robert est impressionné :

- Où trouve-t-on ces oméga-3 ?, me demande-t-il

- Il faut distinguer ceux d'origine marine, que l'on trouve dans les poissons gras pour faire bref...

- Nous ne mangeons jamais de poisson à la maison !, m'interrompt Robert.

- Même pas des conserves, des boîtes de sardine ou de maquereaux de temps en temps ?

- Jamais ! C'est une odeur qui nous dégoûte.

- Et les acides gras oméga-3 d'origine végétale que l'on trouve par exemple dans les noix (ou les graines de lin), dans l'huile de colza ou les margarines fabriquées à partir du colza ?

- Nous n'utilisons pas de colza et nous ne mangeons jamais de noix !

- On peut trouver aussi des oméga-3 d'origine végétale dans des produits animaux (œufs, fromages, viande) à condition que ces animaux se soient nourris ou soient nourris (par l'éleveur) avec des grains riches en oméga-3 !

- Mon frère utilisait presque exclusivement le maïs pour ces animaux et se nourrissait des produits de sa ferme. Y a-t-il des oméga-3 dans le maïs ?

- Pas du tout !

- Vous pensez que nous manquons d'oméga-3 et que cela ait pu provoquer le décès de mon frère ?

J'explique alors à Robert que les maladies dues à une cause unique sont très rares en médecine et que même les maladies infectieuses ne sont pas exclusivement dues à un virus ou une bactérie, mais qu'il y faut surtout un **terrain favorable**, donc une multitude de facteurs favorisants.

De la même façon, on ne peut incriminer une seule cause de mort subite ! Ceci dit, le dossier médical et scientifique des oméga-3 est tel et les effets des oméga-3 sur le cœur sont si variés qu'il ne fait aucun doute que si le frère de Robert était aussi déficitaire qu'il le paraît (il aurait fallu une prise de sang pour le confirmer), cela ait pu jouer un rôle non négligeable dans la survenue de son décès brutal.

Robert semble presque rassuré en croyant entrevoir, enfin, un semblant d'explication rationnelle au drame qu'il a vécu et surtout le bout du tunnel pour son angoisse très personnelle : il commence à voir ce qu'il lui serait utile de faire pour se protéger !

• La consommation d'alcool

Robert veut en savoir encore plus : « *Et l'alcool, disiez-vous, docteur ?* »

Et me voici lui expliquant la problématique *cœur/alcool*, un des sujets de discussion les plus passionnants des congrès de médecine cardiologique.

Ce que nous savons sur l'alcool est assez troublant car au final, cela rejoint ce que nous décrivons avec les oméga-3, avec pourtant une différence importante : nous ne disposons d'aucune donnée d'essai clinique puisque, évidemment, aucun comité d'éthique n'a jamais donné son accord pour la mise sur pied d'un essai avec tirage au sort des patients. Un tel essai est-il même faisable ? Je pense que non.

Je résume rapidement (les lecteurs intéressés peuvent se reporter à notre livre *Alcool, vin et santé* aux Editions Alpen) : les études épidémiologiques ont montré de façon prospective une association inverse entre la consommation modérée d'alcool et le risque de mort subite. Si nous ne disposons d'aucun essai clinique sur l'alcool, contrairement aux oméga-3, le nombre d'études épidémiologiques est nettement plus important avec toutefois quelques discordances.

La consommation d'alcool est quelque fois associée à une augmentation du risque de pathologie cardiaque, notamment d'arythmies cardiaques. Ces exceptions sont en général décrites dans des populations très particulières (Ecossais, Russes, Polonais) et pour des façons de boire très particulières (boire beaucoup mais de façon intermittente ou ce qu'on appelle chez nous, les cuites du samedi soir et chez les Anglais, le *binge drinking*). De plus, les études expérimentales montrent que l'alcool, à doses modérées et régulières, a des effets biologiques et physiologiques comparables à ceux des acides gras oméga-3, avec notamment un effet préconditionnant et des effets régulateurs sur le système nerveux autonome. Il n'est donc pas étonnant de retrouver, avec une consommation d'alcool modérée et régulière, la protection contre la mort subite décrite avec les oméga-3 et l'exercice physique.

Robert me confie qu'on ne boit pas dans sa famille, ou très peu, et qu'il ne pourrait pas se mettre à boire ! Robert et sa famille font donc partie de ces abstinents chroniques qui, dans les études épidémiologiques ont, paradoxalement, des risques de maladies cardiaques supérieurs à ceux des buveurs modérés. On a longtemps pensé que ces abstinents étaient en fait des ex-buveurs reconvertis et que leur risque était lié à une pathologie acquise lorsqu'ils étaient buveurs. Cette possibilité a maintenant été exclue et, plutôt que d'attribuer un risque plus élevé aux abstinents, la plupart des investigateurs préfèrent attribuer un risque diminué à ceux qui boivent modérément.

D'autres substances présentes dans les fruits, et aussi dans le vin et le thé, et que l'on appelle des **polyphénols**, semblent avoir également des effets préconditionnants du cœur et donc potentiellement protecteurs contre le risque de mort subite. La meilleure façon de combiner les apports en oméga-3 (sans neutraliser leur efficacité par d'autres acides gras concurrents), en polyphénols et en alcool (et bien d'autres choses encore) aux doses idéales pour protéger son cœur, c'est d'adopter une diète méditerranéenne (chapitre 25).

CE QU'IL FAUT RETENIR

1- Le syndrome de mort subite est la première cause de décès dans nos sociétés et représente environ 60 à 75 % de tous les décès d'origine cardiaque.

2- Les mécanismes commencent à être compris et une prévention efficace peut être organisée au niveau des populations.

3- Le cholestérol ne joue pas de rôle important dans le syndrome de mort subite.

4- Les médicaments anticholestérol n'ont en conséquence aucun effet sur le syndrome de mort subite.

5- Le *tabac* et le *diabète* sont deux facteurs de risque fréquents (dits traditionnels) de mort subite que l'on peut corriger.

6- Parmi les facteurs de risque très importants mais moins connus, figurent le *manque d'activité physique* et la *déficience en acides gras oméga-3*.

7- Parmi les facteurs protecteurs majeurs, on doit retenir l'arrêt du tabac, l'activité physique, la supplémentation en oméga-3 et la consommation modérée d'alcool.

POUR LES PROFESSIONNELS ET LES CURIEUX

MORT SUBITE ET FACTEURS DE RISQUE TRADITIONNELS

Pour revenir à la question du traitement anticholestérol, il est important de rappeler que parmi tous les essais cliniques (plusieurs dizaines) ayant testé un médicament anticholestérol, un ou deux seulement ont donné lieu à une information claire concernant le risque de mort subite.

Curieusement, comme je le discute au chapitre 6, aucun (sauf un) des essais récents avec les statines ne mentionnent le syndrome de mort subite. Parmi les anciens essais – et pour le spécialiste qui se serait aventuré à lire ces pages destinées au grand public–, rappelons que seuls les essais *4S* et *LIPID* mentionnent le syndrome et que les investigateurs rapportent un certain degré de prévention. On peut penser que dans tous les autres essais, le traitement n'a pas eu d'effet, sinon les investigateurs ne seraient pas privés de nous le dire !

Finalement, comment interpréter les résultats très isolés de *4S* et *LIPID* ? Il ne serait pas très scientifique (et encore moins *fair play*) de faire comme s'ils n'existaient pas. Pourtant, il faut reconnaître que ces essais (surtout *4S*) nous posent quelques problèmes techniques – outre le fait qu'ils soient les seuls à avoir montré des effets vraiment significatifs sur la mortalité et notamment sur la mort subite. L'étude *4S* a été conduite en Scandinavie exclusivement et une grande partie des patients ont été recrutés en Finlande, un pays très particulier dans le domaine des maladies cardiovasculaires (chapitre 5). Par exemple, c'est le seul pays au monde où l'on voit cohabiter une forte consommation de poissons (notamment des poissons gras des lacs) et une très forte mortalité cardiovasculaire. Il faut dire que les habitudes alimentaires des Finlandais sont très particulières, pour des raisons géographiques évidentes mais aussi historiques, avec une forte consommation de viandes et de produits laitiers mais une faible consommation de fruits et légumes et donc d'antioxydants naturels. De plus, les eaux douces finlandaises sont contaminées par des métaux lourds (de même que leurs poissons), en particulier par le mercure qui est un puissant pro-oxydant, et les sols finlandais sont pauvres en sélénium (qui est l'antidote du mercure). L'ensemble du tableau est donc assez extraordinaire et, même si des mesures préventives exceptionnelles ont été prises par les autorités finlandaises depuis deux décennies, le cas finlandais est tellement particulier qu'il nous semble difficile d'en extrapoler les données à d'autres populations, sans disposer d'études conduites sur des populations plus proches des nôtres.

Des questions similaires peuvent être posées pour l'essai *LIPID*, conduit en partie en Nouvelle-Zélande, avec également des populations (notamment les Maoris) déficientes en sélénium et ayant des habitudes alimentaires très différentes des nôtres.

En résumé, et en ne tenant pas compte du cas finlandais, il s'avère que les données épidémiologiques et les essais cliniques à notre disposition ne permettent en aucune manière de penser qu'en diminuant le cholestérol, on peut avoir le moindre impact sur le risque de mort subite. Répétons-le pour conclure sur ce point : la mort subite est la principale cause de décès cardiaque et le cholestérol ne joue apparemment aucun rôle dans ce syndrome !

Revenons maintenant aux autres facteurs (tabac, diabète, obésité maligne, hypertension mal contrôlée) qui, contrairement au cholestérol, se sont montrés prédictifs de la mort subite dans les études épidémiologiques. Avons-nous des arguments montrant qu'en modifiant ces facteurs on peut diminuer le risque ? La réponse est négative ! Désolés, nous ne disposons pas aujourd'hui d'un argumentaire suffisant pour nous permettre de dire, et en toute sincérité, que si on modifie ces facteurs-là, nous pouvons garantir une diminution du risque de mort subite !

Ceci dit, pour bien d'autres raisons que le risque de mort subite, des personnes présentant ces caractéristiques devraient essayer de les corriger ou de les traiter.

CHAPITRE 24

BONUS

C ERTAINS POINTS QUE JE PENSAIS MOINS IMPORTANTS, et qui n'ont pas été traités, ont suscité des questions de mes relecteurs. Ces questions sortent du cadre « *cholestérol et maladies cardiovasculaires* » qui est le thème principal de cet ouvrage, aussi vais-je y répondre brièvement. Elles concernent les lipides en général.

Que signifient « anomalies lipidiques » ou « excès lipidiques » ?

On entend par là des concentrations sanguines de lipides (cholestérol, triglycérides, HDL et LDL) trop élevées ou trop basses par rapport à des *normales*.

Ce genre d'expression n'a plus beaucoup de sens en médecine contemporaine, notamment en cardiologie, car ces *normales* ont beaucoup changé au cours des dernières années. La notion de normalité est discutée au 1er chapitre. Mais pour de nombreux experts, il ne s'agit même plus de normaliser des taux de cholestérol chez un patient donné, il faut atteindre *des objectifs* selon la règle du « plus c'est bas et mieux c'est ! »

En d'autres termes, puisque les niveaux de cholestérol optimaux sont les plus bas possibles, il n'y a plus de *normales* et plus d'*anomalies lipidiques*. De plus, puisque ces taux optimaux ne sont atteignables qu'avec des médicaments ou des combinaisons de médicaments, nous devrions tous, et en urgence, prendre les médicaments que certains experts souhaitent nous prescrire.

Ce que je viens d'écrire n'est pas une caricature ! J'ai simplement poussé les raisonnements qui prévalent à l'heure actuelle parmi certains experts jusqu'à leur logique extrême. Si tous les médecins français ne raisonnent pas encore comme cela, c'est peut-être un simple retard et cela ne saurait tarder, ou bien cela révèle une forme de résistance aux extravagances actuelles ce qui serait une très bonne nouvelle.

Aux États-Unis ou au Canada par exemple, si j'en crois les bruits que je perçois via Internet ou lors de brefs voyages, cette façon de voir les choses serait déjà un fait établi. Un de mes bons amis et collègues, cardiologue à Montréal, me disait récemment qu'il voyait de plus en plus fréquemment des patients traités par des fortes doses de statine et dont le taux de cholestérol dans le sang était proche de zéro. D'après les témoignages entrevus sur Internet, cela ne semble pas rare désormais en France aussi. Mon ami, très au fait des effets secondaires potentiels des statines d'une part et des conséquences d'avoir des taux très bas de cholestérol pour le fonctionnement neuronal d'autre part, tend évidemment à réduire les doses de médicaments, mais certains de ses patients en sont mécontents. Pour rappel, la grande étude Framingham (débutée en 1955) a en effet montré une relation inverse entre les taux de cholestérol et certaines capacités cognitives (voir par exemple la publication de Elias et collègues dans le *Journal of Psychosomatic Medicine* en 2005).

Pourquoi les normes du cholestérol ont changé ?

Parce que selon le dogme du « plus c'est bas et mieux c'est ! », et en fonction du risque couru par un patient donné, on a progressivement diminué ce que l'on peut appeler le *cholestérol idéal* pour avoir le risque cardiovasculaire le plus bas possible. Certains disent que ce niveau de cholestérol *idéal* serait en fait celui des chasseurs cueilleurs qui vivaient il y a dix ou vingt mille ans sur nos terres ou, à la rigueur, celui des primates vivant actuellement dans les arbres de la jungle de Sumatra ! J'ai suffisamment expliqué dans les différents chapitres qu'il n'y a aucune rationalité scientifique et médicale qui justifie le concept de *cholestérol idéal* ou le dogme du « plus c'est bas et mieux c'est ! » pour ne pas y revenir maintenant.

Mais les normes ont changé pour une autre raison et c'est l'objet de la 3ᵉ question.

Pourquoi après un infarctus on a toujours trop de cholestérol ?

Avoir du cholestérol signifie dans le langage commun *avoir trop* de cholestérol. On revient donc au vieux concept d'excès lipidiques.

Après un infarctus, les patients et leurs familles s'entendent dire de façon systématique maintenant, alors que c'était plutôt rare autrefois, qu'ils *ont trop* de cholestérol.

Pourquoi ce changement ? Les taux de cholestérol ont-ils augmenté brutalement dans nos populations ?

Pas du tout, c'est même plutôt le contraire. Pour un âge donné, les taux de cholestérol moyens ont diminué dans nos populations au cours des dernières décennies.

Question : comment expliquer ces contradictions ?

Réponse : simplement par le fait que le cholestérol *idéal*, tel que défini par les experts travaillant avec l'industrie des médicaments, étant désormais très bas (il n'y a plus de *normales* mais des *objectifs à atteindre*, je le répète), nous avons tous un cholestérol trop élevé, y compris les patients qui ont survécu à un infarctus et la majorité des gens en très bonne santé.

Question : est-ce vraiment rationnel ? Ne risque-t-on pas de décréter malades (c'est-à-dire *avoir du* cholestérol) des individus en bonne santé ?

Réponse : ce n'est pas rationnel selon moi ! Voir les questions suivantes pour quelques commentaires !

Que veulent dire sensibilité et spécificité en médecine diagnostique ?

Avant de répondre plus précisément à la question posée dans le paragraphe précédent, je vais introduire un ou deux concepts utiles à mes lecteurs.

Pour qu'un test diagnostique soit valable en médecine, qu'il s'agisse de biologie, biochimie ou biophysique, il faut qu'il soit efficace pour détecter les maladies mais aussi qu'il ne nous induise pas en erreur. Les diagnostics des maladies servent au médecin à prendre des décisions thérapeutiques parfois très graves (opération, amputation, chimiothérapie très toxique, etc.). Selon le principe du *Primum non nocere* [Surtout ne pas nuire au patient], la qualité de la démarche diagnostique est donc fondamentale. En d'autres termes, nous n'avons pas droit à l'erreur ou, au moins, selon le Serment d'Hippocrate, nous devons faire de notre mieux pour ne pas nous tromper.

Pour évaluer scientifiquement une nouvelle technique diagnostique, on va l'évaluer selon deux critères fondamentaux : la *sensibilité* et la *spécificité*.

La *sensibilité* indique la puissance de ce test ; c'est-à-dire sa capacité à identifier les malades dans une population. La *spécificité* indique le pouvoir discriminant du test ou encore sa capacité à identifier les gens qui n'ont pas la maladie.

On voit immédiatement qu'un bon test diagnostique doit être très sensible (ne rater aucun malade) et très spécifique (ne pas se tromper en disant qu'un individu est malade alors qu'il ne l'est pas).

Retour au cholestérol : quand on dit qu'un patient *a du cholestérol* ou *trop de cholestérol*, on se réfère encore aux vieux concepts (voir la réponse à la 1ère question). En restant dans ce cadre strict, il suffit d'abaisser le curseur (de la *normalité*) pour que dans une population donnée aucun malade ne soit raté (oublié). Dans ce cas, le test diagnostique a une sensibilité maximale. Est-il spécifique pour autant ? Autrement dit, combien de sujets indemnes auront été indûment classés comme malades sans l'être vraiment ? Évidemment, plus j'abaisse le curseur et plus le nombre de sujets sains classés à tort comme malades sera grand.

Prenons un exemple concret. Si je décide arbitrairement qu'un cholestérol *normal* est inférieur à 8 mmol/l, peu de patients avec un infarctus sont malades de leur cholestérol (parce qu'un faible pourcentage de patients hospitalisés pour infarctus ont un cholestérol supérieur à 8) mais, dans le même temps, peu de sujets indemnes dans la population générale seront considérés à tort comme malades de leur cholestérol. Inversement, si je décide, toujours de façon arbitraire, que le cholestérol *normal* est inférieur à 4 mmol/L, tous mes patients avec infarctus seront effectivement malades de leur cholestérol parce qu'ils auront presque tous un cholestérol supérieur à 4. Dans le même temps, évidemment, plus de 90 % de la population adulte indemne sera considérée à tort comme malade de son cholestérol car elle aura aussi un cholestérol supérieur à 4 !

Un bon équilibre entre *sensibilité* et *spécificité* reflète la qualité d'un test diagnostique : si l'une monte quand l'autre descend, nous avons affaire à un mauvais test !

Le cholestérol est donc un très mauvais test diagnostique !

Question : comment répondre à ce problème et éventuellement résoudre ce cas de conscience ?

Réponse : en décidant que même les individus indemnes et en parfaite santé sont eux aussi *malades de leur cholestérol* quand ils ont un cholestérol supérieur à 4, pour reprendre l'exemple ci-dessus. Ce n'est plus la maladie qui fait qu'on est malade ou pas, c'est le test diagnostique ! En fait, on invente une nouvelle maladie définie par la mesure du cholestérol.

Ce n'est pas le seul exemple de *nouvelles maladies* dans notre société visant à imposer de nouvelles normes physiologiques et de nouvelles pratiques thérapeutiques. Les mêmes tendances sont observables pour la problématique de la pression artérielle. Nous sommes ici dans la caricature de la médecine et, comme disait le Docteur Knock qui sans doute n'aurait jamais cru que cela puisse vraiment exister : « tout être bien portant est un malade qui s'ignore ! »

On comprend maintenant pourquoi les *normes* n'ont plus de sens : pour être en parfaite bonne santé, il faut avoir le cholestérol des orangs-outangs de Sumatra !

Toutes les anomalies lipidiques sont-elles dangereuses pour le cœur ?

Cette question est importante car de nombreux médecins continuent de raisonner selon les anciens diagnostics d'anomalies ou d'*excès lipidiques*.

Ce livre montre que même un cholestérol *élevé* (encore faut-il se mettre d'accord sur ce que cela signifie) n'est pas obligatoirement un facteur de risque chez la majorité d'entre nous (à moins d'être le marqueur d'habitudes alimentaires désastreuses), surtout par comparaison avec les « méga » facteurs de risque que je décris tout au long de ce livre. Le risque dû au cholestérol (si réellement le cholestérol est un facteur de risque et pas seulement un *marqueur*) est en fait *modulé* par d'autres facteurs, notamment nutritionnels, et ce sont eux qu'il faut corriger (chapitres 8 et 9).

On peut avoir un cholestérol très élevé sans avoir une augmentation du risque d'infarctus (chapitre 19) et on peut tout aussi bien avoir un cholestérol bas et être à risque très élevé de mourir d'un infarctus. Ces cas ne sont pas rares dans les cohortes épidémiologiques et j'en ai vu un certain nombre dans différents pays où j'ai travaillé, des deux côtés de l'Atlantique.

Ceci étant dit, les hypercholestérolémies familiales (HF) malignes existent, bien qu'elles soient très rares (surtout par rapport aux nombres d'infarctus enregistrés chaque année dans un pays comme la France) et doivent être identifiées et traitées le plus tôt possible dans la vie des individus.

Ce livre montre également que les concepts de *bon* et *mauvais* cholestérol sont des enfantillages qu'il faut oublier car, non seulement ils n'ont aucune solidité scientifique, mais ils ne servent à rien en pratique médicale.

Finalement, est-ce qu'avoir des triglycérides élevés est dangereux pour le cœur ?

En eux-mêmes, les triglycérides ne sont pas dangereux mais ils peuvent être *révélateurs* d'un mode de vie ou de conditions d'existence délétères, par exemple d'un mode de vie sédentaire favorisant les syndromes de résistance à l'insuline. Dans ce cas, prendre un médicament qui diminue les triglycérides sans modifier son mode de vie n'aura aucun impact positif sur le risque d'infarctus. Les médicaments qui diminuent les triglycérides ayant un effet très négatif sur le métabolisme des acides gras oméga-3, il est à craindre que cette stratégie (médicament sans modification du mode de vie) entraîne même une augmentation du risque de mourir d'un infarctus.

Inversement, certaines pratiques comme la consommation de boissons alcoolisées, y compris de façon modérée, augmentent les concentrations de triglycérides dans le sang (il y a une relation positive entre la consommation d'éthanol et les taux de triglycérides dans le sang) mais sont associées à une diminution du risque d'infarctus. Les triglycérides du sang constituent donc un très mauvais test diagnostique selon les critères de *sensibilité* et de *spécificité* décrits ci-dessus.

En fait, le problème est plus compliqué parce que les triglycérides sont des ensembles moléculaires qui contiennent trois acides gras. Certains acides gras (par exemple les acides gras oméga-3) sont protecteurs tandis que d'autres sont neutres ou dangereux en fonction des circonstances. En bref, une concentration donnée de triglycérides peut avoir une valeur protectrice différente en fonction des acides gras qu'ils contiennent.

Peut-on avoir une hypercholestérolémie maligne qui ne soit pas une hypercholestérolémie familiale ?

Le diagnostic d'hypercholestérolémie familiale ou HF (chapitres 19 et 20) répond à des critères diagnostics précis : élévation importante et isolée des LDL, le *méchant* cholestérol.

La question est de savoir si on peut avoir une élévation des LDL dangereuse pour le cœur qui sorte du cadre strict des HF ?

La réponse est oui, probablement. Ces hypercholestérolémies malignes, distinctes des HF, sont rares mais peuvent être dangereuses. Je dis *peuvent* parce qu'en fait je ne dispose d'aucune étude démontrant que dans ces cas particuliers ce sont les taux de LDL qui sont dangereux et pas le mode de vie qui leur est associé. Je ne sais pas non plus si lorsqu'on diminue le cholestérol (quelle que soit la méthode utilisée) chez ces patients particuliers, on obtient une amélioration de leur pronostic.

La question est difficile car ces hypercholestérolémies apparemment malignes sont souvent associées à d'autres anomalies métaboliques (résistance à l'insuline, surpoids ou obésité, hypertension artérielle) mais surtout à des modes de vie délétères. Le tableau clinique et biologique est donc très différent de celui des HF.

Pourtant, une composante familiale, donc génétique, n'est pas rare. De façon très pratique, l'enquête familiale peut nous aider à déterminer le risque réel cardiovasculaire associé à ces hypercholestérolémies malignes non familiales (au sens strict de l'HF). Si tous les hommes d'une famille, par exemple, ont tendance à être plutôt gros, hypertendus et hypercholestérolémiques mais que personne (génération après génération) ne fait jamais d'infarctus, on peut estimer que ces anomalies sont relativement bénignes et que les facteurs protecteurs sont prédominants dans cette famille.

Dans le cas contraire où une anamnèse familiale est évocatrice de complications cardiovasculaires récurrentes, les anomalies lipidiques sont des sortes « *d'alarmes* » et il faut y être très attentif ! Ce qui ne veut pas dire qu'il faille les traiter avec des médicaments car on peut tout aussi bien augmenter le risque au lieu de le diminuer comme expliqué ci-dessus à propos des triglycérides. Le médecin qui saura protéger efficacement ce type de patients fera preuve d'un art consommé car il ne dispose d'aucun guide *officiel* basé sur de solides données scientifiquement acquises.

Qu'est-ce qu'une hyperlipidémie combinée ?

Il s'agit d'un concept un peu désuet autrefois utilisé par les spécialistes des lipides pour catégoriser les patients présentant certaines anomalies lipidiques ressemblant à celles décrites aux questions précédentes. Je propose aux lecteurs d'oublier cette question qui est, éventuellement, du ressort des spécialistes.

Est-ce que d'autres lipides que le cholestérol et les triglycérides ont une importance dans les maladies cardiovasculaires (à la fois du point de vue de la pathogenèse et de la prévention) ?

Effectivement, d'autres lipides sont très importants dans les maladies cardiovasculaires. Ce sont les acides gras ! Ils sont *quantitativement* beaucoup plus importants que le cholestérol, à la fois dans le sang et dans les cellules.

Ils sont *qualitativement* très variés : les saturés, les monoinsaturés (avec au moins deux séries, les oméga-9 et les oméga-7) et les polyinsaturés. Parmi ces derniers, on distingue essentiellement les séries oméga-3, oméga-6, et oméga-9. Ils ont tous des rôles physiologiques importants.

Les acides gras sont les plus importants des lipides de l'organisme. Beaucoup des experts en cholestérol qui ont une formation pharmacologique, et non nutritionnelle, ignorent totalement ce champ de la biologie et de la physiologie. C'est désolant !

L'obsession actuelle sur le cholestérol nous détourne des questions médicales liées aux acides gras et cette situation est catastrophique.

Je ne ferai pas plus de commentaires sur cet aspect des choses. Bien que ce livre soit dédié au cholestérol, je fais des commentaires sur les acides gras presque à chaque chapitre tellement ce sujet est important.

Est-ce que des médicaments anticholestérol autres que les statines sont importants pour la prévention des maladies cardiovasculaires ?

Des médicaments autres que les statines interfèrent avec le métabolisme du cholestérol et diminuent de façon significative les concentrations sanguines de cholestérol.

Certains sont anciens, comme les fibrates, et j'ai dit ce que j'en pensais dans différents chapitres.

Actuellement, des industriels essaient d'imposer de nouveaux médicaments qui diminuent l'absorption digestive du cholestérol ou d'autres qui sont censés augmenter le *gentil* cholestérol HDL.

Comme je l'ai expliqué dans différents chapitres, ces deux stratégies sont sans espoir pour ne pas dire dérisoires sur la base des connaissances actuelles telles que je les interprète personnellement. Ce qui ne veut pas dire que nous ne subissions pas dans les mois et années à venir d'intenses campagnes de marketing.

Je ne serais pas étonné si de fantastiques essais cliniques (qui constituent désormais le meilleur marketing possible) venaient corroborer la justesse de ces stratégies et hypothèses. J'examinerai ces essais cliniques avec la plus grande attention et, vu l'état des lieux et des pratiques d'aujourd'hui, je ne considèrerai comme crédible que les essais conduits de façon totalement indépendante des sponsors (chapitre 10).

Pour la deuxième catégorie de médicaments, ceux qui augmentent les HDL via une inhibition d'une enzyme appelée la CETP (*Cholesterol Ester Transfer Protein* en anglais), l'hypothèse proposée (avoir plus de *gentil* cholestérol pour diminuer le risque d'infarctus) n'a pas de base médicale et scientifique sérieuse (chapitre 21). Je recommande à mes lecteurs de ne jamais participer à aucun essai clinique testant cette sorte d'hypothèse. Ils pourraient en retirer de grands inconvénients pour des bénéfices que j'ai du mal à imaginer. D'ailleurs, une grande étude (appelée *ILLUMINATE*) a été récemment interrompue du fait des multiples effets toxiques ou néfastes enregistrés parmi les patients traités avec la nouvelle molécule. Je n'en ai pas été étonné !

Pour la première catégorie de médicaments (ceux qui inhibent l'absorption digestive du cholestérol), aucun n'a fait l'objet d'essais cliniques testant leurs effets sur les complications cardiovasculaires. D'autre part, les hypothèses expliquant pourquoi cela peut nous protéger sont très critiquables (chapitres 8 et 9). Je recommande à mes lecteurs de ne pas participer à ce type d'essais si jamais cela leur était proposé.

Quelles sont les indications acceptables des statines ?

Autre façon de poser la question : qui peut réellement bénéficier, sur une base scientifique minimale, d'une prescription de statine ?

Ma réponse est : tout patient pour lequel on peut tenir l'augmentation de son cholestérol comme responsable de l'attaque cardiaque ou cérébrale qu'il a eu ou qu'il est susceptible d'avoir à court ou moyen terme.

Y a-t-il beaucoup d'individus ou de patients rentrant dans cette catégorie ? Probablement très peu, et certainement pas 6 millions de citoyens français, ce qui correspond au nombre actuel d'utilisateurs.

Les lecteurs ont pu constater tout au long de ce livre que l'on a cherché à nous faire croire que beaucoup d'entre nous (les plus de 50 ans, les fumeurs, les hypertendus, les diabétiques, les survivants d'un infarctus ou d'une attaque cérébrale, etc.) devraient être traités de façon presque systématique avec une statine, et ceci bien que les évidences scientifiques soient maigres, sinon absentes une fois évacuées toutes les formes de marketing et de propagande.

Je suis donc désolé de dire à mes lecteurs qu'il existe aujourd'hui une telle confusion que je suis bien en peine de donner une réponse précise et *scientifiquement fondée* à la question posée.

En dehors des **hypercholestérolémies familiales malignes** pour lesquelles il n'y a pas de discussion et une fois entendu que ces maladies des lipides n'ont rien à voir avec les maladies cardiovasculaires communes, il m'est impossible d'apporter des arguments solides, c'est-à-dire scientifiques, pour justifier la prescription de statines dans telles ou telles indications.

J'ai longtemps pensé que la **période du post-infarctus** était une bonne indication mais les essais cliniques récents (ailleurs qu'en France) ont mis en doute (chapitre 18) les essais publiés au début des années 1990 (également hors de France) et, compte tenu des *caractéristiques très paradoxales* des maladies cardiovasculaires en France, j'ai tendance à penser que les statines n'auraient pas d'effets vraiment significatifs chez des patients français. En fait, il nous faudrait un essai clinique conduit en France dans les conditions actuelles pour pouvoir dire si, dans le post-infarctus, on devrait donner systématiquement une statine à nos patients français.

J'ai aussi pensé, mais pas longtemps, que des **diabétiques** présentant des taux de cholestérol élevés (mais la définition de *élevés* est aujourd'hui incertaine) devraient être traités par une statine, surtout s'ils avaient déjà présenté un accident cardiaque ou vasculaire. Mais à nouveau (chapitre 17), les données récentes sont très contradictoires et, pour être réellement affirmatif, il nous faudrait un essai clinique conduit en France pour tester spécifiquement cette hypothèse.

En dehors de ces trois situations particulières, pour lesquelles nous ne disposons pas d'études sérieuses et indiscutables (même pour les hypercholestérolémies familiales malignes, mais ici je pense qu'il faut appliquer le principe de précaution) pour justifier la prescription, je ne vois pas d'autres circonstances cliniques qui justifient une prescription *systématique*.

Toutefois, il y a bien sûr des cas individuels et particuliers, et j'en ai rencontré, où le médecin peut être conduit à prescrire une statine. Dans ces cas on ne peut émettre de règles de prescription rigides et seul le médecin (libéré de toute influence idéologique ou marketing) peut prendre une décision adéquate. Il faut que le médecin soit libéré de toutes les fausses idées concernant la dangerosité présumée du cholestérol et qu'ils connaissent les effets secondaires (considérablement sous-évalués aujourd'hui) des statines. Ces décisions thérapeutiques ne peuvent malheureusement pas être basées sur un raisonnement scientifique, et c'est en cela que la médecine est un art !

Y a-t-il des précautions à prendre si je décide d'arrêter ma statine ?

Il ne faut pas arrêter son médicament sans avoir pris l'avis de son médecin prescripteur.

D'abord par courtoisie, car le médecin l'a probablement fait en pensant qu'il rendait service et, comme précisé ci-dessus, il avait peut-être une bonne raison. Il faut donc en parler avec lui et, au besoin, lui apporter ce livre pour expliquer ses propres doutes.

Ensuite, si on se décide à arrêter le médicament, il faut l'arrêter progressivement car si les effets nitroglycérine (donneur de NO) des statines sont avérés (ce qui reste un peu douteux pour des cardiologues qui ont longtemps utilisé la nitroglycérine ou des médicaments apparentés, mais enfin on ne sait jamais), il pourrait y avoir un effet de sevrage (et certains le prétendent). Il faut donc un arrêt progressif tel que je le décris au chapitre 17.

CONSEILS POUR PRÉVENIR LES MALADIES CARDIOVASCULAIRES

CHAPITRE 25

MES SUGGESTIONS POUR PROTÉGER VOTRE CŒUR

> Nous devions approcher du jardin de la veuve car Mimitho soupira et se mit de sa voix bégayante à chanter sa peine : « *Il faut du vin pour la châtaigne et du miel pour la noix. Pour les gars une fille et pour les filles un gars !* »
>
> Nikos Kazantzaki

Ce que vous allez apprendre

• Si les médicaments ne sont pas la solution, quelle est la bonne stratégie pour protéger notre santé, prévenir les maladies cardiovasculaires et améliorer notre espérance de vie ?

• Qu'est-ce qui aujourd'hui peut nous garantir la plus extraordinaire des longévités ?

• Qu'est-ce que la diète méditerranéenne ?

P AROS EST UNE MERVEILLEUSE ÎLE DE LA MER ÉGÉE, ou plutôt elle était une île merveilleuse car je n'y suis plus jamais retourné, comme si j'avais trop peur de ce que j'y trouverais ou n'y trouverais plus. J'ai visité Paros pour la première fois en 1971, à une époque où les touristes étaient peu nombreux dans ce pays, où des colonels imposaient leur dictature à un peuple terrorisé.

J'y suis allé comme voyageur à la dérive, presque totalement démuni (une sorte de *hippie* bien élevé), à la recherche de sens, ou du sens de la vie, bref le genre de questions qu'on se pose à 20 ans après deux ans de fac de médecine et un concours parfaitement stupide.

À condition de ne pas chanter à tue-tête des musiques de Mikis Theodorakis, la police grecque nous laissait tranquilles et nous pouvions parcourir ce paradis terrestre, errer d'îles en presqu'îles, de montagnes en détroits et de ruines antiques en monastères byzantins qu'était la Grèce de l'époque, sans touriste et presque sans voiture.

Ce n'est pas par hasard que je suis arrivé à Paros. On m'avait dit qu'il y avait une ambiance particulière, un peu katmandienne, peut-être en rapport avec la carrière d'excellent marbre blanc abandonnée (à l'époque) qui attirait de jeunes artistes et sculpteurs de tous les pays qui, nonchalamment et dans l'indifférence des îliens, se servaient là en matériaux qui firent la gloire de Phidias, le plus grand sculpteur de l'Antiquité grecque.

Chacun de ces sculpteurs trouvait à se loger comme il pouvait chez l'habitant pour des loyers modestes (pas d'hôtel à Paros évidemment) ; et je suis accueilli par Aspasia qui loge déjà un jeune sculpteur américain.

Aspasia ! Toute ma vie je me souviendrai d'Aspasia ! Irène Papas en plus noble en plus belle, un peu plus épaisse aussi, une Vénus toute habillée de noir ! Je veux parler de l'Irène Papas qui joue la veuve dans le film « Zorba le Grec » !

Je comprenais et parlais peu de grec mais suffisamment pour échanger avec Aspasia un peu plus que des regards. Tout est dans le fantasme évidemment car, *a posteriori*, je sais bien qu'Aspasia, la bonne quarantaine et mariée à un brave pêcheur travaillant en solitaire, ne pouvait voir en moi qu'un jeune blanc-bec égaré dans les Cyclades. Peut-être que moi-même, ayant quitté un peu tôt le giron familial, je trouvais chez Aspasia quelque chose de maternel et de rassurant. J'eus bien du mal, après quelques semaines de vagabondage dans Paros, à quitter Aspasia, mais ça je n'ai pas besoin de le raconter ici.

Si Aspasia se levait tôt, elle faisait aussi de longues siestes avec son pêcheur de mari et je suppose, vu leur divine bonne humeur de fin d'après-midi, qu'ils ne faisaient pas que dormir.

Avec le mari d'Aspasia je n'ai pas partagé que des verres d'ouzo, du bon pain chaud et croustillant, des olives, des bouts de concombres et de la feta de lait de brebis. Je le regardais, sur la placette, tout près de sa barque, réparer ses filets en attendant que la divine Aspasia nous appelle pour le repas du soir. Il n'y avait pas de restaurant non plus à Paros, c'était pension complète chez Aspasia et c'est ainsi que, sans le savoir, j'ai découvert une façon de manger, une culture, des traditions culinaires qui allaient marquer mon existence et, plus prosaïquement, ma vie professionnelle.

Bien souvent, après le dîner, le mari d'Aspasia et ses copains dansaient et nous apprenaient à danser. Y a-t-il peuple plus danseur que le peuple grec ? Ensorcelé par le son du santouri, l'ouzo et surtout la présence d'Aspasia, je n'ai jamais pu faire autre chose que singer bêtement ces subtils danseurs de Paros, leurs changements de rythme, leur dynamique et leur étonnante plasticité pour des gens déjà plus si jeunes !

Si Aspasia n'était certainement pas la *veuve* du roman de Kazantzaki, son mari, lui, était une sorte d'Alexis Zorba bien qu'il eût la moustache en moins et qu'il fût pêcheur, pas mineur. J'aimais Aspasia, en cachette (elle n'était pas dupe et son mari non plus, j'en suis sûr), mais j'adorais son Zorba de mari ! Quel danseur !

Nous buvions un exquis vin crétois, pourpre comme du sang de lièvre. Le boire c'était communier avec le sang de la terre. On se sentait devenir ogre ! Les veines débordaient de force, le cœur de bonté. L'agneau se changeait en lion. On oubliait les petitesses de la vie, les cadres étroits craquaient. Unis aux hommes, aux bêtes, à Dieu, on ne faisait plus qu'un avec l'univers et mangions les restes de mouton. Le monde devenait plus léger, la mer riait, la terre tanguait comme le pont d'un navire, deux mouettes marchaient sur les galets, devisant comme des hommes.
Je me levai.
- Viens, Zorba, criai-je, apprends-moi à danser !
Zorba bondit, son visage étincela.
- Danser, patron ? fit-il. Danser ? Allez ! Viens !
- Allons-y, Zorba, ma vie a changé, hardi !
- Pour commencer, je vais t'apprendre le zeïmbekiko. Une danse sauvage, martiale. Nous, les comitadjis, on la dansait avant la bataille.
Il ôta ses souliers, ses chaussettes aubergine, ne garda que sa chemise. Mais il étouffait encore, il l'enleva aussi.
- Regarde mon pied, patron, m'ordonna-t-il, fais attention !
Il tendit le pied, toucha légèrement le sol, tendit l'autre pied, les pas s'emmêlèrent violemment, joyeusement et la terre résonna. Il me prit par l'épaule :
- Allez mon garçon, dit-il, à nous deux !
Nous nous jetâmes dans la danse, Zorba me corrigeait, sérieux, patient, avec

tendresse. Je m'enhardissais et sentais pousser des ailes à mes pieds lourds.
- Bravo, tu es un as ! cria Zorba, en frappant dans ses mains pour marquer la
mesure. Bravo, mon garçon. Au diable, paperasses et encriers ! Au diable, biens
et intérêts ! Maintenant que tu danses aussi et que tu apprends ma langue,
qu'est-ce qu'on ne va pas pouvoir se dire !
Il pilonna les galets de ses pieds nus et frappa dans ses mains. Il fit un saut, ses
pieds et ses mains devinrent des ailes. Comme il s'élançait tout droit au-dessus du
sol, sur ce fond de ciel et de mer, il ressemblait à un vieil archange révolté. Car
cette danse de Zorba était toute de défi, d'obstination et de révolte. On eût dit
qu'il criait : "Qu'est-ce que tu peux me faire Tout-Puissant ? Tu ne peux rien
faire sinon me tuer. Tue-moi, je m'en fiche, je me suis déchargé la bile, j'ai dit ce
que je voulais dire, j'ai eu le temps de danser, et je n'ai plus besoin de toi !
Extrait d'*Alexis Zorba* de Nikos Kazantzaki

Si quelques lecteurs avaient un peu de mal à saisir cette philosophie de la vie, je vais le redire avec quelques mauvaises phrases. Que Zorba et Aspasia me pardonnent !

Voilà ce que je pourrais dire avec mes mots à moi :

« *Vivez mes amis, profitez de la vie, oubliez votre poids, vos artères, votre cholestérol, oubliez vos cheveux gris, vos ongles cassants et vos rhumatismes, oubliez vos années, dansez votre vie, elle ne reviendra pas, profitez du temps qui vous est donné, des petits matins givrés et des nuits sombres, du soleil de midi et de l'averse du soir, du rire des bébés, du nez froid du chien et du ronron du chat, des cantates de Bach et de la palette de Matisse, du vent dans les arbres et des neiges de Belledonne, oubliez demain, saisissez aujourd'hui, lâchez les rênes de l'animal, courez sur les sentiers, ramez au clair de lune et dites m... au quotidien, au patron, à l'employé, à l'inspecteur, au professeur, à l'expert et au pharmacien !* »

Fort bien, me dirait Monsieur Loyal, mais pour profiter de la vie, encore faut-il espérer une vie assez longue pour en jouir, et c'est bien ce qu'interdisent les maladies chroniques et épidémiques qui déciment nos populations, en particulier les maladies cardiovasculaires et les décès prématurés dus, par exemple, au syndrome de mort subite cardiaque (chapitres 6 et 23). Ne serait-il pas plus intelligent d'être prudent et réservé ?

Ma réponse est simple, et comme j'ai passé ma vie professionnelle à essayer de comprendre et d'empêcher ces maladies, ce n'est pas maintenant que je vais en dire le contraire. La façon jouissive de prendre la vie de Zorba et d'Aspasia est précisément aussi la façon de s'assurer la meilleure espérance de vie et le moins d'embêtements de santé pendant cette existence.

Ce que Zorba et Aspasia nous enseignent c'est une manière de vivre long-temps en jouissant de la vie. Je ne connais pas de pari plus gagnant que celui-là ! Non seulement je l'ai montré moi-même dans diverses expériences et essais cliniques dont personne ne conteste la validité, mais toute la production scientifique des trente dernières années converge vers les mêmes conclusions. Il n'y a pas, à ma connaissance, la moindre contradiction. Non seulement les essais cliniques sont sans équivoque, mais l'épidémiologie et la biologie expérimentale disent exactement la même chose.

Toute la production scientifique concernant la diète méditerranéenne et tous les domaines apparentés de la recherche disent la même chose : cette façon de vivre (diète méditerranéenne, plus exercice physique, plus joie de vivre) est une sorte de garantie contre les maladies cardiovasculaires, les cancers, les dépressions, les maladies dégénératives des os (ostéoporose) ainsi que des nerfs (démences) et les maladies inflammatoires chroniques des articulations ou des intestins et bien d'autres pathologies.

LA PREUVE PAR LA PLUS BELLE ÉTUDE JAMAIS RÉALISÉE

En 1971, et avec deux ans de médecine dans la cervelle (presque uniquement des sciences fondamentales), je n'avais aucune idée des pathologies cardiovasculaires et encore moins du rôle de la nutrition dans ces pathologies quand j'ai croisé la divine Aspasia et son Alexis Zorba. Ce n'est donc que bien plus tard, quinze ans plus tard, et notamment lors d'un séjour prolongé dans les îles grecques et turques de la Mer Égée à bord de mon voilier, que j'ai vraiment compris la leçon d'Aspasia et de Zorba.

Je ne pouvais pas imaginer en 1971 que quelques centaines de milles marins, plus au sud de Paros, sur l'île de Crète exactement, et au même moment, un épidémiologiste américain du nom d'Ancel Keys et une palanquée d'investigateurs comme on n'en fera plus (c'est-à-dire totalement dévoués à leurs programmes scientifiques) étaient en train de réaliser la plus belle étude jamais réalisée sur le rôle de la nutrition dans les maladies cardiovasculaires.

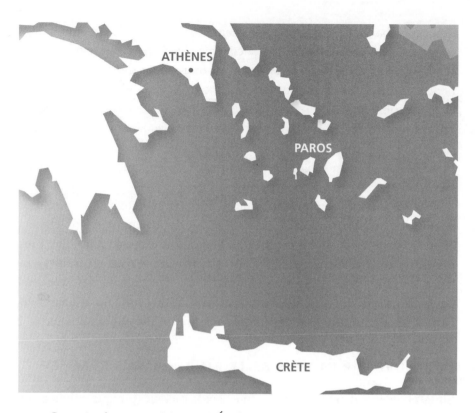

Cette étude a porté le nom d'*Étude des Sept Pays* (*The Seven countries Study* en anglais) parce qu'elle comparait l'incidence de l'infarctus du myocarde et d'autres complications cardiovasculaires dans sept pays, dont la Grèce. J'en ai déjà parlé au chapitre 5. Les investigateurs ont minutieusement étudié les habitudes alimentaires dans ces différents pays, ainsi que d'autres facteurs de risque, et ont conclu que les Grecs de Crète et de Corfou étaient extraordinairement protégés par rapport aux autres populations étudiées et que cette protection était due à leur mode de vie, en particulier à leurs habitudes alimentaires. Seuls les Japonais faisaient aussi bien que les Crétois mais en beaucoup moins rigolo, pas de Zorba à Yokohama et à Hokkaido !

D'autres Méditerranéens, des Italiens et des Dalmates, étaient également étudiés mais la protection relative dont ils bénéficiaient était inférieure à celle des Crétois. Quand, après 25 ans de suivi des différentes cohortes, Ancel Keys fit le bilan des survivants et des décès, il constata que presque tous les Finlandais et les Américains étaient décédés tandis que tous les Crétois étaient encore là et en parfaite santé. Ancel Keys a retenu la leçon pour lui-même puisqu'il est décédé récemment, presque centenaire.

Ce que Zorba et Aspasia (et aussi les épidémiologistes de l'*Étude des*

7 *pays*) nous ont montré c'est que notre mode de vie, et les conditions d'existence qui le déterminent, sont les véritables causes des maladies cardio-vasculaires et non pas ces paramètres intermédiaires que sont le cholestérol ou encore la pression artérielle.

Les implications de cette évidence sont considérables pour la médecine et aussi pour l'économie. Tellement considérables que si les mentalités ne sont pas prêtes à les recevoir, tout semble fait pour en détourner l'attention des citoyens. Selon moi, le délire actuel à propos du cholestérol est une façon de détourner l'attention sur les questions posées par la diète méditerranéen-ne et notre *mode de vie* en général, c'est-à-dire, au fond, la remise en question de nos conditions d'existence.

CONCRÈTEMENT, LA DIÈTE MÉDITERRANÉENNE C'EST QUOI ?

Pour tout un chacun cette expression recouvre les façons multiples et variées de se nourrir des populations vivant autour du bassin méditerranéen. Mais mange-t-on en Sicile comme on mange au Maroc ? À y regarder de plus près, il semble difficile de penser que ces deux façons de se nourrir aient quelque chose de méditerranéen en commun. Et pourtant, c'est le cas. En effet, les pratiques alimentaires de ces populations ont de nombreuses choses en commun, outre le fait indubitable qu'elles soient associées à une espé-rance de vie parmi les plus longues.

EST-CE L'ALIMENTATION OU LE CLIMAT ?

On pourrait penser que la bonne santé des Méditerranéens – espérance de vie parmi les plus longues, mortalité par maladies chroniques parmi les plus basses comparées à des populations de niveau économique sem-blable – n'était pas la conséquence de leurs habitudes alimentaires mais d'autres facteurs (le climat, la terre, l'esprit religieux, des prédispositions génétiques). Mais de magnifiques études de migrants (de Grecs vers l'Australie ou d'Italiens vers les États-Unis) ont montré que c'étaient réel-lement les habitudes alimentaires des populations méditerranéennes qui les protégeaient. Nous avons nous-mêmes démontré (dans la « *Lyon Diet Heart Study* »), et plus personne ne le conteste, qu'en exportant les habitudes alimentaires méditerranéennes vers d'autres populations vivant sous d'autres climats, on transférait aussi la protection contre les maladies cardiovasculaires et probablement contre certains cancers. Cette protection est donc bien liée aux habitudes alimentaires.

Pour définir succinctement (mais scientifiquement) les habitudes alimentaires d'une population, on peut décrire des moyennes d'aliments consommés ou des moyennes de nutriments (les constituants des aliments) consommés. En fait, les deux approches sont complémentaires car on ne peut jamais réduire un aliment donné à la somme de ses constituants. Tels sont les secrets inviolables de la nature : l'huile d'olive n'est pas seulement de l'acide oléique plus des polyphénols ! De même que le vin n'est pas seulement de l'éthanol plus des polyphénols. Ceci dit, je recommande à mes lecteurs de raisonner en aliments, c'est plus facile !

Si je devais définir en quelques mots la diète méditerranéenne en général (et pas seulement la diète crétoise), qu'est-ce que je dirais ?

Je dirais que c'est une diète riche en **céréales** peu raffinées, surtout le blé consommé sous forme de pain, de pâtes, de couscous, etc. Elle est riche en **fruits et en légumes** frais consommés de façon saisonnière. C'est donc une diète très riche en polyphénols. Les légumes feuilles en particulier sont très appréciés et proposés à tous les repas. Ils sont riches en folates et on connaît l'importance de ces derniers pour la prévention des cancers (voir notre livre *Alcool, vin et santé* paru aux éditions Alpen). Elle est également riche en **légumes secs** : haricots, fèves, pois (chiches et autres), lentilles.

Les Méditerranéens consomment des **fruits à coque** (amandes, noix, noisettes) et, pendant l'hiver, des fruits séchés, à titre d'exemple les fameux raisins de Corinthe mais aussi des figues et des abricots.

Ils consomment les œufs, **les poissons** et les viandes (plutôt volailles et lapins dans certaines zones) de façon modérée en général mais il y a des exceptions pour le poisson, avec de fortes consommations (Espagne et Portugal) ou de faibles consommations (Grèce et Italie).

Les Méditerranéens consomment des produits laitiers mais seulement des **produits laitiers fermentés (fromage et yogourts)** en quantités faibles à modérées, et surtout ceux faits à partir de lait de brebis et de chèvre.

L'**huile d'olive** est l'huile exclusivement utilisée pour la cuisine et on ignore le beurre évidemment ainsi que les huiles polyinsaturées (tournesol, maïs, etc.).

Les **herbes aromatiques** (romarin, thym et origan) ainsi que **l'ail et l'oignon** sont largement utilisés pour la préparation des repas ainsi que les jus de citron et autres agrumes.

En fin de chapitre, je donne quelques informations supplémentaires sur les lipides et quelques autres aspects de la diète méditerranéenne.

ET CÔTÉ BOISSONS ?

Concernant les boissons alcoolisées, les Méditerranéens ont fait preuve dans l'histoire d'une remarquable inventivité : outre le vin et les apéritifs anisés (de l'ouzo des Grecs au pastis de chez nous) ils ont créé de multiples boissons alcoolisées dérivés du raisin ou d'autres fruits, avec ou sans bulle, simplement fermentées et parfois distillées. Chaque région de la zone méditerranéenne a ses spécialités et l'on connaît même des alcools de datte là où l'on est censé ne pas boire de boissons alcoolisées.

Les façons de boire des Méditerranéens sont probablement cruciales pour comprendre les bienfaits de la consommation de boissons alcoolisées dans ces régions. Elle est toujours associée à des aliments, soit pendant les repas, soit à l'apéritif, et dès lors l'apéritif devient une sorte de repas : antipasti à l'italienne, tapas à l'espagnole, mezzé libanais et chez les Grecs, la feta, le pain, le concombre et les olives accompagnent l'ouzo.

Reste une question importante : quelle est l'importance réelle de l'alcool dans la protection associée à la diète méditerranéenne ?

En fait, certaines populations méditerranéennes sont protégées bien qu'elles ne consomment pas ou très peu de vin ou autres boissons alcoolisées, par exemple en Afrique du Nord.

Ces boissons alcoolisées ne semblent donc pas indispensables à la protection, d'autres aliments méditerranéens ou d'autres boissons (le thé en Afrique du Nord) pouvant jouer ce rôle protecteur. Néanmoins, le vin à doses modérées est sans doute protecteur par lui-même, et indépendamment du reste des habitudes alimentaires, puisque certaines populations non méditerranéennes sont protégées de façon un peu semblable aux Méditerranéens sans avoir la totalité des habitudes alimentaires des Méditerranéens : c'est par exemple le « *paradoxe français* » !

Finalement il est probable que pour que des habitudes alimentaires parviennent réellement à protéger une population, il est nécessaire que des facteurs nutritionnels multiples et redondants (des aliments ou nutriments différents peuvent avoir des bienfaits similaires) interagissent pour protéger chaque individu tout au long de son existence. Du fait de l'extraordinaire variété des modes de vie et des caractéristiques génétiques, y compris à l'intérieur de populations apparemment homogènes, il faut de multiples facteurs protecteurs que seul un modèle alimentaire complexe comme la diète méditerranéenne peut apporter.

Ce sont donc les effets combinés d'habitudes alimentaires appropriées et des boissons alcoolisées, consommées de façon adéquates, qui constituent le secret de la longévité et de la bonne santé. Les effets combinés des aliments et des boissons alcoolisées consommés par les populations méditerranéennes sur les risques de cancers constituent une extraordinaire illustration de cette théorie.

LA FAÇON DE CUISINER ET DE MANGER EST AUSSI IMPORTANTE QUE CE QU'ON MANGE

Ces principes nutritionnels viennent d'une zone géographique qui est le berceau de notre civilisation et ils ont été *expérimentés*, si je puis dire, par des dizaines de générations sous des formes variées. Si le pain, le vin ou l'olive étaient néfastes pour la santé, cela se saurait !

Mais c'est vrai que ça peut l'être en pensant au vin précisément (quand il est consommé de façon irrationnelle) ou encore aux insipides sandwichs et hamburgers faits avec une farine industrielle hautement raffinée (et dépourvue de toute valeur nutritionnelle) et servis dans les *fastfoods* des centre villes !

Je dirais, qu'il s'agisse de vin ou de pain, que s'ils sont préparés (ou façonnés) et consommés *à la méditerranéenne*, ils ne sont jamais néfastes. Car le Méditerranéen ne boit pas n'importe quoi n'importe quand et ne mangera pas de mauvais pain ! Sauf si les contraintes économiques et sociales en font un immigré ou un déraciné chez lui.

Cette question est importante car elle introduit l'idée que la *façon de préparer* et la *façon de consommer* les mets sont d'une grande importance. Le concept de diète méditerranéenne est donc beaucoup plus complexe en théorie, puisqu'il inclut des aspects du mode de vie, mais aussi plus simple en pratique puisqu'il est basé sur des associations d'aliments spécifiques et pas sur de savants calculs, des rations et des pourcentages.

Pour revenir aux grands principes de la diète méditerranéenne qui, évidemment, ne peut se résumer à des kilocalories ou à un nombre de fruits quotidiens, il faut comprendre que si les façons de préparer et de consommer sont si importantes (et bien d'autres choses encore), cela signifie qu'elle ne s'arrête pas ponctuellement au manger mais qu'elle englobe bien d'autres choses que je pourrais résumer en deux mots, un *mode de vie*.

Et je pense que ce point est fondamental. Si préparer un repas ou un mets est important, cela signifie qu'il faut y consacrer du temps et de l'attention. Et comme toute activité humaine qui nécessite du temps et de l'attention, il y aura des façons différentes d'exécuter la manœuvre.

Que cela signifie t-il ? Simplement que des aspects culturels, et donc mythiques, vont venir s'immiscer dans des comportements purement alimentaires ou même gastronomiques. Le pain c'est aussi le corps du Christ et le vin son sang ! Le rameau d'olivier est le symbole de la paix et les poissons ont été miraculeusement multipliés ! Qu'on soit croyant ou non importe peu, nous baignons tous dans les mythes de notre civilisation et nous en dépendons intrinsèquement. Ainsi, Freud décrivit les névroses humaines du XXᵉ siècle en utilisant les personnages de la mythologie grecque. De même, sans aucun doute, la façon dont on se nourrit traduit notre relation à nos racines culturelles ainsi qu'à Mère Nature.

Je prétends qu'adopter une diète méditerranéenne c'est certainement se réconcilier avec ses racines culturelles (son moi profond) mais c'est aussi passer une sorte de contrat avec Mère Nature. Pourquoi je dis ça ?

Parce qu'il ne peut y avoir de diète méditerranéenne réelle que si, outre le respect des façons méditerranéennes de préparer et de consommer les mets, nous disposons des aliments qui permettent de manger méditerranéen, en d'autres termes il nous faut des aliments de qualité pour pouvoir *manger méditerranéen*.

AGRICULTURE MODERNE : LE REVERS DE LA MÉDAILLE

Une des conditions du développement et de la pérennité des habitudes alimentaires méditerranéennes tient aux interactions entre le climat, l'agriculture et les mythes méditerranéens. Les aliments méditerranéens sont spécifiques du climat, de la terre et des conditions dans lesquelles travaillent les agriculteurs de ces régions.

L'agriculture moderne a certes démontré que désormais on pouvait faire pousser presque n'importe quoi n'importe où. Cette agriculture intensive utilise de nombreux toxiques et produit des aliments dont le goût et le contenu réel en vitamines, minéraux et autres nutriments n'ont rien à voir avec les mêmes aliments cultivés sur des terroirs traditionnels et consommés en saison.

Ce qui est vrai pour les légumes et les fruits l'est aussi pour les produits de l'élevage, qu'il s'agisse d'œufs, de fromages ou de viandes. Dans son livre *Tous gros demain ?* (édité chez Plon), Pierre Weill montre dans un chapitre titré « Chronique d'un déficit annoncé » les liens entre environnement et santé à propos des progrès de *l'agriculture moderne.* Ce qui se passe dans les champs ou à la ferme a des répercussions immédiates sur ce qui se trouve dans la cuisine (ou le congélateur) puis dans l'assiette.

À titre d'exemple, celui décrit par notre amie Artemis Simopoulos. Les œufs des poules grecques laissées en liberté ont une composition en acides gras totalement différente de celle des œufs de supermarché américain pondus par des poules encagées et nourries aux grains de maïs. La poule grecque se nourrit de petits insectes, herbes et graines sauvages riches en acides gras oméga-3 (car la Nature est riche en oméga-3 et pauvre en oméga-6) tandis que le maïs ne contient pas d'oméga-3. En plus la poule (comme tous les oiseaux, et pas seulement les grecs) est capable de transformer ces oméga-3 végétaux en acides gras à très longue chaîne (ceux que l'on trouve uniquement dans le poisson gras et qui sont indispensables à notre cerveau) faisant de l'œuf un aliment crucial de notre santé physique et mentale. Comme je l'ai déjà expliqué aux chapitres 8 et 9, les régimes anticholestérol à base d'huiles trop riches en oméga-6 et pauvres en oméga-3 et privant les patients d'œufs étaient des régimes trois fois perdants.

L'exemple de l'œuf est très intéressant du point de vue scientifique car il nous permet de lever un peu le voile sur nos ignorances. Simopoulos nous a permis de comprendre l'importance de l'œuf grec et, aujourd'hui, des industriels (Belovo avec le concept Colombus) ou, en France, des associations d'agriculteurs et d'éleveurs (Bleu-Blanc-Cœur pour la Filière Lin Tradition) proposent aux consommateurs des œufs dont la composition se rapproche de celle de l'œuf grec. Nous pouvons nous réjouir de ce type de progrès industriel. Mais cela nous indique que pour bien d'autres aliments la nature doit avoir aussi des secrets bien cachés.

Le message que je veux finalement transmettre ici c'est que, si le raisonnement scientifique et les techniques modernes d'analyse de la composition des aliments et de la constitution de nos cellules nous ont permis de faire beaucoup de progrès et d'adapter nos conditions d'alimentation modernes aux grands principes fondateurs de la diète méditerranéenne, nous restons globalement plutôt ignorants. Nous sommes encore ignorants de certains aspects de la physiologie de nos cellules et de leurs relations avec les aliments que nous consommons quotidiennement. Les résultats des essais cliniques qui testent des régimes anticholestérol sont une démonstration de cette ignorance.

Il nous faut donc être pragmatiques et il faut l'être immédiatement car nous mangeons tous les jours et notre prochain repas n'est pas si loin !

Comment faire ? Ma recette est simple : posons-nous moins de question et essayons de copier, au plus près possible, les habitudes alimentaires des Méditerranéens et leurs conditions de vie parce que nous savons empiriquement que c'est bon pour nous.

Ce qu'il faut retenir

- La façon de jouir de la vie des Méditerranéens est aussi la façon de s'assurer la meilleure espérance de vie et le moins de problèmes de santé pendant son existence.

- Vivre longtemps en jouissant de la vie, c'est un pari deux fois gagnant !

- C'est notre mode de vie et les conditions d'existence qui le déterminent qui sont les véritables causes des maladies cardiovasculaires.

- Essayons de copier, au plus près possible, les habitudes alimentaires des Méditerranéens, et si possible leurs conditions de vie.

POUR LES PROFESSIONNELS ET LES CURIEUX

1- DIÈTE MÉDITERRANÉENNE ET LIPIDES

La composition lipidique de la diète méditerranéenne est absolument caractéristique. Ce n'est qu'en extrême Asie (où également la mortalité par maladies cardiovasculaires est très basse et l'espérance de vie très longue, notamment au Japon) que l'on trouve un profil lipidique comparable. Nous pensons qu'il s'agit d'un aspect fondamental de cette diète. Il est en fait très simple puisqu'il peut se définir en quelques lignes. C'est une diète :
- riche en acide gras monoinsaturés (acide oléique)
- pauvre en graisses saturées et en acides gras *trans*
- pauvre en acides gras polyinsaturés de la série oméga-6
- riche en acides gras oméga-3 d'origine végétale (alpha-linolénique) ou d'origine marine (EPA + DHA) selon les régions

Par contre, certains Méditerranéens ont une diète très riche en lipides totaux (les Grecs) tandis que d'autres ont une diète plutôt pauvre en lipides (Italie du Sud). Comme les uns et les autres sont protégés, on peut en conclure que la ration lipidique totale n'est pas un facteur fondamental. C'est la qualité des lipides consommés qui fait la différence.

2- DIÈTE MÉDITERRANÉENNE D'HIER ET DIÈTE MÉDITERRANÉENNE D'AUJOURD'HUI

Souvent agriculteurs, la majorité des Méditerranéens vivaient à la campagne (au moins avant la période d'urbanisation insensée qui a caractérisé la seconde moitié du XXe siècle dans le bassin méditerranéen et ailleurs) et étaient aussi des cueilleurs. Herbes sauvages et petites pousses de toutes sortes (asperges, pourpier, pissenlit, épinards et bien d'autres salades au rythme des saisons) étaient accommodées de façon variée. On ramassait aussi les noisettes, les amandes et les champignons que l'on faisait sécher et enfin les escargots, quand il y en avait. Les fruits sauvages, notamment petits fruits rouges et baies, étaient soigneusement cueillis et confits, séchés ou transformés en confiture. Les produits animaux de tous les jours (volaille, œuf, lapin) avaient une composition qui reflétait la cueillette de ces produits sauvages (qui servaient à nourrir ces animaux) dont les contenus en pesticides et herbicides étaient particulièrement bas, tout comme pour les produits du potager.

CHAPITRE 26

COMMENT NAISSENT ET SE PROPAGENT LES IDÉES FAUSSES

D ANS SON FILM, *LE CHARME DISCRET DE LA BOURGEOISIE*, Buñuel montre des gens bien élevés qui supportent très poliment des interruptions incessantes dans leur vie quotidienne, notamment lors de repas de célébrations. On comprend que certains personnages ont quelques dangereuses relations sociales et économiques. Pourtant, ils restent tous d'une ineffable courtoisie, très distanciée vis-à-vis des événements, un peu désabusée même lorsque ces événements prennent un aspect violent ou criminel. C'était probablement sa vision de la bourgeoisie, charmante et discrète, mais active tout de même : *les affaires, c'est les affaires – que l'on mène dans l'ombre en gardant toutes les apparences de l'honnêteté et du savoir-vivre.*

Ah, la belle époque !

Si je commence ce chapitre par Buñuel, c'est pour souligner le brutal contraste entre deux époques, la sienne et la nôtre, et aussi un peu par nostalgie peut-être, non pas que j'ai vraiment apprécié le temps du paternalisme et des *mandarins*, mais la présente époque est devenue si calamiteuse et distordue que j'en viens presque à regretter l'ancienne, celle qui précéda cette décadence accélérée de la bourgeoisie.

On pourrait me rétorquer que chaque génération voit la précédente comme dégénérée ou dépassée par rapport au présent et que je ne fais que répéter une réflexion désabusée des personnes aigries et vieillissantes concernant leur époque et la précédente, celle de leur jeunesse. On ne devrait jamais s'égarer à se juger soi-même ailleurs qu'à l'ombre d'un confessionnal ou sur le divan du psychanalyste avec son auxiliaire adapté, mais à propos de ma vision de l'époque, j'oserais dire sans flagornerie que je ne crois pas être outrageusement pessimiste et rétroversé. Je crois vraiment que nous avons atteint une sorte de point de non retour que je n'aurais jamais cru accessible, il y a encore une vingtaine d'années.

Et ce point de non retour ne concerne pas seulement le climat de la planète, cela concerne aussi le sociétal, c'est-à-dire les relations des hommes entre eux et leurs relations à l'économie. Dire que cette époque lamentable est celle d'une société exclusivement marchande et que les individus ne sont plus que des agents économiques ne choquera personne car c'est une banalité admise. Une façon plus cruelle de le dire est que nous sommes tous devenus des marchandises, donc finalement des choses qui s'échangent, producteurs ou consommateurs. Ce processus n'est pas né aujourd'hui et porte un nom en sociologie : c'est une aliénation, ou une réification, mais ce qui est nouveau par rapport aux luttes de classes des siècles précédents où une classe (la bourgeoisie) en aliénait une autre (le prolétariat), c'est que cette aliénation porte désormais sur toute la société, et que nous sommes **tous** soumis aux lois de la marchandise. A part quelques très rares exceptions, sans doute !

Et cette évolution est malheureusement visible aussi dans le monde de la médecine et des sciences que l'on aurait pu croire, au moins transitoirement, exclues de cette sorte de déchéance. Et c'est en effet ce que Buñuel laisse voir du siècle passé et que nous pouvions encore voir, il n'y a pas si longtemps. Des professeurs d'université, des médecins, des chercheurs et des scientifiques qui étaient et qui vivaient en dehors de la guerre économique. Forts d'une morale individuelle ou d'une éthique ou même d'une religion, ces citoyens – archaïques par certains côtés (le *mandarin* hospitalier ou le médecin de campagne) mais charmants et discrets – faisaient régner, les uns dans leurs labos les autres dans leur service hospitalier ou leur cabinet, une rigueur ou un ordre qu'ils n'auraient osé transgresser.

C'est ce que dit l'un des frères Thibault, le médecin, à son frère, sous la plume de Roger Martin du Gard : « *Nous ne sommes pas seulement deux individus, Antoine et Jacques ; nous sommes deux Thibault, nous sommes les Thibault. Est-ce que tu comprends ce que je veux dire ? Et ce qui est terrible, c'est justement d'avoir en soi cet élan, ce même élan, l'élan des Thibault. Comprends-tu ? Nous autres les Thibault, nous ne sommes pas comme tout le monde. Je crois même que nous avons quelque chose de plus que les autres, à cause de ceci : que nous sommes des Thibault. Moi, partout où je suis passé, au collège, à la Faculté, à l'hôpital, partout, je me suis senti un Thibault, un être à part, je n'ose pas dire supérieur, armé d'une force que les autres n'ont pas.* »

Avec de telles personnalités, les lois de la science étaient scrupuleusement respectées, tout comme celles de l'éthique, et les marchands n'avaient pas accès au Temple.

Concernant la science, en quelques lignes sur ce sujet, Guy Debord en dit plus que trois de mes chapitres en diraient et je laisse mes lecteurs lire ce à quoi je souscris totalement, moi qui suis au cœur de cette Science et dont il parle, lui, de façon plus détachée :

« *On entend dire que la science est maintenant soumise à des impératifs de rentabilité économique ; cela a toujours été vrai. Ce qui est nouveau, c'est que l'économie en soit venue à faire ouvertement la guerre aux humains ; non plus seulement aux possibilités de leur vie, mais aussi à celles de leur survie. C'est alors que la pensée scientifique a choisi, contre une grande part de son passé anti-esclavagiste, de servir la domination spectaculaire. La science possédait avant d'en venir là une autonomie relative. Elle savait donc penser sa parcelle de réalité ; et ainsi elle avait pu contribuer à augmenter les moyens de l'économie. Quand l'économie toute puissante est devenue folle, et les temps spectaculaires ne sont rien d'autre, elle a supprimé les dernières traces de l'autonomie scientifique, inséparablement sur le plan méthodologique et sur le plan des conditions pratiques de l'activité des chercheurs. On ne demande plus à la science de comprendre le monde, ou d'y améliorer quelque chose. On lui demande de justifier instantanément tout ce qui se fait. {…} Pour obéir à cette ultime demande sociale d'une justification manifestement impossible, il vaut mieux ne plus trop savoir penser, mais être au contraire assez bien exercé aux commodités du discours spectaculaire. Et c'est en effet dans cette carrière qu'a lestement trouvé sa plus récente spécialisation, avec beaucoup de bonne volonté, la science prostituée de ces jours méprisables.* »

Le lecteur impatient pourrait croire que je m'abandonne à quelques importunes digressions avec les *Thibault* ou les *Commentaires sur la Société du Spectacle* dans un chapitre consacré à la naissance des idées fausses. Ce n'est pas le cas, car la marchandisation de la science et de la médecine fait partie de ce mécanisme. Et ça ne concerne pas que la science et la médecine comme je vais le montrer au paragraphe suivant. C'est un phénomène sociétal totalitaire.

D'OÙ VIENNENT LES IDÉES FAUSSES ?

Cette formule est le titre d'un article paru dans le journal *Le Monde* du 13 avril 2005, sous la plume de Daniel Vernet qui me pardonnera les quelques emprunts à venir.

La question est en fait la suivante : est-ce que l'on peut tromper tout un peuple ou toute une communauté avec des idées totalement fausses, et si la réponse est positive, comment est-ce possible ?

Pour moi, la question est importante puisque je prétends qu'à propos du rôle du cholestérol dans les maladies cardiovasculaires, et de bien d'autres aspects de la médecine et de la science d'ailleurs, la majorité des communautés médicales et scientifiques se laissent tromper par des idées fausses.

On peut me rétorquer qu'il est tout à fait impossible de tromper tout un corps de métier aussi bien constitué que celui des cardiologues américains et européens !

J'ai longtemps cru moi aussi que c'était impossible ! Mais il suffit de connaître un peu l'histoire récente (guerres de religion dans l'ex-Yougoslavie, Allemagne nazie) ou regarder l'actualité internationale pour voir qu'il s'agit presque d'une banalité. De nombreux exemples sont à disposition pour qui veut ouvrir les yeux, mais je vais m'inspirer ici de l'article de Daniel Vernet et de la question encore brûlante de *la présence d'armes de destruction massive en Irak*.

La grande majorité des Américains, citoyens et élus, ont été absolument convaincus que Saddam Hussein menaçait ses voisins, et *a fortiori* les Etats-Unis, et donc qu'il fallait envahir l'Irak ! Que le président des Etats-Unis et ses conseillers aient été ou non convaincus eux-mêmes de cette menace ne m'importe pas ici. Ce qui m'intéresse, c'est que toute l'administration du gouvernement des Etats-Unis, et de Grande-Bretagne (et de quelques autres pays), en ait été convaincue ou ait fait semblant d'en être convaincue.

Comme l'écrit Vernet, la CIA elle-même l'a reconnu, elle s'est trompée sur l'état de l'armement irakien. « *On aurait en effet pu croire que les Américains et leurs alliés britanniques avaient délibérément menti pour justifier leur expédition punitive* » écrit Vernet. « *Mais ce n'était pas le cas. Les choses sont en fait plus subtiles et reposent sur la façon dont travaillent les administrations* », selon Vernet qui cite quelques experts anglais et américains. Tout reposerait sur la façon dont sont traitées les informations pour parvenir à une décision politique. D'abord, on choisit une politique puis on construit l'argumentaire pour soutenir celle-ci.

Un expert cité par Vernet raconte : « *Mon travail consistait à rassembler et à faire la synthèse des innombrables statistiques, rapports et témoignages pour servir de base au Conseil de sécurité des Nations Unies. De l'autre côté de la table, Français et Russes soutenaient le contraire avec forces statistiques, rapports et témoi-*

gnages provenant des mêmes sources. » Contradiction ? demande Vernet. Non, plutôt une utilisation différente des mêmes informations.

Ce même expert écrit, toujours cité par Vernet : « *Les informations qui servaient notre discours apparaissaient lumineuses et seraient utilisées comme des grenades dans la guerre de tranchée diplomatique. Il aurait fallu être un fonctionnaire courageux ou fou pour nager à contre-courant.* » C'est, je le rappelle, un expert qui reconnaît que toute son administration s'est trompée qui fait ce candide témoignage et qui assimile le courage à la folie. Vernet commente en ces termes : « *Cela ne signifie pas que les dossiers sont montés de toutes pièces. C'est plus subtil. Les arguments sont sélectionnés au milieu d'une masse d'information, les contradictions sont ignorées, les éléments choisis sont répétés, reformulés, peaufinés jusqu'à ce qu'ils paraissent clairs, cohérents et convaincants, jusqu'à ce que ceux qui les présentent y croient pleinement eux-mêmes.* »

Vernet fait d'autres commentaires concernant les services de renseignement des grands Etats lesquels ne nous concernent pas ici.

Les lecteurs auront, je suis sûr, déjà compris pourquoi je me suis permis ces longues citations.

Il suffit en effet que je réécrive une des phrases de Vernet – « *D'abord, on choisit une politique puis on construit l'argumentaire pour soutenir cette politique* » – et les lecteurs comprendront que, lorsqu'il s'agit de vendre quelque chose, une voiture d'occasion ou un médicament, on procède de la même façon et « les éléments choisis sont répétés, reformulés, peaufinés jusqu'à ce qu'ils paraissent clairs, cohérents et convaincants, jusqu'à ce que ceux qui les présentent y croient pleinement eux-mêmes ».

On pourrait me dire que les scientifiques et les médecins sont différents, qu'ils sont de grands esprits, objectifs et désintéressés et que leurs seules préoccupations sont la diminution des souffrances, le bonheur de l'Humanité pour les uns et la grandeur du Savoir Universel pour les autres. Désolé, ce n'est pas le cas ! Comme j'ai osé le dire un peu plus haut, les *Thibault* et autres diplodocus ne sont plus la majorité sur cette planète. Les médecins et les scientifiques nagent dans les mêmes eaux saumâtres que tous les lecteurs et ils sont tout autant des marchandises dans la *Société spectaculaire et marchande* décrite par Debord, ou de temps en temps des marchands peut-être, mais ils ne sont certainement pas au-dessus de la mêlée ! Je pense vraiment qu'ils sont un peu comme ces diplomates et experts décrits par Vernet, pas des menteurs ni des escrocs mais des pions dans un système. Comme dit Vernet, leurs dossiers médicaux et scientifiques ne sont pas « *montés de toutes pièces. C'est plus subtil* ».

LES ACTEURS ET LE SYSTÈME

A la fin du paragraphe précédent, j'ai écrit le mot système pour décrire la petite société (ou le *Tout petit monde*, dirait David Lodge) des experts dont je parle, les diplomates et stratèges de Vernet, ou les scientifiques et médecins qui font l'objet de ma réflexion. Je ne suis pas un sociologue et l'on pardonnera ma naïveté quand je parle de système. Je fais référence aux travaux de Michel Crozier et en particulier à *L'acteur et le système*. Que les lecteurs se rassurent, je me contenterai d'effleurer le sujet.

Ce que je veux dire, c'est que, face au délire collectif que représente la problématique du cholestérol dans notre société, je ne veux pas admettre la thèse du « *tout pourri, tous pourris* » qui est évidemment une solution de facilité. Je ne veux pas non plus dédouaner la communauté à laquelle j'appartiens de toute responsabilité. Mais je crois que stigmatiser des individus n'a pas beaucoup de sens dans des sociétés complexes, il n'y a pas des gentils et des méchants, des criminels et des victimes. Ou plutôt oui, il y a là toutes les catégories habituelles de la société humaine – le bon, la brute, le truand, le naïf, le niaiseux, le vil, le vénal – mais ils sont tous des pions ou des acteurs dont les caractéristiques individuelles s'effacent largement au profit de leur fonction (de simple pion) dans les *systèmes* complexes décrits par Crozier.

Et dans ce système où ils sont des acteurs, seule une *analyse des organisations*, comme dirait Crozier, nous permettrait de comprendre les jeux de pouvoir et d'influence, car « *toute analyse sérieuse de l'action collective doit mettre le pouvoir au centre de ses réflexions* ».

Dans un tel système, on l'a compris, stigmatiser les acteurs n'a pas de sens et je m'en abstiendrai même si, de façon obligatoire, les conflits d'intérêt ou les conflits de pouvoirs mènent inéluctablement à des confrontations entre individus qui peuvent prendre des tournures parfois violentes. L'époque est à la violence, contenue certes mais à la violence, et l'on est souvent bien loin du *charme discret de la bourgeoisie* d'antan car les enjeux sont considérables. Il ne s'agit plus des petits trafics décrits par Buñuel, ce sont avec l'Industrie pharmaceutique contemporaine des milliards de dollars qui sont en jeu.

Si on n'a cure de massacrer des dizaines de milliers de civils et militaires pour conquérir les puits de pétrole de Mésopotamie, on peut comprendre que la conquête d'un marché (des centaines de millions de clients) comme celui du cholestérol puisse se réaliser au détriment de quelques inconvénients mineurs.

Maintenant, si nous allons un peu plus loin dans notre analyse des mécanismes de transmission ou de propagation des idées fausses dans un système social intégré et si nous pouvons comprendre qu'un gouvernement, avec l'appui de ses élites et des médias, fasse accepter des idées fausses à des populations prises en otage du système spectaculaire (ça s'appelle de la propagande), il est plus difficile de comprendre comment des intellectuels et des scientifiques peuvent, volontairement ou non, se prêter à un jeu qui concerne un aspect finalement très spécialisé de leur métier.

Il y a plusieurs explications possibles parmi lesquelles j'en sélectionne deux.

La première m'est à nouveau fournie par Debord que je vais citer *in extenso* :

« [...] *il n'existe plus d'agora, de communauté générale, ni même de communauté restreinte à des corps intermédiaires ou à des institutions autonomes, à des salons ou des cafés, aux travailleurs d'une seule entreprise,* **nulle place où le débat sur les vérités qui concernent ceux qui sont là puisse s'affranchir** *durablement de l'écrasante présence du discours médiatique, et des différentes forces organisées pour le relayer. Il n'existe plus maintenant de jugement, garanti relativement indépendant, de ceux qui constituaient le monde savant ; de ceux qui par exemple autrefois plaçaient leur fierté dans une capacité de vérification, permettant d'approcher ce qu'on appelait l'histoire impartiale des faits, de croire au moins qu'elle méritait d'être connue. Il n'y a même plus de vérité bibliographique incontestable... On s'égarerait en pensant à ce que furent naguère des magistrats, des médecins, des historiens, et aux obligations impératives qu'ils se reconnaissaient, souvent dans les limites de leurs compétences : les hommes ressemblent plus à leur temps qu'à leur père.* »

Les choses sont probablement, dans le monde de la médecine, encore pires que ce que Debord écrivait en 1988. Il se plaignait de l'absence de lieux affranchis durablement de l'écrasante présence du discours médiatique.

Il y a aujourd'hui, outre une censure implacable, une intrusion violente des forces de vente dans les milieux médicaux et scientifiques. Dans un article récent (mai 2005, e138) de la revue *PLoS Medicine* sur Internet, l'auteur dénonce le fait que les journaux médicaux soient subrepticement devenus des « *extensions of the marketing arm of pharmaceutical companies* » (des outils de marketing de l'Industrie pharmaceutique). Il explique qu'une bonne stratégie marketing pour introduire ou soutenir un médicament aujourd'hui c'est de faire publier des essais cliniques randomisés vantant les mérites du médicament, avec évidemment toutes les apparences de l'intégrité et de la plus parfaite technicité. Un bon essai clinique (*bon* signifie ici avec *résultats favorables*) vaudrait mieux, selon lui, que cent pages de publicité dans les mêmes revues médicales et scientifiques.

Phantasmes ?

Angell M. et Kassirer J. sont deux ex-éditeurs en chef (de la vieille école) de prestigieux journaux américains dont ils ont été violemment *remerciés* au début de ce siècle, sous prétexte d'incompatibilité avec la politique éditoriale de leurs journaux (qu'ils avaient auparavant servie pendant plusieurs décennies). Ils ont tous les deux publié leur témoignage avec les titres suivants :

- *The truth about the drug compagnies : how they deceive us, and what to do about it.* [La vérité sur l'industrie pharmaceutique : comment elle nous abuse et ce qu'il faut faire.]

- *On the take: how medicine's complicity with big business can endanger your health.* [Pots de vin : comment la complicité de la médecine avec le grand affairisme met votre santé en danger.]

Les lecteurs comprendront qu'après de tels témoignages de gens sérieux et très informés (au cœur de la fournaise, si on me permet l'expression), je prenne avec beaucoup de scepticisme certains résultats de certains essais cliniques publiés.

Je ne suis pas le seul et cela ne concerne pas seulement les médicaments anticholestérol. Par exemple, Bruce Psaty (un expert bien connu des essais cliniques) publiait récemment (dans le *Journal of the American Medical Association*, numéro du 12 Avril 2006) un article au titre évocateur : « *Recent trials in Hypertension : Compelling science or commercial speech ?* » [Récents essais dans le traitement de l'hypertension : robuste science ou discours commercial ?].

Je ne vais pas multiplier les citations de ce genre, elles deviennent légion dans la littérature internationale montrant que de plus en plus d'esprits sont de moins en moins dupes. Il existe même quelques analyses poussées de ces phénomènes intrusifs. Dans un article du *Lancet* (numéro du 9 novembre 2002) titré *The pharmaceutical industry as a political player* [L'industrie pharmaceutique est un politicien], un certain John Abraham explique certaines des stratégies utilisées par l'industrie pour pénétrer, non pas les labos de recherche ou les services hospitaliers, mais les *agences gouvernementales* chargées de la régulation et de la surveillance des activités industrielles ; et ceci dans l'intérêt de la Santé Publique en général et de patients individuellement.

Une des plus subtiles stratégies est de placer des hommes sûrs au cœur de ces agences par le simple jeu des recrutements des fonctionnaires ou des employés de l'industrie : ces hommes à tout faire commencent en général leur carrière dans l'industrie, puis ils travaillent pendant quelques années dans les *agences gouvernementales* avant de bénéficier de généreuses promotions à leur retour dans leur giron naturel qu'est l'industrie de leurs débuts. On imagine aisément les rituels que l'on doit respecter, lors de ces passages et passations, pour pouvoir bénéficier au maximum de ces jeux de chaises valseuses.

En contrôlant astucieusement les *agences gouvernementales* (voir l'affaire des *COXIBs* chapitre 10), la « *société spectaculaire et marchande* » a su donc s'affranchir de toute possibilité de contre-pouvoir réel et actif. Mais elle fait beaucoup mieux que les pires dictatures puisqu'elle sait, dans le même temps, autoriser leur existence (ce que ne laissent jamais faire les *polices politiques*) et leur donner toute l'apparence de l'efficacité.

La deuxième explication à la propagation des idées fausses dans les milieux spécialisés, outre l'intrusion violente du monde de la marchandise dans les voies (et les voix) de communication spécialisées, comme décrit ci-dessus, tient dans les relations établies entre les spécialistes eux-mêmes. Dans les mondes scientifiques et médicaux, comme en tout lieu de la société, ou d'un système complexe selon Crozier, ces relations répondent à des codes et rituels qui sont loin d'être innocents.

Une fois encore, je n'aurais pas la présomption de me vêtir de quelques habits neufs de sociologue et je vais emprunter à Erving Goffman un ou deux concepts utiles à ma démonstration. Dans son livre *Les rites d'interaction*, Goffman analyse des éléments rituels inhérents aux interactions sociales. Il définit le terme de « *face* » comme « *une image du moi délinéée selon certains attributs sociaux approuvés* » et il identifie des rituels sociaux dont les buts impérieux sont de « ***faire bonne figure*** » ou de « ***ne pas perdre la face*** » en société.

Cela concerne évidemment soi-même mais aussi les convenances avec l'autre lors des face-à-face afin d'éviter d'assister ou de participer à la « *déconfiture d'une autre personne* ». Laissons la parole à Goffman :

« [...] *alors même que la face sociale d'une personne est souvent son bien le plus précieux et son refuge le plus plaisant, ce n'est qu'un prêt que lui consent la société : si elle ne s'en montre pas digne, elle lui sera retirée. Par les attributs qui lui sont accordés (par la société) et la face qu'ils lui font porter, tout homme devient son propre geôlier. C'est là une contrainte sociale fondamentale, même s'il est vrai que chacun* *peut aimer sa cellule. Tout autant que d'**amour-propre**, le membre d'un groupe quelconque est censé faire preuve de **considération** : on attend de lui qu'il fasse son possible pour ne pas heurter les sentiments des autres ni leur faire perdre la face, ce de façon spontanée et volontaire, par suite d'une identification avec eux. Par conséquent, il devrait répugner à assister à la déconfiture d'une autre personne. »*

Peut-on expliquer plus clairement pourquoi des individus intelligents, cultivés et parfois très critiques sur des sujets qui sont éloignés de leur expertise (je veux parler des participants aux petits mondes scientifiques et médicaux), peuvent devenir prisonniers des rites de la communauté spécialisée à laquelle ils appartiennent ? Par conformisme autant que par prudence élémentaire, connaissant l'énormité de la différence des forces en présence, chacun va respecter les rites établis de sa communauté, tout en pensant peut-être à autre chose !

Ainsi un silence complice règne sur la ville !

Les choses peuvent être décrites de façon un peu plus compliquée, certes, et je n'ai pas d'autre prétention que de susciter la réflexion de mes lecteurs.

Et, pour conclure ce chapitre en forme d'ouverture vers d'autres espaces d'explication, je vais citer un autre magnifique texte de Debord :

*« La Boétie a montré, dans le Discours sur la servitude volontaire, comment le pouvoir d'un tyran doit rencontrer de nombreux appuis parmi les cercles concentriques des individus qui y trouvent, ou croient y trouver, leur avantage. Et de même beaucoup de gens, parmi les politiques et médiatiques qui sont flattés qu'on ne puisse les soupçonner d'être **irresponsables**, connaissent beaucoup de choses par relations et par confidences. Celui qui est content d'être dans la confidence n'est guère porté à la critiquer ; ni donc à remarquer que, dans toutes les confidences, la part principale de la réalité lui sera toujours cachée. Il connaît, par la bienveillante protection des tricheurs, un peu plus de cartes, mais qui peuvent être fausses, et jamais la méthode qui explique et dirige le jeu. Il s'identifie donc tout de suite aux manipulateurs, et méprise l'ignorance qu'au fond il partage. Car les bribes d'information que l'on offre à ces familiers de la tyrannie mensongère sont normalement infectées de mensonges, incontrôlables et manipulées. Elles font plaisir pourtant à ceux qui y accèdent, car ils se sentent supérieurs à tous ceux qui ne savent rien.*

*Elles ne valent du reste que pour faire mieux approuver la domination, et jamais pour la comprendre effectivement. Elles constituent le privilège des **spectateurs de première classe** : ceux qui ont la sottise de croire qu'ils peuvent comprendre quelque chose, non en se servant de ce qu'on leur cache, mais **en croyant ce qu'on leur révèle** ! »*

Je n'ai rien à ajouter à cela sinon que je reconnais dans ce texte, comme dans d'autres du même auteur, point par point, une description de notre monde et des petits mondes de la science, de la recherche et de la médecine que, depuis 30 ans, je fréquente avec assiduité.

CHAPITRE 27

CONCLUSIONS ET RECOMMANDATIONS

J E DOIS, AVANT DE CONCLURE, EXPOSER DEUX NOTIONS fondamentales sans lesquelles mes conclusions et recommandations seraient difficiles à comprendre. J'aurais pu les traiter au début de cet ouvrage avant les exemples pratiques décrits tout au long des différents chapitres. Je les ai rejetées en fin de livre car je ne voulais pas effrayer mes lecteurs non professionnels (auxquels je destinais prioritairement ce travail) par des aspects théoriques et abstraits.

J'espère que ces lecteurs-là ont maintenant bien compris mon message et qu'ils sont prêts à m'accompagner dans une réflexion finale un peu plus technique. Ils ne le regretteront pas. Ces deux questions concernent ce que l'on appelle le « *paradoxe de la prévention* » des maladies chroniques et *la démarche scientifique.*

QUE SIGNIFIE « *PARADOXE DE LA PRÉVENTION* » ?

On désigne ainsi le fait que la très grande majorité des complications des maladies chroniques surviennent chez des gens dont le risque de développer ces maladies est apparemment de faible ou de moyenne amplitude mais qui constituent la grande masse de la population. Ceux qui ont un risque très élevé sont très minoritaires et la totalité des complications qu'ils vont développer constituent une goutte d'eau par rapport à celles présentées par la grande masse des gens « *ordinaires* ». En d'autres termes, une stratégie préventive dirigée vers les cas exceptionnels et qui négligerait la grande masse serait totalement inefficace en termes de santé publique.

Pour reprendre la métaphore du zèbre décrite dans l'*Introduction*, le zèbre de la savane africaine ne devrait pas être notre préoccupation principale quand tous les équidés (chevaux et assimilés) de la planète seraient menacés. Cela ne veut pas dire qu'il ne faut pas essayer de sauver les zèbres mais une politique préventive principalement axée sur les zèbres n'a aucune chance de sauver les chevaux répartis sur tous les continents et toutes les latitudes, de la Terre de feu aux déserts asiatiques.

Je me résume : le cas général doit prévaloir sur les cas particuliers ou exceptionnels en médecine préventive et nous avons surtout besoin d'un savoir qui concerne la majorité des sujets à risque, c'est-à-dire le cas général. Nous avons donc besoin d'un « *guide général* ».

Ceci nous amène à notre deuxième question cruciale – trop longtemps retardée pour ceux qui s'intéressent à la médecine scientifique et aux maladies cardiovasculaires.

Pour élaborer une stratégie efficace contre des maladies aussi épidémiques et sévères que les maladies cardiovasculaires, nous avons besoin d'un *corps de connaissances* sur lequel nous appuyer. En d'autres termes nous avons besoin de *lois générales* sur lesquelles nous allons articuler nos raisonnements. Personne ne contestera que seule la *démarche scientifique* permet de dégager ces lois générales et de les formuler de façon claire.

QU'ENTEND-ON PAR *DÉMARCHE SCIENTIFIQUE* ?

Certains philosophes (cette petite spécialité s'appelle *épistémologie*) ont beaucoup travaillé sur la question de la *démarche scientifique*. Je ne fais pas partie de cette congrégation de gens immensément plus intelligents que moi et pour lesquels, sans aucune ironie, j'ai la plus profonde et respectueuse admiration. Ils ne sont pas très nombreux mais suffisamment pour que je préfère les raisonnements de certains à ceux des autres. Mais cet ouvrage n'est pas le lieu idéal pour exposer les différentes visions des épistémologistes sur ce qu'est la science. Je vais donc rester très superficiel et uniquement présenter en quelques lignes le *socle commun* à ces différentes approches de la philosophie des sciences avec évidemment un *a priori* très égoïste, celui de m'en servir pour expliquer le rôle de la *démarche scientifique* dans la recherche sur les maladies cardiovasculaires.

Une *loi générale* a la prétention d'expliquer (ou de proposer) une théorie descriptive et explicative de la nature ou d'un fragment de nature. Ici, le fragment de nature qui m'intéresse c'est la physiologie cardiovasculaire et ses déviations – lesquelles provoquent les maladies cardiovasculaires.

Une *loi générale* s'énonce. Je vais d'abord prendre un exemple simple hors du cadre compliqué de la médecine et j'énonce que « *Tous les corbeaux vivant dans la vallée du Grésivaudan sont noirs* » !

Pour que cet énoncé soit qualifié de scientifique, il faut qu'il soit vérifiable, c'est une condition primordiale. Si j'avais dit « *Dieu a créé les corbeaux vivant dans la vallée du Grésivaudan* », je serais sorti du contexte de la démarche scientifique puisque cet énoncé n'est pas vérifiable. J'aurais adhéré à une autre démarche intellectuelle et tout aussi respectable, religieuse ou métaphysique.

Revenons à la noirceur de nos corbeaux. Ma proposition, ou théorie, est-elle vraiment vérifiable ? La réponse est oui. C'est difficile, certes, mais pas impossible : il me faut attraper (ou photographier) **tous** les corbeaux vivant dans la vallée du Grésivaudan et vérifier qu'ils sont **tous** noirs. Si je rencontre une seule exception, c'est-à-dire un corbeau qui n'est pas noir (un corbeau albinos), la *loi générale* énoncée ci-dessus concernant la couleur des corbeaux vivant dans la vallée du Grésivaudan devra être, sinon rejetée, du moins modifiée (c'est-à-dire qu'elle devra intégrer l'existence des cas particuliers), mais dans ce cas j'ai bien peur de ne plus pouvoir dire qu'il s'agit d'une *loi générale*.

Ceci dit, les lecteurs ont compris que les scientifiques et les chercheurs ne vont pas procéder de la sorte. Ils vont adapter leurs investigations en fonction du terrain et de leurs moyens techniques. En effet, même s'ils attrapent des milliers de corbeaux, un détracteur de la théorie pourra toujours dire qu'ils ne les ont pas **tous** attrapés et effectivement nul ne peut être certain d'avoir attraper **tous** les corbeaux de la vallée du Grésivaudan.

Comment faire pour valider cette *loi générale* ?

Les scientifiques font le raisonnement suivant : au lieu de chercher à attraper tous les corbeaux, ils vont procéder à des prélèvements (ou des échantillonnages) de corbeaux dans la vallée du Grésivaudan. Ils ne vont pas le faire n'importe comment mais ils vont essayer d'obtenir des échantillons représentatifs de la population de corbeaux vivant dans la vallée du Grésivaudan. Et ils vont raisonner de la façon suivante : la théorie concernant la noirceur des corbeaux de la vallée du Grésivaudan sera acceptable (c'est-à-dire résistante aux critiques) tant que personne n'aura découvert un corbeau qui n'est pas noir.

En présence d'un document montrant un corbeau qui n'est pas noir, la théorie doit être rejetée ou modifiée, comme expliqué précédemment.

Evidemment, tous les scientifiques ont conscience qu'ils travaillent avec des moyens limités, c'est-à-dire seulement sur des *échantillons représentatifs* et non sur la totalité de la population des corbeaux de la vallée. C'est une réserve importante qui introduit un grand degré d'incertitude dans les raisonnements et affirmations des scientifiques. Pour cette raison, la première qualité d'un scientifique sérieux c'est la réserve et la modestie dans ses dires. Evidemment, de temps en temps, il faut forcer son naturel et prendre des positions plus fermes, ce que je fais d'ailleurs dans ce livre, un peu sous le coup de la colère, mais les lecteurs ont compris qu'il aura fallu que je me force un peu.

Le principe d'incertitude dans la démarche scientifique conduit à s'exprimer le plus souvent possible en termes de probabilités et non d'affirmations péremptoires ou, si on veut, à toujours introduire dans nos exposés la notion de possibilité d'erreur ou d'effet du hasard. C'est ici que la démarche scientifique appliquée à la médecine trouve sa seule véritable limite car, pour traiter nos patients, les soulager ou les guérir, il nous faut prendre des décisions parfois radicales qui ne laissent place ni à l'hésitation ni à l'incertitude.

C'est pourquoi les scientifiques travaillant en recherche médicale doivent être encore plus prudents et modestes que ceux travaillant dans d'autres domaines de la science. Ils doivent l'être d'abord du fait de la faiblesse de leurs données scientifiques, mais aussi et surtout parce que la priorité absolue des médecins dans leurs approches thérapeutiques (qu'ils soient chercheurs ou praticiens de campagne) est de ne pas porter préjudice à leurs patients. Autrement dit, en aucun cas, ils ne doivent prendre le risque de nuire à leurs patients : « *Primum non nocere !* »

Ceci ayant été défini, je pense que la majorité des lecteurs sont maintenant prêts à aborder la dernière ligne droite de cet ouvrage et à revenir aux trois questions posées dans l'*Introduction*.

Quelles étaient ces trois questions ?

1) Est-ce que le cholestérol bouche nos artères ?

2) Est-ce que le risque de mourir d'un infarctus est proportionnel au niveau de cholestérol mesuré dans le sang ?

3) Est-ce que la diminution du cholestérol par un aliment, un régime ou un médicament entraîne une réduction du risque de mourir d'un infarctus ?

J'avais répondu *non* aux trois questions de façon laconique. En science et en médecine, les réponses laconiques ne sont acceptables que pour provoquer les lecteurs et stimuler leur curiosité ou leur attention. Les choses sont toujours trop compliquées pour qu'une question ne nécessite pas quelques commentaires et explications.

Pour la 1ere de ces questions, plutôt que *non*, je devrais dire qu'une lésion d'athérosclérose est formée en moyenne pour 70 % de sclérose et seulement 30 % de lipides (la partie *athérome* de la plaque d'athérosclérose). Ces lipides sont divers et variés – phospholipides, triglycérides et esters de cholestérol – et, *au maximum*, le tiers de cette substance lipidique obstructive est du cholestérol. Donc, la bonne réponse à la question est que le cholestérol est en moyenne responsable du 10e du total de la lésion artérielle obstructive.

Il est donc justifié de dire que le cholestérol ne bouche pas les artères ! D'autant plus que, lors de la majorité des infarctus, l'occlusion artérielle ultime est due à une thrombose dont la formation est totalement indépendante du cholestérol.

Un expert du cholestérol qui se réveillerait tout soudain de son sommeil dogmatique pourrait me dire que les choses sont plus subtiles et qu'en fait le cholestérol est certes très minoritaire dans la composition du bouchon artériel mais que ce bouchon (la plaque d'athérosclérose) a une histoire à laquelle le cholestérol a réellement participé ; un peu comme un architecte fait les plans du bâtiment et donne les ordres de construction (il est donc responsable du chantier) mais ne met pas vraiment la main à la pâte. Ce type d'arguments n'a pas de base scientifique sérieuse, je le montre en détails aux chapitres 3 et 4.

Passons donc à notre 2e question concernant le risque de mourir d'un infarctus et le rôle supposé du cholestérol mesuré dans le sang pour évaluer (prédire) ce risque. Je discute longuement cette question, avec des schémas que j'espère compréhensibles au chapitre 5.

Au lieu d'un non abrupt, je devrais dire que, dans certaines populations (ou dans certaines études épidémiologiques), on a effectivement montré une relation positive entre le cholestérol du sang et le risque cardiovasculaire. Le meilleur modèle pour représenter cette relation n'est pas linéaire sous forme d'une droite représentative d'une proportionnalité (ce qui justifie ma réponse négative) mais une asymptote avec une très faible (et négligeable) augmentation du risque pour les valeurs du cholestérol couvrant plus de 90 % de la population générale et une forte augmentation du risque pour des valeurs de cholestérol concernant moins de 10 % de la population. Ce type de relation statistique n'a été décrite que dans les populations masculines blanches et d'origine anglo-saxonne mais est très peu significative chez les femmes, les populations méditerranéennes et slaves et n'existe pas chez les asiatiques. Surtout, dans toutes les populations étudiées à ce jour, cette relation statistique n'existe pas chez les plus de 55 ans, c'est-à-dire aux âges où le risque d'infarctus augmente de façon significative au point que les 3/4 des infarctus enregistrés dans nos sociétés le sont chez les adultes de plus de 55 ans.

On voit donc qu'il faut faire preuve d'une certaine mauvaise foi pour affirmer que *plus le cholestérol augmente, plus le risque de mourir d'un infarctus augmente.* Cela a été observé à une certaine époque (et il faudrait vérifier si c'est toujours le cas trente ans plus tard) dans des populations particulières, et cela ne constitue en rien une généralité mais plutôt une exception. Cela ne peut pas donner lieu à l'énoncé d'une loi *générale.*

Venons-en à la 3ᵉ de nos questions initiales et qui concerne l'effet de la diminution du cholestérol par un aliment, un régime ou un médicament sur le risque de mourir d'un infarctus. C'est la question des essais cliniques.

Si la réponse était positive, nous aurions obligatoirement une relation significative entre le cholestérol et le risque de mourir d'un infarctus, ce qui n'est pas le cas en général, comme discuté ci-dessus.

En conséquence, si on a répondu négativement à la 2ᵉ question, on a en principe peu d'illusion sur les résultats de ces essais cliniques et on regardera leurs résultats prétendus miraculeux avec beaucoup de scepticisme. Comme on a également compris que le cholestérol ne bouche pas les artères, on peut se demander pourquoi une diminution du cholestérol pourrait empêcher les artères de se boucher.

Que nous disent les essais cliniques ? Si on considère les aliments et les régimes anticholestérol, la réponse est négative sans ambiguïté. Si on considère les médicaments anticholestérol, une seule classe de médicaments (les statines) a donné des résultats encourageants lors des premiers essais dans une catégorie de patients particuliers – qui avaient survécu à un infarctus – vivant dans des zones géographiques très particulières (Scandinavie, Australie et Nouvelle Zélande) et ayant des profils de risque très différents de ceux de la majorité des populations concernées aujourd'hui par le risque cardiovasculaires chez nous et presque partout ailleurs. De plus, les essais ultérieurs conduits en Scandinavie au XXIᵉ siècle avec des patients survivants d'un infarctus sont beaucoup plus discutables et globalement négatifs.

Dans d'autres catégories de patients, en prévention primaire, chez les femmes et chez les seniors, les résultats de ces essais sont trop souvent négatifs. J'ai discuté certains de ces essais dans différents chapitres et je n'y reviens pas maintenant. La plupart des essais considérés comme positifs sont, sous l'œil de l'expert indépendant, sévèrement biaisés et d'une crédibilité douteuse.

En conséquence, et contrairement à ce que beaucoup de spécialistes et professionnels abusés croient aujourd'hui, répondre négativement à cette troisième question ne revient pas à prendre une position extrême ou outrancière. Au contraire, c'est la seule réponse rationnelle qu'un scientifique modéré peut donner. Si on raisonne exclusivement sur l'effet d'une réduction du cholestérol, on voit que les données sont au mieux très hétérogènes et contradictoires. Dans toutes les disciplines scientifiques un peu exigeantes sur le plan de la rigueur théorique, un tel ensemble de résultats ne peut donc conduire qu'à répondre négativement à cette troisième question.

Telle est donc la principale conclusion de cet ouvrage : sur la base des connaissances acquises de façon scientifique, et une fois libéré d'un naïf ethnocentrisme et des multiples conflits d'intérêts potentiels, nous devons admettre que chez la très grande majorité des patients décédant ou souffrant d'un infarctus, le cholestérol n'a pas joué de rôle important. En conséquence, l'organisation de la prévention des méfaits de ce *serial killer* doit s'articuler sur des stratégies où le traitement anticholestérol n'a qu'un rôle mineur à jouer.

Je vais terminer cet ouvrage sur des aspects très concrets de la pratique médicale qui intéressent évidemment les médecins praticiens, mais aussi leurs patients, et c'est pourquoi je traite ces questions maintenant en espérant être lu par tous mes lecteurs potentiels, professionnels ou non. Récemment (mars 2007), à la suite d'une conférence que je donnais à une centaine de médecins et concernant la problématique du cholestérol, j'ai été interpellé par plusieurs d'entre eux de la façon suivante : « *Que se passerait-il si un patient chez qui nous aurions stoppé un traitement par statine venait à présenter une attaque cardiaque dans les mois qui suivent l'arrêt du médicament et viendrait nous reprocher de ne pas l'avoir correctement traité ? Les données scientifiques disponibles en faveur des traitements anticholestérol sont-elles aussi faibles que vous le prétendez ? Quels experts viendraient nous défendre si ce reproche se traduisait par une poursuite devant un tribunal ?* »

Cette question montre qu'aujourd'hui de nombreux médecins redoutent les conséquences médico-légales de leurs pratiques professionnelles, et certains d'entre eux développent – comme j'ai pu le constater maintes fois – une forme de paranoïa à cet égard.

Si j'ai écrit ce livre c'est aussi pour fournir à ces médecins craintifs un argumentaire conséquent en cas de problèmes judiciaires. Et si, dans de nombreux chapitres, je suis entré un peu dans les détails (notamment dans les sections *Pour les professionnels*), au risque de lasser les lecteurs non professionnels, c'est également pour bien montrer que mon argumentaire n'était ni superficiel ni arrogant. Je sais que certains experts viendront dire que je raconte des sornettes. C'est normal, puisque mes conclusions vont à l'encontre des leurs. Mais, ce qui sera important pour un quelconque juge ou tribunal, c'est de savoir que des scientifiques et médecins (car je ne suis pas le seul à penser ce qui est écrit dans ce livre) ont porté sur la problématique du cholestérol (et sur les traitements anticholestérol) des regards totalement différents de ceux des experts *officiels*. Ce que ce livre montre, avec ses nombreuses citations, c'est qu'on peut avoir des visions différentes de cette problématique et le fait d'avoir considéré avec sérénité les différentes faces du problème, comme ce livre invite les professionnels à le faire, devrait convaincre ce juge que le médecin accusé n'a pas fait preuve de négligence mais a pris sa décision après avoir pesé les divers avantages et bénéfices du traitement considéré.

Quant aux patients qui seraient susceptibles de reprocher quoi que ce soit à leurs médecins traitants, ils trouveront ici aussi de quoi alimenter leurs réflexions. Ce livre leur est destiné prioritairement, même si dans chaque chapitre j'ai pris la peine d'aborder des aspects très techniques qu'ils ne sont pas obligés de lire.

Maintenant, regardons les aspects très pratiques de ces questions. Nous avons vu que la prescription massive de traitements anticholestérol n'a pas d'impact sur le nombre de crises cardiaques qui surviennent chaque année dans nos pays. Avec près de 6 millions de consommateurs de médicaments type statines, nous enregistrons des centaines de milliers d'accidents cardiovasculaires en France chaque année et ils sont la cause d'environ 150 000 à 180 000 décès. De nombreuses crises cardiaques surviennent en conséquence chez des patients qui sont traités par une statine. A tel point que la question de l'infarctus sous statine (que faire dans ce cas précis ?) fait l'objet maintenant de symposiums et discussions animées dans les milieux cardiologiques. Quand cela arrive, le patient, sa famille et le médecin traitant sont amenés à penser que, malgré tous leurs efforts (et ils préfèrent tous penser qu'ils ont fait de leur mieux), la fatalité a frappé !

Inversement, si cette attaque cardiaque survenait chez un patient qui a cessé un traitement par statine dans les mois ou années précédentes, le patient, sa famille et le médecin traitant pourraient être amenés à penser qu'elle ne serait pas survenue si le traitement n'avait pas été stoppé. Il n'y a pas de document scientifique en faveur d'un scénario de ce genre – auquel je ne crois pas – et on peut très bien penser qu'avec ou sans la statine le patient aurait fait cet infarctus de toute manière.

Pour éviter ce genre de circonstances affligeantes, à la fois pour le médecin et le patient, il faut donc que l'interruption d'un traitement anticholestérol soit accompagnée et je vais faire quelques propositions à mes lecteurs :

1- Je recommande au médecin qui a décidé de stopper un traitement par statine de le faire progressivement et pas brutalement, comme je l'explique au chapitre 17.

2- Il faut expliquer toute cette problématique au patient concerné (et à sa famille) et bien insister sur le fait que l'arrêt du traitement, considéré comme inutile, inefficace et potentiellement toxique, ne va pas pour autant diminuer son risque de faire un infarctus. Il reste exposé à un risque qui dépend essentiellement de son mode de vie (nutrition, tabac et exercice physique) mais aussi de la présence de facteurs de risque traditionnels (diabète et hypertension par exemple) qu'il est important de corriger ou de minimiser.

3- Il est donc crucial que l'arrêt de la satine soit associé à de réels changements des autres facteurs de risque. Bien entendu, l'arrêt du tabac, la reprise d'une activité musculaire significative et l'adoption d'une diète méditerranéenne sont des priorités absolues. Il faut se souvenir que même des petits changements du mode de vie peuvent avoir des effets protecteurs considérables.

4- Dans la pire des situations, c'est-à-dire face à un patient qui ne peut visiblement pas modifier son mode de vie, et pour lequel la seule alternative à la statine sera la prescription d'un autre médicament, la seule prescription qui me paraisse indiscutable en termes d'efficacité et d'innocuité c'est celle de capsules d'acides gras oméga-3. Les acides gras oméga-3 ne sont pas des médicaments mais les patients peuvent les considérer comme tels. La prescription de capsules d'oméga-3 peut être utile évidemment dans de nombreuses autres circonstances cliniques (de préférence en association avec des conseils nutritionnels) mais ce n'est pas le sujet de ce livre.

5- Finalement, il sera important de discuter avec le patient (et sa famille) les raisons pour lesquelles la statine avait été prescrite. Ce sera aussi pour le médecin traitant l'occasion de vérifier l'adéquation de la prescription avec les recommandations dites *officielles*.

Deux circonstances peuvent dès lors se présenter : soit la prescription a été faite en dehors des *recommandations officielles* et l'arrêt de la statine ne peut poser aucun problème médico-légal (mais ce n'est pas une raison pour ne pas suivre les conseils ci-dessus) ; soit la prescription rentre dans le cadre des recommandations officielles et l'on doit redoubler de prudence.

A ce propos, se pose la question de savoir quelles sont les *recommandations officielles* à connaître.

Je propose à mes lecteurs de se référer à deux types de documents :

1) Le texte publié dans la revue de l'*American Heart Association, Circulation*, le 15 novembre 2005 sous le titre *Managing Abnormal Blood Lipids, A collaborative approach* et dont le premier auteur est Barbara Fletcher.

2) Les lecteurs non anglophones devront se contenter des textes publiés par l'*AFSSAPS* (l'Agence Française de Sécurité Sanitaire des Produits de Santé) qu'ils peuvent trouver sur Internet sous les titres *Prise en charge du patient dyslipidémique. Argumentaire* (version de mars 2005) et *Traitement médicamenteux du diabète de type 2* (version novembre 2006).

Inutile de préciser que le contenu de ces documents (rédigés par des experts non moins *officiels* que les recommandations elles-mêmes) est très conformiste et donc assez différent de celui de ce livre. Toutefois, je recommande chaudement aux médecins qui prendraient la décision d'avoir une attitude plus intelligente vis-à-vis des statines de connaître ces documents.

La pratique de la médecine est un métier difficile et complexe et, malgré ma longue expérience et mes efforts d'imagination, je suis conscient que les quelques propositions que je fais ci-dessus ne peuvent certainement pas couvrir toutes les circonstances que les médecins et leurs patients sont susceptibles de rencontrer. J'ai voulu les aider avec mes moyens limités mais je sais que chacun d'eux devra et saura développer, avec ce livre et aussi d'autres – car, j'en suis convaincu, les langues vont se délier – ces propres raisonnements et arguments.

Que chacun de mes lecteurs sache que j'ai écrit ce livre sans autre ambition que celle de les aider et je vais me permettre, pour bien exprimer mon état d'esprit, une dernière citation. Elle est de Montherlant :

« *Tout le mal qui est fait sur la Terre est fait par les convaincus et les ambitieux. Le sceptique sans ambition est le seul être innocent sur la Terre.* »

Les lecteurs auront compris que je me situe exactement dans cette catégorie de scientifiques sceptiques et sans ambition !

BIBLIOGRAPHIE

C e livre étant destiné avant tout au grand public et à des professionnels qui ne sont pas impliqués dans la recherche, une bibliographie exhaustive ne s'avérait pas indispensable. Cet ouvrage n'a pas de prétention académique, il veut ouvrir les yeux des lecteurs, et donc le débat. Quand mon raisonnement nécessite le soutien d'une citation ou de documents que je ne pouvais reproduire, j'ai cité ma source directement dans le texte.

Ceci dit, certains lecteurs un peu plus spécialisés (et donc un peu plus sceptiques quant à mes opinions et conclusions) pourraient s'offusquer que je ne les abreuve pas d'une liste infinie de références médicales et scientifiques qui se voudraient la démonstration que je n'ai rien négligé de toutes les options possibles face à tant de mystères et de contradictions. Entre l'abstention totale (à laquelle j'ai failli céder) et la liste interminable, j'ai finalement choisi le moyen terme, une bibliographie abrégée qui sera insuffisante pour certains et terriblement lourde pour d'autres.

ALBERT C, ET AL. : *Nut consumption and decreased risk of sudden cardiac death in the Physicians' Health Study.* Arch Intern Med, 2002 ;162 : 1382-7.

ALBERT CM, MANSON JE, COOK NR ET AL. : *Moderate alcohol consumption and the risk of sudden cardiac death among US male physicians.* Circulation, 1999 ; 100 : 944-50.

ALBERT CM, ET AL. : *Fish consumption and risk of sudden cardiac death.* JAMA 279 (1998) 23-8.

ALBERT CM, ET AL. : *Blood levels of long chain omega-3 fatty acids an the risk of sudden death.* N Engl J Med 346 (2002) 1113-8.

ALTMAN DG. : *Lead editorial: trials - using the opportunities of electronic publishing to improve the reporting of randomised trials.* Trials, 2006 Mar 23 ; 7:6.

ALTMAN DG. : *Unjustified restrictions on letters to the editor.* PLoS Med. 2005 May ; 2(5):e126; discussion e152. Epub 2005 May 31.

AMARENCO P, ET AL. : *Statins in stroke prevention and carotid atherosclerosis. Systematic review and meta-analysis.* Stroke 2004 ; 35 : 2902-9.

ALBERT CM, ET AL. : *Prospective study of C-Reactive protein, homocysteine, and plasma lipid levels as predictors of sudden cardiac death.* Circulation 2002 ; 105 : 2595-9.

ALBERT CM, ET AL. : *Prospective study of sudden cardiac death among women in the United States.* Circulation 2003 ; 107:2096-2101.

ALONSO A, ET AL : *Low-fat dairy consumption and reduced risk of hypertension. The Seguimienti Universidad de Navarra (SUN) cohort.* Am J Clin Nutr 2005 ; 82 : 972-9.

APPEL L, ET AL. : *Effects of protein, monounsaturated fat and carbohydrate intake on blood pressure and serum lipids. Results of the OmniHeart Randomized trial.* JAMA 2005 ; 294 : 2455-64.

ASCHERIO A, ET AL. : *Dietary intake of marine n-3 fatty acids, fish intake, and the risk of coronary heart disease among men.* N Engl J Med 332 (1995) 978-82.

ASSMANN G, ET AL. : *Simple scoring scheme for calculating the risk of acute coronary events based on the 10-year follow-up of the prospective cardiovascular Munster (PROCAM) study.* Circulation 2002 ; 105 : 310-5.

AUSTIN PC, ET AL. : *Missed opportunities in the secondary prevention of myocardial infarction: an assessment of the effects of statin underprescribing on mortality.* Am Heart J 2006 ; 151 : 969-75.

BAIGENT C, ET AL. : *Efficacy and safety of cholesterol-lowering treatment: prospective meta-analysis of data from 90,056 participants in 14 randomized trials.* Lancet 2005 ; 366 : 1267-78.

BANG HO, DYERBERG J, SINCLAIR HM : *The composition of the Eskimo food in northwestern Greenland.* Am J Clin Nutr. 33 (1980) 2657-61.

BELL RM ET AL. : *Atorvastatin administered at the onset of reperfusion and independent of lipid lowering protects the myocardium by up-regulating a pro-survival pathway.* JACC 2003 ; 41 : 508-15.

BENKIMOUN P : *La revue Nature met au jour les conflits d'intérêt des experts médicaux chargés des recommandations.* Le Monde, 24 octobre 2005.

BENKIMOUN P : *La revue Prescrire stigmatise les travers du système actuel d'évaluation des médicaments.* Le Monde, 24 janvier 2005.

BIGGER JT JR, EL-SHERIF T : *Polyunsaturated fatty acids and cardiovascular events. A fish tale.* Circulation 103 (2001) 623-5.

BILLMAN GE : *Aerobic exercice conditioning: a nonpharmacological antiarrhythmic intervention.* J Appl Physiol 2002 ; 92 : 446-54.

BILLMAN GE, ET AL. : *Prevention of ischemia-induced ventricular arrhythmias by dietary pure n-3 polyunsaturated fatty acids in dogs.* Circulation 99 (1999) 2452-7.

BJELAKOVIC G, ET AL. : *Mortality in randomized trials of antioxidant supplements for primary and secondary prevention: systematic review and meta-analysis.* JAMA 2007 ; 297 : 842(57).

BLANCHARD S : *Polémique autour du système de promotion des médicaments.* Le Monde, 18 juin 2005.

BONNEUX L : *Cholesterol-lowering therapy for smokers and non-smokers : a life-table analysis.* Lancet 2000 ; 356 : 2004-6.

BONOVAS S, ET AL. : *Does pravastatin promote cancer in elderly patients ? A meta-analysis.* CMAJ 2007 ; 176 : 649-54.

BRAATVEDT GD, ET AL. : *The effect of atorvastatin on markers of bone turn over in patients with type 2 diabetes.* Bone 2004 ; 35 : 766-70.

BRENNAN TA, ET AL. : *Health industry practices that create conflicts of interest : a policy proposal for academic medical centers.* JAMA 2006 ; 295 : 429-33.

BRIEL M, ET AL. : *Effect of early treatment with statins on short-term clinical outcomes in acute coronary syndromes.* JAMA 2006 ; 295 : 1973-9.

BRUCKERT E, ET AL. : *Mild to moderate muscular symptoms with high dosage statin therapy in hyperlipidemic patients. The PRIMO Study.* Cardiovasc Drug Therapy 2005 ; 19 : 403-14.

BUCEK RA, ET AL. : *Influence of HMG-CoA reductase inhibitors on the body fat status.* Vasa 2006 ; 35 : 92-5.

BURR ML, FEHILY AM, GILBERT JF : *Effects of changes in fat, fish, and fibre intakes on death and myocardial reinfarction : The Diet And Reinfarction Trial (DART).* Lancet 334 (1989) 757-61.

CANNON CP, ET AL. : *Intensive versus moderate lipid lowering with statins after acute coronary syndromes.* N Engl J Med 2004 ; 350 : 1495-1504.

CANNON CP, ET AL. : *Meta-analysis of cardiovascular outcomes trials comparing intensive versus moderate statin therapy.* JACC 2006 ; 48 : 438-45.

CANNON CP, ET AL. : *Comparison of intensive versus moderate lipid-lowering with statins after acute coronary syndromes.* N Engl J Med 2004; 350 : 1495-504.

CANNON CP : *The IDEAL cholesterol. Lower is better.* JAMA 2005 ;294 : 2492-4.

CHAN AW, ET AL. : *Empirical evidence for selective reporting of outcomes in randomized trials: comparison of protocols to published articles.* JAMA 2004 ; 291 : 2457-65.

CHAN AW, ET AL. : *Identifying outcome reporting bias in randomised trials on PubMed: review of publications and survey of authors.* BMJ 2005 Apr 2 ; 330 (7494) : 753.

CHRISTENSEN JH, GUSTENHOFF P, KORUP E : *Effect of fish oil on heart rate variability in survivors of myocardial infarction: a double blind randomised controlled trial.* BMJ 312 (1996) 677-8.

CHRISTENSEN JH, ET AL. : *Heart rate variability and fatty acid content of blood cell membranes: a dose-response study with n-3 fatty acids.* Am J Clin Nutr 70 (1999) 331-7.

COLLINS R, ET AL. : *Heart Protection Study of cholesterol-lowering with simvastatin in 5963 people with diabetes: a randomized placebo-controlled trial.* Lancet 2003 ; 361 : 2005-16.

CONNOR WE : *Alpha-linolenic acid in health and disease.* Am J Clin Nutr 69 (1999) 827-8.

CUBEDDU L, ET AL. : *Statin withdrawal: clinical implications and molecular mechanisms.* Pharmacotherapy 2006 ; 26 :1288-96.

CUMMINGS JH, ET AL. : *Diet and the prevention of cancer.* BMJ 1998 ;317 :1636-40.

D'AGOSTINO RB, ET AL. : *Validation of the FRAMINGHAM coronary heart disease prediction scores: results of a multiple ethnic groups investigation.* JAMA 2001 ; 286 : 180-7.

DALEN JE ET AL. : *Does lowering cholesterol cause cancer ?* JAMA 1996 ; 275 : 67-70.

DAVIGLUS ML, ET AL. : *Fish consumption and the 30-year risk of fatal myocardial infarction.* N Engl J Med 336 (1997) 1046-53.

DAWSON PA, ET AL. : *Intestinal cholesterol absorption.* Curr Opini Lipidol 1999 ;10 : 315-20.

DE DECKERE EA, ET AL. : *Health aspects of fish and omega-3 polyunsaturated fatty acids from plant and marine origin.* Eur J Clin Nutr 52 (1998) 749-53.

DEEDWANIA P, ET AL. : *Effect of intensive versus moderate lipid-lowering therapy on myocardial ischemia in older patients with coronary heart disease.* Circulation 2007 ; 115 : 700.

DE LEMOS JA, ET AL. : *Early intensive vs a delayed conservative simvastatin strategy in patients with acute coronary syndromes. Phase Z of the A to Z Trial.* JAMA 2004 ; 292 : 1307-16.

DOMENECH RJ : *Preconditioning. A new concept about the benefit of exercice.* Circulation 2006 ; 113 : e1-e3.

DRAEGER A ET AL. : *Statin therapy induces ultrastructural changes in skeletal muscles in patients without myalgia.* J Pathol 2006 ; 210 : 94-102.

ELIAS PK, ET AL. : *Serum cholesterol and cognitive performance in the Framingham Heart Study.* Psychosom Med. 2005 ; 67 : 24-30.

ESPOSETI ED, ET AL. : *The relationship between body weight and drug costs : an Italian population-based study.* Clin Ther 2006 ; 28 : 1472-81.

ESPOSITO K, ET AL. : *Effect of a Mediterranean diet-style diet on endothelial dysfunction and markers of vascular inflammation.* 2004 ; 292 : 1440-6.

FERGUSON D, ET AL. : *Turning a blind eye : the success of blinding reported in a random sample of randomized placebo controlled trials.* BMJ 2004 January 22 (online).

FERRARIO M, ET AL. : *Prediction of coronary events in a low incidence population. Assessing accuracy of the CUORE Cohort Study prediction equation.* Int J Epidemiol. 2005 ; 34 : 413-21

FERRIERES J, ET AL. : *Insuffisance de la prise en charge des patients dyslipidémiques en France.* Arch Mal Cœur 2004 ; 97 :187-93.

FURBERG CD, ET AL. : *The FDA and drug safety. A proposal for sweeping changes.* Arch Intern Med 2006; 166 : 1938-42.

GARATTINI S, ET AL. : *How can research ethics committees protect patients better ?* BMJ 2003 ; 326 : 1199-01.

GERTZ L, ET AL. : *Estimating the high risk group for cardiovascular diseases in the Norwegian HUNT 2 population according to the European guidelines : modelling study.* BMJ 2005 ; 331 : 551-4.

GIDDING SS, ET AL. : *Higher self-reported physical activity is associated with lower systolic blood pressure: the Dietary Intervention Study in Childhood (DISC).* Pediatrics 2006 118 : 2388-93.

GISSI-PREVENZIONE INVESTIGATORS : *Dietary supplementation with n-3 polyunsaturated fatty acids and vitamin E after myocardial infarction: results of the GISSI-Prevenzione trial.* Lancet. 1999 ; 354 : 447-55.

GOLOMB BA : *Implications of statin adverse effects in the elderly.* Expert Opin Drug Saf. 2005 May ; 4(3): 389-97.

GOTTO A : *Statin therapy and the elderly. SAGE Advice ?* Circulation 2007 ; 115 : 681-3.

GOTZCHE PC, ET AL. : *Ghost Authorship in Industry-Initiated Randomised Trials.* PLoS Med. 2007 Jan 16 ; 4(1) : e19.

Gotzche PC. Believability of relative risks and odd ratios in Abstracts: cross sectional study. BMJ 2006 ; 353 : 231-4.

GRAHAM DJ, ET AL. : *Incidence of hospitalized rhabdomyolysis in patients treated with lipid-lowering drugs.* JAMA 2004 ; 292 : 2585-90.

HAFFNER SM : *Do interventions to reduce CHD reduce the incidence of type 2 diabetes ?* Circulation 2001 ; 103 : 346-7.

HAMALAINEN H, ET AL. : *Reduction in sudden death and coronary mortality in myocardial infarction patients after rehabilitation.* 15-year follow-up study. Eur heart J 1995 ; 16 : 1839-44.

HAMBRECHT R, ET AL. : *Percutaneous coronary angioplasty compared with exercice training in patients with stable CHD.* Circulation 2004 ;109 :1371-8.

HARRIS JI, ET AL. : *Statin treatment alters serum n-3 and n-6 fatty acids in hypercholesterolemic patients.* Prostagl Leukot Essent Fatty Acids 2004 ; 71 : 263-9.

HAYWARD RA, ET AL. : *Narrative review. Lack of evidence of recommended low-density lipoprotein treatment targets: a solvable problem.* Ann Intern Med 2006 ; 145 : 520-30.

HEART PROTECTION STUDY COLLABORATIVE GROUP : *MRC : BHF heart protection Study of cholesterol lowering with simvastatin in 20 536 high-risk individuals: a randomised placebo-controlled trial.* Lancet 2002 ; 360:7-22.

HEART PROTECTION STUDY COLLABORATIVE GROUP : *Effects of cholesterol-lowering with simvastatin on stroke and other major vascular events in 20 536 people with cerebrovascular disease or other high-risk conditions.* Lancet 2004 ; 363 : 757-67.

HEISS C, ET AL. : *Acute consumption of flavanol-rich cocoa and the reversal of endothelial dysfunction in smokers.* JACC 2005 ; 46 : 1276-83.

HENSE HW, ET AL. : *Framingham risk function overestimates risk of coronary heart disease in men and women from Germany. Results from the MONICA Augsburg and the PROCAM cohorts.* Eur Heart J. 200 ; 24 : 937-45.

HERCBERG S ET AL. : *The SU.VI.MAX Study: a randomized, placebo-controlled trial of the health effects of antioxidant vitamins and minerals.* Arch Intern Med. 2004 ; 164 : 2335-42.

HERMAN AG, ET AL. : *Therapeutic potential of nitric oxide donors in the prevention and treatment of atherosclerosis.* Eur Heart J 2005 ; 26 : 1945-55.

HESSE BW, ET AL. : *Trust and sources of health information.* Arch Intern Med 2005 ; 165 : 2618-24.

HITTEL DS, ET AL. : *Exercise training increases electron and substrate shuttling proteins in muscle of overweight men and women with the metabolic syndrome.* J Appl Physiol. 2005 98 : 168-79.

HORDIJK-TRION M, ET AL. : *Patients enrolled in coronary intervention trials are not representative of patients in clinical practice: results from the Euro Heart Survey on Coronary Revascularization.* Eur Heart J. 2006 Mar ; 27(6) : 671-8.

HOWARD B, ET AL. : *Low fat dietary pattern and risk of cardiovascular disease. The women's Health Initiative randomized controlled dietary modification Trial.* JAMA 2006 ; 295 : 655-66.

HU FB, STAMPFER MJ, MANSON JE : *Dietary intake of alpha-linolenic acid and risk of fatal ischemic heart disease among women.* Am J Clin Nutr 69 (1999) 890-7.

HULTEN E, ET AL. : *The effect of early intensive statin therapy on acute coronary syndrome: a meta-analysis of randomized controlled trials.* Arch Intern Med 2006 ; 166 : 1814-21.

HUNT D, ET AL. : *Benefits of pravastatin on cardiovascular events and mortality in older patients with coronary heart disease are equal to or exceed those seen in younger patients: Results from the LIPID trial.* Ann Intern Med. 2001 ; 134 : 931-40.

IWATA H, ET AL. : *Effects of pravastatin in the elderly.* Ann Intern Med 2002 ; 136 (11) : W2.

JOLLIFFE JA, ET AL. : *Exercice-based rehabilitation for CHD.* Cochrane Database System Rev 2000 ;4 : CD001800.

KANG JX, LEAF A : *Antiarrhythmic effects of polyunsaturated fatty acids: recent studies.* Circulation 94 (1996) 1774-80.

KASHANI A, ET AL. : *Risk associated with statin therapy.* Circulation 2006 ; 114 : 2788-97.

KEECH A, ET AL. : *Secondary prevention of cardiovascular events with long-term pravastatin in patients with diabetes or impaired fasting glucose: results from the LIPID trial.* Diabetes Care 2003 ; 26 : 2713-21.

DE KERVASDOUÉ J : *Une nation d'hypocondriaques vieillissants.* Le Monde, 20 décembre 2004.

KEYS A : *Mediterranean diet and public health: personal reflections.* Am J Clin Nutr 1995 ; 61 : 1321S-1323S.

KEYS A, ET AL. : *The diet and 15-year death rate in the seven countries study.* Am J Epidemiol. 1986 ; 124 : 903-15.

KEYS A ET AL. : *The seven countries study: 2,289 deaths in 15 years.* Prev Med. 1984 ; 13:141.

KHUSH KK, ET AL. : *Effect of high-dose atorvastatin on hospitalizations for heart failure.* Circulation 2007 ; 115 : 576-83.

KIMM SY, ET AL. : *Decline in physical activity in black girls and white girls during adolescence.* N Engl J Med. 2002 Sep 5 ; 347 : 709-15.

Knapp HR, et al. : *In vivo indexes of platelet and vascular function during fish oil administration in patients with atherosclerosis.* N Engl J Med 314 (1986) 937-42.

KNOPP RH, ET AL. : *Efficacy and safety of atorvastatin in the prevention of cardiovascular end points in subjects with type 2 diabetes: the Atorvastatin Study for Prevention of Coronary Heart Disease Endpoints in non-insulin-dependent diabetes mellitus (ASPEN).* Diabetes Care 2006 ; 29 :1478-85.

KOKKINOS P, ET AL. : *Dietary influences on blood pressure : the effect of the Mediterranean diet on the prevalence of hypertension.* J Clin Hypertens 2005 ;7 :165-70.

KOREN MJ, HUNNINGHAKE DB, ALLIANCE INVESTIGATORS : *Clinical outcomes in managed-care patients with coronary heart disease treated aggressively in lipid-lowering diseases management clinics. The ALLIANCE Study.* JACC 2004 ; 44 : 1772-9.

KRAUSS RM, ET AL. : *AHA dietary guidelines: revision 2000: a statement for healthcare professionals from the Nutrition Committee of the American Heart Association.* Circulation 102 (2000) 2284-99.

KROMHOUT D : *Fish consumption and sudden cardiac death.* JAMA 279 (1998) 65-6.

KURTH T, ET AL. : *Lipid levels and the risk of ischemic stroke in women.* Neurology 2007 ; 68 : 556-62.

LANDS WE, ET AL. : *Quantitative effects of dietary polyunsaturated fats on the composition of fatty acids in rat tissues.* Lipids 25 (1990) 505-16.

LAROSA JC, ET AL. : *Intensive lipid lowering with atorvastatin in patients with stable coronary disease.* N Engl J Med 2005 ; 352 : 1425-35.

LA ROVERE MT ET AL., FOR THE ATRAMI (Autonomic Tone, and Reflexes after Myocardial Infarction) INVESTIGATORS : *Baroreflex sensitivity and heart-rate variability in prediction of total cardiac mortality after myocardial infarction.* Lancet 351 (1998) 478-84.

LEAF A, ET AL. : *Clinical prevention of sudden cardiac death by n-3 polyunsaturated fatty acids and mechanism of prevention of arrhythmias by n-3 fish oils.* Circulation 107 (2003) 2646-52.

LECERF JM : *Acides gras, margarines et santé en 2005.* NAFAS 2005 ;3 : 3-16.

LEIGHTON F, ET AL. : *A central role of eNOS in the protective effect of wine.* Cell Biochem Funct 2006 ; 24 : 291-8.

LEMAITRE RN, ET AL. : *Leisure-time physical activity and the risk of primary cardiac arrest.* Arch Intern Med 1999 ; 159 : 686-90.

LEON AS, ET AL. : *Cardiac rehabilitation and secondary prevention of CHD.* Circulation 2005 ;111 : 369-76.

LEXCHIN J, ET AL. : *Pharmaceutical industry sponsorship and research outcome and quality. Systematic review.* BMJ 2003 ; 326 : 1167-70.

LIEM AH, ET AL. : *Effect of fluvastatin on ischaemia following acute myocardial infarction.* A randomized trial. Eur heart J 2002 ; 23 : 1931-7.

DE LORGERIL M, SALEN P : *Wine ethanol, platelets, and Mediterranean diet.* Lancet 1999 ; 353 : 1067.

DE LORGERIL M, SALEN P, MARTIN JL, ET AL. : *Wine drinking and risks of cardiovascular complications after recent acute myocardial infarction.* Circulation 2002 ; 106 : 1465-9.

DE LORGERIL M, SALEN P, ET AL. : *Mediterranean diet and the French paradox: two distinct biogeographic concepts for one consolidated scientific theory on the role of nutrition in coronary heart disease.* Cardiovasc Res. 2002 ; 54 : 503-15.

DE LORGERIL M, SALEN P, LAPORTE F, DE LEIRIS J : *Alpha-linolenic acid in the prevention and treatment of coronary heart disease.* Eur Heart J (Suppl D) (2001) D26-32.

DE LORGERIL M, SALEN P : *Fish and n-3 fatty acids for the prevention and treatment of coronary heart disease.* Nutrition is not pharmacology. Am J Med 2002 ; 112 : 316-9.

DE LORGERIL M, ET AL. : *Lipid-lowering drugs and essential omega-6 and omega-3 fatty acids in patients with coronary heart disease.* Nutr Metab Cardiovasc Dis 2005 ; 15 : 36-41.

DE LORGERIL M, ET AL. : *Dietary prevention of sudden cardiac death.* Eur Heart J. 2002 ;23:277.

DE LORGERIL M, ET AL. : *The diet-heart hypothesis in secondary prevention of CHD.* Eur Heart J 1997 ; 18 :13-8.

DE LORGERIL M, ET AL. : *Mediterranean diet, traditional risk factors and the rate of cardiovascular complications after myocardial infarction.* Final report of the Lyon Diet Heart Study. Circulation 99 (1999) 779-85.

MANTEL-TEEUWISSE AK, ET AL. : *Recent trends in (under)treatment of hypercholesterolemia in The Netherlands.* Br J Clin Pharmacol 2004 ; 58 : 310-6.

MARCHIOLI R, VALAGUSSA F, DEL PINTO M : *Mediterranean dietary habits and risk of death after myocardial infarction.* Circulation 102 (Suppl II) (2000) 379.

MARCKMANN P, GRONBAEK M : Fish consumption and coronary heart disease mortality. A systematic review of prospective cohort studies. Eur J Clin Nutr 53 (1999) 585-90.

MARK DB, ET AL. : *Exercice capacity. The prognostic variable that doesn't get enough respect.* Circulation 2003;108:1534-6.

MCCARTHY M : *US Food and Drug Administration pushed to change.* Lancet 2006 ; 367 : 1643.

MCGOWAN MD : *There is no evidence of an increase in acute coronary syndromes after short-term abrupt discontinuation of statins in stable coronary patients.* Circulation 2004 ; 110 : 2333-5.

MCELDUFF P, ET AL. : *American, British and European recommendations for statins in the primary prevention of CHD applied to British men studied prospectively.* Heart 2006 ; 92 : 1213-8.

MCGWIN G, ET AL. : *3-hydroxy-3-methylglutaryl coenzyme a reductase inhibitors and the presence of age-related macular degeneration in the Cardiovascular Health Study.* Arch Ophtalmol 2006 ; 124 : 33-7.

MIETTINEN TA, ET AL. : *Reduction of serum cholesterol with sitostanol-ester margarine in a mildly hypercholesterolemic population.* N Engl J Med 1995 ; 333 :1308-12.

MOHER D, ET AL. : *Epidemiology and Reporting Characteristics of Systematic Reviews.* PLoS Med. 2007 Mar 27;4(3):e78.

MOOSMANN B, ET AL. : *Selenoprotein synthesis and side-effects of statins.* Lancet 2004 ; 363 : 892-4.

MORIN H : *Un chercheur américain sur 3 coupable d'inconduite scientifique.* Le Monde, 10 juin 2005.

MORRIS MC, ET AL. : *Fish consumption and cardiovascular disease in the Physicians' Health Study: a prospective study.* Am J Epidemiol 142 (1995) 166-75.

MULDOON MF, ET AL. : *Randomized trial of the effects of simvastatin on cognitive functioning in hypercholesterolemic adults.* Am J Med. 2004 ; 117 : 823-9.

MYERS J, ET AL. : *Exercice capacity and mortality among men referred for exercice testing.* N Engl J Med 2002 ;346 :793-801.

NABHAN AF : *A randomized clinical trial of the effects of isosorbide mononitrate on bone formation and resorption in post-menopausal women.* A pilot study. Hum Reprod 2006 ; 21 : 1320-4.

NAKATA M, ET AL. : *Effects of statins on the adipocyte maturation and expression of glucose transporter 4.* Diabetologia 2006 ; 49 : 1881-92.

NAPOLI C : *Oxidation of LDL, atherogenesis and apoptosis.* Ann N Y Acad Sci. 2003 ; 1010 : 698-709.

NAPOLI C, ET AL. : *Maternal hypercholesterolemia during pregnancy promotes early atherogenesis in LDL receptor-deficient mice and alters aortic gene expression determined by microarray.* Circulation 2002 ; 105 : 1360-7.

NAPOLI C, ET AL. : *Maternal hypercholesterolemia enhances atherogenesis in normocholesterolemic rabbits, which is inhibited by antioxidant or lipid-lowering intervention during pregnancy: an experimental model of atherogenic mechanisms in human fetuses.* Circ Res. 2000 ; 87 : 946-52.

NAPOLI C, ET AL. : *Influence of maternal hypercholesterolaemia during pregnancy on progression of early atherosclerotic lesions in childhood : Fate of Early Lesions in Children (FELIC) study.* Lancet 1999 ; 354 : 1234-41.

NEIL HA, ET AL. : *Analysis of efficacy and safety in patients aged 65-75 years at randomization.* Diabetes Care 2006 ; 29 :2378-84.

NODA H, ET AL. : *Walking and sport participation and mortality from CHD and stroke.* JACC 2005 ; 46 : 1761-7.

O'KEEFE JH, ET AL. : *Optimal low-density lipoprotein is 50 to 70 mg/dl.* JACC 2004 ; 43 : 2142.

OLSSON AG, ET AL. : *Effects of high-dose atorvastatin in patients >65 years of age with acute coronary syndrome (from the MIRACL study).* Am J Cardiol 2007 ; 99 : 632-5.

OOMEN CM, ET AL. : *Fish consumption and coronary heart disease mortality in Finland, Italy, and the Netherlands.* Am J Epidemiol 151 (2000) 999-1006.

OSKARSSON HJ, ET AL. : *Dietary fish oil supplementation reduces myocardial infarct size in a canine model of ischemia and reperfusion.* J Am Coll Cardiol 21 (1993) 1280-5.

PAALADINESH T, ET AL. : *Primary prevention of cardiovascular disease with statin therapy. A Meta-analysis of randomized controlled trials.* Arch Intern Med 2006 ; 166 : 2307-13.

PAVY B, ET AL. : *Safety of exercise training for cardiac patients.* Arch Intern Med 2006 ; 166 : 2329-34.

PEDERSEN TR, ET AL. : *High-dose atorvastatin vs usual-dose simvastatin for secondary prevention after myocardial infarction. The IDEAL Study. A randomized controlled trial.* JAMA 2005 ; 294 : 2437-45.

PEPE S, McLENNAN PL. : *Cardiac membrane fatty acid composition modulates myocardial oxygen consumption an postischemic recovery of contractile function.* Circulation 105 (2002) 2303-8.

PERSELL SD, ET AL. : *National Cholesterol Education Program risk assessment and potential for risk misclassification.* Prev Med. 2006 ; 43 : 368-71.

PIGNONE M, ET AL. : *Use of lipid lowering drugs for primary prevention of coronary heart disease: meta-analysis of randomised trials.* BMJ 2000 ; 321 : 983-6.

PITT BG, ET AL. : *Agressive lipid-lowering therapy compared with angioplasty in stable coronary artery disease.* N Engl J Med 1999 ; 341 :70-76.

PLUTZKY J ET AL. : *Statins for stroke. The second story ?* Circulation 2001 ; 103 : 348-50.

POLLAN M : *Unhappy meals. Eat food. Not too much. Mostly plants.* The New York Times, 28 janvier 2007.

POYNTER JN, ET AL. : *Statins and the risk of colorectal cancer.* N Engl J Med 2005 ; 352 : 2184.

PSATY B, ET AL. : *The association between lipid levels and the risks of myocardial infarction and stroke.* J Am Geriatric Soc 2004 ; 52 : 1639-47.

RAE-ELLEN W, ET AL. : *Cardiovascular risk reduction in high-risk pediatric patients.* Circulation 2006 ; 114 : 2710-38.

RAY KK, ET AL. : *Benefits of achieving the NCEP optional LDL-C goal among elderly patients with ACS.* Eur Heart J 2006 ; 27 : 2310-6.

RENAUD S, DE LORGERIL M : *Wine, alcohol, platelet aggregation and the French Paradox for coronary heart disease.* Lancet 1992 ; 339 : 1523-6.

RIKITAKE Y, ET AL. : *Rho GTPases, statins and nitric oxide.* Circ Res 2005 ;97 :1232-5.

ROBERTS CK, ET AL. : *Effect of diet and exercice intervention on blood pressure, insulin, oxidative stress and nitric oxide availability.* Circulation 2002 ; 106 : 2530-2.

ROSS R : *Atherosclerosis – an inflammatory disease.* N Engl J Med 1999 ; 340 :115-26.

SACKS FM, ET AL. : *The effect of pravastatin on coronary events after myocardial infarction in patients with average cholesterol levels.* N Engl J Med 1996 ; 335 :1001-9.

SALONEN JT, ET AL. : *Intake of mercury from fish, lipid peroxidation, and the risk of myocardial infarction and coronary, cardiovascular, and any death in eastern Finnish men.* Circulation 91 (1995) 645-55.

SCANDINAVIAN SIMVASTATIN SURVIVAL STUDY GROUP : *Randomised trial of cholesterol lowering in 4444 patients with coronary heart disease. The Scandinavian Simvastatin Survival Study (4S).* Lancet 1994, 344 : 1383-9.

SCHWARZ GG, ET AL. : *Effects of atorvastatin on early recurrent ischemic events in acute coronary syndromes. The MIRACL Study: a randomized controlled trial.* JAMA 2001 ; 285 : 1711-8.

SCHWARTZ GG, ET AL. : *Effects of atorvastatin on early recurrent ischemic events in acute coronary syndromes.* JAMA 2001 ; 285 : 1711-8.

SEHAYEK E : *Genetic regulation of cholesterol absorption and plasma plant sterol levels: commonalities and differences.* J Lipid Res 2003 ; 44 : 2030-8.

SEVER PS, ET AL. : *Prevention of coronary and stroke events with atorvastatin in hypertensive patients who have average or lower-than average cholesterol concentrations in the Anglo-Scandinavian Cardiac Outcomes Trial - Lipid Lowering Arm (ASCOT-LLA): a multicenter randomised controlled trial.* Lancet 2003 ; 361 :1149-58.

SETOGUCHI S, ET AL. : *Statins and the risk of lung, breast and colorectal cancer in the elderly.* Circulation 2007 ; 115 : 27-33.

SHEPHERD J, BLAUW JG, MURPHY MB, BOLLEN EL, ET AL. : *Pravastatin in elderly individuals at risk of vascular disease (PROSPER): a randomised controlled trial.* Lancet 2002 ; 360 : 1623-30.

SHEPERD J, ET AL. : *Effect of Lowering LDL cholesterol substantially below currently recommended levels in patients with CHD and diabetes: the Treating to New Targets (TNT) Study.* Diabetes Care 2006 ; 29 :1220-6.

SIJBRANDS EJ, ET AL. : *Mortality over two centuries in large pedigree with familial hypercholesterolemia: family tree mortality study.* BMJ 2001 ; 322 : 1019-23.

SINZINGER H, ET AL. : *Professional athletes suffering from familial hypercholesterolemia rarely tolerate statin treatment because of muscular problems.* Br J Clin Pharmacol 2004 ; 57 : 525-8.

SISCOVICK DS, RAGHUNATHAN TE, KING I : *Dietary intake and cell membrane levels of long-chain omega-3 polyunsaturated fatty acids and the risk of primary cardiac arrest.* JAMA 274 (1995) 1363-7.

SLENTZ CA ET AL. : *Modest exercice prevents the progressive disease associated with physical inactivity.* Exerc Sport Sci rev 2007 ; 35 : 18-23.

STARY HC : *Natural history and histological classification of atherosclerotic lesions: an update.* Arterioscler Thromb Vasc Biol. 2000 ; 20 : 1177-8.

STARY HC, ET AL. : *A definition of initial, fatty streak, and intermediate lesions of atherosclerosis. A report from the Committee on Vascular Lesions of the Council on Arteriosclerosis, American Heart Association.* Circulation. 1994 ; 89 : 2462-78.

STARY HC, ET AL : *A definition of advanced types of atherosclerotic lesions and a histological classification of atherosclerosis. A report from the Committee on Vascular Lesions of the Council on Arteriosclerosis, American Heart Association. Circulation.* 1995 ; 92 : 1355-74.

STEINBERG D : *Thematic review series: the pathogenesis of atherosclerosis. An interpretive history of the cholesterol controversy: part I.* J Lipid Res. 2004 ; 45:1583-93.

STEINBERG D : *Thematic review series: the pathogenesis of atherosclerosis: an interpretive history of the cholesterol controversy, part III: mechanistically defining the role of hyperlipidemia. J Lipid Res.* 2005;46 : 2037-51.

STEINBERG D : *Thematic review series: the pathogenesis of atherosclerosis. An interpretive history of the cholesterol controversy, part V: the discovery of the statins and the end of the controversy.* J Lipid Res. 2006 ; 47 : 1339-51.

STEINBERG D : *Is the oxidative modification hypothesis relevant to human atherosclerosis? Do the antioxidant trials conducted to date refute the hypothesis ?* Circulation 2002 ; 105 : 2107.

STEINBERG D : *Clinical trials of antioxidants in atherosclerosis: are we doing the right thing ?* Lancet 1999; 346 : 36-8.

STEWART R, ET AL. : *Twenty-six-year change in total cholesterol levels and incident dementia: the Honolulu-Asia Aging Study. Arch Neurol.* 2007 ; 64 : 103-7.

TALBERT RL : *Safety issues with statin therapy.* J Am Pharm Assoc 2006 ; 46 : 479-90.

TANASESCU M, ET AL : *Exercice type and intensity in relation with CHD in men.* JAMA 2002 ; 288 : 1994-2000.

THE ALLHAT OFFICERS AND COORDINATORS FOR THE ALLHAT COLLABORATIVE RESEARCH GROUP : *Major outcomes in moderately hypercholesterolemic, hypertensive patients randomized to pravastatin vs. usual care: the Antihypertensive and Lipid-Lowering Treatment to prevent Heart Attack Trial (ALLHAT-LLT).* JAMA 2002 ; 288 : 2998-3007.

THE LIPID STUDY GROUP : *Prevention of cardiovascular events and death with pravastatin in patients with coronary heart disease and a broad range of initial cholesterol levels.* N Engl J Med 1998 ; 339 : 1349-57.

THE STROKE PREVENTION BY AGRESSIVE REDUCTION IN CHOLESTEROL LEVELS (SPARCL) INVESTIGATORS : *High-dose atorvastin after stroke or transient ischemic attack.* N Engl J Med 2006 ; 355 : 549-59.

THOMPSON PD, ET AL. : *An assessment of statin safety by muscle experts.* Am J Cardiol 2006 ;97[suppl] :69C-76C.

TIWARI A : *An overview of statin-associated proteinuria.* Drug Discov Today 2006 ; 11 : 458.

TOPOL EJ : *Intensive statin therapy. A sea change in cardiovascular prevention.* N Engl J Med 2004 ;350 :15-17.

TREVISAN M : *Cholesterol lowering and mortality : a great success story !* Nutr Metab Cardiovasc Dis 2006; 16 : 391-4.

TSIMIKAS S, REAVEN PD : *The role of dietary fatty acids in lipoprotein oxidation and atherosclerosis.* Curr Opin Lipidol 9 (1998) 301-7.

TUNSTALL-PEDOE H, ET AL. : *Contributions of trends in survival and coronary-event rates to changes in coronary heart disease mortality: 10-year results from 37 WHO MONICA Project populations.* Lancet 1999 ; 353 : 1547-57.

VIJAN S, ET AL. : *Pharmacologic lipid-lowering therapy in type 2 diabetes mellitus : background paper for the American College of Physicians.* Ann Intern Med 2004 ; 140 : 650-8.

VOSS R, ET AL. : *Prediction of risk of coronary events in middle-aged men in the Prospective Cardiovascular Munster Study (PROCAM) using neural networks.* Int J Epidemiol. 2002 ; 31 : 1253-62.

WALLERATH T, ET AL. : *Red wine increases the expression of human endothelial NO synthase.* JACC 2003 ; 41 : 471-8.

WALSH JM, PIGNONE M : *Drug treatment of hyperlipidemia in women.* JAMA 2004 ; 291 : 2243-9.

WANNAMETHEE SG, ET AL. : *Physical activity and mortality in older men with diagnosed CHD.* Circulation 2000 ; 102 : 1358-63.

WANNER C, ET AL. : *Atorvastatin in patients with type 2 diabetes mellitus undergoing hemodialysis.* N Engl J Med 2005 ; 353 : 238-48.

WEICHUNG JS : *Problems in dealing with missing data and informative censoring in clinical trials.* Curr Control Trials Cardiovasc Med 2002 ; 3 : 4

WHITTINGTON C, ET AL. : *Selective serotonin reuptake inhibitors in childhood depression: systematic review of published versus unpublished data.* Lancet. 2004 ; 3631341-5.

WILDMAN RP, ET AL. : *A dietary and exercice intervention slows menopause-associated progression of subclinical atherosclerosis.* JACC 2004 ; 44 : 579-85.

WIVIOTT DS? ET AL. : *Can low-density lipoprotein be too low? The safety and efficacy of achieving very low low-density lipoprotein with intensive statin therapy.* JACC 2005 ; 46 : 1411-6.

WU G, ET AL. : *Regulation of NO synthesis by dietary factors.* Annu Rev Nutr 2002 ; 22 : 61.

XU JW, ET AL. : *Upregulation of endothelial NO synthase by anthocyanidin pigment.* Hypertension 2004 ; 44 : 217.

YAN AT, ET AL. : *Contemporary management of dyslipidemia in high-risk patients: targets still not met.* Am J Med 2006 ; 119 : 676-83.

YEUNG AC : *Statin therapy. Beyond cholesterol lowering and anti-inflammatory effects.* Circulation 2002;105:2937-40.

ZATONSKI WA, ET AL. : *Changes in dietary fat and declining coronary heart disease in Poland : population based study.* BMJ 2005 ; 331 :187-9.

ZHENG ZJ, ET AL. : *Sudden cardiac death in the United States, 1989 to 1998.* Circulation 2001 ; 104 : 2158-63.

ZOCK PL, ET AL. : *Butter, margarine and serum lipoproteins.* Atherosclerosis 1997 ;131 :7-16.

INDEX
QUESTIONS ABORDÉES DANS LA SECTION
POUR LES PROFESSIONNELS

THIERRY SOUCCAR ÉDITIONS

Ouvrages déjà parus

- Arrêtons de vieillir

- Le régime IG minceur

- Lait, mensonges et propagande

- Le guide pratique de la médecine anti-âge

- Le guide conseil de tous les aide-minceur